1 MONTH OF
FREE
READING

at

www.ForgottenBooks.com

By purchasing this book you are eligible for one month membership to ForgottenBooks.com, giving you unlimited access to our entire collection of over 1,000,000 titles via our web site and mobile apps.

To claim your free month visit:

www.forgottenbooks.com/free1025726

ISBN 978-0-331-19536-1
PIBN 11025726

Historisches Taschenbuch.

Dritte Folge.

Zehnter Jahrgang.

Historisches Taschenbuch.

Herausgegeben

von

Friedrich von Raumer.

Dritte Folge.

Zehnter Jahrgang.

Leipzig:
F. A. Brockhaus.

1859.

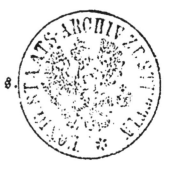

Inhalt.

———

Don Carlos von Spanien.

Von

Adolph Helfferich.

Historisches Taschenbuch. Dritte F. X.

I.

In Madrid wird unter den Gelehrten allgemein geglaubt, Ferdinand VII. habe die auf den Proceß des Infanten Don Carlos bezüglichen Acten, die König Philipp nach dem glaubwürdigen Zeugniß Cabrera's [1]) in einem grünen Schranke in den Archiven von Simancas verwahren ließ, von dort wegnehmen lassen, und seitdem seien dieselben spurlos verschwunden. Aufgefunden wenigstens hat sie keiner weder der einheimischen, noch der ausländischen Gelehrten, welche in ziemlicher Anzahl seit einer Reihe von Jahren die Schätze von Simancas untersucht und zum Theil an die Oeffentlichkeit gebracht haben. Als Gachard im Auftrag der belgischen Regierung im Jahr 1844 die spanischen Archive behufs Bereicherung und Aufklärung der belgischen Geschichte durchforschen sollte, fand er Simancas für seine Zwecke so gut als verschlossen: kein Fremder hatte bis dahin einen Fuß in das Heiligthum gesetzt, und selbst Einheimische konnten nur mit größter Mühe die Erlaubniß einer Besichtigung der daselbst aufgestapelten Schätze erlangen. Robertson, wie er seine „History of America" schrieb, hatte sich deshalb nach Madrid begeben: der damalige englische Gesandte konnte

1 *

indessen nichts mehr für ihn thun, als daß man ihn
die auf die Entdeckung Amerikas Bezug habenden Papiere zwar sehen, aber nicht einsehen ließ, wozu er ebenso wahr als spitzig bemerkt, die Spanier würden am
Ende begreifen lernen, daß ein solches Benehmen un-
politisch und unhöflich zugleich sei.   Da während der
Anwesenheit Gachard's in Spanien auch ein Franzose
namens Tiran mit ähnlichen Absichten dahin gekommen
war, erwirkten die Gesandten Frankreichs und Belgiens
von dem damaligen Regentschaftsministerium und der
auf dieses folgenden provisorischen Regierung wenigstens
eine beschränkte Erlaubniß, die spanischen Archive fortan
benutzen zu dürfen.   Die bloße Berufung auf das unterm 20. April 1844 erlassene Reglement öffnete indeß
unserm Landsmann G. Heine noch nicht die Pforte zu
dem iberischen Venusberge: es bedurfte der Vermittelung
des Grafen Bresson, damit derselbe die ausdrückliche Genehmigung erhielt, seine geschichtlichen Forschungen daselbst fortzusetzen.   Ganz neuerdings ist es Prescott gelungen, mit Hülfe seiner spanischen Freunde sich sogar
Abschriften von den unter dem Namen „Patronato" nur
ausnahmsweise und ungern zur Einsicht vorgelegten königlichen Familienpapieren, die in Simancas aufbewahrt
werden, Abschriften zu verschaffen.[2])

Der erste Gedanke, die Staatspapiere der spanischen
Monarchie in der alten Festung Simancas aufzubewah-
ren, rührt von dem Cardinal Francisco Ximenes de Cisneros her, wie Rafael de Floranes[3]) auf das Zeugniß Pedro's de Quintanilla y Mendoza hin berichtet.
Simancas liegt ganz nahe bei Valladolid, wo die spanischen Könige nur kurze Zeit ihre stehende Residenz

hatten. Beim Aufstand der „Communeros" fielen die Papiere und Schriftsachen den Insurgenten in die Hände, die einen großen Theil davon vernichteten. Was der Zerstörung entging, wurde im Jahr 1531 auf Befehl Karl's V. sorgfältig zusammengesucht, zu welchem Behuf sogar eine päpstliche Bulle an solche erging, welche dergleichen Schriftstücke entweder selbst besaßen oder um deren Verbleib wußten; aber erst 1543 entschied der Kaiser sich für Simancas, und Philipp II., der in allem, was auf Staatsgeschäfte Bezug hatte, ebenso viel Ordnungsliebe als Fleiß beurkundete, verordnete weitere Nachforschungen. Das Meiste dafür soll Diego de Ayala gethan haben, und seitdem vererbte sich das Amt eines Archivars in der Familie von Geschlecht zu Geschlecht. Der wiederholt aufgetauchte Plan, ein Archiv in Madrid anzulegen, kam nicht zur Ausführung, und auch die vor einigen Jahren beabsichtigte Verlegung des ausgiebigen Materials von Simancas nach dem Escurial dürfte wol noch längere Zeit ein frommer Wunsch bleiben. Wie es unter Napoleon I. zuging, weiß man. Derselbe trug sich mit dem riesenhaften Vorhaben, Paris zum Mittelpunkt aller Archive zu machen, in deren Besitz der französische Adler auf seinen Eroberungsflügen gelangen würde. Zuerst wurden in 3139 Kisten alle Actenstücke des Deutschen Reichs, welche die Franzosen 1809 in Wien vorfanden, verpackt und über Strasburg nach Paris geschickt. Nicht besser erging es den Sammlungen des Vatican, und nach diesen kam die Reihe auch an Simancas. General Kellermann schickte 60 Kisten ab, ließ aber zugleich den Minister des Innern wissen, daß, falls alle Papiere fortgeschafft werden sollten, dazu über

12000 Kisten erforderlich wären. Hierauf bestimmte der
Kaiser, nur die geschichtlichen Urkunden solle man neh=
men, und der mit der keineswegs leichten Arbeit betraute
Guiter fand 29 Zimmer mit Papieren gefüllt, ohne daß
über die Vertheilung derselben in den einzelnen Gelassen
sich etwas Schriftliches vorfand. Es gelang ihm, noch
bevor die französischen Truppen das Land zu räumen
genöthigt waren, in drei aufeinander folgenden Sen=
dungen im Ganzen 152 Kisten nach Paris zu befördern,
während den Archiven von Piemont, Belgien und Hol=
land dasselbe Loos bevorstand. Nachdem die Verbünde=
ten in Paris eingezogen waren, wurden auch die spani=
schen Papiere zurückverlangt: auf Daunou's Vorstellungen
jedoch behielt man diejenigen Actenstücke zurück, die sich
auf schon vor längerer Zeit französisch gewordene Pro=
vinzen, wie Burgund und Lothringen, bezogen. Alle
Protestationen von seiten der spanischen Regierung blie=
ben fruchtlos und die in Paris verbliebenen Papiere
von Simancas konnten seitdem von Capefigue, Barante,
Mignet, Michelet, Ranke und andern in reichlichem Maß
bei geschichtlichen Forschungen verwendet und nutzbar ge=
macht werden.

In Simancas selbst ist für den Fleiß der Forscher
noch gar vieles zu thun. Gacharb in seiner der „Correspondance de Philippe II“ (Brüssel 1848) beigegebe=
nen „Notice historique et descriptive des archives
royales de Simancas“ entwirft ein sehr anschauliches
und gefälliges Bild von dem Städtchen Simancas, das
nur noch 300 Haushaltungen zählt und an einem Hügel
liegt, auf dessen Kuppe das Schloß mit den Archiven er=
baut ist. Das Schloß diente lange Zeit als Staatsgefäng=

niß: der berühmte Bischof von Zamora, Don Antonio de Acuña, der thätigen Antheil an dem Aufstand der Communeros nahm, wurde daselbst wegen eines abscheulichen Mordes, den er an dem Schließer beging, auf Befehl Kaiser Karl's V. erbrosselt. Noch später, als die Archive daselbst Aufnahme gefunden, wurden Staatsverbrecher in Simancas untergebracht, und namentlich wurde der unglückliche Floris de Montmorency, Seigneur de Montigny, der in die niederländischen Wirren, wenn auch ganz entfernt und auf die unverfänglichste Weise, verwickelt war, daselbst auf Befehl Philipp's II. insgeheim hingerichtet. In dem Thurme, wo der Sage nach Montigny und der Bischof von Zamora eingesperrt waren und der deshalb cubo del obispo (Bischofsthurm) benannt wird, arbeitete Gachard mehrere Monate lang. Das Schloß ist von Mauern und Gräben umgeben, hat zwei Zugbrücken, obschon das eine Thor längst zugemauert wurde, und ist vortrefflich erhalten. Die Schränke, in denen die Papiere aufbewahrt werden, sind in den Wänden selbst angebracht, die Gefäche aus Gips und da, wo es nöthig, in der Mitte durch senkrechte Säulchen aus demselben Stoffe gestützt. Licht und Feuer darf unter keinerlei Umständen in den Sälen angesteckt werden, was während des Winters das Arbeiten ungemein erschwert. Die Abschriften der von den beiden Hoyos, Vater und Sohn, aufgenommenen Kataloge befinden sich bis zur Stunde in Paris, und das Nachsuchen an Ort und Stelle ist keine Leichtigkeit, wenigstens bei solchen Documenten, die seitdem nicht besonders katalogisirt worden sind. Die Urkunden und Acten, welche 38 Säle füllen, gehen nicht über das Jahr 1400 hinaus. Sie

sind theils chronologisch, theils nach Materien geordnet. [4])

Es steht zu erwarten, daß aus der neuerschlossenen
Fundgrube noch manche, auch die deutsche Geschichte be-
reichernde und aufklärende Actenstücke zu Tage kommen
werden, nachdem die Belgier für ihre Landesgeschichte
einen so glänzenden Anfang damit gemacht haben. Die
bedeutenden pecuniären Mittel, die ihm zu Gebote stehen,
ermöglichten es Prescott, durch den bekannten Señor de
Gayangos für sein neuestes Werk („History of the reign
of Philip the Second“) die Archive von Simancas
zu Rathe zu ziehen, wie er denn überhaupt die handschriftlichen Schätze unserer europäischen Bibliotheken in
sehr belangreicher Weise auszunutzen verstand. Die Kritik hat ihm bereits gebührendes Lob gezollt, das ich keineswegs zu bemängeln gemeint bin; dagegen erfordert
die Gerechtigkeit, das Geleistete, sofern es Anspruch
darauf macht, neu zu sein, auf das gebührende Maß
zurückzuführen und insbesondere zu zeigen, inwieweit
Prescott manches nur aus Unkenntniß der deutschen Quellen für eigene Ermittelung hält. Es soll dies an dem
Beispiele des bekannten Don Carlos von Spanien nachgewiesen werden, von dem zu Anfang erwähnt wurde,
daß die auf seinen Proceß bezüglichen Actenstücke aus
den Sammlungen von Simancas verschwunden sind.

Prescott's Forschungen über diesen Gegenstand sind
verdienstlich zumeist mit Rücksicht auf eine gewisse Gattung historischer Schriften, wie z. B. die in wohlverdiente
Vergessenheit gerathene „Historia del principe Don Carlos“
(Leipzig 1796), wie ich sehe eine bloße Uebersetzung der
1680 in Köln erschienenen „Relazione tragica si, mà

veridica di Don Carlos", und allem Anschein nach eine
spanische Stilprobe eines deutschen Literaten; denn mit
Recht hat ein Spanier auf die innere Deckelwand des
Exemplars, das mir zu Handen ist, geschrieben: Pobre
lengua castellana! Este mal faltaba todavia. á los Españoles, que se les estropease la lengua! (Das fehlte
gerade noch, daß man uns Spaniern auch die Sprache
verhunzte!) Auch Llorente [5]), so sehr es an ihm zu
loben ist, der Geschichte des Don Carlos ihren poetischen und tragischen Nimbus benommen zu haben, hat
in einigen wichtigen Punkten entschieden fehl gegriffen,
insbesondere auch mit der Versicherung, Carlos b'Austria
sei infolge eines von Philipp II. gutgeheißenen und
genehmigten Richterspruchs, jedoch ohne Betheiligung des
Santo=Oficio, an Gift gestorben. Zur Erhärtung seiner Behauptung beruft er sich neben den bekannten
Schriftstellern auf gewisse gleichzeitige Documente, die
zwar nicht authentisch, aber dennoch durchaus glaubwürdig sein sollen, weil sie von Beamten des königlichen
Palastes herrühren. Prescott hat ganz recht, wenn er
dergleichen zweifelhafte Zeugnisse verwirft und es eines
Historikers für unwürdig hält, sich in so zweideutiger Weise
auch nur darauf zu berufen. Dagegen verdient aus mehr-
fachen Gründen die besonnene Weise, in der Evaristo San=
Miguel [6]) das Ereigniß erzählt, hier Erwähnung. „Daß
Don Carlos", sagt er, „ein fauler, eigensinniger, launen-
hafter und bös gearteter Prinz gewesen, ist nicht unwahrscheinlich; daß seine Erziehung vernachläffigt wurde, hat
gleichfalls nichts Außerordentliches, zumal wenn. man in
Erwägung zieht, daß er zwei der wichtigsten Knaben-
jahre fern von seinem Vater verlebte. Die Prinzessin

1 **

Doña Juana besaß nicht die erforderliche Willensstärke, um ihn im Zaume zu halten. Es ist Thatsache, daß es zwischen der Tante und dem Neffen zu allerlei Verdrießlichkeiten und Zwistigkeiten kam und daß der Kaiser, als er auf seiner Reise nach dem Kloster Juste Valladolid berührte, über die Unterhaltung und das Betragen des jungen Prinzen sehr ungehalten war. Wer wollte es daher Philipp II. verargen, daß er, streng wie er war, zu seinem Sohne keine sonderliche Liebe hegte. Daß der Prinz die Absicht hatte, nach Flandern zu gehen, und sich für die einzige geeignete Person hielt, um die Aufregung, in der sich die Niederlande befanden, zu beschwichtigen, ist geschichtlich und durch Spanier bezeugt. Was die Prinzessin Isabella von Frankreich betrifft, die mit dem Prinzen verlobt war, aber von dem Vater heimgeführt wurde, so wäre es wenigstens nicht unmöglich, daß der Prinz in seiner jugendlichen Leidenschaftlichkeit und Hitze, von Kindesbeinen an mit der Vorstellung, die Prinzessin gehöre ihm, vertraut, in seinem Vater den Räuber seines Glücks erblickte, und daß letzterer seinerseits den Sohn als seinen Rivalen fürchtete. Neben den andern Extravaganzen, die Don Carlos sich zu Schulden kommen ließ, ward der König zuletzt von seinem Vorhaben, nach den Niederlanden zu entfliehen, benachrichtigt, worauf er ihn in Verwahrsam nehmen ließ. Der durch Gift vollzogene Spruch der Inquisition würde wenigstens dem Geiste der damaligen Zeit nicht widersprechen und ebenso wenig der Denk- und Handlungsweise Philipp's II."

Ich behaupte nicht, daß damit alles gesagt ist, was bei dem jetzigen Stand der Untersuchung über die ver-

wickelte Frage immer nur vermuthungsweise gesagt wer=
den kann; aber annähernd ist es doch der Ertrag der kri=
tischen Forschung im allgemeinen. Eine gewissenhafte
Prüfung der Quellen hat zuerst zwischen spanischen und
französischen Berichterstattern zu unterscheiden, von denen
die einen alle Schuld auf den Sohn, die andern auf
den Vater wälzen. Wie er selbst eingesteht, hatte Wil=
helm von Oranien die schreckliche Beschuldigung, seine Frau
gemordet zu haben, die er in seiner „Apologie" (Ausgabe
von 1581, S. 38) gegen Philipp erhob, aus französischen
Quellen geschöpft [7]), sodaß die Vermuthung nahe genug
liegt, er werde auch in Betreff des zweiten, nicht minder
gräulichen Verbrechens denselben Spuren gefolgt sein. Dem
schnurstracks entgegen behauptet Giovambatista Abriani [8]),
Don Carlos sei durch Mangel an Verstand unfähig gewe=
sen zu regieren, habe sich oft wüthend gezeigt, seine Die=
ner gehaßt und geschlagen. Endlich, als er ihm nach dem
Leben stellte, habe sich der Vater gezwungen gesehen, ihn
gefangen zu setzen. Der Prinz, der oft mehrere Tage
nichts genossen, alsbann sich übermäßig im Essen über=
nommen und allzu kaltes Wasser getrunken, habe sich
durch diese Unmäßigkeit eine unheilbare Krankheit zuge=
zogen. Es ist klar: die protestantische Partei klagt den
Vater, die katholische den Sohn an, und auf seiten der
erstern schlagen sich die Franzosen, aus angestammtem
Haß gegen Spanien und infolge jenes erfinderischen
Nationalstolzes, der, wie man zu sagen pflegt, so gern
in die eigene Tasche lügt. Zumal unter Heinrich IV.
machte der phantasiereiche Groll sich vielfach Luft. Oben=
an steht Matthieu [9]); de Thou [10]) will die Nachricht, man
habe dem Prinzen, um die Ehre des königlichen Bluts

zu retten, mit einer Fleischbrühe vergiftet, von einem ge=
wissen Foix haben, der den Prinzen persönlich kannte
und das Schloß an seiner Thüre einrichtete. Daraus
hat denn St.=Real seinen Roman geschmiedet, und
Schiller und andere folgten ihm.

Es ist das große Verdienst F. von Raumer's, in
seinen „Briefen aus Paris zur Erläuterung der Ge=
schichte des 16. und 17. Jahrhunderts" (Leipzig 1831)
aus den Berichten der französischen Gesandten am ma=
drider Hofe: Guibert, St.=Sulpice, Fourquevault,
St.=Govard, Longlée, Maisse, du Fresne Forges und
Brunault nachgewiesen zu haben, wie sehr die spätern
französischen Geschichtschreiber übertreiben. Das einzig
Befremdende ist, daß Fourquevault's Bericht über den
Tod des Prinzen nicht mehr aufgefunden werden konnte:
nur eine darauf bezügliche Stelle entdeckte Raumer
in einem Schreiben desselben, vom 1. Aug. 1568, an
Katharina von Medicis, worin es heißt: „Gestern er=
stattete ich der Königin (Tochter Katharina's) meine Bei=
leidsbezeigungen über den Verlust ihres Stiefsohns, der
für sie und die ihrigen ein sehr vortheilhafter Verlust
ist. Sie wünscht, daß man eine recht in die Augen fal=
lende und königliche Beleidsbezeigung ergehen lasse. Hier
(in Madrid) verfährt man mit Trauer= und Begräbniß=
feierlichkeiten, als wäre Carlos König gewesen." Seine
begründeten Ermittelungen faßt Raumer am Schlusse
(I, 157) in den Sätzen zusammen: Carlos hatte von
Anfang an eine körperlich schwache und eine geistig
bösartige Natur. Das letzte Uebel steigerte sich durch
Leidenschaftlichkeit bis zum Wahnsinn, obgleich lichte
und reuige Augenblicke eintraten. In solchen Zeiten

höchſter Leidenſchaft kann der Haß, welchen er unleugbar wider ſeinen Vater hegte, Gedanken und Aeußerungen hervorgetrieben haben, welche auf deſſen Tod hin-
deuteten. Kaum aber weiß man zu ſagen, wie weit hier
eigentlicher Vorſatz, Beſinnung und Zurechnungsfähigkeit
ſtattfand. Jedenfalls war Carlos unfähig zum Regieren, und Grund zu einer ſtrengen Aufſicht vorhanden.
Er und die Königin ſind natürlichen Todes geſtorben,
und niemals hat nur das geringſte Liebesverhältniß zwiſchen ihnen ſtattgefunden. Zwar meint Prescott (I, 515),
er ſei nicht durchgängig zu denſelben Schlußfolgerungen
gelangt; in Wahrheit aber ſteht er, wenige durchaus
unerhebliche Punkte abgerechnet, ganz und gar auf
demſelben Boden mit Raumer, und wenn er ſich auf
das ihm zu Gebote ſtehende reichere handſchriftliche Ma-
terial beruft, ſo iſt darauf einfach zu ſagen, daß
Raumer ſeiner eigenen Ausſage nach weiter nichts beabſichtigte, als zu der reichen Ausbeute, welche Ranke
aus venetianiſchen Relationen dem Publikum früher ſchon
vorlegte, einige Nachträge hinzuzufügen (S. 101). Die Sache
iſt aber die, daß Prescott von der betreffenden Unterſuchung
Ranke's [11]) gar keine Kenntniß hatte; ſonſt hätte er wiſſen
müſſen, daß Ranke ſchon damals ſo ziemlich alle jene
italieniſchen Geſandtſchaftsberichte kannte, von denen der
berühmte nordamerikaniſche Hiſtoriker Abſchriften nehmen ließ.

„In Wien", bemerkt Ranke, „ſtieß ich auf Copien
von Briefen bedeutender Perſonen am Hofe König Philipp's, wie von Don Gomez Manrique an Don Pedro
Manrique u. a., die man im Escurial abgeſchrieben hat;
ich ſah die ganze Correſpondenz des venetianiſchen Ge-

sanbten mit seinem Senat; in einer großen, von Hans
Jakob Fugger zur Geschichte des 16. Jahrhunderts veranstalteten Sammlung fand ich deutsche Briefe aus
Madrid vom 24. Juli; ich durfte ferner die Schreiben
florentinischer und mantuanischer Gesandten lesen; 'endlich konnte ich auch von der Correspondenz des päpstlichen Nuntius nach Bequemlichkeit Notiz nehmen. In
allen diesen Schreiben so verschiedener Menschen habe
ich niemals auch nur eine leise Andeutung von einem
schriftlichen oder mündlichen Spruche, nirgends auch nur
eine geringe Spur von einer gewaltsamen Herbeiführung
dieses Todes gefunden; sie wissen vielmehr nur von einem
sehr erklärlichen Verlauf der Krankheit, auf welche ein
natürliches Verscheiden folgte.‘‘

Dabei könnte man sich beruhigen, wenn nicht neuerdings in Adolfo de Castro ein ritterlicher Vertheidiger des
Don Carlos aufgestanden wäre, der ebenso nachdrücklich
die Fremden dafür tadelt, daß sie den Prinzen unzüch-
tiger Liebe zu seiner Mutter beschuldigten, als die Spanier, die, wie Llorente, in dem Prinzen ein Ungeheuer,
ein Scheusal von Lastern und einen hochmüthigen
Dummkopf erblickten. Nach de Castro [12]) bestand das
ganze Verbrechen des Don Carlos darin, daß er den
Flamändern Gewissensfreiheit gewähren wollte und den
Wunsch äußerte, die Regierung eben dieser Staaten zu
übernehmen, welche die katholische Religion und das
brutale Regiment Philipp's II. tödtlich haßten. Die Vertheidigung ist nicht ohne Geschick, nur überzeugen wird
sie keinen, der die Quellen kennt. Fast sollte ich meinen, man brauchte blos das im Besitz des Grafen Oriate
zu Madrid befindliche Bildniß des unglücklichen Prinzen

genauer anzusehen, um über den Charakter desselben vollkommen ins Klare zu kommen. Der Maler — er soll
aus der Schule des Alonso Sanchez Coello sein — hat
den tief in den Schultern steckenden unförmlichen Kopf
mit den stieren Augen so naturgetreu wiedergegeben, daß
man den Idioten nicht weit zu suchen hat. Carlos war
von väterlicher und mütterlicher Seite der Urenkel jener
geisteskranken Juana von Aragonien, die von dem Leichnam ihres Gemahls, Philipp's des Schönen, sich nicht
trennen wollte, und von da an 47 Jahre lang ihre
Wohnung in Tordesillas, von deren Fenstern aus sie
die Grabstätte des früh Verstorbenen erblicken konnte,
nicht mehr verließ.[13]) Eine unglücklichere Wahl hätte
der Sohn und Nachfolger Karl's V. nicht treffen können, als seine Base, die Infantin Maria, Tochter Johann's III. von Portugal und Katharina's, einer Schwester Karl's V., zu heirathen. Ich glaube damit nicht
zu viel zu sagen, daß die spanische sowol als die por-
tugiesische Dynastie an den unseligen Wechselheirathen
zu Grunde ging, da in vierter Ehe Philipp II. seine
Nichte Anna von Oesterreich heimführte.

Don Carlos hat ein leidenschaftlich gestörtes Gemüth
schon mit auf die Welt gebracht, wogegen sein Vater
durch die großartigste Verstellungskunst, von der die Geschichte weiß, seine wilden Leidenschaften in den Dienst
einer alles berechnenden Klugheit gab, und unter der
Maske der Frömmigkeit dem gemeinsten Egoismus fröhnte.
Nichts charakterisirt diesen Tyrannen besser als die Art
und Weise, wie er die Kunde von der Pariser Blut-
hochzeit aufnahm. Der französische Gesandte St.-Go-
vard berichtete darüber an seinen Hof: „Der König hat

gegen seine Natur und Gewohnheit so viel und mehr
Freude gezeigt als über alles Glückliche und Erfreuliche,
das ihm zeitlebens widerfahren ist. Er rief alle seine
Umgebungen, oder ließ sie rufen, und sagte ihnen: nun
sehe er, daß Eure Majestät sein guter Bruder wären.
Des andern Tags hatte ich Audienz beim König, wo
er, der sonst nie lacht, anfing zu lachen und das höchste
Vergnügen und die größte Zufriedenheit äußerte. Zunächst rühmte er die Entschließung an sich und die lange
Verheimlichung (dissimulation) eines so großartigen Unternehmens." Sehr ungehalten äußerte er sich, wenn
man ihm einreden wollte, die Sache sei unvorhergesehens
und nicht durch die ausdrückliche Entschließung Karl's IX.
ins Werk gesetzt worden.

Neben einen solchen Vater halte man den jungen
Krönprinzen. Schon im zartesten Alter seiner Mutter
beraubt — Maria von Portugal starb wenige Tage
nach seiner Geburt —, sah er bis zu seinem vierzehnten
Jahr auch seinen Vater nur selten und dann auf kurze
Zeit, da derselbe entweder in den Niederlanden oder in
England, als Gemahl der Königin Mary, zu thun hatte
und die Erziehung des jungen Prinzen seiner Schwester,
der Regentin Juana, überließ. Die gute, von einem
venetianischen Gesandten als ausgezeichnet schön geschil-
derte Frau scheint wenig geeignet gewesen zu sein, das
eigensinnige und gewaltthätige Wesen ihres Neffen zu
bemeistern: man ließ ihm seinen Willen, und das war
sein Unglück, da es feststeht, daß selbst schlimme Natur-
anlagen durch angemessene Pflege in ein richtiges, wenigstens unschädliches Verhältniß gebracht werden können.
Sein damaliger Lehrer Honorato Juan muß in der ersten

Zeit dem ungestümen Zögling einige Lust zum Lernen eingeflößt haben; wie man jedoch aus seiner Correspondenz
mit Philipp ersieht [14]), ging es schlimmer und schlimmer,
und Carlos hing die Studien an den Nagel. Ein höchst
merkwürdiges, von den neuern Historikern ganz mit Stillschweigen übergangenes Zeugniß, wie man in Deutschland und sogar auf einer protestantischen Universität um
jene Zeit von dem Prinzen die schönsten Hoffnungen hegte,
findet sich in den Auszügen aus den geschichtlichen Vorlesungen Melanchthon's, die Manlius [15]) veranstaltet hat.
„Von dem Enkel Kaiser Karl's V.", äußerte der wittenberger
Reformator, „höre ich so wunderbare Dinge erzählen, daß
ich überzeugt bin, es wird dereinst etwas Großes aus
ihm. Die Constellation seiner Geburt war so ausgezeichnet als sie nur sein konnte. Wer weiß, was Gott
mit Karl VI. vorhat? Vielleicht wird er die Macht des
Türken zum Schwanken bringen oder etwas ähnliches
ins Werk setzen." Weiterhin wird dann erzählt, wie
der großmüthige Knabe für einen heruntergekommenen
Edelmann, dem er begegnete, die Kleider des ersten Ministers entwenden ließ und von einem Höflinge 50 Dukaten entlehnte, um sie dem Ritter, der nicht einmal ein
Pferde hatte, zu schenken. Deßhalb von seinem Vater
zur Rede gestellt, soll er geantwortet haben: „Glaubt
denn der Jude, ich könne ihm das Geld nicht wieder-
erstatten?" Ein anderes mal brannte er einem „Retaliado", d. h. einem zeitlichen Vortheils wegen zum Christenthum übergetretenen Juden, die reiche Pelzverbrämung
an, und zwar in Gegenwart seines Vaters, und als dieser ihm darüber Vorwürfe machte, rief er in der Angst,
durchgepeitscht zu werden, einem Anwesenden zu: „O!

Señor de Diego bittet für mich!" Auf die Frage:
warum er den Juden mißhandelt? entgegnete er, es sei
ihm unziemlich vorgekommen, daß ein Retaliado eine so
reiche Kleidung trage.

Unsern guten Vorältern mögen so harmlose Geschichten außerordentlich vielversprechend erschienen sein: allein
wenn sie auch wirklich dem Verstande des jungen Prinzen Ehre machten, so war die sich unmittelbar daran
reihende Anekdote um so verdächtiger für seinen Charakter.
Seine Lieblingsschildkröte — testudo, quam in deliciis
habuit — (?) biß ihn einmal heftig. Um sich dafür
zu rächen, wartete er, bis sie den Kopf wieder hervor-
reckte, worauf er ihr mit den Zähnen denselben abbiß.
Es stimmt dies mit dem Berichte des Venetianers Ba-
boaro, der Prinz habe einer Eidechse — biscia scoda-
rella, entweder der mus aquatilis (Lacépède, „Histoire naturelle des quadurpèdes ovipares"), oder eine Natter —,
die ihn in den Finger biß, rasch den Kopf abgebissen.
Demselben Beobachter fiel neben der schwachen Leibes-
beschaffenheit des Knaben dessen übermäßig dicker Kopf
auf. Seine Ungeduld war so groß, daß er nicht einmal in Gegenwart seines Vaters längere Zeit mit dem
Baret in der Hand still stehen mochte, wie denn die
an dem Wasserkopf äußerlich sichtbare Geistesstörung
durch die jähzornige Unruhe, der alle und jede Selbstbeherrschung abging, sich hinlänglich zu erkennen gab.
Damit verträgt es sich recht wohl, daß sein Hofmeister
ein eigenes Büchlein anlegte, um die guten Einfälle des
Prinzen darin zu verzeichnen; und wenn auch der Großvater in Valladolid auf der Durchreise nach dem Kloster
Yuste über den Enkel lachte, der nicht begreifen konnte,

wie der Kaiser von Innsbruck habe fliehen mögen, wenigstens würde er niemals fliehen, so war Karl V. darum
keineswegs blind gegen die Unarten seines Enkels, und
erklärte seiner Tochter rund heraus, sie würde sich um
alle verdient machen, wenn sie den Buben ordentlich in
der Zucht hielte und sich insbesondere nicht die grobe
Behandlung von ihm gefallen ließe.[16]) Auch wollte Karl
nichts davon wissen, als der mit der Leitung des Prinzen betraute Don Garcia denselben zu seinem Großvater
ins Kloster schicken wollte, um durch ein strenges Wort
von diesem zum Lernen angehalten zu werden.

II.

Dem wachsamen und lauernden Auge König Philipp's konnte die wenig Gutes verheißende Leibes- und
Geistesbeschaffenheit seines Sohnes nicht entgehen: mistrauisch und besorgt blickte er auf ihn, ohne sich auch
nur die Mühe zu geben, durch Freundlichkeit die Zuneigung des heranwachsenden Jünglings zu gewinnen.
Dieser war noch keine vierzehn Jahre alt, und schon fürchtete man, seine schwache, durch wiederkehrende Fieberanfälle gestörte Gesundheit werde ihn schwerlich das
Mannesalter erreichen lassen.[17]) Daß die Verheirathung
seines Vaters mit der im Vertrage von Château-Cambrésis dem Prinzen versprochenen Isabella von Frankreich, der schönen und liebenswürdigen Königstochter,
diesem unangenehm war, begreift sich, und es wäre nicht
unmöglich, daß Philipp die Pille absichtlich dadurch versüßte, daß er schon wenige Tage nach seiner in Guadalajara vollzogenen Ehe, wobei der Sohn zugegen war,

durch die Cortesversammlung in der Kathedrale von
Toledo dem Don Carlos als Kronprinzen den Eid der
Treue schwören ließ (22. Febr. 1560). Die Ceremonie
wurde mit dem größten Gepränge begangen. Der Erzbischof von Burgos nahm den Eid in pontificalibus entgegen. Zuerst schwuren die Infantin Juana und Juan
d'Austria. Als beide sich anschickten, dem Prinzen die
Hand zu küssen, hob dieser sie zärtlich auf und küßte sie.
Den Herzog von Alba, der es unterließ, empfing er mit
schneidender Kälte, sobaß derselbe um Verzeihung bat.
Eine Niederlage, welche die spanischen Waffen an der
afrikanischen Küste erfahren hatten, trübte übrigens die
Freude des Tages. [18])

An ein Liebesverhältniß zwischen dem schwächlichen
Knaben und der muntern und unverdorbenen Neuver-
mählten auch nur zu denken, steht im Widerspruch mit
der gesunden Vernunft; wohl aber berichtet der Bischof
von Limoges in der Eigenschaft eines französischen Gesandten an seinen Hof, die junge Königin benehme sich
außerordentlich freundlich gegen ihren Stiefsohn, dem die
gütige und rücksichtsvolle Behandlung von seiten eines
weiblichen Gemüths um so wohlthuender sein mußte, als
er in seinem Vater nur den herzlosen Gebieter zu erblicken gewohnt war und in seinen Umgebungen weiter
nichts als kalten und vorschriftsmäßigen Gehorsam fand.
Es ist daher auch leicht zu glauben, daß der kränk-
liche Prinz sich zu einer Person hingezogen fühlte, die
Brantôme [19]) nicht müde wird als ein Muster von
Anmuth und Geist zu rühmen, und die dem Stiefsohn wirklich liebevoll und nicht mit der nachsichtsvollen
Schwäche seiner Tante Juana entgegenkam; man er-

lustigte sich bei der Königin und im Gefolge ihrer Hofdamen an Spielen und Unterhaltung im Freien, und zu-
verlässig ist es die unschuldigste Bemerkung von der Welt,
die sich in einem Briefe an Isabellens Mutter, Katharina von Medicis, findet: der Prinz möchte mit der
Königin noch näher verwandt sein (davantage son pa-
rent). Mehrere Jahre später, als Don Carlos zum
Jüngling herangereift war, erwähnt St.-Sulpice einer
Spazierfahrt auf einem mit Stieren bespannten Wagen,
wobei die Königin an den schweigsam dasitzenden Prinzen die Frage gerichtet habe: wo er mit seinen Gedanken sei? Die Antwort lautete: „Weiter als zweihundert
Meilen von hier." „Und wo ist das so weit?" fragte
die Königin. „Ich denke an meine Base" (ohne Zweifel Anna von Oesterreich, die er heirathen sollte), erwiderte der Prinz.

Ohnedies konnte sich Carlos in der ersten Zeit nach
der Ankunft der französischen Prinzessin in Spanien nicht
allzu lange ihrer für ihn so erwünschten Gesellschaft erfreuen. Die Absicht Philipp's war, wahrscheinlich auf
Anrathen der Aerzte, seinen Sohn der milden und gemäßigten Luft halber nach Valencia und Tarragona zu
senden: im November finden wir jedoch denselben in Alcalá de Henares, wo Cardinal Ximenes, der berühmte
Minister Isabella's und Ferdinand's, schon im Jahr
1497 eine Universität zu gründen beschlossen hatte. Die
gesunde Luft, die stille und freundliche Lage des Orts
am Ufer des Henares schienen ihm besonders geeignet
zu diesem Zweck, und im Jahr 1500 legte er selbst
den Grundstein zu dem Hauptcollegium. Von diesem
Augenblick an war er, soweit die drückenden Regie-

rungsgeschäfte es ihm gestatteten, fortwährend persönlich
thätig, den Bau zu fördern. Oft sah man ihn mit dem
Maßstab in der Hand den neuerstehenden Mauern ent-
lang dahinschreiten. Indessen war die Anlage zu großartig und ausgedehnt, als daß sie sobald hätte fertig
werden können: es vergingen darüber acht Jahre, an
deren Schluß aber auch eines der großartigsten Tempel-
gebäude bastand, das jemals dem Dienst der Wissenschaften oder der Künste errichtet worden ist. Der lern-
begierigen Jugend blieb nichts zu wünschen übrig, und
als wenige Jahre nach des Cardinals Tode Franz I.
von Frankreich, der als Gefangener in Spanien lebte,
den Ort besuchte, soll er ausgerufen haben: „Euer
Ximenes hat Größeres ausgeführt, als ich nur zu beabsichtigen wagen konnte; er hat mehr gethan mit einer
Hand, als in Frankreich eine ganze Reihe von Königen.‟
Nicht weniger angelegen ließ sich der Cardinal die zweck-
mäßige Regulirung der Universitätsstudien sein, und es
verdienen insbesondere die beiden von ihm getroffenen
Bestimmungen hervorgehoben zu werden, wonach die Be-
soldung der Professoren von der Zahl ihrer Schüler ab-
hing und jeder Professor nach einer vierjährigen Lehr-
thätigkeit sich einer neuen Wahl unterziehen mußte.
Zweiundvierzig Katheder wurden errichtet, wovon nur
zwölf auf die Theologie und das kanonische Recht kamen, und bald war der Zudrang von Studenten so
groß, daß ihrer nicht weniger als 7000 den König
Franz empfingen. In der letzten Zeit seines Lebens, wo
Ximenes der Staatsgeschäfte überdrüssig war, widmete
er sich fast ausschließlich den Pflichten seines geistlichen
Amts sowie der Sorge für das Aufblühen seiner Uni-

verſität; den größten Ruhm erntete er von der in Alcalá veranſtalteten Bibelpolyglotte, bei deren Druck ins-
beſondere Deutſche verwendet wurden.

An dieſem berühmten Muſenſitze ſollte Don Carlos
ſeinen mangelhaften Kenntniſſen zugleich mit der Pflege
ſeiner geſchwächten Geſundheit aufhelfen. Die Geſellſchaft, mit der er in dieſer Abſicht in Alcalá eintraf,
war noch merkwürdiger als der Ort ſelbſt: ſie beſtand
aus ſeinem Oheim Juan d'Auſtria und ſeinem Vetter
Aleſſandro Farneſe, und es iſt in der That merkwürdig,
den Sohn und die beiden Enkel Karl's V., die gemein-
ſchaftlich ihre Univerſitätsſtudien machen ſollten, ſo unmittelbar nebeneinander geſtellt zu ſehen. Im Alter waren
ſie wenig verſchieden. Aleſſandro Farneſe wurde im
Jahr 1544 in Rom, Juan d'Auſtria im folgenden
Jahre in Regensburg geboren, und wenige Monate ſpäter
kam Don Carlos zur Welt. Zwar gibt der Schmeichler van
der Hammen[20]) in allgemeinen Ausdrücken zu verſtehen,
Don Juan ſei der Sohn einer deutſchen Dame von vor-
nehmem Geſchlecht, deren Name aus Höflichkeitsrückſich-
ten unbekannt geblieben ſei („hijo de una principal señora
Alemana, cuyo nombre la cortesia y respeto oculta
siempre"): indeſſen wußte man recht wohl, wer die vornehme deutſche Dame, an welcher der Kaiſer noch in
vorgerücktern Jahren Gefallen gefunden, eigentlich war: —
eine regensburger Bürgerstochter. Solange Karl lebte,
blieb die Geburt dieſes Sohns allerdings ein Geheimniß,
von dem niemand außer ſeinem treuergebenen und ver-
ſchwiegenen Haushofmeiſter Quexada Kenntniß hatte.
Im Hauſe des letztern lebte unter dem Namen Gerónimo in dem nahe bei dem Kloſter Yuſte gelegenen

Dorfe Cuacos ein aufgeweckter, hochherziger Knabe, den
der abgedankte Kaiser oft und gern bei sich sah, ohne
denselben weder in seinem Testamente, noch in dem kurz
vor seinem Tode verfaßten Codicill namentlich zu bedenken. Wol aus Scham über einen solchen Fehltritt
in schon vorgerückten Jahren hatte der Kaiser seinen
Sohn der Mutter gleich nach der Geburt abnehmen und
durch seinen Violinspieler Massi nach Spanien bringen
lassen; auch hoffte er, derselbe werde in den geistlichen Stand treten, wozu sich indessen wenig Aussicht
zeigte, da Gerónimo im Lateinischen und Französischen
sehr schlechte Fortschritte machte, sich dagegen um so
besser aufs Reiten und Lanzenwerfen verstand. [21])
Die Regentin Juana mochte schon früher den wahren
Stand der Sache geahnt haben; wenigstens schrieb sie
wenige Wochen nach ihres Vaters Tod an Querada,
wie es sich denn eigentlich damit verhalte, bekam jedoch
von dem über Gebühr verschwiegenen Hofmann zur Antwort, der Junge sei der Sohn eines seiner Freunde. Aber
wie kam es nur, daß der Kaiser noch den Tag vor seinem Tode dem Ogier Bodart die letzten 600 Goldgül-
den, die ihm übrig blieben, einhändigte, um davon in
Brüssel für Barbara Blomberg, die an einen unter-
geordneten Beamten in den Niederlanden namens Re-
gell verheirathet war, in Brüssel eine Leibrente zu kaufen? Seine letzte Geliebte hatte der Verscheidende auch
zuletzt bedacht, und was den Sohn der Blomberg an-
belangt, so erhielt Querada mündliche Weisung, mit
König Philipp wegen seiner Rücksprache zu nehmen.
Dagegen kann der auch in andern Dingen nichts weniger als zuverlässige Straba („De bello belgico") schwer

mit der Versicherung aufkommen, der Cardinal de la
Cueva wolle es aus dem Munde der Infantin Clara
Eugenia, einer Tochter Philipp's II., gehört haben, daß
Don Juan nicht der Sohn der Blomberg gewesen.

Quexada wartete erst ab, bis Philipp aus den Niederlanden eingetroffen war, um ihm die Wünsche und
Verordnungen des Kaisers in Betreff seines Halbbruders
mitzutheilen. Der beste Beweis, wie Philipp selbst die
Willensmeinung des verstorbenen Vaters in Ehren hielt,
liegt in der Bereitwilligkeit, womit er den illegitimen
Bruder anerkannte und an seinen Hof aufnahm. Schon
dem venetianischen Gesandten Micheli war es aufgefallen, wie sehr Philipp im Aeußern seinem Vater glich:
nur die Gestalt war kleiner; und damit nicht zufrieden,
ließ er, der, bevor er Castilien verließ, wegen seines
Hochmuths allgemein verhaßt war, es sich sogar angelegen sein, das leutselige und zugängliche Wesen Karl's
sich anzueignen, was ihm freilich schlecht genug gelang.
Durch Quexada von den persönlichen Verhältnissen des
jungen Juan in Kenntniß gesetzt, bestimmte er einen
Tag, an welchem er in dem nahe bei Balladolib gelegenen Wald von Monte=Toros unter dem Vorwand
einer Jagdbelustigung wie zufällig den Bruder treffen
wollte. Quexada fand sich an der näher bezeichneten
Stelle mit seinem Mündel ein; beim Herannahen des
Königs sank der Knabe vor ihm bestürzt auf die Knie,
allein Philipp, dem die große Unterwürfigkeit wohl thun
mochte, hob ihn mit freundlichen Worten auf und rich=
tete die wunderliche Frage [22]) an ihn: wer sein Vater
sei? Verlegen und erröthend blickte der Prinz auf
Quexada, als der König ihn mit den Worten in die

Arme ſchloß: „Du biſt der Sohn eines großen Vaters;
Karl V. iſt dein und mein Vater!" und ihn ſeinem Ge=
folge vorſtellte, gegen das er ſcherzend bemerkte, noch nie
habe er eine glücklichere Jagd gemacht. Von dieſem
Augenblicke an genoß Don Juan alle Rechte eines Prin=
zen von Geblüt und befand ſich, obwol der jüngere von
beiden, namentlich ſeinem Neffen gegenüber in einer be=
vorzugten Stellung.

Alexander Farneſe verdankte ſein Daſein einer der
früheſten Liebſchaften des Kaiſers Karl V. Margarethe,
nachmalige Herzogin von Parma, war die natürliche
Tochter Karl's, vier Jahre vor ſeiner Verheirathung
mit Iſabella von Portugal geboren, und der Marga=
retha van der Geenſt, die, aus adelichem Geſchlecht,
als vater= und mutterloſe Waiſe in dem Hauſe des Gra=
fen Hoogſtraten wie deſſen eigenes Kind erzogen wurde.
Der damals dreiundzwanzigjährige Karl warf ein Auge
auf das blühende ſiebzehnjährige Mädchen, das ſchwach
genug war, ſeinen Vorſtellungen Gehör zu ſchenken. Das
Kind ihrer Liebe kam zuerſt unter die Pflege einer Tante
des Kaiſers, der Regentin der Niederlande, und nach
deren Tod in die Obhut der Schweſter des Kaiſers,
Maria, Königin von Ungarn. Zwölfjährig wurde ſie
dem Alexander von Medici, Großherzog von Toscana,
vermählt, der aber ſchon wenige Monate nach der Hoch=
zeit eines gewaltſamen Todes ſtarb. Zum Weibe heran=
gereift, gab man die junge Witwe einem Enkel Paul's III.,
Ottavio Farneſe, zur Ehe, der ſeinerſeits erſt im zwölf=
ten Jahre ſtand. Von gegenſeitiger Zuneigung konnte
unter dieſen Umſtänden unmöglich die Rede ſein, zumal
von ſeiten Margarethens, die, derb niederländiſch orga=

nifirt, befondern Geschmack am Herrschen und am Jagen
fand. Sie und ihr Gemahl hatten nichts dagegen einzuwenden, als Philipp seine Schwester zur Regentin der
Niederlande machte und ihren Sohn Alessandro mit sich
nach Spanien nahm. So berühmt derselbe in spätern
Jahren durch sein Feldherrntalent geworden ist, so dürf-
tig fließen die Quellen in Betreff seiner Jugendbildung.
Die Eindrücke, die er aus Italien mitbrachte, scheinen
vorwiegend religiöser Natur gewesen zu sein: der berühmte Ignatius Loyola war längere Zeit Beichtvater
seiner Mutter gewesen, namentlich damals als dieselbe
die nach ihr benannte Villa Madama in Rom bewohnte,
und die Strenge, womit er ihre Gewissensangelegenhei-
ten leitete, wird wol auch den Knaben nicht verschont
haben. Den Soldaten vermochte die Frömmigkeit nicht aus-
zutreiben, und wenn Papst Adrian II. es beklagte, daß die
Lebhaftigkeit seines frühern Zöglings, Karl's V., ihn verhindert habe, demselben die nöthigen wissenschaftlichen
Kenntnisse beizubringen, so wird das Nämliche von Alessandro erzählt.[23]) Statt dessen lebte er sich rasch in das
spanische Leben ein: als er im Jahr 1565 nach Brüssel
zu seiner Mutter kam, war er so ganz und gar Spanier geworden, daß man ihn nach Sprache, Benehmen
und Denkweise für einen geborenen Spanier halten mußte.

Von einem innigern Verhältniß, das sich zwischen den
beiden Vettern Alessandro und Carlos angeknüpft hätte,
ist nirgends die Rede: wohl aber wissen wir urkundlich,
wie sehr Carlos seinen Oheim Juan lieb hatte. Unter
den Personen, die Don Carlos als seine besten Freunde
aufzählte, stand Don Juan obenan: ob und wie er denselben in dem schon 1564 in Alcalá aufgesetzten Testa-

2 *

ment bedachte, weiß ich nicht, da Gachard' das in Si=
mancas aufgefundene Original bisjetzt noch nicht ver=
öffentlicht hat und Prescott desselben nur beiläufig er=
wähnt. Damit reimt es recht wohl, wenn von anderer
Seite versichert wird, zwischen Don Carlos und Don
Juan sei es gar oft zu Streit, sogar zu Thätlichkeiten
gekommen.[24] Was sich liebt, zankt sich.

Es gewährt ein eigenthümliches Interesse, die drei
Prinzen und den König mit ihrem gemeinschaftlichen Ahn=
herrn zu vergleichen. Die guten und bösen Neigungen
des letztern machten sich an jedem derselben bemerklich:
und doch wie grundverschieden waren sie voneinander!
Kaiser Karl hatte eine entschieden kriegerische Anlage, die
sich seiner leicht und gern befriedigten Sinnlichkeit wegen
nicht recht entwickeln konnte. Wie oft und nachdrücklich
hat ihn sein Beichtvater Garcia de Loaysa vor dem
Uebermaß leckerer und schwerverdaulicher Speisen ge=
warnt, wodurch er sich fast noch im Jünglingsalter die
Gicht zuzog, die ihn zeitlebens nicht verließ und trotz
der Verwüstungen, welche sie in den Gliedern anrichtete,
selbst noch in der Einsamkeit des Klosters Yuste mit Reb=
hühnerpasteten und andern Leckereien großgefüttert wurde!
Ein Held im eigentlichen Sinn des Worts ist Karl nie
gewesen: ein Augenzeuge, den Ranke zu Rathe zog, ver=
sichert, Karl habe, wie später Heinrich IV. von Frank=
reich, am Tage einer Schlacht, bevor er zu Pferde stieg,
jedesmal gezittert; saß er aber nur einmal im Sattel,
so konnte man seinen Muth auf harte Proben stellen.
Das Kriegshandwerk machte ihm Freude und der Don=
ner der Kanonen war Musik für seine Ohren; als er
in Yuste die Kunde von dem Siege der Spanier bei

St.=Quentin erhielt, war seine erste Frage: wohin der
König (Philipp) sich gewendet? Er mochte ihn, wie
Brantôme nicht ohne einen Anflug von Ironie bemerkt,
auf dem Wege nach Paris glauben. Wie wenig kannte
er seinen Sohn! Nicht als ob Philipp ohne kriegerische
Anwandelungen gewesen wäre: er liebte es, einen Kriegs=
mann vorzustellen, zog oft die Rüstung an und ließ sich
besonders gern in derselben malen; aber es kam bei ihm
immer nur zum Zittern, zu Velleitäten und niemals zu
einem mannhaften Entschluß. Der Feige wollte muthig
scheinen. Von phlegmatischem und melancholischem Tem=
perament, wie ihn Bâdoaro schildert, litt er am Magen
und an Seitenstechen. An Verstand und Fleiß fehlte es
ihm nicht; allein sein Horizont war eng und einen
großen Gedanken wußte er nicht zu fassen; und über=
dies gebrach ihm der Muth des Handelns. Dagegen
glich er seinem Vater an Freigebigkeit, obschon die
Kassen beider meist leer waren. Es klingt fabelhaft,
wenn Philipp, der sich bei dem Tode seiner Großmutter
Juana gerade in England befand, seinen Vater bitten
läßt, er möchte ihm die Kosten der Todtenfeier bis zu
seiner Zurückkunft nach Brüssel ersparen, während Karl
darauf rechnete, das schwarze Tuch des englischen Kata=
falks zur Behängung der von Philipp im brüsseler
Schlosse zu bewohnenden Gemächer verwenden zu können.
Das Gelüst, von Madrid aus die Welt zu beherrschen,
verließ Philipp zeitlebens nicht; allein ein mehreres und
besseres als brutale Gewalt und gemeine Intrigue
wußte er zur Erreichung seiner herrschsüchtigen Plane
nicht einzusetzen. Ein sklavischer Nachahmer seines Va=
ters, ersetzte er die Devise desselben „Plus ultra“ durch

einen Sonnenwagen mit der Inschrift „Jam illustrabit
omnia". Nicht auf die Krone Englands allein nahm er
sein Absehen: nach dem Hinscheiden des letzten Valois
bewarb er sich bei den in Paris versammelten Generalstaaten um den französischen Thron, machte seine Erb-
ansprüche auf Burgund geltend, wollte des Sund, See-
lands und Jütlands sich bemächtigen, nahm die katholischen Schweizercantone in seinen Schutz, richtete sein
Augenmerk auf die Eroberung der Barbareskenstaaten —
aber alles das mit dem einzigen Erfolg, daß er überall
schmählich scheiterte.

Was nun die jüngern Mitglieder der Familie betrifft, so besaßen alle drei die kriegerische Ader des Kaisers. Alessandro verdiente sich in den Niederlanden den
Beinamen des „Poliorketes"; schon in dem Bericht, den
der Sieger bei Lepanto über die glorreiche Seeschlacht
an Philipp abstattete (vom 10. Oct. 1571), wird der
Herzog von Parma unter den ersten genannt, die auf die
feindliche Galere, die Don Juan enterte, hinüber-
sprangen.[25]) Der Held von Lepanto selbst besaß neben
einem tapfern, auch ein großes und edles Herz. Er
war gewaltigen Aufgaben gewachsen, wie sein Vater,
während Philipp noch in seinem dreißigsten Jahr dazu
angehalten werden mußte, französisch und lateinisch zu
sprechen, und zuletzt gänzlich im spanischen Wesen ver-
stockte. Es verräth mehr als gewöhnliche Herzhaftigkeit,
daß Don Juan auf die erste Kunde von der Landung
der Türken auf Malta insgeheim nach einem spanischen
Seehafen entfliehen und sich nach Malta einschiffen
wollte; unterwegs angehalten, bat er den darüber
höchlich aufgebrachten König mit rührender Unterwürfig-

leit um Verzeihung. Offenbar hatte er den königlichen
Bruder zuvor mit Bitten bestürmt gehabt, der jedoch
ebenso wenig einen hochherzigen Entschluß an andern zu
würdigen, als selbst zu faffen vermochte und namentlich
vor lauter Mistrauen seine nächsten Angehörigen überall
im Stiche ließ. Don Juan starb an gebrochenem Herzen, nachdem er in seinem abenteuerlichen Thatendrang
vergebens von Philipp sich die Erlaubniß, ein Königreich
in Tunis oder England zu erobern, erbeten und alle
Hülfsmittel seines Genie in den Niederlanden erschöpft
hatte. Sehr zugethan müssen sich Juan und Alessandro
gewesen sein: bei seiner wichtigen Stellung in den Niederlanden bat später ersterer sich den letztern als Teniente
general aus. [26]

Ueber Carlos äußern sich die venetianischen Gesandt-
schaftsberichte [27] ausführlich. Einiges davon wurde bereits erwähnt, es verdient jedoch zur Vervollständigung
des Bildes nachgetragen zu werden, daß derselbe Gesandte,
der die Prinzessin Juana wegen ihrer ausgezeichneten
Schönheit, ihres männlichen und freigebigen Sinnes
rühmt, in Don Carlos schon frühzeitig den Hang zur
Grausamkeit wahrnahm. Habe er kein Geld, so ver-
schenke er alles — Ketten, Geschmeide, selbst Kleider,
die er prächtig zu tragen liebe. Als er hörte, daß
der aus der Ehe seines Vaters mit der Königin von
England zu erwartende Sohn die Niederlande erhalten
sollte [28], äußerte er zornig, lieber wolle er Krieg anfangen, und in diesem Sinn schrieb er an seinen Großvater nach Brüssel, er möchte ihm doch eine Rüstung
schicken, was diesen ungemein belustigte. Daß es mit den
geistigen Anlagen des Prinzen nicht gar so schlecht bestellt

war, sollte man wenigstens vermuthen nach einem Gespräch desselben mit dem Alcalden von Alcalá, das
Huarte in seiner durch Lessing unter uns bekannt gewordenen Schrift „Exámen de ingenios" (1575) anführt. Der Prinz fragte den Alcalden, wer von seinen
(des Prinzen) Vorfahren ihn geadelt habe? worauf derselbe entgegnete: er sei hijosdalgo de sangre (Geburts-
adel) und nicht de privilegio, wovon Carlos Gelegenheit nahm, ihm begreiflich zu machen, daß sein adeliches
Blut doch nicht vom Himmel gefallen sein könne. Weniger erfreulich klingt die Wahrnehmung unsers Venetianers, der Prinz sei schon von Kindheit an auf die
Weiber versessen gewesen, und es kann weiter nichts als
ein leeres Gerede gewesen sein, daß er bis in sein ein-
undzwanzigstes Jahr keusch gelebt habe. Es war dies
eine besonders schwache Seite Kaiser Karl's, der auch
kein Geheimniß daraus machte; seinerseits trieb Philipp
die fleischlichen Sünden im Verborgenen und es konnte
nicht fehlen, daß man seinen kahlen Kopf und seine
schwachen Beine damit in Verbindung brachte (stiman-
dosi che il suo maggior peccato sia quello della carne,
perocchè è peloso e calvo, e hà le gambe sottili).
Mignet [29]) hat es wahrscheinlich gemacht, daß der Herzog von Pastrana ein Sohn Philipp's von der Eboli
war, wofür der Umstand spricht, daß Ruy Gomez im
Jahr 1572 Pastrana gekauft hatte, das zum Herzogthum erhoben wurde. Was von einem Liebesverhältniß
des Don Carlos mit der Eboli berichtet und zu einem
langen Intriguenroman ausgesponnen wird, halte ich nach
sorgfältiger Einsicht der allein glaubwürdigen Quellen
für französische Erdichtung und ohne jeglichen Einfluß

auf das spätere Schicksal des Prinzen. Don Juan hatte
ein Liebesverhältniß mit Maria Mendoza.

Das Leben, welches der Prinz und seine Begleiter in
Alcalá führten, wird wol weit mehr den Vergnügungen
als den Studien gewidmet gewesen sein; wenigstens
schreibt Guibert nach Paris, Carlos sei von der Treppe
gefallen, als er der Tochter des Schließers in den
Garten nachgehen wollte, und mit Rücksicht darauf wäre
es wenigstens nicht unmöglich, daß er während seiner
darauffolgenden Krankheit seine Keuschheit zu bewahren
gelobte. Der Fall, den er im April 1562 that und
wobei er mit dem Kopf gegen eine Thür stürzte, hatte
die schwersten Folgen. Anfangs wurde die Sache wenig
beachtet: aber bald kam ein heftiges Fieber hinzu, der
Kopf schwoll furchtbar an und der Kranke lag im De-
lirium. Der Krankheitsbericht, der von dem Dr. Olivares, des Prinzen Leibarzt, handschriftlich vorhanden ist[30]),
enthält ein merkwürdiges Probestück der damals herrschenden Medicin, gewinnt übrigens noch einen ganz
eigenthümlichen, selbst wissenschaftlichen Werth durch den
Umstand, daß der Leibchirurg Philipp's, Dionisio Daza
Chacon, in seiner „Práctica y teórica de cirugía" der
unter seiner Mitwirkung stattgefundenen ärztlichen Behandlung des Prinzen ausführlich Erwähnung thut. Guibert erzählt von dem überraschenden und ergreifenden
Eindruck, den die Kunde von dem unglücklichen Fall des
Don Carlos bei Hofe, insbesondere bei dem Könige
selbst hervorbrachte; ein ganzes ärztliches Collegium —
darunter sogar der berühmte Andrés Vesalio — ward
nach Alcalá entboten: der Kranke selbst bat sich in sehr
höflicher Weise einen portugiesischen Doctor aus, hinter

dem man einen marktschreierischen Quacksalber vermuthen
darf, indem er sich entschuldigend an Daza Chacon
wandte, er möchte seinen Wunsch nicht übel nehmen.
Man wird ohne weiteres die Behauptung wagen können,
daß es dem großen Andreas Vesalius gelang, bei der
als sehr stürmisch geschilderten Consultation seine spanischen Collegen zu bestimmen, sich für die unter den gegebenen Umständen offenbar allein zulässige Trepanation
auszusprechen, die zwar glücklich ausgeführt wurde, ohne
jedoch den Zustand des Kranken wesentlich zu bessern.
Philipp, der mittlerweile selbst eingetroffen war, hoffte
Hülfe allein von einem kirchlichen Wunder: die Kunst
hatte alle ihre, zum Theil höchst wunderlichen Mittel
bis auf die Salbe eines maurischen Doctors herab erschöpft, im ganzen Lande hatte man Kirchengebete und
Bittgänge veranstaltet, bis jemand, man weiß nicht wer,
auf den Einfall kam, den Leichnam eines im Geruch
der Heiligkeit stehenden Franciscanermönchs, Fray Diego,
in feierlicher Procession, bei welcher der König nicht
fehlte, aus seiner Gruft im Kloster Jesus Maria, wo
er bereits seit hundert Jahren in Frieden ruhte, zu
holen und auf des Prinzen Bett zu legen, wobei man
die Mönchskutte mit der Stirn desselben in Berührung
brachte. In derselben Nacht erschien Fray Diego dem
Kranken, der ihn für den heiligen Franciscus selbst
hielt und mit den Worten anredete, warum er die Wunden nicht von ihm nehme? worauf die Antwort erfolgte:
er solle nur guten Muths sein, es werde schon besser
mit ihm werden. In der That besserte sich von da ab
der Zustand so rasch und merklich, daß der Kranke schon
nach einigen Wochen das Zimmer verlassen konnte. Fray

Diego ward zum Danke für die unverhoffte Heilung in
Rom selig gesprochen, obwol Olivares mit einem An=
flug ungläubigen Kopfschüttelns die charakteristische Be=
merkung hinzufügt, ein eigentliches Wunder sei es nicht
gewesen, da der Prinz durch die gebräuchlichen Heilmittel
genesen.

Daza hebt noch besonders die Geduld und den Ge=
horsam hervor, den der Prinz gegen den König und die
Verordnungen der Aerzte bewies: was der Herzog von
Alba und Don Garcia de Toledo im Namen Philipp's
von ihm forderten, that er unweigerlich. Gleichwol wird
kaum daran zu zweifeln sein, daß die Nachwirkungen
der erlittenen Gehirnerschütterung an dem fernern
Betragen des Prinzen deutlich hervortraten, dessen zu
geschweigen, daß sein von Ausschweifungen und dem immer
wiederkehrenden Quartanfieber zerrütteter Körper ohne=
dies kein gesundes Geistesleben aufkommen ließ. Es ist
sehr wahrscheinlich, daß er es schon während seiner Uni=
versitätszeit burschikos genug trieb: indessen dauerte sein
Aufenthalt in Alcalá nur noch kurze Zeit, und da Phi=
lipp im Jahr 1563 die Residenz der castilischen Könige
von Valladolid nach Madrid verlegte, folgte das prinz=
liche Kleeblatt unverweilt dem Hofe dahin, wobei es sehr
fraglich bleibt, ob van der Hammen's wohlweise Mei=
nung, er halte es für eine der wichtigsten Aufgaben
einer guten Regierung die Jungen (moços) an strenge
Zucht zu gewöhnen, eine Anwendung auf Don Carlos
und selbst einen seiner beiden Begleiter findet. Alessandro
ging bereits 1565 zu seiner Mutter nach den Nieder=
landen, wo der Geheimsecretär der Herzogin, Thomas
Armenteros, ihn in einen vollständigen Spanier ver=

wandelt fand [31]), und der Prinz auf den Wunsch des
königlichen Oheims mit der Infantin Maria von Por=
tugal sich vermählte. Er war dadurch der unangenehmen
Nothwendigkeit überhoben, Zeuge von den tollen
Streichen seines Vetters sein zu müssen. Die Hochzeit
fand in demselben Saale statt, wo zehn Jahre früher
Karl V. abgedankt hatte.

III.

Gerade in diesen Zeitraum fällt die Schilderung,
welche der Venetianer Tiepolo von Carlos und nebenbei
auch von Juan entwirft. Der Prinz, heißt es daselbst,
stehe in seinem zwanzigsten Jahre, sei für sein Alter
wenig entwickelt, nicht schön trotz seiner weißen Haut
und seiner blonden Haare; er gehe gebückt und auf
schwachen Beinen; Reiten und Waffenspiel sagen ihm zu,
überhaupt aber sei er in seinem Thun und Treiben so
heftig, daß man ihn unbändig nennen könnte; zum Zorn
geneigt, lasse er sich leicht zu Grausamkeiten hinreißen.
Der Wahrheit sei er zugethan und hasse die Schön=
redner (buffoni); er liebe die Edelsteine, die er zum
Theil mit eigener Hand schneide. Neben sich verachte
er alle andern — Suriano sagt von Philipp, er ver=
achte alle Nationen außer der spanischen —, und meine,
keiner komme ihm gleich. Er sei religiös, mitleidig und
wohlthätig, und pflege zu sagen, wer denn Almosen ge=
ben solle, wenn es die Fürsten nicht thun? Dies war
freilich noch kein übermäßiges Lob, wenigstens in Ver=
gleich mit dem Bilde, welchs Tiepolo von Don Juan ent=
wirft und das darauf hinausläuft, daß der stattliche Jüng=

ling allgemein beliebt und geachtet sei (è in buonissima
consideratione).

Eingebildet und daneben reizbar und eigensinnig, wie
er war, glaubte Don Carlos seinem herrischen Wesen
freien Lauf lassen zu dürfen, und es ist leider nur zu
wahrscheinlich, daß der nachgiebige Don Juan sich ihm
dazu eher gefällig als hinderlich erwies. Das Herrchen
fing an, die armen Madrider zu brutalisiren, wie es
früher schon seine Tante Juana misbraucht und seine
Umgebungen mishandelt hatte. Brantôme schildert uns
den Prinzen, wie er in Begleitung eines Dutzend junger
Leute von bester Herkunft bei Tag und bei Nacht durch
die Straßen der Hauptstadt strolcht und selbst vornehme Frauen auf das niederträchtigste insultirt. Dergleichen Ungebührlichkeiten des Sohns hatte der Vater
nicht den Muth, ernstlich entgegenzutreten: der Tyrann
fürchtete sein eigenes Blut zu beschmuzen, wenn er die
Unterthanen gegen die Mishandlungen des Thronfolgers
in Schutz nehme und seinen nobeln Passionen einen Zügel
anlege. Er ließ es geschehen, daß der Prinz unter andern Tollheiten den Schuster, der auf Befehl des Königs
ein Paar Stiefel von ungeheurer Größe, die Carlos bestellt hatte, um bequem seine Pistolen darin unterbringen
zu können, kleiner machte, zwang, dieselben in Stücke zu
schneiden und aufzuessen. Seinen Hofmeister Garcia de
Toledo, einen Bruder des Herzogs von Alba, mishan-
delte er thätlich ohne allen ernstlichen Grund, worauf
Ruy Gomez die Aufsicht über den Prinzen übernehmen
mußte. Ruy Gomez, aus dem alten Hause der Silva
und Schwiegersohn des Fürsten Eboli, war ein geschmei-
diger Hofmann, der nach venetianischen Berichten weder

Neigung zum Kriegswesen, noch militärische Erfahrung
besaß, dennoch aber im Umgang mit Offizieren so viel
von deren Handwerk gelernt hatte, daß er dem König,
dem so viel darauf ankam, ein Kriegsmann zu scheinen,
mit seinen Kenntnissen imponirte. Ein Minister solchen
Schlags war am allerwenigsten geeignet, den störrigen
Prinzen auf bessere Wege zu bringen: machte dieser sich
doch nichts daraus, den Cardinal Espinosa, Präsidenten
des Raths von Castilien und später Großinquisitor, beim
Kragen zu fassen und den Dolch gegen ihn zu zucken,
weil er einen Spaßmacher, der vor Don Carlos seine
Possen aufzuführen pflegte, aus dem Schlosse wegjagen
ließ. Es klingt komisch, wenn be Castro nach seiner Art
aus diesem Gaukler, der Alonso be Cisneros hieß, einen
geistreichen Mann macht, weil er die Perisologie mit
demselben Stoff gefütterte Verse nannte — Eduard und ·
Kunigunde, Kunigunde Eduard! — (coplas aforradas de
lo mismo).

Man ist gleichwol berechtigt, selbst für dergleichen
blinde Wuthanfälle ein tieferes Motiv zu suchen. Es
wird uns von glaubwürdiger Seite ausdrücklich bezeugt,
der Prinz habe sich für die Staatsgeschäfte interessirt
(è curioso nell' intendere i negotii dello stato) und zu
wissen verlangt, womit sein Vater· sich beschäftige, indem
er es sehr übel nahm, wenn man ihm ein Geheimniß
daraus machte. Es erinnert dies an die verwandte Erzählung, Don Carlos habe sofort einen Waffengang zu
machen verlangt, wenn er von jemand hörte, er sei ein
guter Fechter. Zum Theil tabelnswerthe Selbstüberschätzung, zum Theil der rühmliche Drang nach angemessener Thätigkeit, der auch in Don Juan's Adern so

gewaltig gährte, ließ den Unglücklichen nirgends Ruhe
und Zufriedenheit finden: man kann wohl sagen, daß er
von seinem mistrauischen Vater alle Zugänge versperrt
fand, um im Cabinet oder auf dem Schlachtfeld seinem
Thatendrang, den er als ein wenn auch verschrobenes
Erbstück von seinem Großvater überkommen hatte, Ge=
nüge zu thun, und wer wollte schlechterdings die An=
nahme zurückweisen, daß eine - angemessene Beschäftigung
ihn Herr über seine ungesunde Naturanlage hätte wer=
den laffen?

Zwar an den Sitzungen des Staatsraths und des
Kriegsraths nahm er gemeinschaftlich mit Don Juan
theil: es mußte ihm indessen vom ersten Augenblick an
klar geworden sein, daß man ihn wol reden, aber nichts
sagen ließ, weshalb auch nichts natürlicher ist, als daß
sein herrschbedürftiges, um nicht zu sagen herrschsüchtiges,
Gemüth sich mehr und mehr gegen diejenigen verbitterte,
denen er die unfreiwillige Unthätigkeit schuld geben mußte.
Sein Haß traf zunächst den König und dessen Minister,
wogegen er sich in ebenso unzweideutiger als eigenthüm=
licher Weise zu allen denen hingezogen fühlte, die wie
die Königin und Don Juan gleichfalls, in den öffent=
lichen Angelegenheiten nichts zu sagen hatten, obschon sie
ihrer Geburt und Stellung nach hätten mitrathen und
mitthaten sollen. Von der Königin insbesondere rühmte
er nach dem Zeugniß des päpstlichen Nuntius, sie sei
gegen ihn amorosisima, was übrigens nichts weiter als
zärtlich bedeutet. Man hat einen Zug besonderer Gut=
müthigkeit darin erblickt, daß Carlos seinem Lehrer, Ho=
norato Juan, der durch seine Fürsprache zum Bischof
von Osma erhoben wurde, in Liebe und Treue zugethan

war und daß dieser hinwiederum ein unbedingtes Ver=
trauen auf seinen Zögling setzte. Don Pascual de Gayan=
gos, der unermüdliche Forscher, hat sogar einen Brief.
(Juni 1566) des päpstlichen Nuntius, Erzbischofs von
Rosano, an den Cardinal Alessandrini aufgefunden,
worin es heißt, der Prinz habe ihm aufgetragen, dem
Papst die Gewährung des ihm schon früher einmal vor=
gelegten Gesuchs ans Herz zu legen, und auf seine Ent=
gegnung, er wisse nicht, was er damit meine, mit dem
ihm eigenthümlichen Lachen [32]) hinzugesetzt, das sei es
nicht, daß Se. Heiligkeit seinen Lehrer, den Bischof von
Osma, zum Cardinal mache. Man mag indessen die
Sache ansehen wie man will: selbst in solchen scheinbar.
unverfänglichen Schritten erkennt man die berechnete Ab=
sichtlichkeit eines oppositionellen Geistes. Ohne seinem
Herzen irgend zunahezutreten, wird man doch schwer=
lich umhin können, das in die Augen fallende Wohlwol=
len, womit der Prinz einzelne Persönlichkeiten beehrte,
mit der Abneigung in Verbindung zu bringen, die er
gegen die ersten Diener des Königs, insbesondere gegen
den Herzog von Alba und dessen Bruder Don Garcia,
hegte. Letztern mochte er seine Aufsätzigkeit deshalb
nachdrücklich fühlen lassen wollen, weil er in ihm wie
im Herzog nichts anderes sah und sehen konnte als
blinde Werkzeuge des königlichen Willens, denen schon ein
Wink ihres Gebieters genügte, um den Prinzen wie ein
unmündiges Kind zu behandeln, das man in nichtssagen=
den Dingen und dem äußern Anschein nach gewähren,
ja befehlen läßt, während es in Wahrheit ganz unberück=
sichtigt bleibt. Nur Geld durfte er mit offenen Händen
hingeben, auch wol wegwerfen: Hatte er keins, so war

er freigebig mit Schuldverschreibungen. Carlos mußte
sich schmerzlich verletzt und zurückgesetzt finden, und
zur Beschwichtigung seines Unmuths mochte es gerade
auch nicht dienen, daß Philipp mit seinen argwöhnischen
Bedenklichkeiten der von verschiedenen Seiten gewünsch-
ten Vermählung des Kronprinzen Schwierigkeiten auf
Schwierigkeiten in den Weg legte. Die Königin hätte
ihn gern zum Gemahl ihrer Schwester auserloren: un-
umwundener und nachdrücklicher bewarben sich der Kaiser
Maximilian und seine Gemahlin, die von ihrem frühern
Aufenthalt in Spanien her den Prinzen in guter Erinnerung hatten, um seine Hand für ihre Tochter Anna,
die nach dem Tode Isabella's gleichfalls statt dem Sohne
dem Vater zufiel. Unter dem 25. Sept. 1565 richtete
Philipp von dem Lustschloß von Segovia aus an seinen
Gesandten Chantonnay in Wien ein Schreiben, worin
es hieß, bei der um diese Zeit stattgehabten Zusammen-
kunft Isabella's mit ihrer Mutter habe letztere der Tochter allerlei Vermählungsvorschläge, namentlich auch in
Betreff des Don Carlos gemacht, die Königin habe aber,
dem Befehl ihres Gemahls gemäß, sich nicht weiter
darauf einlassen dürfen. Und an demselben Tag ging
dem Francisco de Alava, dem spanischen Gesandten in
Paris, die Weisung zu, St.-Sulpice, der, so unglaublich
es klingt, am madrider Hof im Verdacht hugenottischer
Gesinnungen stand [33]), habe die Angelegenheit von neuem
aufs Tapet gebracht, und obschon dem König nichts
erwünschter sein könnte als die vorgeschlagene Verbindung, so habe er doch schon seit längerer Zeit Verpflichtungen eingegangen, die, obgleich er sich die Hände nicht
förmlich gebunden, ihm nicht gestatteten weiter zu gehen.[34])

Es war dies weiter nichts als eine der Ausflüchte,
womit Philipp gegen seine nächsten Anverwandten und
Diener — man denke an Juan d'Austria! — so frei=
gebig war, während er da wo es seine eigene Person
betraf, rasch genug und ohne Umstände zugriff. Von
seinem Gesandten in Wien ward ihm geschrieben: jeder
von der schwachen Gesundheit des Prinzen hergeleitete
Zögerungsgrund falle fortan weg; man wisse am wiener
Hofe recht wohl, daß der Prinz sich der besten Gesund=
heit erfreue und die Vermählung mit der Prinzessin
Anna sehnlichst wünsche. Daß Carlos von den Winkel=
zügen seines Vaters Kenntniß hatte, ohne auch nur um
seine eigene Meinung gefragt zu werden, läßt sich den=
ken, und es ist sogar sehr wahrscheinlich, daß die oben
berührte schmerzliche Aeußerung, seine Gedanken seien in
weiter Ferne bei seiner Base, womit er einmal in Gegen=
wart der Königin seine Zerstreutheit entschuldigte, eben
darauf Bezug hatte. Gegen den Herbst 1566 erkrankte
er von neuem am Fieber, nachdem er schon seit Mona=
ten seinen Umgebungen traurig und melancholisch erschie=
nen war. [35]) Seufzend beklagte sich der König über die
Ausschweifungen seines Sohns, denen er sich vielleicht
weniger aus gemeiner Sinnlichkeit, als um seine pein=
liche Lage zu vergessen, hingab. Selbständig wollte er
sein, und das ließ man ihn nicht, ohne darum die streng=
sten Rücksichten etikettemäßiger Hochachtung gegen den
König aus den Augen setzen zu dürfen.

Noch um vieles peinlicher gestalteten sich die Ver=
hältnisse, als die Verwickelungen in den Niederlanden
einen immer bedenklichern Charakter annahmen. Schon
kurze Zeit nachdem Philipp im August 1559 auf seiner

Rückkehr aus den Niederlanden in dem Hafen von La-
redo eingelaufen war, wußte die von ihm zurückgelassene
Regentin Margaretha bereits nicht mehr, wie sie die los-
gelassenen Geister zur Ruhe bringen sollte. Der Riß
zwischen der von dem spanischen Monarchen befolgten
Politik und dem Rechtsbewußtsein seiner niederländischen
Unterthanen klaffte weiter und weiter, sodaß der Staatsrath in Brüssel zuletzt keinen andern Ausweg wußte,
als den Grafen Egmont nach Madrid zu senden: ein
Auftrag, dessen Gefährlichkeit die persönlichen Freunde
des Grafen so wohl kannten, daß sie mit ihrem Blut
eine Urkunde unterzeichneten, an jedem Rache nehmen zu
wollen, der dem Abgesandten etwas zu Leide thue.[36]
Am madrider Hofe fand Egmont eine so freundliche Aufnahme, der König insbesondere schenkte seinen Vorstellungen, ein milderes Regiment in den Niederlanden walten zu lassen, so bereitwilliges Gehör, daß der Sieger
von St.-Quentin in seinem ritterlichen und leichten Sinn
bei seiner im April 1565 erfolgten Rückkehr in die Heimat nicht genug zu erzählen wußte von den wohlwollenden Absichten, welche König Philipp und seine Räthe
gegen die Niederländer hegten. Es ist weiter nichts als
eine wohlfeile Voraussetzung, wenn de Castro (S. 338)
den Grafen Egmont während seines Aufenthalts in Spanien mit Don Carlos in Berührung kommen und in der
Brust des Prinzen das lebhafte Verlangen, die gedrückte
Lage der Flamänder zu erleichtern, rege machen läßt;
ganz willkürlich aber und durch gar nichts gerechtfertigt
ist die Annahme, Carlos und Egmont hätten von dieser
Zeit an regelmäßig Briefe miteinander gewechselt.

Schon ein wittenberger Magister hat vor langen

Jahren die sehr vernünftige These aufgestellt: Simplices
homines putant, Carolum religioni puriori se ad-
dixisse.[37]) In der That müßte es auch ganz eigen zu-
gegangen sein, wenn der Sohn und Thronfolger eines
Philipp II. mit protestantischen Neigungen und Anschauungen aufgewachsen wäre. Gerade von dem Zeitpunkt an, wo der Prinz im Stande war, sich über religiöse Dinge ein wenn auch nur oberflächliches Urtheil
zu bilden, war er Zeuge der schmachvollsten Religions-
verfolgungen, welche die neuern Geschichtsblätter besudeln.
Bei dem ersten protestantischen Auto da Fé, das am
21. Mai 1559 in Valladolid jene lange Reihe von
Schreckensscenen einleitete, deren ganze Furchtbarkeit
weniger in dem Scheiterhaufen als in den Gefängnissen
und Marterkammern der Inquisition lag, war auch Don
Carlos mit seiner Tante zugegen. Die Predigt hielt
Melchor Cano, und der Inquisitor Don Francisco Baca
nahm dem Prinzen und der Prinzessin einen feierlichen
Eid ab, daß sie jederzeit und allerorten dem Santo-
Oficio zu Willen sein wollten. In demselben Jahr und
an derselben Stelle wohnte König Philipp am 8. Oct.
einem ähnlichen Ketzergericht bei, gleichsam zur Feier
seiner glücklichen Rückkehr aus den Niederlanden, und
schwor auf das heilige Kreuz, daß er alle seine Unterthanen selbst mit Gewalt dazu anhalten werde, sich nach
den apostolischen Verordnungen und Briefen zu richten,
die gegen Ketzer und jeden, der solche begünstigte, erlassen würden. Damals war es, wo der König den
zum Scheiterhaufen verurtheilten de Seso, der an dem
Thron, auf welchem Philipp saß, vorübergeführt, diesen
fragte, wie er einen Edelmann von seiner Herkunft ver-

brennen laſſen möge, zur Antwort gab: „Ich ſelbſt trüge
das Holz zu dem Scheiterhaufen meines eigenen Sohns
herbei, wäre er ſo ſchlimm wie Ihr!" (Yo traeré la
leña para quemar á mi hijo si fuere tan malo como
vos. [38])

Wie in Valladolid ging es auch in Sevilla zu, und
von 1560—70 wurde alljährlich in den zwölf Städten,
wo die Inquiſition Provinzialtribunale hatte, mindeſtens
ein öffentliches Auto da Fé gehalten. [39]) Zum dritten
male im Verlauf von nicht ganz einem Jahr ſehen wir
den jungen Carlos, drei Tage nachdem die in Toledo
verſammelten Cortes ihm gehuldigt hatten, ebendaſelbſt
einem Glaubensgericht (25. Febr. 1560) beiwohnen,
und zwar nicht mehr blos in Gegenwart ſeines Vaters,
ſondern auch ſeiner jungen Stiefmutter. Es iſt ſchmerz-
lich für uns Deutſche, daß bei dieſer Gelegenheit der
Herzog Heinrich X. von Braunſchweig-Lüneburg einen
Evangeliſchen aus ſeinem Gefolge den Flammen über-
lieferte, noch ſchmerzlicher aber, daß zwei fürſtliche Perſonen, die beide kaum den Kinderjahren entwachſen waren, zu Schauſpielen gezogen wurden, die an barbariſcher
Roheit den Thierhetzen der römiſchen Arena in der
Kaiſerzeit nichts nachgaben. Wie kann man aber nur
glauben, der junge Prinz von Spanien, auch wenn ihm
Anregungen eines eblern Gefühls nicht ganz fremd waren, hätte aus den aufgerichteten Scheiterhaufen einen
tiefen Haß gegen den blutigen Schrecken der Inquiſition
und die tyranniſchen Rechtsverletzungen in den Niederlanden eingeſogen! Daß ſein hochfahrendes Weſen ſich
gegen die brutalen Zumuthungen der Ketzerrichter ge-
ſträubt haben wird, und daß er es im Stillen ſeinem

Vater übel nahm, sich blindlings den geistlichen Herren
unterzuordnen, hat vieles für sich; indessen würde man
Philipp durchaus falsch beurtheilen, wenn man seiner
Willfährigkeit gegen die klerikalen Mordbefehle ein an=
deres Motiv als blutgierige Selbstsucht unterstellte. Ist
es doch vorgekommen, daß Philipp, der einer deshalb
zusammenberufenen Conferenz der berühmtesten Theolo=
gen seines Reichs das von dem Grafen Egmont über=
brachte und bevorwortete Bittgesuch der Niederländer
um Gewissensfreiheit vorlegte, den auf Gewährung freier
Religionsübung lautenden Bescheid mit den Worten ab=
lehnte: er habe sie nicht kommen lassen, um von ihnen
zu erfahren, was er den Flamändern gewähren dürfe,
sondern ob er. es müsse? worauf die geschmeidige Ver=
sammlung unverweilt mit Nein! antwortete. [40]) Man
könnte nun freilich einwenden, im Alter etwas vorgerückt,
werde der Prinz den beiden andern vornehmen Nieder=
ländern, de Montigny, einem jüngern Bruder des Gra=
fen Hoorn, und van Bergen, die den Grafen Egmont,
dessen Sendung an den madrider Hof so jämmerlich fehl
schlug, im Jahr 1566 daselbst ablösten, um so willigeres
Gehör geschenkt haben, was Straba (I, 376) wirklich ver=
sichert; aber auch dafür fehlt es an allem und jedem
urkundlichem Beweise, wogegen andere beglaubigte That=
sachen auf das Gegentheil schließen lassen. In der letz=
bener Universitätsbibliothek werden zeither unbenutzte
Briefe verwahrt, welche ein Secretär des Grafen Hoorn,
Alonzo be la Loo, von Spanien aus, wohin ihn sein
Herr gesandt hatte, um über den Fortgang der Staats=
geschäfte, insoweit sie die Niederlande betrafen, Bericht
zu erstatten, an Hoorn schrieb. Dieselben erstrecken sich

zwar nur über die ersten Monate von Montigny's Aufenthalt in Spanien, erwähnen jedoch des Prinzen zu
wiederholten malen, und dies in einer Weise, daß während des betreffenden Zeitraums Montigny demselben
unmöglich näher getreten sein kann. Unter dem 29. Mai
(1566) schreibt la Loo, Don Carlos scheine die Abwesenheit seines Vaters von Madrid sich zu Nutze zu machen, speise täglich auf seinem Landhause, wo er zugleich
Bäder nehme („El principe siempre ha estado aqui y le
parece que en ausencia del padre es *sui juris*; el haze
la vida acostumbrada, va cada dia cenar a la casa del
campo, donde tambien se baña"). Seiner Gewohnheit
getreu überhäufte König Philipp die niederländischen
Abgeordneten mit Höflichkeiten und ertheilte ihnen zum
öftern Audienz, wobei es vorkam, daß Montigny, der
nicht so leicht zu ködern war wie Egmont, einen so sol-
datisch freimüthigen Ton gegen den Monarchen annahm,
daß diesem das Blut zu Kopfe stieg (hasta que puso
color a su Mt.). Von Don Carlos ist überall nicht die
Rede: wohl aber erzählt unser Gewährsmann (Segovia,
3. Aug.), wie Se. Majestät einmal wegen der flandrischen
Angelegenheiten Ministerrath gehalten, habe der Prinz am
Schlüsselloch gehorcht. Als Diego de Acunha ihn darauf
aufmerksam machte, der König könne jeden Augenblick
heraustreten und zudem sei Se. Hoheit von oben den
Blicken der Hofdamen, von unten her den Blicken der
Pagen ausgesetzt, fing der Prinz an ihn zu schimpfen
und selbst mit Faustschlägen zu bedienen; es hieß sogar,
er wäre noch weiter gegangen, hätte ihn Don Diego
nicht bei den Händen gefaßt. Sobald der König davon
erfuhr, machte er seinem Sohne deshalb bittere Vor-

würfe, la Loo meint indeſſen, der Prinz werde es ſich
ſchwerlich zur Warnung dienen laſſen. Auf Diego habe
er längſt ſeinen Haß geworfen und behaupte, ſolange
derſelbe in ſeinen Dienſten ſei, habe er ſeinen Spott
mit ihm (dem Prinzen) getrieben, ſo wenig auch der gutmüthige Edelmann ſolchen Vorwurf verdiene. („Estando
su Mt. en la camara del consejo destado sobre las cosas
de Flandes, el principe n. Sr. se puso arrimo a la cer-
radura de la puerta para escucharlo, y como Don Diego
de Acunha le dixese, que su Mt. saldria y que su Al-
teza se fuese de ally porque le veyan de arriba las da-
mas de la reyna y de abaxo los pages, le començò el
Pr. a tratar mal, y aun dar de pescosones con los
puños cerrados; y algunos dizen, que passava adelante
si Don Diego no le tuviera las manos. Su Mt. lo ha sa-
bido y ha reñido mucho a su hijo, del qual no ay
mucha esperanza que aya de mudar de sus condiciones.
Al dicho Don Diego trae de mucho tiempo odio y dize
que quantos años le ha servido, tantos le trae en-
fadado, pues no lo merece la bondad deste cavallero.")

Bald darauf erfahren wir, der Prinz habe bei der
neugeborenen Prinzeſſin Iſabella Clara Eugenia Pathen-
ſtelle vertreten; aber nirgends findet ſich eine Spur einer
auch nur äußerlichen Berührung deſſelben mit Montigny
und van Bergen, von denen letzterer überdies ſchon im
folgenden Jahr ſtarb. Auch Wilhelm von Oranien nennt
in ſeinen Briefen den Don Carlos nur ein einziges mal,
und in nichts weniger als ehrenvoller Weiſe: der ge-
fräßige junge Mann habe 16 Pfund Obſt nebſt vier Pfund
Trauben auf Einem Sitz verſchlungen und ſei davon erkrankt.[41]) Ebenſo wenig dachte Montigny, als es ſich

um die Sendung Alba's nach den Niederlanden han=
delte, auch nur entfernt daran, statt seiner den Prinzen
in Vorschlag zu bringen, obwol er wissen mußte, daß
dieser selbst es lebhaft wünschte. Allem Anschein nach
wurde Carlos in die niederländischen Angelegenheiten,
die seit dem Compromiß der Nobeln und der antwerpener
Bilderstürmerei die spanischen Staatsmänner am meisten
beschäftigten, gar nicht eingeweiht; er mochte wol davon
reden hören, aber niemand fragte ihn um seine Meinung,
was ein so reizbares Gemüth allerdings leicht auf den
Gedanken bringen konnte, sich seinen Antheil zu nehmen,
falls man ihn nicht freiwillig gewähre. Mit. Unmuth
blickte er auf die zögernde Politik seines Vaters, der
jahrelang seine demnächst erfolgende Abreise nach den
Niederlanden ankündigte, zum Schein Truppen anwer=
ben, Geld aufnehmen ließ, um zuletzt auf die Schultern
eines andern zu legen, wozu er sich nicht getraute, so
gern er es auch in eigener Person abgemacht hätte.
Darauf hat es Bezug, wenn der Prinz in einem unmu=
thigen Augenblick über die große Reise des Königs auf
ein Blatt Papier schrieb, sie gehe von Madrid nach Se=
govia und von Segovia nach Aranjuez. Gerade die
flandrischen Minister im Rath des Königs stimmten für
Gewaltmaßregeln: der König habe seine niederländischen
Unterthanen zeither als Vater behandelt, und da man
durch Nachsicht nichts ausgerichtet, die Sache vielmehr
nur noch schlimmer gemacht, sei es an der Zeit, mit
aller Strenge zu verfahren.[42] Für mildere Behandlung
stimmte Ruy Gomez [43], dabei unterstützt von dem Her=
zog von Feria, früherm Gesandten in London, und dem
durch seine tragischen Schicksale berühmt gewordenen

Staatssecretär Antonio Perez. Noch am 11. Dec. 1566
eröffnete der König den Cortes: die Unruhen in Flandern riefen ihn dahin; worauf der Procurator der Stadt
Burgos entgegnete, das heiße den Vater von seinen
Kindern, den Hirten von seiner Heerde trennen, ein Vergleich, der einigen Abgeordneten so sehr zu Herzen ging,
daß sie vor lauter Rührung weinten. Als Pius V.,
mit dessen kirchlichen Einheitsbestrebungen Philipp so ganz
einverstanden war, daß er vor dem Bilde desselben jedesmal sein Haupt entblößte, in diesen drang, doch endlich
sein Vorhaben, persönlich in den Niederlanden der
Ketzerei den Kopf zu zertreten, zur Ausführung zu bringen, ließ er ihm durch seinen Gesandten sagen [44]), wenn
es blos auf seine persönliche Gegenwart ankäme, würde
er keinen Augenblick anstehen, sich in eine Barke zu werfen und seine Person einzusetzen. Und doch hatte Philipp seinen Blick bereits auf Alba geworfen, der von
jeher einem nachsichtslosen und gewaltsamen Verfahren
das Wort geredet; allein selbst nachdem Alba's Sendung
beschlossen war, gab der König sich das Ansehen, als
ob der Herzog nur sein Vorläufer wäre, wobei sich indessen zu seiner Entschuldigung sagen läßt, daß der Zustand seines Sohns und die Unmöglichkeit, ihm die Regentschaft anzuvertrauen, nicht ohne Einfluß auf seine
Entschließungen blieb. Die niederländischen Abgesandten
baten dagegen bringend, der König möchte doch den
wichtigen Auftrag dem Fürsten Eboli übertragen, der
bei ihren Landsleuten wegen seines ehrlichen, offenen und
freundlichen Wesens geachtet sei. [45])

IV.

Don Carlos muß sich während dieser Zeit unausgesetzt mit dem Gedanken getragen haben, man werde ihm die Schlichtung der niederländischen Wirren übertragen; wenigstens als die Rede ging, die Cortes würden den Antrag stellen, daß der Prinz während der Abwesenheit des Königs die Regentschaft in Spanien übernehme, begab er sich in eigener Person nach dem Sitzungssaal und erklärte hier jeden, der dem Antrag beistimmen würde, für seinen persönlichen Feind. Zugleich befahl er bei Todesstrafe, seine Aeußerung geheim zu halten![46) Indessen sollte es noch immer besser kommen, denn nur einem hirnverbrannten Jähzorn konnte es einfallen, gegen den obersten Diener der Krone sich das zu erlauben, was Carlos sich gegen Alba erlaubte, als die Sendung desselben nach den Niederlanden eine ausgemachte Sache war. Der Herzog kam, um sich von dem Prinzen zu verabschieden, der ihn jedoch mit den Worten empfing: „Ihr sollt nicht nach Flandern gehen; ich selbst will dahin!" Umsonst suchte Alba ihn zu beruhigen: er gehe nur, um die Unruhen zu stillen und dem König, den der Prinz dann begleiten möge, wenn seine Anwesenheit in Spanien entbehrt werden könne, das Kommen zu ermöglichen; anstatt solchen Gründen Gehör zu schenken, stürzte Carlos in einem seiner bekannten Wuthanfälle sich mit gezücktem Degen auf den Herzog und herrschte ihn an: „Du sollst nicht gehen! Wagst du es, so bring' ich dich um!" Was wollte Alba machen? Sein Leben stand in offenbarer Gefahr,

3 *

und doch durfte er einem spanischen Thronfolger gegen=
über Gewalt nicht mit Gewalt erwidern, sodaß ihm
nichts anderes übrig blieb, als mit seinen eisernen Armen
den Wahnsinnigen festzuhalten, der sich vergebens ab=
mühte, von der unerwünschten Umarmung loszukommen.
Kaum daß Alba ihn losgelassen, stürzte der Prinz sich
von neuem auf ihn, als, aufmerksam gemacht durch den
Lärm, ein Kammerherr dazwischentrat, worauf Carlos,
mehr geängstigt als beschämt, nach seinen Gemächern eilte.
Weiterer Zeugnisse, daß man es mit einem Verrück=
ten zu thun habe, bedurfte es nicht, und Abriani hatte
wol recht, wenn er sagt[47]): wegen Mangels an Verstand
habe sich der Prinz wenig zum Regieren geeignet, ab=
gesehen davon, daß er einige mal wüthig wurde, sodaß
sein Vater sich genöthigt gesehen, ihn binden zu lassen
und ihm mit harten Worten das Unpassende seines Be=
nehmens vorzuhalten ("Era poco atto per difetto di senno
da reggere, senza che in alcuni affari era apparito fu-
rioso. Era stato alcuna volta il padre costretto a gar-
rirlo, e con acerbe riprensioni a mostrarli che a Re, e
a Principe come egli era non convenivano ne vita,
ne costumi cosi fatti; di che quel giovane si era
fieramerte sdegnato.") Aus Andeutungen von Augen=
zeugen erhellt, daß zwischen Vater und Sohn jeder per=
sönliche Verkehr aufgehört hatte; es bedurfte daher nur
noch einer unmerklichen Fortbewegung auf der schiefen
Fläche und der längst unheilbar gewordene Bruch mußte
eine tragische Lösung finden. Bei seinem heftigen Tem=
perament mußte Don Carlos früher oder später auf
einen bösen Gedanken gerathen, der sich in seinem schwa=
chen Kopfe als fixe Idee festsetzte: Abriani nennt es eine

„novità" — bei den Niederländern hieß lange Zeit „nou-
veauté" soviel als Rebellion —, Fourquevaulx „un
mauvais tour", endlich des Prinzen Almosenier Suarez
„un grandisimo engaño, y error peligrosisimo, inven-
tado y buscado todo por el demonio". [48])

Es kommt alles darauf an, was der Prinz eigentlich
im Schilde führte. Suarez ermahnt ihn am Schluß
seines Briefs dringend zum Gehorsam gegen seinen
Vater und Herrn, und man wollte in Spanien sogar wissen, Suarez wäre unfehlbar in die Hände der Inquisition
gefallen, hätte sich nicht der Brief unter den Papieren
des Don Carlos vorgefunden. Als unzweifelhaft muß
angenommen werden, daß der Prinz vor diesem und
jenem unverhohlene Drohungen gegen seinen Vater aus-
stieß, die letzterm zwar zu Ohren kamen, von ihm aber
nicht mehr beachtet wurden als die Beleidigungen, die
sein Sohn sich zum öftern gegen Personen seiner nächsten Umgebung erlaubte. Es wurde ihm unter anderm
die Aeußerung des Prinzen hinterbracht, die sich später
brieflich von ihm unter seinen Papieren vorfand: unter
den fünf Personen, die er am bittersten hasse, stehen der
König und Ruy Gomez obenan. Auch an andern übeln
Nachreden kann er es nicht haben fehlen lassen: jedem,
der sich für hintangesetzt hielt, gab er recht, und tadelte
es namentlich, daß man die Aragonier so stiefmütterlich
behandle. All dergleichen hätte man indessen unfehlbar
hingehen lassen, wenn er nicht gerade damals auf den
Einfall gerathen wäre, heimlich aus Spanien zu entfliehen. Zufolge der handschriftlichen Aufzeichnung [49])
eines Kammerdieners (ayuda da cámara) des Prinzen,
die Llorente zuerst ans Licht gezogen und Prescott, dem

zwei Abschriften vorlagen, richtiger benutzt hat, hätte der
Prinz um Weihnachten 1567 gegen seine Umgebungen
geäußert, es lasse ihm keine Ruhe, er müsse einen um-
bringen, mit dem er schlecht stehe (que avia de matar á
un hombre con quien estaba mal), woraus er selbst
vor Don Juan kein Hehl machte. Am 28. Dec. pflegte
die königliche Familie eines den spanischen Königen bewilligten Jubiläums wegen zum Abendmahl zu gehen:
bei der Beichte bekannte der Prinz seine Mordgedanken,
weshalb der Beichtiger ihm die Absolution verweigerte.
Carlos wandte sich mit keinem bessern Erfolg an andere
Geistliche: man rieth ihm, sich an erfahrenere Theologen
zu wenden, und wirklich berief er ein Concilium von vier=
zehn Mönchen aus dem Kloster Unserer lieben Frau von
Atocha und außerdem noch zwei andere Klosterbrüder,
um den Gewissensfall zu entscheiden. Einstimmig ward die
Absolution verweigert, worauf der Prinz an die Ver=
sammlung die Frage richtete, ob man ihm nicht eine
ungeweihte Hostie reichen könnte, wodurch der Skandal,
der über seine Enthaltung vom Sakrament entstände,
sich ohne weiteres beseitigen ließe. Der Prior von Atocha
meinte nun, die Frage würde sich leichter entscheiden
lassen, wenn sie den Namen seines Feindes erführen,
und der Prinz, von dem ein Gesandter sagte, er habe
das Herz auf der Zunge, hielt so wenig mit seinem Ge=
heimniß zurück, daß er sogleich herausplatzte, es sei sein
Vater, dem er nach dem Leben stelle. Um 2 Uhr nach
Mitternacht brach das Conclave in voller Bestürzung
auf und ein Bote ward zum König nach dem Escurial
gesandt, um ihm den Vorfall zu hinterbringen.

Die Erzählung klingt gerade so romantisch, wie ein

an sich ungewöhnliches Ereigniß durch Diener eines
Herrn, in dessen Geheimnisse sie nur halb eingeweiht
werden, ausgemalt zu werden pflegt. Halten wir uns
an die Berichte der Gesandten und in erster Linie des
argusaugigen Cavalli, so hatte letzterer es aus dem
Munde des Bischofs von Cuenca, der die Stelle eines
Beichtvaters bei dem König versah: der Prinz, den man
zur Theilnahme am Jubiläum aufforderte, habe, um die
böse Gesinnung, die er gegen die Minister und seinen
Vater hegte, verbergen zu können, bei verschiedenen Mönchen den Antrag gemacht, sie möchten ihm die Communion mit einer ungeweihten Hostie reichen; er fand jedoch
niemand, der sich eine solche Götzendienerei hätte zu
Schulden kommen lassen, man ließ es vielmehr den König wissen. So und nicht anders trug sich die Sache
zu, und nur zur Vervollständigung kann man aus dem
Bericht des päpstlichen Nuntius die Bemerkung nach-
tragen, Don Carlos habe sich zuerst nach dem außerhalb
Madrid gelegenen Hieronymitenkloster begeben und die
Brüder gefragt, ob in dem Fall, daß jemand in seiner
Seele Haß gegen andere hege, aber mit gutem Grunde,
ein solcher die Communion empfangen könne.

Es mag dem übrigens sein wie ihm wolle: der Fall
selbst war nicht die nächste und eigentliche Veranlassung
zu der Einsperrung des Prinzen, der es wol schwerlich
ahnte, wie er von allen Seiten überwacht wurde. Mit
einer Sorglosigkeit, wie sie nur einer durchaus edeln
Natur oder einem kranken Gehirn eigen ist, betrieb Carlos gerade in diesem bedenklichen Augenblick die Vorbereitungen zur Flucht. Und nicht einmal darüber kann
er sich und noch viel weniger den in sein Geheimniß

Eingeweihten Rechenschaft abgelegt haben, wohin er denn
eigentlich seine Schritte zu wenden habe. Hätte er in
dieser Beziehung wirklich einen Entschluß gefaßt gehabt,
so ist gar nicht daran zu zweifeln, daß derselbe zur
Kenntniß seines Vaters und der diesem nahe stehenden
Beamten gelangt wäre: es kann dies aber nicht der Fall
gewesen sein, da die zahlreichen Berichte nur Ver-
muthungen und gar nichts Bestimmtes enthalten. Die
einen meinten, seine Absicht sei gewesen, nach den Niederlanden, die andern, nach Italien oder Wien zu entfliehen, wovon das letzte das wahrscheinlichste. Seine
Agenten hatte er nach allen Richtungen hin ausgesendet,
um für die Reisekosten eine halbe Million Dukaten auf-
zutreiben; dieselben kehrten jedoch um die Mitte Januars
1568 nur mit dem vierten Theil der geforderten Summe
zurück, was den Prinzen wenig anfocht, da er sich das
Fehlende durch Wechsel zu verschaffen hoffte. Es ist
möglich, daß er den Entschluß jetzt erst seinem Oheim
mittheilte, wenigstens glaubte Don Juan bis dahin nicht,
daß es ernst gemeint sei; anstatt sich nun aber anheischig zu machen, mit dem Neffen zu fliehen, wie dieser
von ihm verlangte, eilte er zum König nach dem Escurial, wo dieser mit dem Aufbau seiner trübseligen und
öden Riesenpaläste beschäftigt war, und verrieth ihm die
saubere Geschichte. Am 17. Jan. ließ der Prinz beim
Generalpostdirector Don Ramon de Taffis Pferde be-
stellen, der jedoch Unrath merkte und zu dem heroischen
Auskunftsmittel griff, alle Postpferde aus Madrid zu
entfernen und sich schleunigst nach dem Escurial zu begeben. Voller Bedächtigkeit hatte Philipp, der schon
längst entschlossen war, in der Stellung des Prinzen

eine Aenderung zu treffen, ohne recht zu wissen welche,
die Ausführung immer wieder von neuem verschoben;
indessen erregte es nicht geringes Aufsehen, daß der König seiner Gewohnheit gemäß schon früher an einige
Klöster die Weisung hatte ergehen lassen, Gebete anzu-
stellen, daß Gott ihm bei einem wichtigen Vorhaben den
rechten Sinn eingeben möge. Es ist klar: er mußte
schon längst um die Vorbereitungen zur Flucht seines
Sohns, glaubte aber nicht, daß dieselbe wirklich so bald
zur Ausführung kommen würde; jetzt aber durfte nicht
mehr länger gezögert, es mußte ein gemeingefährlicher
Narr unschädlich gemacht werden. Wie es sich mit der
Behauptung des ungenannten Verfassers der „Histoire
d'Alexandre Farneze" verhält, der Doctor Martin Na-
varra, ein Oheim des heiligen Xaver, habe die Einsperrung des Prinzen angerathen, vermag ich nicht zu
sagen. Philipp kam nach Madrid in Begleitung Don
Juan's, dessen Benehmen dem Prinzen nicht anders als
verdächtig vorkommen konnte, zumal als er sein Vorhaben vereitelt sah; weshalb er, als Don Juan ihn
besuchte, die Thür abschloß, den Degen zog, und von
seinem Oheim zu wissen verlangte, was er mit dem König im Escurial verhandelt habe. Der Gefragte antwortete ausweichend, worauf der Prinz auf ihn eindrang,
und die Scene drohte, da sich Don Juan unterdessen
gleichfalls in Positur gesetzt, einen blutigen Ausgang zu
nehmen, wären nicht auf den Lärm Bediente herbei-
geeilt, die dem Skandal ein Ende machten. Aber auch
jetzt ließ der König den Prinzen nicht sofort in Verwahrsam bringen: so sehr war er Meister in der Verstellung, daß der französische Gesandte ihn bei der Audienz

3**

ganz heiter aussehend fand, obschon er entschlossen war,
noch in derselben Nacht Hand an seinen Sohn zu legen.

Seinerseits hatte sich letzterer auf einen Ueberfall
längst gefaßt gemacht: in seinen Gemächern war er vollständig verbarrikadirt, in und neben seinem Bett befanden sich Waffen aller Art, und ein französischer Mecha-
niker hatte ihm sogar eine sinnreiche Vorrichtung machen
müssen, vermittelst der er vom Bett aus die Thür seines
Schlafgemachs auf- und zuschließen konnte. Diese Vorrichtung ließ der König rechtzeitig wegnehmen, sobaß
als Philipp, in Rüstung und Helm (!), um 11 Uhr nachts
mit einer Wache und in Begleitung mehrerer Vornehmen
vor dem Gemach erschien, die Thür geräuschlos sich
öffnen ließ und der Herzog von Feria als Garben-
oberster Schwert, Degen und eine mit zwei Kugeln ge-
ladene Flinte neben dem eingeschlafenen Prinzen un-
angefochten wegnehmen konnte. Carlos fuhr bei dem
Geräusch auf und fragte, wer da sei. Feria antwortete:
„Der Staatsrath.“ Jetzt erst begriff der unglückliche
Prinz, wie er daran war, sprang schreiend und drohend
aus dem Bett und griff nach seinen Waffen. Da keine
Gefahr mehr vorhanden war, trat der König hinzu und
ermahnte seinen Sohn, sich wieder ruhig zu Bett zu
legen. Der Prinz rief: „Was beabsichtigen Ew. Majestät mit mir?“ worauf Philipp erwiderte: „Das sollen
Sie gleich erfahren!“ worauf er Fenster und Thüren
fest verwahren ließ und die Schlüssel zu sich nahm.
Alles wurde hinweggerafft, was in den Händen eines
Wahnsinnigen gefährlich werden konnte, und der König
übergab den Prinzen dem Herzog von Feria zur Bewachung, wobei er allen Anwesenden einschärfte, seinem

Sohn mit Achtung zu begegnen, keinen seiner Befehle ohne des Königs Genehmigung zu vollziehen und übrigens mit ihrem Kopfe für die Person des Gefangenen einzustehen. Darüber erhob der Prinz ein lautes Geschrei (alçó grandez bozes): „Bringen Ew. Majestät mich um, aber setzen Sie mich nicht gefangen. Welches Aufsehen würde das im Lande machen! Geschieht es doch, so lege ich Hand an mich selbst." „Einen solchen Narrenstreich wirst du bleiben lassen!" gab der König zur Antwort, Carlos aber erwiderte, nicht aus Narrheit, sondern aus Verzweiflung würde er es thun, da Se. Majestät ihn so übel behandle. Mit von Schluchzen unterdrückter Stimme jammerte der Prinz noch weiter, der König aber entfernte sich, nachdem er zuvor einen Koffer, der Briefschaften enthielt, hatte wegbringen lassen. Der Reihe nach hatten zwei Granden Dienst bei dem Gefangenen, um ihm aufzuwarten und ihn zu unterhalten; nach außen war er von jedem Verkehr mit der Welt abgeschlossen.

Tags darauf berief der König seine Räthe zu sich und eröffnete ihnen — es heißt mit Thränen in den Augen — den Schritt, zu dem ihn allein seine Pflicht gegen Gott und die Sorge für das Reich vermocht habe. In einer viele Stunden dauernden Staatsrathssitzung, bei welcher der König fortwährend zugegen war, wurde der Proceß gegen den Prinzen von Spanien eingeleitet, was nur soviel heißen kann, daß Philipp eine actenmäßige Ermittelung des Thatbestands, der den Wahnsinn und damit die Unfähigkeit seines Sohns zum Regieren außer Zweifel setzen sollte, anordnete. Auf eine Rechtfertigung der Gefangensetzung, nicht auf eine

Verurtheilung des Gefangenen war es abgesehen. Hatte
sich die Großmutter des Prinzen vierzig Jahre lang freiwillig eingesperrt, warum konnte nicht die Nothwendigkeit eintreten, den Enkel mit Gewalt einzusperren? Die
Commission, in deren Hände die Untersuchung gelegt
wurde, bestand aus dem Cardinal Espinosa, dem Fürsten Eboli und dem Staatsrath Bribiesca. Dieselbe ließ
sich aus dem Archiv von Barcelona die Acten eines
ähnlichen Processes, den Johann II. von Aragonien
gegen seinen Sohn angeordnet hatte, herbeischaffen, ohne
daß etwas weiteres über das Ergebniß der Untersuchung
verlautete.

Bei dieser Gelegenheit zeigte es sich besonders auffallend, wie es Philipp II. vor allem darauf ankam, den
Schein zu wahren, ohne daß er selbst vor der ver-
werflichsten Heuchelei zurückschreckte. Kaum daß er seinen
Sohn in Verwahrsam genommen, hielt er mehrere Tage
lang die Posten in Madrid zurück, um keine für seine
Person ungünstigen Berichte über das Ergebniß den eigenen geschickt abgewogenen Mittheilungen vorauseilen zu
lassen. Je diplomatischer er indessen seine Schreiben ab-
faßte, desto weniger fanden sich die Empfänger dadurch
befriedigt, weil sein Stolz es nicht zuließ, daß er offen
mit der Sprache herausrückte und den Zustand des Prinzen bei seinem rechten Namen nannte. Es blieb den
Leuten überlassen, den Wahnsinn zwischen den Zeilen zu
lesen. Selbst Philipp's Brief an Alba [50]), vor dem er doch
am allerwenigsten geheimnißvoll zu thun brauchte, ist
apokryph gehalten. Derselbe trägt das Datum des
23. Jan. und lautet: „Da Ihr das Wesen und Betragen des Prinzen meines Sohns so genau kennt, haben

wir nicht nöthig, uns eines langen und breiten vor
Euch wegen der Maßnahmen zu rechtfertigen, die wir
in Betreff seiner zu treffen für gut fanden, noch Euch
des weitern mitzutheilen, was ferner geschehen wird (ni
para que entendais el fin que se lleva). Seit
Euerm Abgang von hier ging es so rasch mit ihm; so
außerordentliche und wichtige Ereignisse sind eingetreten,
und solche Erwägungsgründe kamen hinzu, daß ich mich
zuletzt entschloß, seine Person in Verwahrsam zu bringen,
wozu seine eigenen Gemächer dienen, mit Wache und
besonderer Bedienung, die den Befehl hat, ihn nur mit
solchen Personen verkehren zu lassen, die ich bezeichnet
habe oder bezeichnen werde. Obschon der Schritt von
hohem Belang und die Maßregel, die ich wegen seiner
treffen mußte, streng ist (el término de que he llegado
á usar con él muy estrecho), so könnt Ihr doch nach
dem, was Ihr gesehen und gehört habt, unschwer beur=
theilen, wie vernünftig und wohlbegründet meine Ent=
schließung war; denn hätte ich auch hinwegsehen wollen
über das, was mich persönlich betrifft, über sein ganzes
unehrerbietiges und ungehorsames Benehmen, hätte ich
die ganze Sache geheim halten oder wenigstens ein an=
deres Auskunftsmittel wählen wollen: so mußte anderer=
seits die Verpflichtung gegen unsern Herrgott, sowie die
Rücksicht auf die Wohlfahrt der Christenheit und meiner
Staaten und Länder, im Hinblick auf die merklichen Ge=
fahren und Nachtheile, welche fürder unter allen Umstän=
den daraus erwachsen könnten, und die andern, welche
bereits sich eingestellt haben oder nahe bevorstehen, da
ich solches, wie es meine Schuldigkeit ist, allem was
(mein) Fleisch und Blut betrifft, weit vorziehe — alles

dieses mußte mich in meinem Vorhaben bestärken, das
ich dem Ganzen zu Liebe für das einzige richtige und zu=
treffende halten mußte. (Que cierto cuando yo qui-
siera pasar por lo que á mi toca y por todas las
especies de desacatos y desobediencias, y disimilar con
el Príncipe ó á lo menos tomar otro expediente; considerando la obligacion que tengo al servicio de Dios
nuestro señor y al bien y beneficio público de la
cristiandad y de mis reinos y estados, teniendo tan
presentes los notables inconvenientes y daños que
adelante en cualquier suceso se pudieran seguir, y
aun los que de presente corrian y estaban emi-
nentes, preferiendo esto como lo delo preferir á
todo lo demas que toque á la carne y sangre, no
he podido in ninguna manera escusar de tomar
este camino paresciéndome el derecho y verdadero,
para prevenir á todo.) Da die Angelegenheit von
so großer Bedeutung ist und das Geschrei, das sich
darüber erhebt, allgemein sein wird, ist es billig, daß
mein dortiger Staats = und Geheimer Rath, sowie die
andern Tribunale, Städte und Personen, von denen Ihr
glaubt, daß sie nach Brauch und Herkommen es erwar=
ten können, davon in Kenntniß gesetzt werden, weßhalb
zugleich mit dem gegenwärtigen ein zweites französisch
abgefaßtes Schreiben an Euch abgeht."

All die zahlreichen Briefe des Königs, die auf den
kläglichen Vorfall Bezug hatten, sind stellenweise wörtlich
in demselben gekünstelten Stil abgefaßt, und ich habe
absichtlich die zum Erstaunen verschrobene und verdrehte
Satzbildung ziemlich so wiedergegeben, wie sie im Original lautet, weil der Leser, wie mich dünkt, so den

richtigsten Einblick in die innersten Falten dieser Tyrannen=
seele thun kann. Auf die Nachkommen der großen Isa=
bella noch in der zweiten und dritten Generation hatte
sich die gewissenhafte Geschäftigkeit und Regententreue
dieser merkwürdigen Frau vererbt: Karl V., mehr zum
Wohlleben als zum Arbeiten, zur freien Bewegung auf
dem Schlachtfeld mehr als zum Stillsitzen im Cabinet
aufgelegt, hat sich doch niemals einer Vernachläßigung
seiner Regentenpflichten schuldig gemacht, ja man kann
wohl sagen, daß seine Thätigkeit, wenn auch nicht seine
Arbeitsluft, eine ganz ungewöhnliche war. Von Natur
für die Friedensgeschäfte geschaffen, hat sein Sohn Phi=
lipp einen noch ausdauerndern Diensteifer an den Tag
gelegt, und derselbe müßte den gewissenhaftesten Regenten
beigezählt werden, wenn Regieren soviel wäre als Han=
thieren. Bei einer sehr beträchtlichen Anzahl Brief=
schaften, die ihren Ursprung in dem Cabinet Philipp's
hatten, ist mir nichts so sehr aufgefallen als die regel=
mäßige Wiederkehr des Worts „disimulacion", was
zwar in der Regel blos „Verheimlichung" bedeutet,
aber selbst in dieser Bedeutung ein grelles Licht auf die
verstellungssüchtige, unaufrichtige und lauernde Politik
des bis zur empörendsten Grausamkeit berechnenden
Monarchen wirft. Man sollte es kaum für möglich hal=
ten, daß Philipp es sogar nicht über sich vermochte, der
Großmutter des unglücklichen Prinzen den wahren Her=
gang der Begebenheit ungeschminkt mitzutheilen, so sehr
war es bei ihm zur andern Natur geworden, sich in
diplomatischen Winkelzügen zu bewegen. Die Bischöfe,
die Granden, die Gemeinderäthe der größern Städte
des Reichs wurden durch ein Rundschreiben von der Ein=

sperrung in Kenntniß gesetzt, an die europäischen Höfe
Noten erlassen, um vor der Hand zu beschönigen und
zu vertuschen. Aber was soll man dazu sagen, wenn
Philipp an seine Tante und Schwiegermutter, die Königin von Portugal, schreiben läßt: „Ich habe Gott
mein Fleisch und Blut geopfert und seinen Dienst sowie
die Wohlfahrt meines Volks jeder andern Erwägung
vorgezogen. Nur das Eine will ich beifügen, daß mein
Entschluß nicht etwa veranlaßt wurde durch eine Ver-
schuldung, durch unbotmäßiges oder unehrerbietiges Betragen meines Sohns, noch auch die Bestrafung desselben zum Zweck hat, die, soviel Grund auch dazu vorhanden sein mag, doch immer ihre Zeit und ihre Grenze
haben müßte. Auch geschah es nicht, um ihn von Ausschweifungen und Unordnungen abzubringen. Andere
Rücksichten und Gründe waren dabei maßgebend und
weder Zeit noch Auswege kommen bei dem Mittel,
dessen ich mich bediene, in Frage, vielmehr ist dasselbe
von der größten Wichtigkeit und Erheblichkeit, um meinen Verpflichtungen gegen Gott und meine Völker nachzukommen.“

Der Heuchler! An Alba schreibt er offen, wie un-
botmäßig und unehrerbietig sein Sohn sich gegen ihn
betragen (todas las especies de desacatos y desobediencias), der Großmutter dagegen redet er ein: mi
determinacion no depende de culpa, ni inovediencia,
ni desacato, womit ebenso gut gemeint sein konnte,
Carlos habe sich solcher Vergehen nicht schuldig gemacht,
als: er habe sich zwar in diesem Sinn vergangen, seine
Einsperrung jedoch sei durch andere Ursachen motivirt.
Warum der Großmutter nicht offen heraus sagen, der

Enkel sei geisteskrank? Papst Pius V. gab sich mit
so vagen Umschweifen nicht zufrieden, worauf Philipp
an ihn einen Brief in Chiffern schrieb, der zeither nicht
wieder ans Licht gekommen ist. Doch sollte man nach
den Andeutungen, die sich in einer darauf bezüglichen
Antwort des spanischen Gesandten Zuñiga am päpstlichen
Hof (vom 25. Juni 1568) vorfinden, fast vermuthen,
daß der König den Idiotismus seines Sohns mit seinen
zweifelhaften katholischen Gesinnungen in Verbindung
brachte, indem der Papst ihm sagen ließ, das Wohl der
Christenheit mache eine möglichst lange Regierung Phi=
lipp's und einen Nachfolger wünschenswerth, der in seine
Fußstapfen trete.[61] Nur verstehe man die Worte nicht
so, als ob eine Hinneigung zum Protestantismus,
und überhaupt etwas anderes damit gemeint wäre, als
der Mangel an Hochachtung, dessen Carlos in seiner
zügellosen Ausgelassenheit sich gegen die Würdenträger
und Gebräuche der katholischen Kirche ohne mehr Um=
stände schuldig machte, als er gegen weltliche Personen
und Dinge bewies. Die Königin von Portugal schickte
einen besondern Gesandten an den madrider Hof, um
eine dringende Fürbitte für den Enkel einzulegen und
sich selbst zu seiner Verpflegung anzubieten: „Ich höre“,
schreibt Fourquevaulx, „daß man ihr gern die Mühe
erspart“; zugleich aber gestand Philipp dem Gesandten
gerade heraus, die Ursache der Verhaftung sei, daß sein
Sohn sich unfähig gezeigt habe, ihm im Reich nachzu=
folgen. Der Kaiser und die Kaiserin waren gleichfalls
ungehalten, daß Philipp sie auf die Zukunft vertröstete,
um näheres über die Gründe seiner Handlungsweise zu
erfahren; in ihren Briefen sprachen sie die Hoffnung

aus, die Haft werde nur kurze Zeit dauern und der
Prinz sie sich zur Besserung dienen lassen. Die Königin
Isabella verrieth mehrere Tage die tiefste Bekümmerniß
und Don Juan erschien bei Hof in Trauerkleidern, was
der König ihm untersagte, und überhaupt niemand von
seiner Familie gestattete, den Gefangenen zu besuchen.
Städtische Deputationen, die um die Freilassung des
Prinzen bitten sollten, wurden unterwegs bedeutet, um=
zukehren, und wo sich eine Stimme zu seinen Gunsten
regte, wurde sie ohne Umschweife zum Schweigen ge=
bracht; doch war es dem König nicht wohl bei der
ganzen Geschichte und er sperrte sich wider seine sonstige
Gewohnheit wochenlang in Madrid ein, ohne sich nach
einem seiner Lieblingsschlösser zu wagen. Cabrera, neu=
gierig und geschwätzig als halber Diener und halber
Freund eines gewaltigen Staatsministers, das eine mal
sehr gut unterrichtet, das andere mal durch Hörensagen
irre geführt, erblickt hinter der Zurückgezogenheit Philipp's
seine ängstliche Scheu, es möchte ein Befreiungsversuch
gemacht werden. Cavalli ließ sich von dem königlichen
Beichtvater erzählen, Philipp habe die Absicht gehabt,
die Angelegenheit vor die Stände zu bringen und ihnen
vorzustellen, daß sein Sohn aus Mangel an Verstand
unfähig zur Succession sei. Sein ängstlicher Despoten=
sinn brachte ihn davon ab. Mit dem Prinzen selbst
stand es sehr übel: von einer sachgemäßen Behandlung
seines irren Gemüthszustands konnte in jener Zeit gar
nicht die Rede sein, man ließ ihn austoben und machen
was er wollte. Den Arzt ebenso wenig als den Beicht=
vater ließ er vor sich, die Erbauungsbücher, womit man
ihn versorgt, sah er nicht an, statt dessen beging er Toll=

heiten, die sogar einen Selbstmord fürchten ließen, weshalb man ihn in allem wie einen Wahnsinnigen behandeln und insbesondere jedes gefährliche Instrument bei-
seite schaffen mußte. Der französische Gesandte wußte,
daß kein Tag verfloß, an welchem Carlos nicht irgendeine Thorheit beging. So verschluckte er einmal einen
großen Diamanten, den er am Finger trug, ohne es zu
bemerken, und suchte ihn nachher allerorten. Weil er
schon ein paar Jahre früher in ähnlicher Zerstreuung
eine ungemein große Perle verschluckt hatte, kam man
jetzt auf denselben Gedanken und mit Hülfe von Aerzten
fand sich der Diamant am siebzehnten Tage wieder. Die
größte, man kann wol sagen die einzige Sorge des Königs war, sein Sohn möchte durch Vernachlässigung
seiner kirchlichen Pflichten an seiner Seele Schaden
nehmen. Suarez unternahm es deshalb, seinem Beicht-
kinde ernstlich ins Gewissen zu reden, in welcher Absicht
er einen längern Brief an den Prinzen verfaßte, worin
die merkwürdige Stelle vorkommt: „Was wird die Welt
dazu sagen, wenn sie erfährt, daß Ihro Hoheit gar
nicht beichtet und sich noch anderer schrecklicher Dinge
(otras cosas terribles) schuldig macht, welche bei einem
andern von seiten der heiligen Offiz zu einer Untersuchung
Anlaß gäben, ob der Thäter ein Christ ist oder nicht!"
Die gutgemeinten Ermahnungen und Warnungen
schlugen nicht an, wie man sich leicht denken kann; indessen ließ nach einigen Wochen die Tobsucht nach, der
Kranke wurde ruhiger, und um die Osterzeit war er so
weit in sich gegangen, daß er durch Fasten und mehr-
malige Beichte sich zum Genuß des heiligen Abendmahls
vorbereitete. Trotz einzelner lichter Augenblicke, in wel-

chen die beſſere Natur die Oberhand gewann über den
böſen Sinn und die ſchlechte Erziehung, hörte das Fieber nicht auf in ſeinen Adern zu wühlen und die durch
den Mangel an Bewegung herabgeſtimmten Lebenskräfte
vollends ganz aufzuzehren. Mit der Diät des Kranken
muß es von jeher ſchlecht beſchaffen geweſen ſein: jetzt
beobachtete er gar kein Maß mehr, indem er zuweilen
tagelang ſich jeder Nahrung enthielt und dann eine große
Rebhühnerpaſtete verſchlang. Abenteuerlich genug waren
die Mittel, womit er die Glut, die in ihm brannte,
dämpfen wollte: den ganzen Fußboden überſchüttete er
mit kaltem Waſſer und ſpazierte ſo ſtundenlang im bloßen Hemd einher; ins Bett nahm er eine mit Schnee
gefüllte Wärmflaſche · und goß ganze Eimer Eiswaſſer
in ſich hinein, was jedenfalls an Verrücktheit grenzt, ſo
ſehr ſich de Caſtro auch Mühe gibt, einen ſo durchſchla-
genden Gebrauch des Schnees auf Rechnung der damaligen Heilmethode zu ſchreiben. („Las obras de insignes
médicos españoles del siglo XVI prueban que el uso
de la nieve para la curacion de las calenturas era
un remedio conocido y aconsejado eficacisimamente
por los hombres que entonces enseñaban en nuestra
patria el modo de restaurar la salud con los tesoros
que á cada paso nos presenta la naturaleza.") Die
ſinnreiche Einrede erinnert gar ſehr an den Doctor San-
gredo im „Gilblas", der regelmäßig ſeine Patienten mit
Waſſer zu Tode curirte. Die von der Geburt an
ſchwächliche Leibesbeſchaffenheit des Don Carlos, zumeiſt
der Magen, vermochte eine derartige Waſſercur auf die
Länge nicht auszuhalten, und obgleich die Aerzte, ſo un-
wiſſend ſie im übrigen auch geweſen ſein mögen, über

den Zustand des Kranken unmöglich im Zweifel sein
konnten, wollte der König doch nicht daran glauben und
erblickte in dem Betragen des Prinzen bloße Verstellung,
um in Freiheit gesetzt zu werden. Wenigstens erklärte
sich der päpstliche Nuntius die Sache so. („Credo que
da pincipio [il re] non credesse veramente il male;
ma pensasse che fosse finto per esser largato et liberato dalla prigione.") Erbrechen und Durchfall stellten
sich ein und der Leibarzt Olivares, der bisher allein
den Kranken behandelt hatte, berief eine Consultation
von Aerzten, deren Mittel jedoch, was sich von selbst
versteht, nicht anschlugen. Der König hatte den Prinzen
während der ganzen Zeit seiner Gefangenschaft, die über
sechs Monate dauerte, nicht ein einziges mal besucht:
eines Morgens kam er bis in das Zimmer des Ruy
Gomez, von wo aus er seinen Sohn hören und sehen
konnte. Das Herannahen des Todes mochte das eisige
Gewissen des unnatürlichen Vaters ein wenig gerührt
haben, zumal da Carlos, der sich in einer durchaus ge-
sammelten Gemüthsbeschaffenheit befand, ihn vor seinem
Tode noch ein mal zu sehen wünschte. Die beiden Beichtiger Fray Diego Chaves und Suarez — Cabrera schreibt
aus Nachlässigkeit Honorato Juan, der schon seit zwei
Jahren im Grabe lag —, die auf des Prinzen eigenen
Wunsch sich seines Seelenheils annahmen, riethen indessen dem König davon ab, um die ruhige und gesam-
melte Seelenverfassung des Sterbenden nicht zu stören:
er ließ sich gleichwol nicht abhalten, zu dem Bett
des Kranken, als dieser eingeschlafen war, zu schleichen
und segnend die Hand über ihn auszubreiten. Keinem
Mitglied der königlichen Familie wurde gestattet, den Fuß

auf die Schwelle des Gefängnisses zu setzen, und voll
tiefster Bekümmerniß hörte man den im Sterben Liegen=
den seufzen, er sehne sich nach dem Tode. Nachdem er
allen seinen Feinden vergeben und gehört, es sei die
Vigile des heiligen Jakob, ließ er sich von seinem Beicht=
vater die geweihte Kerze in die Hand geben und ver=
schied (24. Juli 1568). Unter den Papieren, die man bei
seiner Verhaftung in Beschlag genommen, muß etwas
Verdächtiges gar nicht vorgefunden worden sein. Eines
weitern läßt sich darüber der Erzbischof von Rosano
noch zu Lebzeiten des Prinzen in einem unter dem 2. März
1568 datirten Schreiben an den Papst aus: Einer der
Briefe sei an den König, ein anderer an Se. Heiligkeit,
ein dritter an den Kaiser gerichtet gewesen, und der
Reihenfolge nach kein katholischer Regent, kein italieni=
scher Fürst übergangen worden, zu geschweigen der
Reiche und Staaten Sr. Majestät, der Granden, Re=
gierungscollegien und der wichtigsten Magistrate Spa=
niens. Dem König hielt er umständlich alle die Beschwer=
den vor, die er seit Jahren von ihm auszustehen habe,
und daß er das Königreich in keiner andern Absicht ver=
lasse, als um sich gegen fernere Mishandlungen zu
schützen. Die Granden, Regierungscollegien und Ma=
gistrate erinnerte er daran, daß sie ihm als Kronprinzen
den Huldigungseid geschworen: denjenigen, die ihm treu
bleiben würden, versprach er Gunstbezeugungen aller
Art, den Granden Rückgabe der Steuern, die sein Vater
abgeschafft, den Magistraten hinwiederum Aufhebung der
ihnen auferlegten Lasten — mit Einem Worte, jedem
verhieß er das, wovon er glaubte, daß es ihm am an=
genehmsten sein werde.

Etwas Hochverrätherisches wird niemand in dergleichen nichtssagenden Redensarten finden wollen, denen vollends alles Bedenkliche der einfache Umstand benahm, daß Don Carlos die Briefe schrieb, noch ehe er wußte, ob der Fluchtversuch ihm überhaupt gelingen würde, und wie er dieselben an ihre Adressen gelangen lassen sollte. Die ganze Geschichte war so unbesonnen als möglich angelegt, und mußte es sein, da bei seinem Betragen der Prinz unter seinen Umgebungen einen zuverlässigen Freund unmöglich haben konnte. Aber ebenso gewiß ist es, daß der Verdacht, seinen Sohn gewaltsam aus dem Leben geschafft zu haben, nach allem, was über die Haft des Thronfolgers verlautete, sich gegen Philipp erheben mußte: es ist dies das wohlverdiente Loos, das den kalten und schleichenden Tyrannen auf allen seinen Schritten und Tritten verfolgt. Was half es, daß jeder Verständige sich sagen mußte, der Prinz sei eines natürlichen Todes gestorben, mochte man die Ursache in einer unheilbaren Unterleibserkältung [52] oder richtiger in der gänzlichen Zerrüttung seiner von Geburt an schwächlichen Constitution suchen: — zuerst am Hofe selbst und dann in immer weitern Kreisen fand der Glaube Eingang, der Leibarzt habe auf Befehl des Königs Gift in seine Arzneien gemischt. Zum Jahr 1568 bemerkt Chyträus: Carolus cum displicere sibi crudelitatem, quae in Belgico per Albanum exercebatur, ostendisset, jussu patris Philippi custoditus et in custodia extinctus est. Mit der Nachricht vom Tode des Prinzen muß gleichzeitig auch das Gerücht seiner Vergiftung nach Italien gelangt sein, denn bereits am letzten September (1568) schreibt Cavalli an seine Signoria: Da man von verschiebenen

Orten Italiens dieses Verdachts Meldung thue, halte
er es für seine Pflicht, das Gegentheil auf das bestimm=
teste zu versichern („non voglio restar d'aggiunger questo
e quasi firmamente che il detto principe non è morto da
altro veneno che dalli gran disordini che faceva, e dalla
molta inquietudine del suo animo"). Kurz nach der
Verhaftung (am 11. Febr.) hatte derselbe Gesandte be=
richtet, er habe bei dem Beichtvater des Königs, dem
Bischof von Cuenca, Erkundigungen eingezogen und im
Vertrauen erfahren: schon über drei Jahre trage der
König sich mit dem Gedanken, da die ganze Handlungs=
und Sinnesweise des Prinzen ihn nicht daran zweifeln
lasse, daß er keinen Thronerben habe. Deswegen habe
er fortwährend gezögert, die Vermählung desselben mit
der Tochter des Kaisers in Vollzug zu setzen, und außer=
dem manches unterlassen, was er sonst gethan haben
würde. Viele Thorheiten ertrug er und merkte fort=
während auf, ob der Prinz sie einzustellen Miene mache;
er machte verschiedene Proben, ob die Ausschweifungen,
die derselbe beging, von jugendlicher Leidenschaft und
Herrschbegierde, oder ob sie von Mangel an Urtheils=
kraft herrührten. Deshalb überließ er ihm den Vorsitz
in den Rathssitzungen, gab ihm Gewalt, in allerlei
Staatsangelegenheiten zu entscheiden, und stellte ihm be=
deutende Summen Geldes zur Verfügung. Allein nur
zu bald fehlte es nicht an handgreiflichen Belegen, daß
der Prinz in den Sitzungen des Geheimen Raths nur Ver=
wirrung anrichtete und jede Beschlußnahme unmöglich
machte; daß er die Autorität, die ihm an des Königs
Statt anvertraut war, zu dessen Nachtheil mißbrauchte,
das Geld aber unnöthigerweise und unverständig ver=

geübte. Darum schien es dem Monarchen angemessen, in allen diesen Dingen seine Hand zurückzuziehen. Dadurch steigerte sich die Unzufriedenheit des Prinzen und die Verzweiflung sing an, sich seiner zu bemächtigen. Er griff einige Minister wiederholt bei der Ehre an und zeigte die schlimmste Gesinnung gegen sie, sobaß der König, um größeres Aergerniß zu vermeiden, sich zuletzt zu der bekannten Execution entschließen mußte (si risolse di far l'esecuzione che è manifesta).

Wenige Tage vor seinem Tode hatte Carlos seinen Letzten Willen aufgesetzt: einige Schmucksachen, die ihm geblieben, vermachte er seinen Freunden und empfahl seine Diener der Fürsorge des Königs, den er zugleich um Verzeihung bat. Seinem Wunsch gemäß hüllte man den Leichnam in eine Franciscanerkutte und am Abend desselben Tags, an welchem er verschieden war, wurde der Todte seinem Rang gemäß von den ersten Reichswürdenträgern nach dem Kloster von San=Domingo Real getragen, wo der Prinz begraben sein wollte. In der ruhigen Stattlichkeit seines vornehmen und herzlosen Wesens sah Philipp von einem offenen Fenster aus den Leichenzug im Schloßhof sich ordnen, und als einige Rangstreitigkeiten sich zu erheben drohten, bestimmte er in höchsteigener Person die Reihenfolge. So ging der Zug lautlos durch die Straßen von Madrid, wo das gemeine Volk seinem Schmerz freien Lauf ließ. Eine Leichenpredigt durfte nicht gehalten werden, vermuthlich weil der König unangenehme Anspielungen befürchtete: selbst in Rom suchte er es durch seinen Gesandten zu hintertreiben, daß dem Prinzen eine Todtenfeier gehalten würde, der Papst indessen dachte

ebel genug, den Wink nicht zu beachten. Bei Philipp
waren selbst die Gefühlsäußerungen, die am Grab
geliebter Personen in der Brust eines jeden ordentlich
organisirten Menschen wach werden, die Maske kalter
Berechnung. Erst nachdem der todte Prinz unschädlich
in der Nische einer Klosterkirche stand, ward es seiner
Stiefmutter und seiner Tante gestattet, über seinem
Sarg zu weinen. Der Vater zog sich auf einige Zeit
in dasselbe Hieronymitenkloster zurück, wo der Ver=
storbene die Befugniß seinen Vater hassen zu dürfen,
oder eine ungeweihte Hostie gefordert hatte. Aus einem
Briefe Philipp's an den Herzog von Alba theilt Rau=
mer (S. 141) folgende Stelle mit: „Da es Gott gefallen
hat, den Prinzen, meinen sehr geliebten Sohn, zu sich
zu nehmen, so können Sie ermessen, in welchem Schmerz
und welcher Traurigkeit ich mich befinde. Er starb am
24. Juli auf christliche Weise, nachdem er noch drei
Tage zuvor die heiligen Sakramente empfangen und
Reue und Buße gezeigt hatte, welches alles mir in bie=
ser Bekümmerniß zu Trost und Erleichterung gereicht.
Denn ich hoffe, daß ihn Gott zu sich gerufen hat, da=
mit er immerdar bei ihm sei, und daß er mir seine
Gnade und seinen Beistand gewähren wird, damit ich
den Schmerz mit christlicher Gesinnung und in Geduld
ertrage und überstehe."   .
Das heißt doch selbst den Schmerz um einen Sohn
in ein etikettemäßiges Gewand kleiden und vorschrift=
mäßig die Zahl der Thränen vorschreiben, die in einem
gegebenen Falle geweint werden dürfen. Nicht lange
sollten die Gebeine des Don Carlos in den stillen
Klosterräumen Ruhe finden: schon fünf Jahre später war

der düstere Escurial so weit fertig, daß der Leichnam nach der prächtigen Grabkammer geschafft werden konnte. Auch in seinen Bauanlagen hat König Philipp seinen Charakter nicht verleugnet — sie zeigen überall leblose Pracht, ohne dem Beschauer irgendein wärmeres Kunst= intereſſe abgewinnen zu können. Lateiniſch lautet die Grabſchrift, die der König auf den Leichenſtein ſeines Sohns ſetzen ließ:

Memoriae aeternae:
Incomparabilis animi magnitudine, beneficientia et
amore veritatis.

Gewiß ein merkwürdiges Epitaph, wenn man erwägt, daß der damit Bezeichnete, wenn überhaupt, so eben nur einer gewiſſen Großherzigkeit wegen, die ihm eigen war, gerühmt werden konnte; aber der damit beabſichtigte Sinn der Wahrheit lag doch nur dann darin, wenn des geſtörten und umnachteten Geiſtes wenigſtens andeutend Erwähnung geſchah: so iſt der Vorwurf der Heuchelei sogar auf dem Grabſtein zu leſen, den der Vater dem Sohn errichtete.

V.

Ein weit ſchrecklicheres, der dabei geübten berechneten Grauſamkeit wegen noch empörenderes Ereigniß knüpfte ſich indeſſen in mittelbarer Folge an den Tod des Prinzen von Spanien. Ein undurchbringlicher Schleier lag bisher auf dem Lebensende der beiden niederlän= biſchen Edelleute van Bergen und Montigny, die man, wie nachgewieſen wurde, mit Unrecht im Verdacht hatte, mit Carlos unerlaubte Verbindungen angeknüpft zu haben. Keiner der beiden iſt aus Spanien in ſeine

Heimat zurückgekehrt, und Philipp erntete nur, was er mit vollen Händen gesäet, als das Gerücht ihn auch als ihren Mörder bezeichnete. Was Bergen betrifft, so ist die Vermuthung grundlos: kränkelnd kam er in Madrid an, erkannte schon auf den ersten Blick, daß hier für ihn nichts zu thun sei, er vielmehr gewärtig sein müsse, daß es für ihn sowenig als für andere aus der Höhle der Hyäne einen Ausweg gebe, und als vollends Alba das Regiment in den Niederlanden übernahm, brach er mit der letzten geknickten Hoffnung zusammen und starb. Man hatte dem König hinterbracht, den Schwererkrankten könnte allein die Erlaubniß zur Rück= kehr in die Heimat möglicherweise retten: wie hätte aber Philipp es je über sich vermocht, der Stimme der Mensch= lichkeit Gehör zu schenken und eine willkommene Beute fahren zu lassen, auf die er einmal die Kralle gelegt! Konnte ja doch der Schein gerettet werden, auch ohne daß man das Schlachtopfer aus der Hand gab. Ein eigenhändiger Brief des Königs, den Gachard [53]) in seine Sammlung aufgenommen, ertheilt dem Fürsten Eboli den Auftrag, den Kranken zu besuchen, und wenn er sei= nen Zustand hoffnungslos finde, ihm die Erlaubniß zur Rückkehr zu ertheilen; für den Fall dagegen, daß noch eine Möglichkeit der Wiedergenesung vorhanden sein sollte, die Erlaubniß blos in Aussicht zu stellen! Die Beerdi= gung sei so prunkhaft als möglich einzurichten, damit man in den Niederlanden glaube, der Verlust gehe dem König und seinen Ministern ungemein zu Herzen, und andererseits einen Beweis der Hochachtung gegen den niederländischen Adel darin erblicke. In der That eine ebenso verständliche als verständige Weisung! Am

25. Mai 1567 starb der Marquis, und wir zweifeln nicht im mindesten daran, daß das Leichengepränge überaus stattlich war. Dem Baron Montigny, den der König von der Erkrankung seines Leibensgefährten in Kenntniß setzte, sagte Philipp, er habe durch Ruy Gomez den Markgrafen benachrichtigen lassen, er könne abreisen, sobald seine Gesundheitsumstände es ihm gestatteten, und als er todt war, äußerte er gegen denselben Montigny, der Verlust gehe ihm ungemein nahe, denn er betreffe einen treuen Diener, für den er ihn beständig gehalten habe und für dessen Angelegenheiten er besondere Sorge tragen werde (Sa Maj. m'a dict avoir esté fort mari de sa mort, pour y avoir perdu ung sy bon serviteur et que pour tel l'ast tousjours tenu et ne laissera d'avoir soing particulier de tous ses affaires) [54]).

Noch immer hatte Montigny keine ·Ahnung davon, in welcher Lage er selbst sich befand: nicht allein daß die böswilligen Einflüsterungen von Alonzo del Canto, Fray Lorenzo und Granvella ihn als einen der schlimmsten Aufwiegler erscheinen ließen und ihm jede Aussicht auf baldige Befreiung benahmen: auf Befehl des Königs war er bereits auf Schritt und Tritt überwacht, und nach allen Seiten hin die gemessene Weisung ertheilt, sein Entkommen zu verhindern. Vor der Hand, schrieb er an seinen Bruder, werde er aus der Noth eine Tugend machen und gelassen dulden, solange sein königlicher Herr es befehle. Mittlerweile gelangte im September 1567 die Nachricht von der Verhaftung Egmont's und Hoorn's nach Madrid, und ohne weitern Verzug ward nun Montigny nach der Citadelle von Segovia in Verwahrsam gebracht. Ein gutangelegter Entweichungs-

verfuch mislang durch die Unachtfamkeit des Haushof=
meifters, und foviele von den Spaniern dabei betheiligt
waren, alle wurden hingerichtet. Die Flamänder verfchonte
man fchon darum, weil man fie als Zeugen gegen ihren
Herrn brauchen konnte, doch ließ man fie nach einiger
Zeit in ihre Heimat zurückkehren, wo fie bei ihrer Lan=
dung einen Befehl Alba's trafen, bei Todesftrafe das
Land zu meiden. Allen Bittgefuchen, die von der Fa=
milie Montigny's und feiner ihm kurz vor feiner Abreife
nach Spanien angetrauten Gemahlin, einer Tochter des
Fürften von Epinoy, einliefen, ließ Philipp ein taubes
Ohr: der Gefangene wurde fehr ftreng bewacht, und erft
als die Köpfe der Grafen Egmont und Hoorn auf dem
Rathhausplatz in Brüffel gefallen waren, kam die Reihe
auch an ihn. Anderthalb Jahre hatte man ihn in trau=
riger Gefangenfchaft fchmachten laffen, ohne ihn ein ein=
ziges mal zu verhören, als endlich im Februar 1569
eine der empörendften Farcen, die je den gefegneten
Namen der Rechtspflege entweihten, ihren Anfang nahm.
Ein belgifcher Jurift 55), der zuerft die Verhöracten Eg=
mont's der Oeffentlichkeit übergeben hat, urtheilt darüber,
daß die einundfunfzig Anklagepunkte fich entweder von felbft
durch entgegengefetzte Handlungen des Angeklagten oder
durch folche, welche von der Statthalterin ausgingen,
widerlegten, wenn fie nicht ihr Gewicht durch die Mit=
wirkung oder die Initiative des Staatsraths verloren,
durch die Procefacten felbft modificirt oder widerlegt
wurden, oder endlich von der Art waren, daß der An=
geklagte ihnen gänzlich fremd war. Montigny's Procef=
acten 56) machen, wenn es überhaupt möglich ift, einen
noch peinlichern Eindruck, weil Montigny an den

Unruhen seines Vaterlands gar keinen unmittelbaren
Antheil nahm, überall mit größter Besonnenheit verfuhr
und dem spanischen Königshaus wirklich mit treuer Anhänglichkeit zugethan war. Die Beschuldigungen, die
das brüsseler Blutgericht aus seinen Actenstößen heraus-
klaubte, waren von Anfang bis zu Ende geradezu frivol,
so wie sie nur bezahlte Parteileidenschaft eingeben konnte,
und es gereicht einem zu wirklicher Beruhigung, daß
Alba es nicht wagen konnte, das in Segovia angestellte
Verhör seinem Blutgericht in pleno vorzulegen, vielmehr
eine besondere Commission nach eigenem Gutdünken ernannte, deren Urtheilsspruch nicht zweifelhaft sein konnte.
Um den Hohn gegen göttliches und menschliches Recht
voll zu machen, erfolgte Montigny's Verurtheilung zugleich mit der des längst verstorbenen Marquis van
Bergen, auf dessen ansehnliche Güter der Herrscher von
Spanien seit Jahren gierige Blicke geworfen hatte. Alba
indessen kannte seinen Gebieter zu gut, als daß er das
auf Majestätsbeleidigung und Aufruhr lautende Todes-
urtheil, bevor er dasselbe bekannt machte, nicht zuvor nach
Madrid mit der Bitte um weitere Verhaltungsmaßregeln
gesandt hätte. Philipp dankte dem Herzog für die ihm
bewiesene Aufmerksamkeit angelegentlich: an sich verdiene
der Verbrecher gar nichts anderes, als daß er mit dem
Schwert vom Leben zum Tod gebracht und sein Kopf
auf den Pfahl gepflanzt werde; indessen habe er seine
Gründe, daß der Spruch auch fernerhin geheim gehalten,
dagegen van Bergen's Urtheil ohne Verzug veröffentlicht
und seine Güter eingezogen werden. In einem vertrau-
lichen Schreiben [57]) wurde Alba des weitern benachrichtigt, im Staatsrath sei man darüber einig gewesen,

daß die öffentliche Hinrichtung Montigny's in den Niederlanden allgemeine Unzufriedenheit hervorrufen würde,
und die Mehrzahl habe sich dahin ausgesprochen, es sei
das gerathenste, denselben heimlich durch Gift aus dem
Weg zu räumen; allein der König fand dies unrecht
und hielt es für weit angemessener, die gegen Montigny
verhängte Todesstrafe im Gefängniß durch Erdrosselung
vollziehen zu lassen, jedoch so geheim, daß niemand davon
etwas erführe, die Leute vielmehr glaubten, er sei eines
natürlichen Todes gestorben. Reineke Fuchs hätte es
nicht schlauer einrichten können: wozu hat man die Nacht,
wenn nicht um unter ihrem Schleier zu verbergen, was
das Licht des Tags zu scheuen hat! Infolge dessen
wurde Montigny von Segovia nach Simancas gebracht.
Was weiter geschah, läßt sich nicht erzählen: soll der
Eindruck rein und ungeschwächt sein, so muß man die
von Gachard zuerst aufgefundenen Documente selbst reden
lassen. Philipp ordnet alles selbst an: er bestimmt,
welchen Sold die acht Schutzwächter, die den Gefangenen
von der einen Festung in die andere zu begleiten haben,
empfangen sollen, und weist den Licentiaten Don Alonso
de Arellano, Rath am Gerichtshof von Valladolid, an,
das Urtheil zu vollstrecken. „Es ist der Wille Sr. Majestät, daß es unter keinerlei Umständen ruchbar werde,
Floris de Montmorency (Baron von Montigny) sei hingerichtet worden, zu welchem Behuf mit der größten
Verschwiegenheit (disimulacion) verfahren werden muß
und ja nicht mehr Personen in das Geheimniß gezogen
werden dürfen, als schlechterdings dazu nothwendig sind,
und denen die Geheimhaltung so dringend als nur immer
menschenmöglich zur Pflicht gemacht werden soll (á

aquellas se les debe de encargar grandemente el secreto
en tal manera que esto quede cuanto en el mundo sea
posible asegurado).

„Demgemäß hat der Licentiat Don Alonso sofort von
hier (Madrid) sich nach Valladolid zu begeben und den
Festungscommandanten von Simancas, Don Eugenio
de Peralta, zu benachrichtigen, daß er ihn auf der Durch=
reise erwarten soll, damit sie zusammen unter Vorzei=
gung der betreffenden Papiere Punkt für Punkt sich über
die Vollführung der königlichen Befehle verabreden. Ist
dies geschehen, so begibt sich Don Eugenio vollends
nach Valladolid, wo er sein Amt wieder antritt und den
Gerichtspräsidenten von dem ihm gewordenen Auftrag
in Kenntniß setzt, damit dieser ihm dabei, falls es nöthig
sein sollte, hülfreiche Hand leiste, hauptsächlich bei Be=
schaffung des Geistlichen und der erforderlichen Dienst=
leute. Denn wenn auch der Präsident, trotzdem daß es
ein Criminalfall ist, sich nicht darein zu mischen hat, so
ist es doch gut, daß er davon weiß. Soweit sich die
Sache jetzt schon beurtheilen läßt, erscheint es angemessen,
daß Don Alonso spät am Abend vor einem Festtag
Valladolid verläßt, sodaß er in der Nacht in Simancas
anlangt, und zwar allein in Begleitung eines zuverläs=
sigen Schreibers und der Person, welche die Hinrichtung
zu vollstrecken hat, auch mit so wenig Bedienten als
möglich. Für den bezeichneten Zeitpunkt hat Don Eu=
genio die Stelle anzugeben, von wo aus sie in die
Festung gelangen und wo sie sich in derselben insgeheim
aufhalten können. Daselbst angelangt, begeben sie sich
sofort nach dem Gemach des besagten Floris de Mont=

4 **

morency und eröffnen demselben in Gegenwart Don
Eugenio's und einer oder zwei Vertrauenspersonen, sowie des mitgebrachten Schreibers, das gerichtliche Erkenntniß und die Requisitionsschrift. Ist dies geschehen
und alles Erforderliche vorgekehrt, daß besagter Floris
de Montmorency sich kein Leid anthun und überhaupt
nichts Störendes zustoßen kann, sollen sie, nachdem Don
Eugenio zuvor den Gefangenen mit allen möglichen
freundlichen Worten getröstet, aufgerichtet und ermuntert
hat, denselben mit dem Geistlichen, oder sind es mehrere,
mit ihnen allein lassen.

„Diese Nacht, den folgenden Tag, der ein Festtag
sein soll, bis um Mitternacht kann die Hinrichtung auf-
geschoben werden, damit der besagte Floris de Montmorency hinreichend Zeit habe, um zu beichten und, falls
es thunlich, die Sakramente zu empfangen, auch sich
reuevoll zu Gott zu bekehren, wobei mit allem Fleiß
darauf zu sehen ist, daß in diesem wichtigen Act nichts
vernachlässigt und dem Gefangenen jedweder Beistand
geleistet werde.

„Eine oder zwei Stunden nach Mitternacht, wie es
sich am besten schickt, damit der Herr Licentiat vor Tag
nach Valladolid in seine Wohnung zurückgekehrt sein
kann, soll die Hinrichtung stattfinden in Gegenwart
eines oder mehrerer Geistlichen, die den Verurtheilten
auf den Tod vorzubereiten haben, des Don Eugenio und
des Schreibers, endlich des Scharfrichters, sowie, wenn
es angemessen sein sollte, einer oder mehrerer Vertrauenspersonen. Auch ist genau darauf zu achten, daß wenn
immer möglich die Leute, die den Leichnam zu beerdigen
haben, nicht dieselben sind mit denen, die der Hinrichtung

beiwohnten, und der größern Verschwiegenheit wegen von
dem gewaltsamen Tod keine Kenntniß haben.

„Der Geistliche, dem das Seelenheil des Gefangenen
obliegt, muß ein möglichst gelehrter und kluger Mann
sein, und von dem begründeten Verdacht in Kenntniß
gesetzt werden, daß besagter Floris be Montmorency in
Glaubenssachen nicht ganz rein ist, damit er seine Leitung und Führung danach einrichte und ihn von den
Irrthümern und Ketzereien, denen er früher anhing oder
noch anhängt, abbringe, wobei er mit aller ihm eigenen
Klugheit und Geschicklichkeit zu verfahren hat.

„Ein Testament zu machen, wird dem Gefangenen
nicht gestattet, dieweil alle seine Güter confiscirt sind,
und wer solcher Verbrechen schuldig befunden wurde,
weder testiren noch überhaupt besitzen kann; indessen,
sollte er ihm obliegender Schulden und Verpflichtungen
Erwähnung thun wollen, so kann ihm dies gestattet
werden, jedoch ohne daß dabei von dem gerichtlichen
Spruch und der Vollstreckung desselben die Rede ist,
sondern als Vermächtniß eines Kranken, der sich dem
Tode nahe fühlt. Auch Briefe und überhaupt Schriftliches wird ihm nur unter der Bedingung abzufassen
erlaubt, daß er sich darin als einen Kranken zu erkennen
gibt, der demnächst zu sterben fürchtet, und dabei keine
unpassende Anspielung sich zu Schulden kommen läßt.
Solche und ähnliche Briefschaften sollen jedoch in Beschlag genommen und nicht eher abgegeben oder veröffentlicht werden, bis man sich überzeugt hat, daß es
ohne Nachtheil geschehen kann. Alles was dem besagten
Floris be Montmorency zu eigen gehört, desgleichen seine
Baarschaft und Juwelen, unter diesen das Halsband des

Goldenen Bließes, seine Papiere und Schriftsachen und
was sonst bei ihm sich vorfindet, soll inventirt und in
Verwahrsam genommen, sofort aber an Se. Majestät
berichtet werden, damit Sie darüber verfügen.

„Nach geschehener Hinrichtung und nachdem sein Tod
mit der anbefohlenen Verschwiegenheit und unter Verheimlichung des vollzogenen Urtels bekannt gemacht worden, sollen Befehle wegen der Beerdigung ertheilt werden, die in der Kirche von Simancas vorläufig und mit
mäßigem Pomp stattzufinden hat, wie sich für eine Person von seinem Stand geziemt, in Erwartung des weitern was geschehen soll. Auch wäre es nicht unangemessen, seinen Dienern, deren Zahl doch gering ist,
Trauerkleider verabfolgen zu lassen, sowie ihnen nach
Maßgabe das nöthige Geld zuzustellen für den Fall,
daß sich keins in seinem Besitze findet.

„Gegeben zu Madrid, 1. Oct. 1570. Dr. Belasco.‟

Schwerlich existirt noch ein zweites Actenstück ähnlichen Inhalts, dessen Sätze man nach den Worten
„secreto y disimulacion‟ zählen kann und die mehrmals
in der Uebersetzung blos darum übergangen wurden, um
das sittliche Gefühl des Lesers zu schonen. Und bemerke
man wohl, Philipp II. stand gerade damals im Begriff,
mit seiner Nichte, Anna von Oesterreich, seinen vierten
Ehebund zu schließen. Seine Befehle wurden buchstäblich vollstreckt. Anfangs October landete die deutsche
Prinzessin in Santander: es war also keine Zeit zu verlieren, da man wußte, daß bei ihr während der Durchreise
durch die Niederlande von hochgestellten Personen Schritte
geschehen waren, um Montigny's Begnadigung zu er-
wirken. Hatte man in der ersten Zeit seines Aufenthalts

in Simancas dem Staatsgefangenen einige Freiheit ge-
gönnt, baß er sich wenigstens die nöthige Bewegung
machen konnte, so mußte er nunmehr, um zunächst das
absichtlich ausgesprengte Gerücht seiner Erkrankung glaub-
haft zu machen, in engen Verwahrsam gebracht und von
der Welt gänzlich abgeschlossen werden. Wie es bei
Tyrannendienern immer und überall zu geschehen pflegt,
schärften die den Justizmord leitenden Beamten nach
eigenem Gutdünken die königlichen Weisungen, indem sie
das bemitleidenswerthe Schlachtopfer in Eisen legten.
In seinem maßlosen Diensteifer ließ Peralta einen lateinisch abgefaßten Brief schmieden, der auf dem Corridor
durch den Platzlieutenant gefunden sein sollte und eine
Aufforderung zur Flucht enthielt, so grenzenlos abge-
schmackt, wie sie nur im Gehirn eines spanischen Festungscommandanten ausgeheckt werden konnte. Der Merk-
würdigkeit halber mag auch dieses Actenstück [58]) hier
eine Stelle finden.

„A. m. m. d. m.

„Noctu ut intelligo nullus est tibi evadendi locus:
interdiu saepe, ut qui solus cum solo podagrico cu-
stode [59]), qui tibi tam valido nec viribus nec cursu
par erit. Erumpe igitur ab octavo usque ad duode-
cimum octobris quacumque potueris hora, et prende
viam contiguam illi portae castelli qua ingressus es.
Prope invenies Robertum ó (et) Joannem qui tibi
presto erunt equis et aliis omnibus necessariis. Faveat
Deus coeptis — R. D. M.“

In dem Bericht, dem der angeblich aufgefangene
Brief beigelegt ist, bemerkt der Commandant, die Ent-

deckung sei mit Gottes Hülfe (Dios servido[!]) geglückt,
auch habe man verdächtige Personen in Kartäusertracht
um die Festung schleichen und diese in Augenschein neh=
men sehen. Daß die verkappten Unholde keine Spanier
gewesen sein können, liegt am Tage, und jedenfalls:
warum ließ Peralta dieselben nicht aufgreifen, da es
nur einer sehr geringen Kriegslist bedurft hätte, um sie
irre zu machen und bei ihrem durch den für die Flucht
anberaumten viertägigen Termin mehr als wahrschein=
lichen abermaligen Erscheinen in einen Hinterhalt zu
locken? Indessen ganz abgesehen von der innern Un=
wahrscheinlichkeit, die der nichtssagende Inhalt des sau=
bern Machwerks offen zur Schau trägt, fehlt es nicht
an äußern Merkmalen, die über den Ursprung desselben
keinen Zweifel lassen. Man braucht kein besonderes
Gewicht zu legen auf den ungewöhnlichen Ausdruck
„prendere viam", da einem französisch redenden Nie=
derländer ein derartiger Barbarismus ebenso leicht be=
gegnen konnte als einem geborenen Spanier; allein „é"
statt „et" würde ein Landsmann Montigny's niemals
geschrieben haben. Jedenfalls hatte Peralta einen schein=
baren Vorwand gefunden, um seinen Gefangenen nach
dem ‚cubo del obispo‘ schaffen und alle seine Diener
von ihm trennen zu lassen. Fortan waren nur der
Lieutenant und ein Bedienter des Commandanten um
seine Person, und Peralta konnte, gewiß zur Zufrieden=
heit seines Gebieters, die „disimulacion" so weit culti=
viren, daß er mit dem Bemerken schloß, der Gefangene
sei aus Aerger erkrankt und die Aerzte erklärten das
Uebel, von dem er schon in Segovia befallen worden,
für ein Zehrfieber. Natürlich wird Montigny den

untergeschobenen Brief mit Entrüstung zurückgewiesen
haben.

Man sieht, die Einleitungen ließen nichts zu wünschen übrig: in Gegenwart des Verurtheilten wurde das
richterliche Erkenntniß verlesen und der Dominicaner
Fray Hernando del Castillo, den der König ausdrücklich
dazu ersehen, übernahm die Seelsorge, wobei Montigny
eine feierliche Protestation aufsetzte, daß er als römisch-
katholischer Christ gelebt habe und sterben werde. Der
Alcalde hatte es hervorgehoben, wie der König aus
reiner Gnade an die Stelle des brüsseler Spruchs
heimliche Vollziehung des Todesurtheils habe treten lassen.
Der Arzt mußte schon seit einigen Tagen häufiger als
gewöhnlich den Gefangenen besuchen, Arzneien wurden
über den Hof getragen, wie wenn er im heftigsten Fie-
ber läge| (como si estuviera enfermo de una gran
calentura continua), und ausgesprengt, er werde die
Woche nicht überleben. In dem Bericht, der nach geschehener That unter dem 2. Nov. an den Herzog von
Alba erstattet wurde, hob der Verfasser nachdrücklich
hervor, der Verurtheilte habe unmittelbar vor seinem
Tode eingestanden, daß Sr. Majestät Minister kein Vorwurf treffe, dieselben vielmehr so gehandelt hätten, wie
sie nach den Acten hätten handeln müssen, daß aber seine
Neider und die andern, die ihm übel wollten, während
man ihn gefangen gehalten, freie Hand gehabt hätten,
um ganz nach Belieben Beschuldigungen auf ihn zu häu-
fen; übrigens erleide er den Tod mit Geduld und sage
Sr. Majestät großen Dank dafür, daß man ihn in der
angegebenen Weise hinrichten lasse. Als er so gesprochen
und nochmals seine Seele Gott empfohlen hatte, that

der Nachrichter seine Pflicht und erdrosselte ihn. Es war morgens 2 Uhr, als am 16. Oct. der Alcalde, der Schreiber und der Henker sich auf den Rückweg nach Valladolid begaben, nachdem den beiden letztern bedeutet worden war, es treffe sie der Tod, wenn sie das Geheimniß verriethen. Der Todte wurde in eine Franciscanerkutte gewickelt, damit man nicht sehen sollte, er sei erdrosselt worden, und ohne weitern Verzug schritt man zur Beerdigung. Die 700 Seelenmessen, von denen Montigny wünschte, daß sie für ihn gelesen würden, wurden pünktlich besorgt; in Ansehung einiger frommen Legate, die er vermachte, fragte der König bei Alba erst an, ob Montigny's Güter eine solche Ausgabe gestatteten; die einigen seiner ergebensten Diener ausgesetzten Vermächtnisse dagegen blieben gänzlich unberücksichtigt. Mittlerweile berichtete Peralta an den König, Montigny sei nach einer ärztlichen Consultation und mit den Tröstungen der Religion am Fieber gestorben — „y ansí fué Dios servido (!) de llevarle para sí entre las tres y las cuatro" (zwischen 3 und 4 Uhr hat es Gott gefallen, ihn zu sich zu nehmen!) —, was allen glaubwürdig vorkam, sodaß Philipp in einem Schreiben an Alba seine höchste Zufriedenheit darüber kund gab und auch in den Niederlanden die Vorzeigung von Peralta's Lügenbrief anempfahl („sucedió tan bien que hasta agora todos tienen creido que murió de enfermedad, y así tambien se ha de dar á entender allá mostrando descuidada y disimuladamente dos cartas qui irán aquí de Don Eugenio de Peralta"). In der That, es bedurfte beinahe dreier Jahrhunderte, um die Wahrheit ans Licht zu ziehen, den Mörder zu brandmarken und

das Schlachtopfer zu rächen (Gachard). Am ausführlichsten beutet Straba das falsche Gerücht aus [60]), und
fast möchte man sagen, die Nemesis habe den Schuldig-
sten unter den Schuldigen schon in jenem belgischen
Jesuiten ereilt, der einen gewaltsamen Tod des Don
Carlos wenigstens für möglich hält. Herrera läßt Montigny in Medina del Campo sterben, Straba in Segovia
ihn geköpft werden; van Meteren weiß wenigstens, daß
er nach Simancas gebracht wurde, wo er an Gift, das
sein Page ihm reichte, gestorben sein soll. In dem
königlichen Schreiben an Alba wird des Umstands erwähnt, Montigny sei so christlich gestorben, daß der
Mönchbruder glaube, Gott habe sich seiner Seele erbarmt;
daran schließt sich jedoch der weitere Satz: „Von der
andern Seite freilich verleiht der Teufel den Ketzern in
dergleichen Fällen solche Stärke, daß wenn der eine (Ketzer)
war, jener (der Teufel) ihn nicht verlassen haben wird" (mas
por otra parte veemos que el demonio en tales tiempos
suele dar tanto esfuerzo á los herejes, que si este lo
era no le habrá faltado). Die Worte strich der König
eigenhändig aus und bemerkte am Rande: „Das muß
gestrichen werden, denn von den Todten darf man nur
gutes reden" (esto mismo borrad de la cifra, que de
los muertos no hay que hacer sino buen juicio).

Der einzige würdige Theilnehmer der schrecklichen
Tragödie war Fray Hernando del Castillo, von dem
San-Pablo-Collegium in Valladolid. Unmittelbar nach
der Erdrosselung schrieb er an Dr. Velasco einen Brief
des Inhalts: „Der Auftrag, den Se. Majestät dem Herrn
Don Alonso de Arellano ertheilte, ist am heutigen 16.
d. M. um 2 Uhr morgens vollstreckt worden und

zwar in Uebereinstimmung mit der von Ew. ꝛc. er-
theilten Instruction. Vergangenen Sonnabend gegen
10 Uhr in der Nacht ward das Rechtserkenntniß dem
Schuldigen mitgetheilt, der im Vertrauen auf seine Unschuld sicherlich daran so wenig dachte als an die Ankunft
der Königin unserer Herrin; darum war er anfangs
ein wenig bestürzt und während der nächsten Stunden
nahm seine Bestürzung zu. Als Don Alonso die Schriftstücke verlesen hatte, begann ich mein Amt, wobei der
Betreffende (aquella persona) mit Ruhe und großer
Mäßigung in seinen Reden sowie mit großer Geduld
in seinem Aeußern zuhörte, und so verhielt er sich bis
zu seinem letzten Athemzug. Es schmerzte ihn die veränderte Behandlung, welche Don Eugenio in der letzten
Zeit ihm hatte zu Theil werden lassen, weshalb er mit
Befriedigung vernahm, daß dieselbe von einem Höhern
angeordnet und befohlen worden. Ich suchte ihn in seinem Leiden, so gut es ging, zu trösten (procuróse de
darle en su trabajo el gusto que se sufriese) und überzeugte ihn zuletzt, daß Se. Majestät sich besonders gnä-
dig gegen ihn erweise in der Art wie der Spruch an
ihm vollzogen werde. Von jetzt an bis Sonntag morgens 2 Uhr benahm er sich ohne Unterbrechung zu meiner vollen Zufriedenheit (gasté en satisfacerme), sowol
was seinen Glauben als die andern für eine so lange
Reise erforderlichen Dinge betrifft; er setzte mit eigener
Hand die beifolgende Bittschrift auf, deren ich mich bedienen sollte zur Besorgung seiner Aufträge, falls Se.
Majestät nichts dagegen einzuwenden hätten. Im Gewissen
gebunden wie ich war, öffentlich über den argen Verdacht
mich auszusprechen, der in Betreff seiner religiösen Ueber-

zeugungen in Umlauf gesetzt wurde, übergab er mir das
vorliegende Zeugniß und Bekenntniß, das ich nicht von
meiner, sondern von seiner Hand haben wollte, damit
wenn Ew. ꝛc. es angemessen finden sollten, damit
ans Licht zu treten, man nicht soll sagen können, die
Unterschrift rühre von einem Kranken her, der den Inhalt nicht gesehen und nicht gelesen. Die Bittschrift ist
nicht im Stil eines Almosenbitters abgefaßt, wie er
denn aus freien Stücken sich gegen mich aussprach, als
Berurtheilter könne er nicht über einen Real nach Gutdünken verfügen; indessen war Grund vorhanden, ihm
die Gewährung seiner Bitte in Aussicht zu stellen, da
dieselbe nichts enthält, was ein so unglücklicher, von
allem entblößter Mensch seinen katholischen König nicht
sollte bitten dürfen. Kleider und Weißzeug, das Bett
und andere unbedeutende Gegenstände wünscht er seinen
Dienern in der angegebenen Weise vermachen zu dürfen,
und das Silberzeug, dessen er erwähnt, ist von so geringem Werth, daß ein Edelmann in dem erbärmlichsten
Dorf des Campo es besser hat. Auch die andern Aufträge, bekannte Schulden und Verpflichtungen, belaufen
sich auf eine äußerst geringe Summe.... Ew. ꝛc. hielten mich für einen guten Sachwalter der Unglücklichen:
wohlan, so werden Sie mir auch die Gunst erweisen und
Sr. Majestät die Angelegenheit in einem möglichst günstigen Licht vortragen, und Höchstdieselben an das Mitleid erinnern, welches die Natur gegen Verstorbene vor-
schreibt, zumal da keine Gründe zu fernerer Strenge
vorliegen und im gegenwärtigen Fall alles verschwiegen
bleibt, so zwar, daß die Stille nur unterbrochen wird,
um die Härte Don Eugenio's zu verdammen, womit er

ein Leben antastete, das ohnehin an einem schwachen Faden hing. Sollte Se. Majestät zu erfragen geruhen,
was die besondern Verpflichtungen sind, welche der Betreffende noch zu erfüllen hat, sowie die Personen, denen
er die Vermächtnisse zugedacht, so werde ich Ew. 2c.
das Nöthige zusenden, bitte mir jedoch eine Abschrift des
Bittgesuchs aus, da ich kein Exemplar in Händen habe,
auch niemand dasselbe gelesen hat. Ich würde meine
Pflicht schlecht erfüllen, wenn ich Ew. 2c. nicht aufs
inständigste ersuchte, die Angelegenheit richtig zu erledigen
und zwar in kürzester Frist (dies ist das wichtigste!),
um den Auswärtigen und Einheimischen den Mund zu
stopfen, und damit ich ohne weiteres darauf antworten
kann, wenn man mich fragt, ob der Mann ein Testament gemacht hat und wie es sich mit der Vollziehung
desselben verhält. In der Hauptsache hat er sich so vortrefflich bewiesen, daß wir Zurückbleibenden Ursache haben,
ihn zu beneiden. Gestern um 7 Uhr beichtete er, um
10 Uhr las ich die Messe und reichte ihm das aller-
heiligste Sakrament. In dem einen wie in dem andern
Stück zeigte er sich als einen so guten Katholiken und
Christen, als ich für mich selbst nur immer zu sein
wünsche; den Rest des Tags und die folgende Nacht
verbrachte er mit Gebet, Bußhandlungen und dem Lesen
einiger Sachen von Fray Luis de Granada, den er im
Gefängniß besonders lieb gewonnen hatte. Von Stunde
zu Stunde nahm seine richtige Würdigung des Lebens,
seine Geduld, seine Wehmuth und seine Ergebung in den
Willen Gottes und des Königs zu; den Urtheilsspruch
des letztern pries er allezeit als gerecht, betheuerte aber
ebenso standhaft seine Unschuld in den Artikeln des Prinzen

von Oranien, des Aufruhrs u. s. w., wegen deren er von
Gott keine Vergebung erhalten wollte, falls er gegen
seinen König schuldig sei; auch äußerte er, seine Feinde
hätten ihn ins Verderben gestürzt, da sie in seiner Abwesenheit ungestraft über ihn herfallen konnten. Und das
sagte er ohne Zorn, ebenso gelassen, wie wenn es sich
dabei um eine ganz fremde Person handelte, indem er
allen von ganzem Herzen und in der Haltung eines dazu vorherbestimmten Christen vergab.

„Er vertraute mir ein feines goldenes Kettchen, an
welchem sein goldener Siegelring hing, an, nebst einem
andern Ring mit einem Türkis; Siegelring und Kette,
um sie seiner Frau zu senden, den andern Ring seiner
Schwiegermutter, weil er sie von ihnen in der ersten
Zeit seines Ehestands zum Geschenk erhalten; auch sollte
ich seiner Frau schreiben, daß Gott ihn von der Welt
genommen zu einer Zeit, wo es ihm nicht vergönnt gewesen, ihr zu dienen und sie zu ehren, und daß er ihr
das Kleinod sende zu seinem Andenken, da er es allezeit
getragen habe; er bitte sie, stets des Bluts eingedenk zu
sein, aus dem sie stamme, und eine so gute Christin zu
bleiben wie ihre Vorfahren gewesen, sich auch nicht von
neuen Meinungen und Sekten einnehmen zu lassen, vielmehr in dem Glauben und in der Religion zu beharren,
welche die römisch-katholische Kirche lehrt und der Kaiser
Karl V. unser Herr gesetzlich schützte, allezeit und in
unterthäniger Ergebenheit gegen den König unsern Herrn,
desgleichen ihre Mutter. Die Sachen sind in meiner
Hand, um sie den Befehlen Sr. Majestät gemäß verabfolgen zu lassen nach der Anweisung, die ich von Ew. ꝛc.
erwarte, und wenn mir gestattet werden sollte zu schreiben,

bitte ich, mir es brieflich anzuzeigen, damit den Befehlen
Sr. Majeſtät Genüge geſchehe und ich der Verpflichtung,
welche ich von jener dem königlichen Willen unterworfenen
Perſon übernahm, nachkomme. Gegenwärtiges Schreiben
iſt länger geworden, als ich beabſichtigte, da ich ſo wenig
wie möglich läſtig ſein möchte; indeſſen mögen Ew. ꝛc.
die Schuld auf ſich ſelbſt nehmen, da Sie gewollt haben,
daß ich Zeuge von der traurigen Geſchichte ſein ſoll.‟

Unzweifelhaft hat Philipp den Brief geleſen, denn in
Staatsgeſchäften, zumal wenn ſie die große Wichtigkeit
für ihn hatten wie der vorliegende Fall, war er von
einer muſterhaften Pünktlichkeit. Was er wol dabei ge=
dacht haben mag? Damit, daß er es in einem Schrei=
ben an Alba tadelte, daß man den armen Montigny
kurz vor ſeinem Tode noch in Eiſen legte; daß er es
hervorhob, der Hingerichtete ſei chriſtlich geſtorben und
Fray Hernando glaube, Gott werde ſich ſeiner erbarmt
haben — als ob der würdige Dominicaner eben nur
das und nicht viel mehr geſagt hätte! —: mit einem ſo
nichtigen Schein einer gerechten und chriſtlichen Geſin=
nung hatte er ſein Gewiſſen vollkommen beſchwichtigt.
Grenzenlos war dagegen ſeine Freude darüber, daß die
liſtige Verheimlichung über alles Erwarten gut gelang.
Am 22. März 1571 ward in Brüſſel ein Erkenntniß
ausgefertigt, daß Floris de Montmorency, Herr von
Montigny, mit Einziehung aller ſeiner Güter wegen
Hochverraths verurtheilt worden ſei, daß es aber ſeitdem
dem Herzog bekannt geworden, wie gedachter Montigny
in der Feſtung Simancas eines natürlichen Todes ge=
ſtorben (que ledit de Montigny seroit allé de vie à
trespas, par mort naturelle). 61)

Um so ungetheilter nimmt Fray Hernando unsere Aufmerksamkeit in Anspruch. In seinem schlichten und unverfälschten Christensinn glaubte er es mit einem halsstarrigen Ketzer zu thun zu haben, und stehe da, er hat einen unschuldig Verurtheilten vor sich, der, jeder Zoll ein Edelmann im echten Sinn des Worts, mit der bußfertigen Ergebenheit eines armen Sünders und unerschütterlich fest in seinem römisch-katholischen Glaubensbekenntniß sich hinwürgen läßt, ohne eine Verwünschung gegen seine feigen Mörder auf der Lippe. Eine solche Glaubensdemuth war in Spanien, wenn nicht überhaupt beispiellos, so doch bei dem hochfahrenden Wesen der spanischen Nation eine Seltenheit: die Wirkung auf den frommen Dominicaner mußte um so überraschender und ergreifender sein, als dieser einem verwandten Gemüthe begegnete. Der nichts weniger als stilistisch tadellose, dagegen um so edler und freimüthiger gehaltene Brief Fray Hernando's läßt an einzelnen Stellen deutlich genug durchblicken, daß die religiöse Ueberzeugung des Verfassers eine andere war als die des Königs Philipp und seiner Helfershelfer. Namentlich findet sich eine Anspielung auf das Prädestinationsdogma, wie Augustin und nicht die Jesuiten es auffaßten. Und überhaupt wie ganz anders, wie unverfälscht und gottinnig klingt die Saite, welche durch den ganzen Brief, der unter dem frischen Eindruck der gräßlichen That geschrieben wurde, sich hindurchzieht, im Vergleich zu dem, was in Spanien gewöhnlich für Frömmigkeit galt! Es ist bedeutsam genug, daß gerade jener fromme Mystiker Fray Luis de Granada, mit dessen Erbauungsschriften Montigny sich vorzugsweise gern beschäftigte, aus dem er in so reichem

Maße Trost und Ergebung schöpfte, neben Juan de
Avila, dem Apostel von Andalusien, Juan de la Cruz
und der heilige Teresa de Jesus, dem ketzerriecherischen
Eifer der Inquisition gleichfalls nicht entging, obschon er
mit einer leichten Buße davonkam. [62])

In der That hatten von ihrem Standpunkt aus die
spanischen Inquisitoren so unrecht nicht. So wenig
Montigny ein Ketzer war in dem Sinne eines von der
römischen Kirche abgefallenen Protestanten, so wenig
stimmte seine niederdeutsche Religiosität mit dem Begriff
spanischer Rechtgläubigkeit und den Zirkellinien des ver=
standsrechten Inquisitionsdogmas, und insofern mußte
sogar die mystische Richtung eines Fray Luis Verdacht
erwecken. Philipp II. gehörte in die Zahl derjenigen
Glaubenseiferer, denen die Religion bloße Verstandssache,
das reine Gegentheil einer Herzensangelegenheit ist, und
nach Anlage und Erziehung konnte dies gar nicht anders
sein, da er kaum dem Namen nach ein Gemüth, folglich
auch nicht die sittlichen Bedürfnisse, die einem solchen zu
eigen sind, besaß. Er war ohne Widerrede der Sklave
seiner Beichtväter und der kirchlichen Würdenträger,
jedoch nur inwieweit ihre gewaltthätige Unduldsamkeit
mit seinen eigenen Neigungen und — politischen An=
schauungen und Absichten zusammentraf. So erklären
sich manche Widersprüche an dieser verworrenen und un=
faßbaren Persönlichkeit. Einer der abstoßendsten Fana=
tiker jener an Ereignissen und traurigen Religions=
verwirrungen so reichen Zeit, Fray Lorenzo, der wäh=
rend eines längern Aufenthalts in den Niederlanden
einen lebhaften Briefwechsel mit Philipp unterhielt und
darin alles anschwärzte, was mit den Reformbewegungen

in einem noch so entfernten Zusammenhang stand oder
auch nur zu stehen schien, was soviel hieß als: spanier=
feindlich gesinnt war; ja, der es nicht einmal verschmähte,
den belgischen Adel nach umlaufenden Klatschereien der
empörendsten Verbrechen zu beschuldigen, hat anderer=
seits doch auch Muth genug, um (Segovia, 22. Oct.
1566) an seinen König zu schreiben: „Wenn Gott einem
Fürsten so viele und so große Reiche und Staaten be=
schert hat· wie Ew. Majestät, so geschah es nicht, daß
die Reiche ihm blos zu eigen sein sollen, sondern daß er
seinerseits ebenso wohl seinen Reichen und allen seinen
Unterthanen zu eigen sei.... Wie die Unterthanen
die natürliche Verflichtung haben, welche die Natur schon
bei der Geburt ihnen mit auf den Weg gab (obligacion
natural, infundida da naturaleza en su formacion),
zum Dienste, der Erhaltung und Vertheidigung ihres
Fürsten herbeizueilen, sobald es nöthig sein sollte, so
bringen die Fürsten, wenn sie geboren werden, nicht allein
das Besitz= und Herrscherrecht über ihre Länder und
Staaten mit auf die Welt, sondern zugleich die von
der Natur an diese Würde geknüpfte Verpflichtung,
erforderlichenfalls zur Vertheidigung, zu Schutz und
Sicherstellung ihrer Vasallen und Unterthanen herbei=
zueilen; und diese Verpflichtung ist ·von beiden Seiten
so groß und ernst, daß sie, sowie sie den Unterthanen
und Vasallen die Pflicht auferlegt, Gut und Blut für
ihren Fürsten dahinzugeben, dasselbe von den Fürsten
verlangt, die in der äußersten Gefahr ihr Leben für ihre
Unterthanen zu opfern haben.“

Es ließe sich viel darüber sagen, daß hier und so=
gar in dem Schreiben Fray Hernando's („la piedad que

naturaleza enseña con los defunctos") überall von
der „Natur" und von „natürlichen Anlagen und
Verpflichtungen" (obligacion natural, naturaleza)
die Rede ist, wo das tiefere religiöse Gefühl des Nieder-
deutschen „göttliches Wort und göttliche Gnade"
setzen würde: uns genügt es, Act zu nehmen von der
Selbstbeherrschung, die Philipp dadurch bewies, daß er
dergleichen Vorhalte geduldig hinnahm, ohne deshalb in
seinen Entschließungen sich im mindesten irre machen, von
seinen politischen Ansichten ein Haar breit abbringen zu
lassen. Auch insofern war er ein unerreichbarer Meister
in der Verstellung. So ähnlich er seinem Vater in manchen Stücken war, so hatte er wenigstens keinen Tropfen
von dessen deutschem Blut, und an dieser Abwesenheit
aller von dem spanischen Wesen abweichenden Richtungen
und Stimmungen, was ziemlich ebenso viel heißt als:
an dem gänzlichen Uebergewicht der kalten Berechnung
über das warme und innige Gefühl entschied sich, man
kann wohl sagen, das Schicksal Spaniens, wo nicht der
ganzen damaligen Welt. Nicht blos Karl's V. Regierung ist über alle maßen reich an den überraschendsten
Wechselfällen: seine gesammte geistige Organisation verschloß in sich großartige Gegensätze, die den vom Schicksal
fortwährend hin- und hergeschüttelten Kaiser in sehr verschiedenem Lichte erscheinen ließen und, nicht immer mit
Recht, in den Augen aller Parteien verdächtig machten.
Von solchen Widersprüchen war König Philipp allerdings frei; er besaß eine durch und durch einheitliche,
consequente Natur, leider jedoch von einer Beschaffenheit,
daß er auf hinterlistige Berechnung alles, auf eine hu-
mane Gesinnung gar nichts gab, und darum für die

expansiven Regungen einer liberalen Denkweise auch
nicht das geringste Verständniß hatte. In seiner coer=
citiven Beschränktheit war er völlig außer Stande, den
Nationalgeist als solchen gewähren zu lassen oder auch
nur seine Berechtigung anzuerkennen, und die unaus=
bleibliche Folge davon war, daß entweder das spanische
Wesen durch den Machthebel des spanischen Regiments
den andern Völkern aufgezwungen, oder aber daß Spanien und das über dasselbe verhängte System in seine
eigene Grenze zurückgewiesen wurde. In diesem für
Spanien selbst nicht bloß nutzlosen, sondern geradezu
tödtlichen Kampf, in welchem Ströme kostbaren Bluts,
recht eigentlich das Mark der Iberischen Halbinsel, ver=
geudet wurden, stand keineswegs die Autorität gegen die
Revolution, wie König Philipp und seine Minister sich
einredeten, sondern die Tyrannei gegen die Freiheit, der
Machtspruch gegen das Gewissen, und schon darum konnte
der Ausgang nicht zweifelhaft sein, mit so zäher Hart=
näckigkeit sich auch der Riesenleib des spanischen Volks
verblutete.

Was daraus geworden wäre, wenn ein freisinniger
und willensstarker Fürst sich der von Karl V. seinem
Nachfolger hinterlassenen Aufgabe bemächtigte, ist schwer
zu sagen: so wie Philipp sich der Lösung unterzog, war
der endliche Abfall der Niederlande eine nothwendige
Folge der auf Befehl des Monarchen durch die Inqui=
sition bewerkstelligten gewaltsamen Unterdrückung der
humanen und toleranten Gesinnung, die in der Idee der
Reformation, wenn auch nur ausnahmsweise in ihrer
geschichtlichen Erscheinung, sich aussprach. Kaiser Karl
hatte sich dem Einfluß jener auf den ethischen Grund=

charakter der kirchlichen Ordnungen zurückgehenden, den
verstopften Lebensquellen des Christenthums nachgraben=
den Bestrebungen nicht zu entziehen vermocht: daß er
aber gleichwol die Reformation als solche, zumeist aus
politischen Gründen, haßte und durch einzelne Maßregeln
bis auf den Tod verfolgte, war ein schwerer Irrthum
darum, weil sein Nachfolger des Vaters antiprotestan=
tischen Eifer dahin misverstand, man müsse nicht blos
die Protestanten, sondern die ganze zu erneuerter Aner=
kennung gebrachte sittliche Weltanschauung mit Stumpf
und Stiel ausrotten. Karl war alles eher als Pro=
testant oder Förderer protestantischer Grundsätze: nichts=
destoweniger bekundete er eine entschieden ausgesprochene
protestantische Aber in dem Nachdruck, womit er den
Uebergriffen der Päpste in ein ihnen fremdes Gebiet
wehrte, und nicht minder in seiner Vorliebe für die lau=
tere Frömmigkeit, die nicht an äußerer Werkheiligkeit
und der sie bestimmenden Furcht, sondern an dem innern
Drang eines in der Idee der Sittlichkeit aufgehenden
Herzens und der dasselbe beseelenden Liebe erkannt wird.

Anmerkungen.

1) Cabrera, Felipe Segundo, Buch 7, Cap. 22.

2) Prescott, History of the reign of Philip the Second (London 1855), II, 497.

3) de Floranes, Disertacion histórica sobre los archivos de España.

4) Minutoli, Altes und Neues aus Spanien (Berlin 1854), I, 132.

5) Ich citire nach der spanischen Ausgabe: Historia critica de la inquisicion de España, Bd. I, (Madrid 1822; die spätern Bände sind in Paris erschienen).

6) San-Miguel, Historia de Felipe II., I, 313.

7) „Celui donc qui a espousé sa nièce, ose me reprocher mon mariage. Celui lequel pour parvenir à un tel mariage, a cruellement meurtri sa femme fille et seure des rois de France. Comme je sçai, *qu'on en a en France les informations.* Or quel a ésté le fondement de ceste terrestre divine dispense (päpstliche Dispensation)? C'est, qu'il ne falloit pas laisser un si beau roiaulme sans heritier. Et voilà pourquoi a ésté adjousté à ces terribles fautes precedentes un cruel parricide. Le pere meurtrissant inhumainement son enfant et heritier, affin que par ce moien le pape eut ouverture de dispense d'un si execrable inceste abominable à Dieu et aux hommes. Quant à Don Carlos restait il pas

nostre seigneur futur et maistre présumtif? Et si le pére
pouvoit alleguer contre son fils ·cause idoine de mort, estoit
ce point à nous, qui y avions tant d'interest qu'à trois ou
quatre moines ou inquisiteurs d'Espagne?"

8) Adriani, Istoria de suoi tempi (Florenz 1583).

9) Matthieu, Histoire de France (1606).

10) de Thou, Histoire universelle, Bd. V.

11) Zur Geschichte des Don Carlos (Wiener Jahrbücher der
Literatur, 1829, XLVI, 227 fg.).

12) de Castro, Historia de los Protestantes Españoles (Cadiz
1851), S. 356.

13) Prescott, History of the reign of Ferdinand and Isabella (Neuyork 1845), III, 284.

14) Elogios de Don Honorato Juan (Valencia 1659).

15) Locorum communium collectanea ex lectionibus Me-
lanchthonis (Frankfurt a. M. 1594), S. 599.

16) Cabrera, Buch 2, Cap. 11.

17) Négociations relatives au règne de François II,
S. 291.

18) San=Miguel, I, 274.

19) Brantôme, Oeuvres, Bd. V.

20) van der Hammen, Don Juan de Austria (Madrid 1627).

21) Gachard, Retraite et mort de Charles-Quint au mo-
nastère de· Yuste, II, 514.

22) Als Philipp mit seiner dritten Gemahlin, Isabella von
Frankreich, zuerst zusammentraf, mußte er ihr, weil sie ihm scharf
ins Gesicht sah, nichts Schmeichelhafteres zu sagen, als ob sie
graue Haare an seinem Kopfe suche.

23) Histoire d'Alexandre Farneze (Amsterdam 1692).

24) Dumesnil, Histoire de Don Juan d'Autriche (1827).

25) Minutoli, I, 155.

26) Gachard, Correspondance d'Alexandre Farnese avec
Philippe II (Brüssel 1853), I, 11.

27) Nichts legt ein glänzenderes Zeugniß ab für den politi=
schen Scharfsinn der venetianischen Signoria, als daß sie schon
von dem 13. Jahrhundert an ihren ·Gesandten regelmäßige Be=

richte sowol an den Senat als an den Dogen zur Pflicht machte. (Gachard, Les monuments de la diplomatie Vénitienne in den Mémoires de l'Académie Royale de Belgique, Bd. XXVII). Daß diese reiche Fundgrube für ältere und neuere Geschichte so lange in den Bibliotheken vergraben lag, hat seinen Grund zum Theil darin, daß kein venetianischer Gesandter seine Berichte für sich zu behalten berechtigt, vielmehr verpflichtet war, sofort bei seiner Ankunft in Venedig alle seine Papiere an den Rath der Zehn auszuliefern. Die Relazioni degli ambasciatori Veneti al senato (ed. Flor.) sind mir im 8. und 9. Band, worin die spanischen Berichte enthalten-sind, nicht zu Handen und ich citire nach Gachard, Relations des ambassadeurs Vénitiens sur Charles – Quint et Philippe II (1856).

28) Gonzalez, Apuntamientos para la historia del rey Felipe Segundo (Memorias de la Real Academia de la historia, VII, 263).

29) Mignet, Perez et Philippe II (Paris 1845), S. 37.

30) Documentos inéditos para la historia de España, Bd. XV.

31) Gachard, Correspondance, I, 354.

32) „Con un certo solito suo riso" — wol ein krankhaftes Lachen, der Begleiter oder doch Vorbote eines gestörten Geistesvermögens.

33) van Bloten, Montigny's leven en dood in Spanje (1853), S. 35.

34) „Ha dias que en esta parte yo estoy sin libertad por haverme prendado de manera, que aunque non estan dadas las manos, quanto á mí no podria dar mas prenda de la que tengo dado." Papiers d'état du cardinal de Granvelle, IX, 543 fg.

35) Raumer, Briefe aus Paris, I, 118.

36) Groen van Prinsterer, Archives de la maison d'Orange-Nassau, I, 345.

37) Carolus Hispaniarum princeps, ad disputandum propositus a J. D. Schroedero (Wittenberg 1687).

38) Baltasar Porreño in den Dichos y hechos del rey Don

Felipe II el prudente (Sevilla 1639) führt eine verwandte Aeuße=
rung an, wie Philipp die Fürbitte zu Gunsten einiger verurtheil=
ter Edelleute zurückwies. „Gerade das adeliche Blut, wenn es
befleckt ist, muß durch Feuer gereinigt werden; wäre mein Blut
in meinem Sohne verunreinigt, ich wäre der erste, der es ihm
abzapfte!"

39) M'Crie, History of the progress and suppression of
the reformation in Spain (London 1829), S. 328.

40) Straba, De bello belgico, I, 185.

41) Groen van Prinsterer, I, 434.

42) la Loo: „Como nros ministros de Flandes la aconse-
jan, diziendo que su Mt. ha tratado hasta ahora sus vasal-
los de Flandes como padre de familia, y que, viendo que
la clemencia de que ha usado no aprovecha, ha de proce-
der con todo rigor."

43) Straba: „Illos non armis sed beneficiis expugnari."

44) Gachard, Correspondance, I, 487.

45) Ebend., I, 519.

46) Raumer, S. 124.

47) Adriani, S. 762, 798.

48) Carta de Hernan Suarez al Príncipe, 5.

49) De la prision y muerte del Príncipe Don Carlos.

50) Documentos inéditos, IV, 485.

51) de Fallour, Histoire de St.-Pie V, II, 19 fg.

52) Scharbius, Rerum Germanicarum, Buch IV.

53) Gachard, Correspondance, I, 535.

54) Willems, Mengelingen, S. 329.

55) de Bavay, Le procès du comte d'Egmont (Brüssel
1854), S. 87.

56) Traslado autorizado de la requisitoria y autos y
confesiones del Baron de Montiñi, tomadas por el alcalde
de corte Salazar en el alcázar de Segovia ante el escri-
bano Bernaldo de Izmendi año de 1569. Documentos inéditos, V, 1—74.

57) Gachard, Correspondance, II, 160 fg.

58) Documentos inéditos, IV, 551.

59) Der ehrenwerthe Peralta hatte die Gicht und wird sich schon darum wohl gehütet haben, den ihm anvertrauten Gefangenen allein zu bewachen, was ohnehin nicht seines Amts war.

60) Motley, The rise of the dutch republic (London 1856), II, 133 fg.

61) Gachard, Correspondance, II, 171.

62) Eine großentheils nach ihm verfaßte Erbauungsschrift: Manual de diversas oraciones y espirituales exercicios, sacados por la mayor parte del libro llamado, guia de pecadores, que compuso Fray Luys de Granada, steht auf dem Indice expurgatorio del cardenal Don Gaspar de Quiroga, arzobispo de Toledo é inquisidor general de España (Madrid 1583).

Christoph Kaufmann, der Kraftapostel der Geniezeit.

Von

Heinrich Düntzer.

Am wunderlich verworrenen Sternhimmel des Sturms und Drangs, der mit dem letzten Drittel des vorigen Jahrhunderts alle sich begabt fühlenden Geister ergriffen hatte, leuchtete auf kurze Zeit als einer der glänzendsten Irrsterne ein neuer Simson, der Schweizer Kaufmann, den Lavater als seinen geweihten Apostel betrachtete, als einen auserwählten Mann, von dem er behauptete, er könne alles was er wolle. Wie ein so ganz leerer und flacher, einzig auf lügenden Schein gestellter Abenteurer soviele der bedeutendsten Männer täuschen und überall, auch an deutschen Höfen, Eingang finden konnte, wird uns nur durch die Gewalt seiner äußerlichen Erscheinung, das alles hinreißende Feuer seiner Persönlichkeit erklärlich, ganz ähnlich wie wir eine solche Herrschaft über die Gemüther in dem gleichzeitigen Cagliostro bemerken; kam dieser der in der Zeit liegenden Sehnsucht nach geheimer Weisheit und übernatürlicher Kraft entgegen, durch deren schlaue Ausbeutung er die Geister fesselte, so fand die von Rousseau angeregte Verehrung der reinen, kunst- und bildungslosen Natur in Kaufmann, dem naturwüchsigen Kraftmann, ihre vollste Befriedigung und nahm den Glauben gefangen.

Das Bild dieses Sternschnuppens der Geniezeit müssen wir uns aus sehr vereinzelten Andeutungen in den besonders neuestens so zahlreich gespendeten Briefsammlungen und mehreren fast ganz verschollenen Schriften der Zeit zusammenstellen. Auch haben wir freundlich entgegenkommender Güte die Mittheilung manches Ungedruckten zu verdanken.[1]) Die gangbaren Nachrichten über unsern Kaufmann, wie wir sie bei Rotermund, dem Fortsetzer Jöcher's, finden, sind einem Bericht von Anton in der „Lausitzischen Monatsschrift", 1795, II, 25 fg. entnommen, der die Hauptangaben über sein Leben in Kaufmanns Papieren „wie verloren" gefunden haben will. Uns liegt handschriftlich der Aufsatz vor, welcher zum Andenken an den Hingeschiedenen in der Brüdergemeine verlesen wurde. Von seinem zwar nicht langen, aber in vieler Rücksicht merkwürdigen Leben, heißt es hier, liege kein eigenhändiger Bericht vor, weshalb nur das mitgetheilt werden könne, was seine liebe Ehegattin aus seinen mündlichen Erzählungen davon behalten und jetzt aufgesetzt habe. Daß aber beide Berichte, besonders der Anton's, gewiß durch Kaufmann's eigene Schuld, durchaus nicht der Wahrheit gemäß sind, wird sich unzweifelhaft ergeben, wodurch denn gar vieles sich ganz anders gestaltet.

Christoph Kaufmann wurde als jüngster Sohn am 14. Aug. 1753 zu Winterthur geboren. Die Taufe erfolgte, nach dem dortigen Kirchenbuch, zwei Tage später. Sein Vater, Christoph Adrian, im Jahr 1707 geboren, war damals Spitalschreiber und Mitglied des Großen Raths; 1771 ward er Statthalter und Säckelmeister. Als seine Mutter nennt das Kirchenbuch Anna Barbara

Weinmann. Kaufmann's Gattin berichtet, der Vater sei
ein rechtschaffener und kluger Mann, Statthalter in
Winterthur gewesen; die Mutter, eine geborene Weide=
mann (sic), eine gläubige, bewährte Christin, ebenfalls
mit seltenen Naturgaben ausgerüstet, habe diesen Sohn
erst in ihrem funfzigsten Jahr geboren. In den Supple=
menten zu dem „Schweizerischen Lexikon" von Leu wer=
den drei Brüder aufgeführt, von denen der älteste 1738
geboren wurde, der zweite, sechs Jahr jüngere, zu öffent=
lichen Würden stieg, bereits 1775 in den Großen, 1787
in den Kleinen Rath gelangte. „Von seinen Aeltern",
bemerkt Kaufmann's Gattin, „erhielt er eine sorgfältige
christliche Erziehung; besonders waren ihm die oft mit
Gebet und Thränen begleiteten Ermahnungen seiner
Mutter, die ihn, sowie er sie, ungemein zärtlich liebte,
zu großem Segen und rührendem Andenken für seine
ganze Lebenszeit. Ihr Beispiel gab ihm schon damals
einen tiefen Eindruck davon, wie gut es sei, in jeder
Noth an den einigen rechten Nothhelfer sich zu wenden.
In einer schweren Krankheit pflegte er sie, ob er gleich
nur erst im zehnten Jahr war, mit solcher Treue, daß
sie sich nicht dankbar genug darüber erklären konnte.
Sein lieber Vater übergab ihn zeitig der Aufsicht und
dem Unterricht gelehrter Männer, die diesen viele Fähig=
keiten zeigenden Zögling durch Erweckung des Selbst=
gefühls von eigenem Werth und durch Selbstüberwindung
so früh als möglich zur Selbstthätigkeit zu bestimmen
und schon in den Jugendjahren zum festen Mann zu bilden
trachteten." Inwiefern hier dem größsprecherischen Kauf=
mann selbst oder dessen Witwe die Hervorhebung seiner
trefflichen Jugendbildung angehöre, deren gerades Gegen=

theil ſein ſpäteres Leben bezeugt, bleibe dahingeſtellt.
Letztere· fährt fort: „In ſeinem vierzehnten Jahr verlangten ſeine Aeltern von ihm eine poſitive Erklärung,
und da ſein Plan mit dem ihrigen nicht übereinſtimmte,
indem bei ihm die Neigung zur Arzneikunde unwider-
ſtehlich war, ſie hingegen ihn dem Dienſt der Kirche oder
des Staats widmen wollten, ſo begab er ſich in aller
Stille nach Bern und machte daſelbſt den Anfang ſeiner
mediciniſchen Studien mit Erlernung der Pharmacie.
Hier kam. er in Bekanntſchaft mit dem berühmten Haller,
die in der folgenden ·Zeit ſehr vertraut wurde. Nach
einigen Jahren beſuchte er ſeine Aeltern auf kurze Zeit,
und entſchloß ſich, in Strasburg ſeine Studien zu vollenden.“ Die heimliche Entfernung von Hauſe ſcheint
ſeinem eigenwilligen Sinn ganz gemäß, das genaue Verhältniß zu Haller eine bloße Ausſchmückung, und daß
ſeine Studien auf die Arzneikunſt gerichtet geweſen,
dürfte nicht weniger willkürlich ſein, da er vielmehr ganz
eigentlich die Apothekerkunſt erlernt zu haben ſcheint, die
eine weniger ernſte Beſchäftigung forderte.

Genaueres gibt Anton nach Kaufmann’s eigenen
Aufzeichnungen. In Winterthur und Zürich ſoll er von
Sulzer und Geßner einigen Unterricht in der Naturlehre
und Mathematik erhalten, in Bern, wohin er in ſeinem
vierzehnten Jahr kam, den Anfang ſeiner mediciniſchen
Studien mit Erlernung der Pharmacie in der Knecht’-
ſchen Apotheke gemacht haben, auch von beſondern Lehrern in· der Chemie und Botanik unterrichtet worden
ſein. „Ueber alles ſchätzbar war ihm aber ein von
Herrn von Haller genoſſener Privatunterricht in der
Phyſiologie und Pſychologie, und die Erlaubniß, denſelben

auf einigen kleinen Alpenreisen in der französischen Schweiz und Savoyen zu begleiten. Von Bern ging seine lite=rarische Wanderung nach Basel und Tübingen. Von Basel rühmt er besonders den Nutzen, den er von Lachenal's und Stählin's Unterricht geschöpft, von Tübingen aber den, so er von Gmelin und Reuß gehabt habe. Er kam nun nach Strasburg, wo er Spielmann, Lobstein, Rö=derer und Hermann hörte, und mit letzterm eine Reise durch Elsaß und Lothringen nach Nimes und Lyon machte, und unter mehreren Gelehrten auch Vitet und le Roi kennen lernte. Nach ihrer Zurückkunft begleitete er den Fürsten von Fürstenberg auf einer Reise nach Italien, bei welcher Gelegenheit er mit dem berühmten Spallanzani bekannt ward. Noch im Herbst 1773 kam er über Innsbruck nach Freiburg zurück, wo er seine medicinischen Studien fortsetzte und endlich über die Ver=besserung der Apotheken, um die höchste Würde in der Arzneigelahrtheit zu erhalten, disputirte." Alle diese Nachrichten, besonders was sie über seine Verbindung mit bedeutenden Männern [2]) und seine Reisen enthalten, sind mit höchstem Mistrauen zu betrachten. Auffallend ist es, daß er 1773 (und wol schon früher) bis 1775 in Freiburg studirt haben, sein Aufenthalt in Strasburg früher fallen soll, da er doch, wie wir aus zuverlässiger Quelle wissen, 1774 und 1775 zu Strasburg in einer Apotheke stand. Von einer Promotion ist nirgendwo eine Spur zu finden, wie denn auch in den siebziger Jahren nie=mand unserm Kaufmann den Titel Doctor gibt. Ein Dr. Knebel in Görlitz behauptete 1805 im „Intelligenz=blatt zur hallischen Literaturzeitung", Nr. 15, er wisse aus der sichersten Quelle, daß Kaufmann im Jahr 1794

beim Landphysikat zu Görlitz weder durch eine Promo=
tionsschrift noch durch ein Diplom sich als Doctor der
Medicin habe bewähren können; sein Tod habe bald
darauf dem Zwist ein Ende gemacht. Ohne Zweifel
war er nichts anderes als Apotheker, der sich freilich mit
mancherlei andern Dingen beschäftigte und sich wol auch
an bedeutende Männer anzubrängen suchte. In Bern
mag er schon sehr früh in eine Apotheke getreten sein;
in gleicher Eigenschaft ging er später nach Tübingen und
Freiburg. Es wird uns berichtet [3]), daß er in den Apo=
theken zu Tübingen und Freiburg den Kranken Arznei=
mittel gegen alle Recepte componirt, weshalb man ihn
fortgejagt, und man würde ihn, wäre er älter gewesen,
eingesetzt haben — ein durchaus glaubhafter, weil sei=
nem Charakter ganz entsprechender Zug.

Ueber Kaufmann's Treiben in Strasburg besitzen
wir den Bericht Mochel's und eine Anzahl Briefe, mit=
getheilt in Schmohl's „Urne Johann Jakob Mochel's"
(1780) [4]) und in „Johann Jakob Mochel's Reliquien
verschiedener philosophischen, pädagogischen, poetischen und
andern Aufsätze" (1780). Freilich war Mochel später
auf Kaufmann erbittert, aber ein so durchaus rechtlicher
Mann, wie der arme, treufleißige Mochel, mag wol im
einzelnen übertreiben, die Farben etwas grell auftragen —
und auch dies kann man von .ihm kaum behaupten —,
aber Thatsachen zu entstellen oder willkürlich zu erdichten
war ihm unmöglich; auch stimmt alles, was er berichtet,
auf das trefflichste zu den sonst überlieferten Zügen
unsers Helden. Kaufmann stand seit dem Jahr 1774 als
Apothekerbursche bei dem Doctor und Apotheker Spiel=
mann im Dienst und hörte zu gleicher Zeit medicinische

Vorlesungen. Aber ihm war es keineswegs um eine gründliche Ausbildung, sondern nur um eine rasche, einflußreiche, glänzende Wirksamkeit zur Befriedigung seiner phantastischen Ehrsucht zu thun. So hatte er den Kopf immer mit allerlei großen Planen angefüllt, war mit den allerverschiedensten Dingen überhäuft, durch die er sich um die Welt verdient machen wollte: doch dieser hohe Zweck war ihm nur Nebensache, es galt ihm blos, von sich sprechen zu machen, sich in den Ruf eines großen Geistes, eines edeln Wohlthäters der Menschen zu setzen, wobei er keine noch so schlechten Mittel scheute, wenn sie ihm nur zweckdienlich schienen. Allein wie es ihm an eigenen Ideen fehlte, woher wir ihn fast nur das von andern Gedachte erfassen und mit dem ihm eigenen Ungestüm nicht sowol ins Werk setzen als laut verkünden sehen, so fehlte es ihm auch an wahrer Einsicht der Dinge und den wirklich einen edeln Zweck fördernden Mitteln, wie an jener auf geradem Weg dem Ziel klar zustrebenden männlichen Ausdauer. Freilich hatte er für die Schwächen der Menschen einen sein aufspürenden Sinn, wie er auch die Kunst besaß, diese mit Schlauheit auszubeuten, aber jede höhere Welt- und Menschenkenntniß ging ihm ab, und wenn er eine wahre Lust empfand, zu intriguiren und zu kabaliren, so war er doch unklug genug, sich selbst die entschiedensten Blößen zu geben, die Unlauterkeit seiner Absichten zu verrathen, sein Gewebe von Lug und Trug ganz dem Zufall zu überlassen, da seine verschiedenen, an verschiedenen Orten vorgebrachten Erdichtungen sich oft widersprachen. Freilich schildert ihn Mochel als einen Menschen von großen Talenten, einem schnellen, tiefdringenden und

treffenden Blick des Verstands, mit gleich seinem Sinn
für die Aehnlichkeiten und Unähnlichkeiten der Dinge, und
einem Herzen von denselben großen Anlagen, welches
alles sein Gesicht und Körper abgespiegelt, aber was er
selbst von Kaufmann erzählt und was wir sonst wissen,
widerstreitet dieser Schilderung und zeigt ihn uns als
einen in hohen und hohlen Träumereien schwärmenden
Phantasten, der keinen Gott als seinen tollen Ehrgeiz
kannte, nur groß in Einbildung, Anmaßung und Dreistig-
keit, ein prasselndes Feuerwerk ohne Sinn und Gehalt.
Wie sehr auch Mochel enttäuscht war, das großartige
Bild, das er sich im Anfang von Kaufmann gebildet,
hatte auch noch später manche Spuren zurückgelassen,
die ihm keine ganz freie Ansicht gestatteten, besonders
da er sich bestrebte, seinen wirklichen Vorzügen nicht zu
nahe zu treten.

Ueberall nach einer Gelegenheit spürend, sich wichtig
zu machen, hatte Kaufmann nicht sobald von den gesegneten Bemühungen des vortrefflichen Pfarrers Oberlin
zu Waldbach im Steinthal, dem elsässischen Sibirien,
vernommen, dieses traurige Thal aus dem Zustand ärg-
ster Armuth und rohester Verwilderung zu erheben, den
Einwohnern Liebe zur Arbeit, zu Bildung, Sitte und
Tugend einzuflößen, als es ihm gleich einfiel, auch hier
seine Hand ins Spiel zu mischen. An guten Rathschlägen ließ er es freilich nicht fehlen, die wol alle entweder auf der Hand lagen oder von anderer Seite ihm
geäußert worden, aber daß er zur Ausführung derselben
nie Geduld und beharrende Energie genug besessen, bezeugt
uns Pfeffel. [5] Zu gleicher Zeit spukte in seinem Kopf
die Gründung eines Lorenzoordens von der hörnernen

Dose. Der Dichter Jacobi war durch die bekannte Erzählung Sterne's von dem Franciscaner Lorenzo, dessen
hörnerne Dose Yorick gegen seine schildpattene erhielt
und als Mahnung zur Besserung und Beruhigung der
leidenschaftlich erregten Seele stets bei sich führte, auf
einen derartigen Gedanken gerathen, den er auch öffentlich
zu erwähnen nicht verfehlte. „Wir alle kauften uns eine
Schnupftabacksdose von Horn", meldet er an Gleim, im
ersten Band der «Werke» (1770), „worauf wir mit goldenen Buchstaben die Schrift setzen ließen, die auf der
Ihrigen steht (auf der äußern Deckelseite Pater Lorenzo,
auf der innern Yorick). Wir alle thaten das Gelübde,
des heiligen Lorenzo wegen jedem Franciscaner etwas
zu geben, der um eine Gabe uns ansprechen würde.
Sollte in unserer Gesellschaft sich einer durch Hitze
überwältigen lassen, so hält ihm sein Freund die Dose
vor, und wir haben zu viel Gefühl, um dieser Erinnerung auch in der größten Heftigkeit zu widerstehen.
Wäre einer so unglücklich, daß dieses nicht gleich den
verlangten Eindruck auf ihn machte, so muß er zur
Strafe die hörnerne Dose mit einer andern verwechseln,
bis er sie durch eine besonders gutherzige oder sanft-
müthige That sich wiedererwerben kann. Unsere Damen, die keinen Taback brauchen, müssen wenigstens auf
ihrem Nachttisch eine solche Dose stehen haben; denn
ihnen gehören in einem höhern Grade die sanften Empfindungen, die wir aus ihren Blicken, aus ihrem Ton,
aus ihren Urtheilen schöpfen sollen. Nicht genug war
es uns, diese Verabredung in einem kleinen Cirkel genommen zu haben, wir wünschten auch, daß auswärtige
Freunde sich uns darin gleichstellten. An einige schickten

wir das Geschenk, das Sie, lieber Gleim, bekommen,
als ein uns heiliges Ordenszeichen; andern soll dieser
Brief unsere Gedanken mittheilen." [6] Kaufmann fand
in diesem Gedanken ein höchst glückliches Mittel, sich mit
manchen Personen auf gemüthliche Weise in Verbindung
zu setzen, und er freute sich der Aussicht, auf diese Weise
einen Verein stiften zu können, den er bald zu beherr=
schen gedachte.

Viel lebhafter und nachhaltiger hatte sich eine dritte
Angelegenheit seiner Seele bemächtigt: die von Rousseau,
in Deutschland von Basedow, angeregte Umgestaltung
der Erziehung. Doch auch dieser Gedanke trat mehr
äußerlich an den von einem Plan zum andern schwan=
kenden ehrsüchtigen Jüngling heran, als daß er aus sei=
ner Seele sich entwickelt hätte. In Strasburg traf er
nämlich auf zwei von dem Drang, ihr Leben der hei=
ligen Sache der Erziehung zu widmen, glühende, zu
einem solchen Unternehmen tüchtig begabte und gründlich
gebildete junge Männer, Johann Schweighäuser und Jo=
hann Friedrich Simon, denen sich ein gewisser Johann
Ehrmann, gleichfalls ein Strasburger, eine leicht beweg=
liche, anmaßliche, aber unendlich schwache Natur, anschloß,
den sein Vater zur Fortführung seines kleinen Schnitt=
waarengeschäfts bestimmt hatte. [7] Da Kaufmann in
Schweighäuser und Simon neben der innigsten Liebe zur
Sache reiche Begabung, Bildung und Ausdauer, in Ehr=
mann ein ganz gefügiges Werkzeug fand, so glaubte er
auf dieses hoffnungsvolle Unternehmen seine ganze Thä=
tigkeit hinwenden zu müssen, kein Mittel zu dessen Durch=
führung unversucht lassen zu dürfen, von der anmaßen=
den Ueberzeugung getrieben, durch sein feuriges, genial

aufgeregtes, stürmisch fortreißendes Wesen diese Männer
zu willigen Werkzeugen zu machen, sie ganz zu be=
herrschen.   Um sie desto sicherer zu fesseln, erklärte er sich
bereit, sein ganzes Vermögen, von dem er freilich schon
viele Tausende zum besten der Menschheit verwandt
habe, einzig der Unterstützung ihrer Absichten zu widmen,
und er machte ihnen Hoffnung, auch seinen kinderlosen
Bruder, der sein Vermögen von mehr als 30000 Gulden
menschenfreundlichen Zwecken bestimme, dem Unternehmen
zu gewinnen.   Wirklich ließ er von Hause hundert Louis=
dor kommen, die er unter sie vertheilte, indem er ihnen
ganz anheimstellte, das Geld zu gelegener Zeit zurück=
zuzahlen. [8]   Die Verbündeten stellten ihre Absichten in
den 1775 von Iselin herausgegebenen „Philanthropischen
Ansichten redlicher Jünglinge" zusammen, an denen Kauf=
mann, den Iselin in den „Ephemeriden der Menschheit"
(1776, III, 29) mit unter den Verfassern nennt, wol den
allergeringsten oder vielmehr gar keinen Antheil hatte;
nur der Gedanke, sie von Iselin herausgeben zu lassen,
möchte ihm angehören. Schmohl schreibt das Buch Si=
mon, Schweighäuser und Ehrmann zu.   Da Kaufmann
bald merkte, daß die beiden erstern viel zu selbständig
und in sich gegründet seien, um sich von ihm beherrschen
zu lassen, so mußte es ihm höchst wünschenswerth schei=
nen, noch einen andern, ganz von ihm abhängigen Mann
herbeizuziehen, der in Verbindung mit dem ihm völlig
ergebenen, so leicht lenksamen Ehrmann jenen das Gleich=
gewicht halte.

Da mußte es ihm äußerst willkommen sein, durch
einen in demselben Hause mit ihm lebenden Magister
Engel von einem im unterelsässischen Dorfe Scharrach=

bergheim verkümmernden Predigtcandidaten Mochel zu
vernehmen, der aus niedrigſter Armuth ſich durch geiſtige
Kraft emporgearbeitet, aber von dem Conſiſtorium wegen
ſeiner freiern Ueberzeugungen und ·des in ſeinen Predig=
ten ſo wie in ſeiner Beſchäftigung mit Muſik, Zeichnen
und Malen nicht weniger in allen Lebensverhältniſſen
hervortretenden Genie zurückgehalten werde. Kaufmann
eilte ſofort zu Mochel nach Scharrachbergheim, ließ ſich
ſein Leben beſchreiben, ſchwor ihm ewige Freundſchaft,
und drang lebhaft in ihn, ſeinen elenden Aufenthaltsort
zu verlaſſen, um in Strasburg in einen ſeiner würdigern
Lebenskreis zu treten. Mochel, der dies zunächſt ab=
lehnte, da er auf eine ihn und ſeine armen Aeltern ver=
ſorgende Predigerſtelle ſeine Hoffnung geſetzt hatte, trat
mit dem von Liebe, Güte und Hoheit des Geiſtes und
der Geſinnung überfließenden ſeltſamen Mann in Ver=
bindung. In der erſten uns erhaltenen Antwort Kauf=
mann's vom 19. März 1775 ⁹) beſteht dieſer darauf,
Mochel müſſe nach Strasburg kommen. Der Schalk weiß
ſich, trotz ſeiner Ungewandtheit im klaren, folgerechten
Ausdruck, geſchickt in das Gewand eines für innigſte
Seelenfreundſchaft warmglühenden, edelmüthigen, viel=
beſchäftigten, bei allen großen Talenten und Unterneh=
mungen beſcheidenen Manns zu hüllen. Er beginnt mit
einem hohlen Preis des wahren Glücks der Freundſchaft,
dieſes echten Menſchengenuſſes. „Freundſchaft —
was iſt ſie anders als Menſchenfreude? Freund — was
anders als ein Erfreuender? — Sie, Sie fühlen es,
mein Theuerſter, mehr als tauſend fühlen Sie es —
was es iſt, vernünftige (nicht ganz verhunzte) Menſchen
zu lieben und ·von ihnen geliebt zu ſein, Menſchen zu

genießen und von ihnen genossen zu werden — aber ach,
fühlen Sie nicht jetzt auch diese Mängel?" Daran
knüpft sich die Entschuldigung, daß er Mochel's Brief
so lange unbeantwortet gelassen. „Was wollte ich
sagen? Ja, ob Sie mir jetzt aber auch gern mein
Zaubern verzeihen? ob Sie glauben, daß ich dabei mehr
gelitten als Sie? Sind Sie überzeugt, auch ohne die
anzuführenden Gründe, daß es nicht Nachlässigkeit oder
Kaltsinn gewesen? oder wollen Sie, daß ich Ihnen alle
die wichtigen Ursachen hersage: daß ich unendlich viel zu
thun gehabt, daß ich fast die meiste Zeit verreist gewe=
sen, daß ich auf diese Bücher gewartet, daß ich krank
gewesen u. s. w.?" Er verübelt es Mochel, daß er
seiner Einladung nach Straßburg noch nicht gefolgt sei;
seine Predigten möge er doch ja mitbringen, damit er
sich derselben erfreuen, auch andere redliche Seelen daran
theilnehmen lassen könne. Was man dem Freunde von
seinem Malen und Zeichnen gesagt habe, sei übertrieben.
„Es kann sein, daß ich mehr Kenner als Künstler bin.
Ich habe es um der Physik, Mechanik, Mathematik u.s.w.
erlernt, allein die Zeit erlaubt mir nicht, mich darin zu
üben und zu vervollkommnen, denn Genie hab' ich wenig
dazu. Meine Beweggründe waren stark, wenn ich wünschte,
von Ihren Zeichnungen zu besitzen. Ich mache eine
kleine Sammlung, wobei ich nicht sowol auf die Kunst
als auf das natürliche Genie sehe. Warum sollte ich
nicht wünschen, auch Sie, mein Freund, unter dieser
Sammlung zu haben? Ja, noch ein Grund, den ich,
um Ihre Bescheidenheit nicht zu kränken, verschweigen
will — genug, es ist Freundschaft, wenn Sie mir etwas
von Ihrer Arbeit zukommen lassen." Vor allem aber

beſchwört er ihn, das finſtere Scharrachbergheim zu verlaſſen; die Welt ſolle ihn kennen lernen, und er könne
der Welt recht nützlich ſein. „Für Koſt ſorgen Sie
nicht; für ein paar Informationen, dabei Sie nicht nur
phyſiſchen, ſondern auch moraliſchen Nutzen haben könn=
ten, wollen wir auch ſorgen; oder ich weiß einen ge=
ſchickten Freund, der ſich glücklich ſchätzte, Sie ganz zu
beſitzen." Das letztere, was wie ein augenblicklicher,
glücklicher Einfall nachkommt, war ohne Zweifel reine
ruhmredige Fabelei. Noch bittet er ihn um eine kurze
ſchriftliche Beſchreibung ſeines Lebenslaufs; in ſo kurzer
Zeit ſo viel gethan zu haben, ſei ein Wunder. „Gott,
deſſen Liebling Sie gewiß ſind", ſo ſchließt der Brief,
„belebe Ihr edles Herz zur Erquickung Ihres redlichſt
ergebenſten Freundes." In einer Nachſchrift entſchuldigt
er noch ſeine Eilfertigkeit mit ſeinen vielen Geſchäften.

Mochel wird bald darauf zum Beſuch nach Stras=
burg gekommen ſein, doch hielt es ſchwer, ihn aus ſeinem
Dorf und ſeinem Beruf herauszuziehen, worin er durch
eine baldige Anſtellung das volle Glück ſeines Lebens zu
finden hoffte; daß er ihn um dieſes ſtille Glück gebracht,
durfte er ſpäter mit Recht Kaufmann vorwerfen. Dieſer
ließ nicht nach, Mochel zu beſtürmen, der, durch die neu=
eröffneten Ausſichten und das wunderliche Weſen ſeines
jungen Beſchützers geblendet, endlich am 16. Aug. in
Strasburg einzog, wo ſich bald ein inniges Verhältniß
beſonders zu Simon und Schweighäuſer bildete. Sein
reger Geiſt wandte ſich mit entſchiedenſtem Eifer den
von den Freunden betriebenen Erziehungsplanen zu, in
die er bald ganz eindrang. Daneben benutzte Kaufmann
ihn zur thätigen Einwirkung im Steinthal. [10]) Aber

unser abenteuerlicher Held hatte sich sehr verrechnet, wenn
er in Mochel ein zu allen Diensten bereites blindes
Werkzeug seiner Plane, einen willenlos hingegebenen
Bewunderer seiner Größe gefunden zu haben glaubte,
wie in dem schwachen Ehrmann; daß Mochel hierzu eine
viel zu selbständige, durch ein hartes Leben noch viel
starrer und nüchterner gewordene Natur sei, hätte er
bei irgend tieferer Menschenkenntniß voraussehen müssen.
Kaufmann wußte allmählich alle Ansichten Mochel's aus
diesem zu erhorchen, um das, was ihm dienlich sein
konnte, für sich zu benutzen und in seine Weise umzu-
prägen; denn sein eigener Ideenvorrath war ein höchst
beschränkter. Doch bei manchen Punkten sprach Kaufmann auch seine entschiedene Misbilligung im schärfsten
Ton aus und suchte sich den Anschein eines ihn weit
übersehenden, mit ureigenstem Gefühl für Recht und
Wahrheit ausgestatteten Geistes zu geben. „Meine besten
Freunde, sonderlich Herr Kaufmann", schreibt Mochel im
Jahr 1776 [11]), „haben in sehr freundschaftlichen Unter-
haltungen meine Grundsätze von mir herausgelocket, als-
denn ein bischen übel genommen, und wenn sie nicht
wohl aufgeräumt waren, welches bisweilen geschah, wenn
sie nicht geschlafen hatten oder ihnen ein Project fehl
schlug oder sonst etwas nicht recht nach dem Kopfe ging,
mich sogar einer Niederträchtigkeit beschuldiget, meine
Grundsätze für abscheulich erklärt." Von einer ordentlichen Verhandlung konnte bei dem zu strengem Denken
nicht geschaffenen noch gebildeten, wild auffahrenden,
seine Ansichten ohne Begründung behauptenden Kaufmann keine Rede sein. Daß dieser durch das leere Ha-
schen nach immer neuen Planen, nach einer unermeßlichen

Wirkſamkeit ſich jede wirkliche Thätigkeit unmöglich mache
und ſich ſelbſt zu Grunde richte, daß ſeine Vielgeſchäftig=
keit nur ein tolles, jeder Folgerichtigkeit entbehrendes
Treiben ſei, daß manche ſeiner Handlungen den Grund=
ſätzen reiner Sittlichkeit zuwiderliefen, konnte Mochel
unmöglich entgehen. „Menſchen= und Freundespflicht
trieb ihn, demſelben mehrmals gegen ſeine Handlungs=
art ernſtliche Vorſtellungen zu thun. Kaufmann, deſſen
Ambition ſo blind war, daß er, wenn er ſich durch einen
unbeſonnenen Sprung ins Feld Arm und Bein gebrochen
hätte, fähig geweſen wäre, die krumme Erde oder einen
vorübergehenden Menſchen als die Urſache zu verfluchen,
konnte überhaupt keinen Tadel von keinem Menſchen er=
tragen; wie viel weniger von Mochel, gegen den er ſich
wie einen Patron gegen einen Clienten fühlte. Er ſah
es als ſchwärzeſten Undank oder doch als elendes Rai=
ſonnement eines zum Wirken kraftloſen Menſchen an.“ 12)
Dieſe naturwüchſige Thatkraft war es, auf die Kauf=
mann den höchſten Werth legte, als deren eingeborenen
Sohn er ſich ſelbſt betrachtete; ſich dieſen Schein zu
geben und denſelben zur Erfüllung ſeines herrſchſüchtigen
Ehrgeizes zu benutzen, war das Ziel aller mit dem gan=
zen Aufgebot einer zu Trug und Ränken neigenden Seele
verfolgten Beſtrebungen. Hierbei kam eine in ſeinem
Weſen liegende gewiſſe hinreißende Natürlichkeit und ſtür=
miſche Glut ihm ſehr zu ſtatten, welche eine große Macht
auf die Menſchen übte, ſobaß ſie, ſelbſt trotz klarſter
Einſicht in ſeine Schwächen und Gebrechen, ſich eines
wunderbaren Gefühls von höherer Begabung und herz=
licher Innigkeit nicht erwehren konnten. Daß unſer
Abenteurer auch ſchon damals auf Frauenherzen zu wirken

und sie zu umstricken bedacht gewesen, wie denn solche
Leute gewöhnlich von einer prickelnden Neigung zu den
„Weiblein" getrieben werden, beweist uns sein Verhält=
niß zu einer strasburger Dame, in welche außer Kauf=
mann auch Schweighäuser und Ehrmann verliebt waren.
In einem uns erhaltenen Brief Mochel's an jene Dame
aus dem Anfang des folgenden Jahrs [13]) bittet er diese,
nur ja in keinem der drei Freunde eine Hoffnung zu
nähren, die sie nicht zu erfüllen vermöge. Schweighäuser
sei der Mann, den er ihr geben würde, weil er über=
zeugt sei, daß sie in der Verbindung mit diesem, dem er
selbst auch am meisten gut sei, das größte Glück finden
werde. Am wenigsten könne seinem Gefühle nach Ehr=
mann ihrem Herzen genügen; ihre Weigerung, diesen zu
beglücken, werde für ihn freilich traurige Folgen haben,
aber es sei dies nun einmal nicht zu ändern. Kauf=
mann werde am meisten zu bedauern sein, wenn sie ihm
nicht angehören könne, da es schwer halten würde, seine
Liebe zu ersticken, er ein Werther werden müsse, wenn
diese Leidenschaft in ihm genährt werden sollte, ohne
Befriedigung zu finden. Kaufmann, für den die Freun=
din nicht wenig eingenommen gewesen zu sein scheint,
wird hier mit besonderer Auszeichnung behandelt. „Ich
kann Ihnen vor Gott versichern", schreibt Mochel, „ich
habe noch keinen Menschen kennen gelernt, den ich höher
als Kaufmann schätzen könnte. Seine Fehler stören
immer mehr sein eigenes als seiner Brüder Glück, dem
er alles aufzuopfern bereit ist. Er wird mich nur mehr
lieben, wenn er in Zukunft einmal erfährt, was ich ge=
than habe." Freilich jetzt dürfe Kaufmann noch nicht
erfahren, was er der Freundin geschrieben, er würde sich

darüber äußerst beleidigt fühlen. Von der Verbindung und dem Plan der vier Freunde hoffe er unendlich viele Vortheile zum Glück der Menschheit, nur müßten sie glücklich sein, sonst sei nichts davon zu erwarten; und deßhalb gerade lege er der Freundin die Sache ans Herz, da freilich einer dem andern aus Großmuth, aus Edelmuth auch eine lang genährte Leidenschaft aufopfern würde, aber sie würden dann auch sich selbst aufopfern und somit unglücklich sein.

Mit den unter dem Actuar Salzmann zu Strasburg verbundenen Männern [14]) scheinen Kaufmann und seine Freunde in keine nähere Verbindung getreten zu sein. Lenz und Kaufmann, zwei in gleicher Weise zur Intrigue geneigte Geister, dürften sich eher abgestoßen als angezogen haben. Unter den Mitgliedern der Salzmann'schen „Gesellschaft zur Ausbildung der deutschen Sprache" finden wir keinen von ihnen aufgeführt, wenn auch freilich Professor Blessig, der später unter ihnen erscheint, mit Mochel bekannt war. Im Sommer 1775 kamen nacheinander der berühmte Arzt und Schriftsteller Zimmermann, die Grafen Stolberg mit Goethe, und der Herzog von Weimar nach Strasburg. Aber daß Kaufmann mit einem derselben zusammengekommen, ist sehr zweifelhaft, am ersten noch mit Zimmermann, der ihn wirklich persönlich gekannt zu haben scheint; daß er Goethe seinen Freund nannte, deutet gar nicht auf eine wirkliche frühere Bekanntschaft, da Kaufmann mit solchen Freundschaften aufs Gerathewohl um sich warf. Auf dem Münster befinden sich im Innern der Pyramide der Uhr gegenüber in einer Einfassung folgende Namen unmittelbar hintereinander in neun Zeilen eingehauen: die Grafen Stolberg

(G. et F. comites de Stolberg), Goethe, Schlosser, Kaufmann, Ziegler, Lenz, Wagner, von Lindau, Herder,
Lavater, Pfenninger, Häfeli, Blessig, Stolz, Tobler,
Röderer, Passavant, Kaiser, Ehrmann, Engel, mit der
Jahreszahl 1776. Die Folge der Namen und ihre
Auswahl zeigt, daß wir hier kein Denkmal eines verbundenen Freundeskreises haben, sondern die Inschrift
von jemand herrührt, der die Namen einiger der bedeutendsten seit den letzten fünf bis sechs Jahren in Strasburg anwesenden Männer hier vereinigen wollte, und
könnte man vermuthen, daß sie von dem vor der Jahreszahl in der letzten Zeile für sich allein mit seinem Vor-
namen stehenden Magister Engel (M. M. Engel) herrühre,
den wir oben als Kaufmann's Bekannten fanden; später
ward er Pädagog im Kloster zu Strasburg.

Im September 1775 begab sich Kaufmann vorläufig
nach seiner Vaterstadt Winterthur zurück, noch von dem
Gedanken an die endliche glänzende Erfüllung der mit
den vier Freunden durchzuführenden Erziehungsplane
schwärmerisch hingerissen. Hier wollte er auf seine Weise
für die allgemeine Angelegenheit zu wirken und Theilnahme zu erwecken, wie auch eine nähere Verbindung
mit den bedeutendsten Männern der Schweiz zu knüpfen
suchen. Nach einem kurzen Aufenthalt zu Freiburg kam
er am Mittag des 11. Sept. zu Schaffhausen an. Hier
lernte er ein paar Frauenzimmer kennen, die ihn „stärk-
ten"; er „warb eine edle Rekrutin an", wie er den
Freunden schreibt [15]); ein Mädchen von neunzehn Jahren, „edle Seele, wärmstes Herz", wurde in ihn und
er in sie verliebt. „Zeit war, daß ich verreiste", schreibt
der ruhmredige Phantast. „An dem Tag, wo ich in

der Stille wegschlich, sollte die ganze Familie zusammen-
kommen und uns vereinigen. Ein wichtiger Vorfall, der
mir noch nicht aus dem Kopf. Ehrmann und ich sollen noch viele Freude davon haben. Euch, Simon und
Schweighäuser, wollen wir's mit genießen lassen." In
Winterthur ließ es ihn nicht lange ruhen; es trieb ihn
unwiderstehlich, sich persönlich mit bedeutenden Männern
in Verbindung zu setzen, und sich zugleich mit Ideen
und Kenntnissen, woran es ihm so sehr fehlte, ohne
Mühe zu bereichern. Zunächst ging er nach Basel zu
Iselin, der sich durch seine „Geschichte der Menschheit"
und seine „Vermischten philosophischen Schriften" einen
bedeutenden Ruf erworben und eben die „Ephemeriden
der Menschheit" unternommen hatte. Diesem, mit dem
er sich bereits früher in Verbindung gesetzt, theilte er
seine schwärmerischen Plane und seine wilden Gefühls-
stürme mit, deren inhaltlose Verworrenheit dieser wohl
durchschaute, wenn er auch einen tiefern Grund von
Kaufmann's aufgeregtem Wesen zu ahnen glaubte. Auch
den trefflichen, mit den bedeutendsten Geistern der Schweiz
in Verbindung stehenden reichen Kaufherrn Jakob Sarasin suchte er zu gewinnen und zu seinen Zwecken zu
stimmen. In einem ungedruckten Briefe an Sarasin
vom 28. Oct. mitternachts verabschiedet sich Kaufmann
von diesem, wobei er gelobt, „der Tugend und den wahren Wissenschaften getreu zu sein und dem moralischen
Ideal mit neuem Muth nachzustreben, davon seine Ima-
gination beständig in Bewegung komme". Man sieht
hier, was Iselin und Sarasin ihm besonders empfohlen
hatten. Von Basel eilte er, vielleicht auf Iselin's Rath,
nach Emmendingen zu Goethe's Schwager, Johann Georg

Schlosser, diesem für freie geistige Ausbildung so ernstbe-
geisterten, sittlich strengen Denker und Weisen, dessen schon
1771 erschienener „Katechismus der Sittenlehre für das
Landvolk" ihm unter den gemeinnützigen Schriftstellern
der Zeit eine der ersten Stellen angewiesen hatte. Welchen Eindruck der tüchtige, gründliche Schlosser auf den
ehrsüchtig schwebelnden Abenteurer übte, wie er diesen
wenigstens augenblicklich zum Bewußtsein seiner Verworrenheit und leeren Ueberspanntheit brachte, ihn von
seiner Schwachheit und der Nothwendigkeit wahrer Ausbildung überzeugte, beweist folgender aus Emmenbingen
an die strasburger Freunde geschriebener Brief. [16])

„1) Bitte immer von der Brust weg zu reden. 2) Mich
recht zu verstehen oder zu fragen. — 4) Was uns jetzt
uninteressant vorkommt, wird uns in zwei, drei Jahren
Licht geben. 5) Ich schrieb an Iselin, er habe mir
unendlich viel genützt, besonders was das Herz anlangt.
Allein da seine Seele selbst nicht ganz wohl gestimmt
sei, so habe er unmöglich so tief in die meinige hinein-
gucken können, wie der scharfe, lebhafte empfindsame,
seine Schlosser, der gewiß ein Mann ist, der in der
Stille weit sieht. 6) Ich glaubte bald, ich hätte männliche Ideen, aber Freunde, ein Bub bin ich, von unten
an will ich anfangen, will sehen, ob meine überspannte
Seele sich noch in rechte Stimmung bringen lasse, ob
ich noch Mann werden könne! — 7) Mein Gott, wie dürfen
wir an Education, wie darf Iselin an Menschenverbesserung
denken, da seine Seele selbst noch nicht recht in Ordnung ist, er sie nicht kennt, nicht weiß, was gut oder
nicht gut ist? Wir kennen den Menschen noch gar nicht,
wissen nicht, was er ist und was er in dieser Epoche

6 **

fein foll. Einmal biefen Körper behält er, er foll Thier=
menfch fein. 8) Wenn wir auch ben beften Jüngling
bilden, fo kommt er wieder in bie Welt heraus. Was
wirb er machen? wirb er ba fo arbeiten können, wie er
wünfchte? wirb er nicht unmuthig, Mifanthrop, vielleicht
fchlechter Kerl? — 9) Schloffer fagt, man mag noch fo
fehr an ber Erziehung arbeiten, Verftanb cultiviren,
bas macht ben Menfchen nicht beffer noch glücflicher.
10) Wir müffen ihn wieder wahrhaft frei machen; ohne
bies wirb er fonft nur unglücflich. An bem will ich
arbeiten, ben Fürften prebigen; wenn wir wieder
Freiheit haben, fo machen wir Lockes zu Schulmeiftern.
13) Ich finbe, baß unfer Herz mehr arbeitet als bie
wahre Seele. 14) Unfere Ausfichten finb fo einfeitig im
Unglücf, bas Ifelin nicht fühlt. 15) Wäre Goethe zu
feinem wahren Zweck kommen, wär' er ein ganz anberer
Kerl. 16) Schloffer nahm mich letzte Nacht um 12 Uhr
mit männlicher Würbe bei ber Hanb, fagte mir: Ich
bitte euch, macht euch noch ben Plan zu eurer Republik
nicht für gewiß. Ich hatte vor zehn Jahren gleiche
Gebanfen; allein jetzt finbe ich, baß meine Seele noch
zu ftumpf ift. Vielleicht gelingt es euch Jünglingen
beffer, ihr kommt eher zu wahren Quellen. Vielleicht
könnt ihr als ehrliche Kerls boch Menfchenerzieher wer=
ben. 17) Meinem Kinb (Schloffer) will ich nichts von
Moral prebigen. Gerechtigkeit unb Wahrheit will ich
ihm tief in bie Seele legen, fein Gefühl fo viel möglich
unverberbt erhalten, bann mag Trieb zur Mittheilung
u. f. w."

Die Abtheilung bes Briefs in einzelne Nummern,
bie nicht immer fachlich begrünbet ift, mit Ueberfpringung

mehrerer Zahlen, macht bei dem wildverworrenen, an nichts weniger als an eine klare Scheidung denkenden, aber von Schloſſer zur Ordnung angehaltenen Mann einen faſt komiſchen Eindruck: man ſieht, wie Schloſſer, deſſen Ausſprüche er überall gläubig hinnimmt und als ſeine eigene Anſicht mehrfach ohne weiteres hinſtellt, ihn faſt ganz aus ſich ſelbſt gerückt hatte. Fehlte es ihm ja an wirklich eigenen Gedanken und wahrer Selbſtändigkeit durchaus.

Man vergleiche mit dieſem Brief den Anfang von Schloſſer's „Erſtes Schreiben an Iſelin über die Philanthropinen" im erſten Stück, 1776, von Iſelin's „Ephemeriden". Iſelin hatte Schloſſer gefragt, ob er die Anſtalten von Salis und Baſedow für die beſten der vorhandenen öffentlichen halte. „Baſedow's und Salis' Anſtalten kommen den menſchlichen am nächſten", ſchreibt Schloſſer, „aber ſie thun den Forderungen der Menſchen noch kein Genüge. Es iſt nicht ganz die Schuld der Anſtalten, daß ſie das nicht thun. Unſer Jahrhundert iſt noch nicht reif dazu, und ich glaube, die Menſchen ſind von der Natur zu weit entfernt, daß je ein Jahrhundert dazu reif wird." Eine vollkommene Erziehung ſei das grauſamſte Geſchenk, das man einem Jungen geben könne, weil er mit dieſer ſich in der ſo beſchränkten und verdorbenen Welt unglücklich fühlen, überall anſtoßen werde. „Ohne die großen Erziehungsanſtalten hat die Natur uns Männer gegeben, werth, Emile zu ſein; aber was thun ſie? Würde K. (Kaufmann) Erziehungsprojecte drechſeln, würde L. (Lenz) zwecklos in der Welt herumirren, würde G. L. St. (Graf Leopold Stolberg) Bücher und Gedichte ſchreiben,

wenn sie eine Natur um sich finden (fänden), die werth
ihrer Anstrengungen wäre? Wie nagt dumme Bosheit
an Lavater, wie hat Pfaffenwitz selbst Basedow verfolgt? warum schreiben Sie und so viele politische und
sittliche Männer, als nur sich doch einigermaßen gegen
den Druck, in dem sie wirken müssen, schadlos zu halten, um aus dem «Flutbisch», in den sie nicht sprangen, sondern gestoßen wurden, wenigstens manchmal wieder reine Luft zu athmen." Den Philanthropisten ruft
er zu: „Stimmt euch herab! Die größte Weisheit ist,
sich nach seiner Decke zu strecken." Ein Institut, wie
die der Philanthropisten, könne er seinen Freunden für
ihre Kinder nicht empfehlen. „Arme Buben, soll ich
euch wohin schicken lassen, wo man euch zu Riesen macht,
die hernach, wenn ihr in die Republiken kommt, die
Prokrusteſſe so lang verstümmeln, bis sie in ihre Better
taugen oder ganz den Geist aufgeben!"

Iselin unterließ nicht, auf Anlaß jenes im Brief aus
Emmendingen erwähnten Schreibens von Kaufmann diesen zurecht zu setzen. „Ich bedauere Sie, liebster, vortrefflicher junger Freund", schreibt er [17]), „daß Sie so
hin= und hergezerrt werden. Ich begreife gar wohl, wie
peinlich Ihr Zustand sein muß, da Schlosser Sie dahin
und Iselin dorthin ziehen will, und da Sie vorhersehen,
daß jeder, den Sie um Rath fragen werden, Sie
auf eine andere Seite wird reißen wollen. Ich habe
deßhalben angestanden, ob es nicht übel gethan sei, nach
Herrn Schlosser Ihnen wieder andere Anleitung geben
zu wollen. Allein ich glaube dennoch, es werde besser
gethan sein, Ihnen meine Gedanken noch ein mal kürzlich
mitzutheilen. Ich· besorge, wenn Sie bei Hause sein

werden, werden Sie wieder nicht wissen, was Sie aus Schlosser's Epigrammen machen sollen; denn für was anders kann ich seine Vorschriften nicht ansehen." Als Zweck des Lebens und Lernens bezeichnet Iselin, sich so vollkommen zu machen, als Umstände und Fähigkeiten es erlauben, um möglichst zur Vollkommenheit und Glück= seligkeit der Mitmenschen beizutragen. Seine besondere Bestimmung als Erzieher der Jugend fordere, daß er, so viel als möglich, seinen Verstand erleuchte, d. h. sich richtige, vollständige und deutliche Begriffe verschaffe, seinen Witz, seine Einbildungskraft und alle andern Fähigkeiten seines Geistes verschönere und verfeinere, seine Begierden und Leidenschaften, mit Einem Wort seine ganze Empfindsamkeit ordne, mit sich selbst und mit der Natur der Dinge recht harmonisch mache, seinen Willen oder das Vermögen, sich nach deutlicher, richtiger Einsicht des Guten in seinen Entschlüssen zu richten, recht fest und standhaft mache, um andere Menschen durch sein Beispiel und Unterricht zu gleicher Vollkom= menheit zu bringen. Zu seinem Zweck müsse er sich vier Jahre lang ernstlich vorbereiten, und von dieser Zeit die eine Hälfte dem systematischen, die andere dem un= systematischen Theil zuwenden, worüber er ihm eine ins einzelne gehende Anweisung gibt. Zuerst solle er einen kurzen Ueberblick aller Wissenschaften, von Sulzer oder von d'Alembert, lesen und sich einen Entwurf machen, welche Zeit er jeder einzelnen derselben nach der nähern oder fernern Beziehung auf seinen Zweck bestimme. In philosophischer Hinsicht empfiehlt er ihm die Wolf'schen Handbücher; denn die dort herrschende Deutlichkeit der Begriffe und deren geordnete Darstellung und Entwickelung

sei für ihn und jeden Freund der wahren Weisheit hoch-
nöthig, um sich wider den hochfliegenden enthusiastischen
Geist und die verführerische Affectation von Genie zu
verwahren, welche seit einiger Zeit die besten Köpfe hingerissen habe. Wenn er etwa anderthalb Jahre mit Lesung großer und kleiner Systeme zugebracht, so solle er
sich an den großen Baco machen, dann alle Werke der
großen Philosophen aller Zeiten nach der Zeitfolge durch-
nehmen nebst Brucker's „Geschichte der Philosophie";
dadurch werde er sich selbst „ein schicklich corpus doc-
trinae" bilden und seinen Verstand im höchsten Grad
vervollkommnen können. Auch müsse er gleichfalls nach
der Zeitfolge alle übrigen bedeutenden Schriftsteller von
Moses bis auf Herder lesen, und eine ausführliche Geschichte. Nur so werde er der Mann werden, der er
werden könne, wogegen er bei einer unsystematischen
Lesung Gefahr laufe, im Wirbel zu Grunde zu gehen, in
welchem sich unsere Literatur nun herumtreibe. Iselin
forderte auch Lavater, mit dem sich Kaufmann gleichfalls
in Verbindung gesetzt hatte, bringend auf, dessen Enthusiasmus zu bekämpfen. Den Brief Iselin's, worin dieser, bei aller Anerkennung von Lavater's „Physiognomischen Fragmenten", doch gestand, daß ihn manches darin
„in Befremdung oder etwas mehr" versetzt habe, scheint
Kaufmann selbst an den züricher Freund gesandt zu haben, in der Hoffnung, dieser werde anderer Meinung
sein und ihn von einer solchen lästigen Zumuthung frei-
sprechen. Allein zu seiner Verwunderung bemerkte dieser
am Rande des Briefs, er billige diesen Plan und diese
Anleitung sehr. „Vernachlässigen Sie nie systematische
und nie unsystematische Kenntniß und Lectüre — Bonnet

und Wolf's Schriften — Mendelssohn, Garve, Sulzer,
Abbt, aber nicht Formey, nicht Hennings, nichts Seich=
tes, nichts Mittelmäßiges, bis Sie das Beste geschmeckt
und verbaut haben." Wie aber hätte Kaufmann, der
den Augenblick wirken, durch sein schwärmerisches Wesen,
seine geniale Naturwüchsigkeit, seine gewaltige Thatkraft
die Welt zu staunender Verehrung hinreißen wollte, der
alles von der Eingebung seiner Natur erwartete, auf
einen solchen Plan eingehen, wie hätte der Schüler wer=
den können, der sich anmaßte, alle Welt mit den Aus=
strahlungen seiner Natur wunderbar zu erleuchten, als
ein höherer Lavater durch eigene Begabung der staunen=
den Menschheit aufzugehen! Wie hätte er vier Jahre,
in welcher Zeit er schon die Welt umgekehrt haben
konnte, sich in seine Studirstube zurückziehen, sich zu
strengem Denken, was ihm ganz zuwider war, erniedri=
gen können! Er übersandte den Brief den strasburger
Freunden mit folgendem höchst bezeichnenden Zusatze:
„Lieben Freunde, dieser Plan will mir nicht allerdings
gefallen. Ich fühle wohl, daß meine Seele noch keine
Festigkeit hat: lese ich Sulzer, so denke ich mit Sulzer;
lese ich Wolf, so habe ich ebenso wenig Stärke, seine
Raisonnements in meinem Gehirn zu widerlegen. Der
meine Krankheit am besten gekannt, muß mir auch am
besten rathen können. Ehrmann (der zu Kaufmann nach
Winterthur kommen sollte) mag Schlosser diesen Brief
zeigen, der immer viel Schönes hat u. s. w." So be=
rief er sich jetzt Iselin und Lavater gegenüber wieder auf
Schlosser, der mit den Philosophen nicht zufrieden war
und vor allem auf freie Geistesbildung drang. Die
Sendung des Briefs nach Strasburg begleitete er mit

einem vom 23. Nov. datirten Schreiben [18]), worin er
bemerkt, daß er jetzt seit letztem Donnerstag (dem 16.)
in Winterthur lebe, doch nicht ganz vergnügt, weil er
fürchte, sein Egoismus möchte sehr unbändig werden;
wenn er nur das Maul aufsperre, so laufe alles, es
sei alles, alles bereit, seinen Willen zu erfüllen. So
habe denn auch sein Bruder sich verpflichtet, sie mit dem
nöthigen Geld zu versehen. An mancherlei Planen zu
ausgedehnter Wirksamkeit fehlt es auch in diesem Brief
nicht. Eine strasburger Freundin soll an eine vornehme
Dame in Schaffhausen, eine Freundin Lavater's, schrei=
ben, daß sie durch diesen von ihrer edlen Denkart ver=
nommen, daß sie den Werth der Freundschaft fühle und
sich glücklich schätzen würde, ihr durch einen Briefwechsel
über Erziehung, Haushaltung u. s. w. manchen ange=
nehmen Augenblick zu verschaffen. Für die Landgeistlichen
der Schweiz will er ein halbes Dutzend Predigten von
Schweighäuser, Simon und Mochel haben, deren Gegen=
stand er angibt. „Wir wollen sie hernach Lavater zei=
gen, eine große Zuschrift an ihn machen, und sie unter
dem Titel «Predigten einiger Laien» den Landgeistlichen
in der Schweiz zur Nachahmung übergeben." Unmittel=
bar darauf findet sich der ganz in seiner Weise hohle
und ungestüm übertreibende Ausruf: „Wir wollen stu=
diren, daß die Wände schwitzen." Daß es ihm aber um
eine solche gründliche Vorbereitung gar nicht zu thun sei,
sondern sein Kopf nur immer von den wunderlichsten
Planen, auf die Welt zu wirken, erfüllt sei, ergibt sich
aus der ohne weiteres sich anschließenden Bemerkung:
„Da uns einige Rathsherren unstreitig ersuchen werden,
unserm Winterthur durch Errichtung eines Theaters

unter den jungen Leuten nützlich zu sein, so bitte ich
euch, die besten theatralischen Stücke u. s. w." Der
arme Tropf, der selbst einer ordentlichen Zucht und Bildung so sehr bedurfte, will gleich bei seiner Rückkunft
auf die Landgeistlichen und die Jugend wirken, wobei er
nur den Plan angibt, den die Freunde dann auf seine
Rechnung ausführen sollen.

Die strasburger Freunde hatten unterdessen sich ihre
Sache ernstlich angelegen sein lassen. Simon und Schweighäuser, welche sich mit ganzer Seele der Erziehung zu
widmen gedachten, wollten die Gelegenheit nicht versäu-
men, von Basedow selbst persönlich zu lernen, unter
seiner Leitung sich heranzubilden, um später selbständig
auftreten zu können und Basedow's segensreiches Unternehmen anderwärts zu verbreiten. Sie hatten sich deshalb verpflichtet, nach Dessau zu kommen und Basedow
beim Unterricht des Philanthropins thätige Hülfe zu leisten, ja sie hatten ihm zugleich auf Kaufmann und Ehrmann, auch auf Mochel Hoffnung gemacht, wobei sie
Kaufmann's Bedeutung und seinen werkthätigen, auch
auf die Beschaffung der nöthigen Geldmittel hingerichte-
ten Eifer so gewaltig hervorhoben, daß Basedow ganz
lüstern ward, diesen für sich zu gewinnen. Ehrmann
kam nach Winterthur, während Simon und Schweighäuser sich zur Reise nach Dessau rüsteten. Basedow's
bringende Einladung nebst einem dieselbe lebhaft unter-
stützenden Schreiben von Simon und Schweighäuser traf
bald darauf in Winterthur ein. Kaufmann sandte die
Briefe mit einem Circularschreiben an Lavater, Iselin
und Schlosser. „Sie, theuerste Freunde und Wohlthäter", heißt es in dem von Kaufmann und Ehrmann

unterschriebenen Brief vom 29. Dec. [19]), „bitten wir
aufs dringendste, diesen Brief von unsern Freunden zu
durchlesen, uns Ihre Gesinnungen mitzutheilen, damit
wir fähig seien, einen Entschluß zu fassen, der uns in
anderer Wohl glücklich machen kann. Sowie wir Sie
aus Handlungen kennen gelernt, dürfen wir nicht zwei=
feln, daß Sie uns nicht baldest durch Ihren Rath hel=
fen werden. Wir werden uns immer bemühen, brave
Kerls zu sein und wackere Menschen zu werden, wenn's
noch Menschen möglich ist. Wir segnen Sie alle und
bleiben Ihre ergebenen E. und K." Dem albern
großthuenden Brief fehlt auch nicht eine von derselben
armseligen Prahlerei eingegebene Nachschrift Kaufmann's:
„Ich bin in so viele Familien= und bürgerliche Geschäfte
verwickelt, daß ich nichts mehr sagen kann, was hierzu
gehört." Wie mußte es dem aufgeblasenen jungen
Mann schmeicheln, mit einer so dringenden Einladung
Basedow's sich geehrt zu sehen!

Keiner von den drei Freunden rieth Kaufmann, der
Einladung zu folgen, was dieser wohl voraussehen
konnte, und ihm auch höchst erwünscht war: denn ehe er
sich zur Hinreise entschloß, wollte er erst noch dringender
zu wiederholten malen eingeladen sein, und vorher ab=
warten, wie sich die Sache entwickelte, ja, er hoffte wol
auf eine ehrenvolle, ihn Basedow zunächst stellende Be=
rufung. „Ich freue mich innigst", schreibt Lavater [20]),
„wenn Basedow durch Hülfe auflebt, und die Auffor=
derungen Ihrer Freunde sollen nicht ganz umsonst sein.
Basedow soll getröstet werden, aber Mochel und Ehr=
mann sind genug. Sie · sind Ihrer Vaterstadt in
mancher Absicht unentbehrlich, unentbehrlicher als dem

Philanthropin. Auchge steh' ich aufrichtig, daß mich das,
was Basedow Sie betreffend schreibt, so ein wahrhaft
kindisch singulärer Einfall dünkt, der keine Ueberlegung
verdient. Ich kenne Basedow ganz darin. Einmal
Ihnen, feuriger Jüngling, misrathe ich diese kostbare und
am Ende Sie gereuende Reise. Mein Misrathen aber
soll Ihnen die Hände nicht binden. Gewiß, mein
Lieber, Sie sind glücklicher im Vaterland. Werden Sie
Ihrer Stadt zum ewigen Segen. Ich bitte Sie. Ihre
Stadt lag mir schon lang auf dem Herzen.[21] Leben
Sie wohl! Sanft, still, demüthig, christlich." Kaufmann's Unwille, daß Lavater das von Basedow auf
ihn gesetzte Vertrauen als kindische Uebertreibung ver-
spottete und seine hochfliegenden Plane in das öde
Winterthur einsperren wollte, spricht sich ganz in seiner
ungestümen, wild polternden, hartnäckig auf seine Ansicht
sich steifenden Weise in den Worten aus, welche er unter
Lavater's Brief leidenschaftlich hinwarf: „Ich will meine
Ohren verschließen — einzig meiner Vernunft — mei=
ner Empfindung — meinem Gefühl — Gehör geben. —
Jeder hat seine Narrenkappe." Iselin fand in
Simon's und Schweighäuser's Schreiben nicht nur einen
zu lebhaften Enthusiasmus, sondern Schwärmerei, wo=
bei etwas anderes herauskomme, als was sie wünschten;
Ehrmann und Kaufmann sollten nur ruhig noch einige
Zeit in Winterthur bleiben. Am entschiedensten aber
sprach sich Schlosser aus, der mit ernsten Worten in
Kaufmann drang und ihn zu strenger Selbstprüfung
und gewissenhafter Erfüllung seiner Pflicht ermahnte.
„Braver Junge!" redet er ihn an.[22] „Aus Deinem
Schreiben, welches Du dem Brief Deiner Freunde beigelegt

haft, seh' ich, daß Du noch nicht curirt bist. Geh' zu
Basedow und arbeite und lerne da, was das heißt Kinder erziehen. Eh' Du's aber thust, greif' in Deinen Busen, und frag' Dich, was Du sie lehren willst; weißt Du
dann was mehr als andere, so geh' und lehre. Aber
auch dann nicht, als wenn Dein Vater es will. Ich bin
einen andern Weg als Du, aber auch einen guten in
guter Absicht gegangen, ohne Willen meines Vaters,
und mein Vater liebte nicht wie Deiner; doch reut's mich
auf der Seite ewig. Du darfst mit Ungehorsam gegen
Deinen Vater nicht andern Kindern, denen Du Gehorsam
einprägen sollst, unter die Augen treten. Hilft das alles
nicht, so geh' gerade nach Dessau und laß Dich curiren.
Ehrmann kenne ich nicht; wie kann ich dem rathen?
Du kannst den Brief Deinen Freunden schicken, Basedow
selbst, wenn Du's zur Entschuldigung brauchst. Aber sag'
Basedow, ich begreif' ihn nicht. Ausgemacht: Männer
werden seinen Plan kaum tragen; was schreit er nach
Jünglingen ohne Erfahrung?"

Kaufmann blieb zunächst, von allen Seiten abgehalten, mit Ehrmann in Winterthur zurück, indem er seinen Besuch Dessaus auf eine spätere Zeit verschob. Die
Mahnungen, daß er sich selbst erst bilden müsse, bestimmten ihn hierbei am allerwenigsten. Statt die ihm ge-
gönnte freie Zeit zu wirklichen Studien zu benutzen, gab
er sich einer schwärmerischen Empfindsamkeit hin, durch
welche er sich anziehend zu machen suchte, und er würde
sich selbst als Dichter versucht haben, wäre ihm nicht
jede Anlage dazu völlig versagt gewesen. Er versenkte
sich, statt seinen Verstand zu bilden und seine dürftigen
Kenntnisse zu erweitern, ganz in Goethe's Werke, besonders

in „Werther" und „Stella", und fabelte von seinen
eigenen Leiden, von der Theilnahmlosigkeit der Menschen
an den tief innerlichen Schmerzen, worüber ihm Mochel
den Kopf zurecht zu setzen suchte.[23] „Wenn Sie doch
mich und Ihre Freunde kennten", ruft er ihm zu, „und
nur eine Stunde ruhig mit unparteiischer Vernunft mein
und anderer Betragen bei Ihren Leiden untersuchten!"
Er deutet bestimmt genug an, daß nur das Lesen des
„Werther" Kaufmann veranlaßt habe, sich in eine ähnliche
Situation zu versetzen und der Welt zu zeigen, daß er
auch zu den empfindsamen Seelen gehöre, und er hält
es für Pflicht der Freundschaft, ihm hier scharf entgegenzutreten, da er nur zu wohl weiß, zu welchen schrecklichen Folgen ein solcher empfindsamer Hang führe.

Da Kaufmann zunächst von Dessau zurückgehalten
wurde, so scheint er das näher gelegene Philanthropin
von Karl Ulysses von Salis zu Marschlins in Grau-
bündten im Anfang des Jahrs 1776 besucht zu haben.
Böttiger, ein freilich nichts weniger als zuverlässiger
Zeuge, berichtet[24], das Genie Kaufmann habe sich von
Dessau nach Marschlins getrollt, wo er den Director
Bahrdt ausgestochen habe, aber bald selbst zum Rückzug
habe blasen müssen. Bahrdt war auf Basedow's Em-
pfehlung im Mai 1775 nach Marschlins gekommen, wo
er bis zum Eingehen der Anstalt, Mitte 1777, blieb, zu
welcher Zeit Kaufmann noch nicht in der Schweiz zurück
war. Daß Kaufmann im Anfang des Jahrs 1776
Salis gesprochen habe, ergibt sich aus einem später mit-
zutheilenden Brief vom 21. März. Wahrscheinlich hatte
er in Marschlins gegen Bahrdt zu wirken gesucht, war
aber von diesem geschickt zurückgedrängt worden.

So nun auch dort zurückgeschlagen, scheint Kaufmann seine ganze Hoffnung auf Lavater gesetzt zu haben, der, weil der Schwärmerei am zugänglichsten, ihm von allen, auf deren Schultern er emporzusteigen gedachte, zu sei= nem Zweck am geeignetsten schien. Schon am 27. Febr. berichtet Lavater an Herder, sie hätten in einem gewissen Kaufmann einen neuen edlen Jüngling, einen Mann von Gefühl, Willen und That gefunden, der zu ihm und seinen Freunden Pfenninger und Häfeli ganz passe. Aus Lavater's Hause („auf der Zinne des Tempels Lava= ter's") erließ Kaufmann am 21. März ganz· in Lava= ter's nur etwas vergröberter Weise an Mochel folgende bezeichnende Antwort auf den oben angeführten Brief: [25])

„Lieber Mochel! Niemand weiß, was in dem Men= schen ist als nur der Geist, der in ihm ist — eine der größten Wahrheiten, uns allen zu Nutz und Lehre. Also urtheile doch niemals übers Ganze — urtheile nur so weit, als du gesehen hast. Ich weiß, empfinde, daß Du mich liebst — und lieben mußt — das aber auch, daß Du mit allem Raisonniren mich nicht kennen lernen wirst — noch gar nicht kennst. Ewig werde ich Wir= ken, Handeln, Thun allem andern vorziehen. Ich handle, so gut ich kann — wenn's ein anderer besser macht, so ist's mir auch Freude. Du bleibst Mochel — und ich Kaufmann — wirst mich niemals zum Mochel machen — ich Dich nicht zum Kaufmann. Impertinenz ist's, ein Resultat zu machen — weil der meinem Rath·nicht folgt, so ist er ein Narr oder ein schlechter Kerl. Schreien alle — schreiben alle — aber nur nicht gefordert — daß ich jedem nach seiner Pfeife tanze — sonst will und werde ich alle diese Pfeifen zerschmettern. Habe einen

Gott in mir — verlange sonst von niemand keinen
Willen — nur Meinung — nur Rath — den ich an-
höre, überlege — aber nur dann exequire, wenn ich den
Vortheil empfinde. Handlungen sollen mir statt Ent-
schuldigungen dienen. Sei nur ruhig, Lieber, meinetwegen. Wenn Du Kaufmann siehst, wieder an Deiner
Seite handelnd fühlst — hoffe, Du werdest besser mit
ihm zufrieden sein als niemals. Dünkt mich, daß alles
der Vervollkommnung unterworfen. Wir sind alle Menschen; die vor uns gelebt haben, waren's, und die nachkommen werden, werden's sein — Sünder von armen
Sündern — Engel und Teufel in einem. Halt' immer
fürs beste, wenn man nach seiner Ueberzeugung handelt —
ohne sich den halben Tag den Kopf mit Vernunftschlüssen
anzufüllen und die Kraft dadurch verringern. Doch
jedem das Seine. Lavater findet in Schloffer's Briefen 26) einen gesunden, vernünftig denkenden Mann —
fühlt viel mehr Kraft und Vernunft darin als ich. 27)
Ehrmann wird jetzt in seiner physiognomischen Uebersetzung leben. 28) Herr von Salis wollte dir einen Platz
verschaffen oder deinen Lebenslauf drucken lassen. Wird
aber nicht nöthig sein, nicht wahr?"

Dieser leere, verworrene, wild um sich schlagende
und auf die eigene Kraftnatur pochende, jede Bildung
des Geistes und Herzens verwerfende Brief stellt uns
den abenteuerlich im Leben sich herumtreibenden, hohl an-
maßlichen Menschen deutlich vor Augen, der sich auf seine
Thaten beruft, aber im Grunde noch nichts gethan als
seine blinde Ehrsucht ins Spiel gesetzt, sich und andere
betrogen hat. Mochel unterließ nicht, die Vorwürfe
dieses Briefs entschieden zurückzuweisen, und dem von

Thatkraft fabelnden Freunde ſeine Schwäche und Tollheit zu Gemüth zu führen. „Der Lavater'ſche Anfang
in Ihrem Brief, mein herzguter, liebſter Kaufmann“, ſo
beginnt er in freundlichſter Weiſe [29]), „gefällt mir nicht
allerdings. So ſehr er Lavater kleidet, ſo ſehr verſtellt
er Kaufmann, der, wie ich ſchon mehrmal angemerkt,
ſeinen eigenen Weg zu gehen natürliche Anlage genug
hätte.“ Niemals habe er über das Ganze geurtheilt,
ſondern nur über das, was er wiſſe, und was aus ſeinem Gefühl der Wahrheiten, die ſo feſt als die Natur
der Dinge, unumſtößlich folge. Vielleicht meine er es
beſſer mit ihm als alle Freunde, die ihm jetzt ſo wohl
gefielen und an ſeinem Leiden theilnähmen. „Ihr Leiden wird doch wol einen natürlichen Grund haben.
Sonſt müßte ich den Himmel, die Natur, die Sie ſo
gebildet, anklagen. Und ſoll ich den juſt da, gerade da
nicht ſuchen, wo er zu finden iſt? Ich laſſe Sie ſelbſt
wählen. Er liegt entweder in dem göttlichen Rathſchluß
oder in der Natur der Dinge oder in Ihren unbeſonnenen Forderungen an die Menſchen, in Ihren unklugen
Unternehmungen, in Ihren alles Verhältniß zwiſchen den
Gegenſtänden und Ihren Eindrücken überſteigenden Empfindungen oder Phantaſien. Ja beim Himmel, entweder Gott oder der Natur, mir oder Ihnen, einem
von uns vieren ſteht der Kopf nicht recht. — Sie ſind
Kaufmann, der leidende Kaufmann, der einmal, wenn
ihm die Schuppen von den Augen fallen werden, kaum
einen Blick auf die Stufe der Seligkeit wird wagen dürfen, die er mit ſeinen Talenten und Anlagen leicht hätte
erreichen können. Und das iſt ſo gewiß, als wir beide
entweder verſchieden denken oder nur mit Worten, ohne

uns zu verstehen, miteinander spielen. Sie müßten denn in das Leiden selbst eine Art von Seligkeit setzen. — Sie könnten unstreitig glücklicher sein, wenn Sie besser würden; aber wenn Sie nun das nicht wollen, und ich nicht im Stande bin, es Ihnen in die Empfindung hinein zu beweisen — soll ich leiden? Ei, gehorsamer Diener! wo steht das geschrieben? Das mag der thun, der vom Himmel seine besondern Talente dazu empfangen hat. Wenn Sie recht nachsuchen, werden Sie in dem erhabenen Menschenfreund Kaufmann den misvergnügten Menschenfeind, den intoleranten Kaufmann finden. Denn was ist es anders als die feinste Intoleranz, wenn man unglücklich leidet, indem man entdeckt, daß andere nicht nach unserer Pfeife tanzen, nicht auf unsere Weise glücklich werden wollen, wenn wir sehen, daß uns unsere Bemühungen, sie nach unserer Denkart zu modeln, fehl schlagen? Ich sage die feinste, aber eben deswegen dem, der sie fühlt, die unerträglichste. Sie sind Kaufmann? Nein, ärger als ein Chamäleon sind Sie. Ist und Aner! und werden's noch ein paar Schock mal werden. Bei Goethe sind Sie Goethe [30]), bei Iselin Iselin, bei Schlosser Schlosser, bei Lavater Lavater; und ich habe die beste Hoffnung, daß Sie bei Basedow in kurzer Zeit auch Basedow sein werden. Pfui doch! ein Mensch mit solchen vortrefflichen Anlagen und Talenten, sollte der nicht seinen eigenen Weg finden, sich nicht schämen, sogar in Reden und Briefen die Sprache und Schreibart seines Freundes, bei dem er sich eben aufhält, nachzuahmen?" Was er über Dessau geschrieben, könne er nicht billigen — wahrscheinlich hatte er nach Schlosser's Eingebung auf die dortige Schwärmerei gescholten —, und es habe ihn

Ueberwindung gekostet, seinen Brief dahin zu schicken.
Weiter deutet er auf ein Verhältniß Kaufmann's hin,
das er nicht billigen könne. „Wegen Fr. und der vier
Jungfern wollte ich eigentlich nichts wissen. Die Ursache
der Frage können Sie sich leicht vorstellen. Sie müßten denn glauben, daß Ihre Geheimnisse nahe an den
Mittelpunkt der Erde vergraben lägen. Dies ist entdeckt. Wollte Gott, man hätte nicht so viel Züge, die
gute Menschen durchaus wider Sie einnehmen müßten."
Auch der „schrecklichen Unklugheit", daß die drei Freunde
sich in dasselbe Mädchen verliebt haben und vielleicht
noch alle drei diese Neigung nähren, wird gedacht. Ueber
Schlosser's Brief hält Mochel seine eigene Meinung aufrecht, bis einer ihm diese widerlege. Ehrmann's Beschäftigung mit der Uebersetzung von Lavater's „Physiognomik", worauf Kaufmann sich etwas einbildete,
mißbilligte er durchaus, und er lehnt die Anerbietung
von Salis ganz ab. „Hier haben Sie meine besten
Empfindungen ganz warm", schließt Mochel, „in den
nächsten zwo Stunden nach Empfang Ihres Briefs nie-
dergeschrieben. Nun mögen Sie solche sieden oder bra-
ten, wie sie Ihnen am besten schmecken werden."

Kaufmann fühlte sich durch diese freimüthigen, tief-
schneidenden Aeußerungen beleidigt, und wollte Mochel
recht zu erkennen geben, wie wenig er im Stande sei,
einen Mann, wie er sei, zu beurtheilen. „Ja! Mochel!" beginnt der unwillig abwehrende Brief.[31]) „Allemal hat Kaufmann gefragt, wenn er Briefe von Mochel
erhielt, allemal hab' ich mein Herz, mein Redlichkeits-
und Wahrheitsgefühl gefragt, was hat Mochel für eine
Absicht — und im Anfang sagte mir immer mein Gefühl,

mein Sie mit Liebe umfassendes Gefühl (oder wie's die
kalten Aesthetiker meinetwegen betäuschte Einbildungskraft, Wahnsinn — Raserei — nennen wollen): Mochel's Absicht ist, mich glücklich zu machen. Jetzt aber
seit einiger Zeit sagt mir kalte Vernunft (vielleicht habe
ich keine nach Ihrer Meinung), daß Mochel's Eigensinn
Betäuschungen macht, Mochel über Sachen losstürmt, die
zu kennen — ganz zu übersehen — zu fühlen — ihm
keine Nerve gewachsen. Also, lieber Mochel, lassen Sie
mich jetzt einmal ruhig — Sie thuen besser. Hören
Sie auf, so dreist zu urtheilen — so grob — so un-
geschliffen — so ohne wahre Menschenliebe abzusprechen.
Verflucht sei jeder kriechende Nachbeter! Verflucht sei ich —
wenn ich's bin! Gott sei Dank, daß tägliche Erfahrungen
das Gegentheil zeigen! Wenn ich's der Mühe werth
fände, so dürfte ich Lavater, Schlosser — alle diese Götzen
reden lassen — ob manche Menschen so viel Wahrheiten —
so frei — ihnen herausgesagt als der genannte Anhänger Kaufmann. Es ist wahr — ich habe bei meinem heftigen Wirken unendlich viele Fehler begangen, die
ich jetzt schon kenne — werde auch mehrere begehen, und
doch nicht aufhören, nach meiner besten, reinsten, redlichen
Ueberzeugung meinen Brüdern Gutes zu wollen — Gutes zu thun. Ich sehe, so weit ich sehen kann — wirke,
weil ich Vergnügen dabei habe — fordere — suche nur
Theilnehmung — wo sie ist. Andere mögen lallen, so
lang sie wollen, ich bin zum Handeln — nicht zum leeren Raisonniren geschaffen. Es wird auch noch die Zeit
kommen, wo Mochel aufhört zu raisonniren. Wenn
Mochel anstatt der großen Portion Phlegma mehr Elasti-
cität, oder anstatt der viel raisonnirenden Trägheit mehr

7 *

Thätigkeitsgefühl hätte, und er würde dennoch so raifonniren, wie er jetzt raifonnirt, Dinge von Kaufmann fordert, die Kaufmann nie leiften kann, so würde ich ihn
einen lebendigen Teufel nennen. Aber so schweige ich
lieber und warte, bis das einfeitige Sehen aufhört, und
das Ganze sich in feinem wahren Licht darftellt — mit
neuer reinen Klarheit hervorblitzt. Wir alle sind Menfchen — fehlen alle — aber aus ungleichen Quellen.
Es braucht Raifonneurs und Acteurs zur Vollkommenheit des Ganzen. Beide sind strafenswerth, wenn sie
ihre Rolle nicht gut spielen. Laffen Sie mich handeln
und leiden — auch Freude haben — vielleicht mehr als
andere — so gut ich kann. Ich laffe Ihnen Ihr Schwatzen
und ewiges Raifonniren — fordere ja nicht einmal, daß
Sie von Ihrem Stuhl aufstehen, wenn Sie nicht können.
Glauben Sie ja nicht, daß Sie kein schwärmerisch Gefühl haben — es ist nur der Unterschied, daß es sich
bei andern in Thaten zeigt. Wenn Mochel nicht schon
lange eingesehen, daß die Herren Arbeiter in Deffau
schwärmen, so muß ich bei mir selbst sagen, Mochel raft.
Sollten Sie mir ferners auf diese Art zuschreiben, so
nehmen Sie nicht übel, wenn ich es für beide Partien
das Beste halte zu schweigen — bin Ihnen hernach keine
Rechenschaft mehr schuldig, wenn Sie für meine un-
vollkommen menschelnden, gar nicht engelrei-
nen Thaten blind sind; beffer was Unvollkommenes
als gar nichts u. f. w. Ich muß fort — habe auch
noch mehr zu schreiben — Donnerstags um 11 Uhr
nachts."

Die Trennung war hiermit entschieden. Mochel
dürfte den tollen Menschen ganz aufgegeben haben, der

immer nur von Thaten sprach, sich für einen zu großem Wirken geschaffenen, vom Himmel zum besten der
Menschen gesandten Kraftmann hielt, während er nur den
dreistesten Ehrgeiz befriedigte, jede gründliche Bildung des
Geistes und Herzens als eine ganz ungehörige, seine
hohe Natur verletzende Anforderung von sich wies.
Schmohl berichtet [32]), Lavater habe Kaufmann gerathen,
Mochel's Briefe unentsiegelt oder ungelesen zu zerreißen
oder zurückzuschicken; jedenfalls hielt er den Briefwechsel
für abgebrochen, da er dem aus Scharrachbergheim durch
ihn nach Strasburg beförderten Mochel, der ihm, wie er
meinte, zu ewigem Dank verpflichtet sei, den er weit über-
sehe, nicht das Recht zugestehen wollte, ihm gute Lehren
zu geben, die er kaum von Lavater und Schlosser annahm. In seinem Eigendünkel ward er nur zu sehr
durch Lavater bestärkt, der in ihm das Ideal eines
Kraftmenschen sah, vor allen aber durch den von ihm
herangezogenen Ehrmann, der vor ihm als dem gott-
gesandten Geiste auf die Knie sank. Erhalten ist uns
ein höchst bezeichnender Brief dieses gutmüthigen Schwäch-
lings an Iselin, der ihm zugemuthet hatte, Kaufmann's
wildstürmenden Geist vor Ueberstürzung zu bewahren;
wie Kaufmann sich in das weiche Herz dieses einzig
geliebten Jüngers mit kluger Berechnung eingeprägt
hatte, spiegelt sich uns hier im sprechendsten Bilde.
„Viel zu weit bin ich noch davon entfernt", schreibt
Ehrmann am 23. April [33]), „bin noch viel zu wenig
das, was ich sein soll und kann, als daß ich einen andern sollte leiten können: am wenigsten einen Kaufmann! [34]) der mir an natürlicher und geübter Stärke,
an Mannichfaltigkeit der Talente, an Geist und Herz,

an allem, was Natur und Erfahrung geben kann, weit,
weit überlegen ist, der auch seines wahren Standpunkts
weit gesicherter ist als ich, dem die Ueberlegenheit an
methodischer Wissenschaft wenig Gewalt über ihn gibt.
Seine Kräfte werden durch Anwendung vervollkommnet,
die Erfahrungen, die ihm seine Thätigkeit verschafft, und
der Umgang mehrerer in vielfachem Betracht großer
Männer — sind das, was seinen Geist mit zweckmäßi-
gen Erfahrungen bereichert und zusehends seiner Reise
entgegenbringt. — Kaufmann, der zum Handeln, zum
Schnellüberschauen, zum Durchbringen geschaffen ist, bedarf hierzu der ruhigern, methodischen Studien nicht, und
hat eben auch die entschiedenste Abneigung davor. Ich
kann sein Feuer nicht anders als für eine unschätzbare
Anlage zu großen, ausgebreitet nützlichen Thaten ansehen, und darf es deswegen um so weniger hemmen, da
ihm ja mehr und mehr ein gewisses Gefühl — zu meinem Erstaunen die wahren Gegenstände, Ort, Zeit und
Proportion seiner Wirksamkeit anzeigt. Erfahrung verschafft ihm und wird ihm praktische Klugheit verschaffen,
die sich schon genugsam in edeln Thaten und im glücklichsten Erfolg zeigt. Wie kann ich hierbei anders als
sein großes, edles Herz innig lieben, seinen weitum-
fangenden, kraftvollen Geist bewundern, und das, was
davon auf mich paßt, mir zuzueignen suchen? Lehren
Sie mich, theurer Iselin, in meinen Schranken bleiben,
nichts ambitioniren, das meinen Kräften unangemessen
ist, und in meinem engern Kreise desto thätiger, treuer,
fester sein!" Fast könnte man in Zweifel sein, ob
Ehrmann Kaufmann oder dieser jenen mehr verdorben
habe.

Wie aber hatte sich unterdessen das Verhältniß zu den dessauer Freunden gestaltet! Schon am 2. Jan. 1776 hatten Basedow, als Fürsorger des Philanthropins und Altbruder, Wolke, schon länger Basedow's Hausgenosse und Hülfsarbeiter, als erster Lehrer, Simon und Schweighäuser, als folgende Lehrer, sich „unter Anflehung des göttlichen Segens" über die Einrichtung des am 27. Dec., dem Geburtstag des Erbprinzen von Dessau, eröffneten Philanthropins verabredet. Im zehnten Artikel dieser „Verbrüderung der ersten Viermänner" (mitgetheilt im ersten Heft des „Philanthropischen Archiv", datirt vom 1. Febr.) werden als Lehrer außer Basedow und Wolke genannt: „Magister Simon, 25 Jahr alt, ein junger Gelehrter von französischer Nation, in den Schulstudien wohlerfahren und von vorzüglicher Lehrgabe, Schweighäuser, dem Simon in Schulstudien gleich, lehrhaft und geduldig zum Unterricht der Jugend, der auch vorzüglich fähig ist, als deutscher Schriftsteller für das philanthropinische Wesen Gutes zu thun", und Benzler, „ein junger Mann von 22 Jahren".[35] Diese reichten zunächst zum Unterricht hin. „Aber um in Bereitschaft zu sein, gesellen wir uns noch zwei Gelehrte zu", heißt es weiter, „davon der eine nebst den Schulstudien, die er hat, in dem medicinischen Fach, und der andere, gleichfalls bei den Schulstudien, im kaufmännischen Fach sehr bewandert ist." Es wird hierbei auf die „philanthropischen Aussichten redlicher Jünglinge" hingewiesen, aus denen man Simon, Schweighäuser und die beiden erwarteten Lehrer kennen lernen könne. In einer frühern Stelle des „Archiv" (S. XV) werden als die beiden Lehrer, die noch ankommen sollen, Kaufmann und Erb-

mann (sic) genannt. Simon und Schweighäuſer hatten
von Kaufmann nicht allein begeiſterte Theilnahme, ſondern
auch Geldunterſtützung erwartet, da ſie ohne Mittel
waren und auch in Deſſau zum Theil für ihren Unter=
halt ſelbſt ſorgen mußten; allein dieſer benutzte die ſich
ihm darbietende Gelegenheit, ſich über das Philanthropin
und ſeine Freunde zu ſtellen, donnerte, von Schloſſer
angeregt, über die Schwärmerei und Ueberſpannung, wel=
cher man ſich zu Deſſau hingebe, und ſchlug jede Unter=
ſtützung ab. Da auch Baſedow ſtark auf Kaufmann
gerechnet hatte und viel von ihm erwartete, ſo unterließ
man nicht, dieſen bringend zu erſuchen, doch ſelbſt zu
kommen, um mit eigenen Augen zu ſehen; allein noch
immer hielt dieſer ſich zurück, da er den rechten Augen=
blick noch nicht gekommen glaubte, er ſich noch viel brin=
gender bitten laſſen wollte. Iſelin nahm ſich unterdeſſen
im dritten Stück der „Ephemeriden“ (im Märzheft) des
Philanthropins gegen Schloſſer warm an. „Kann der
Menſch“, äußert er, „anders als für ſich glücklich und
für andere nützlich ſein, der alle ſeine Bemühungen da=
hin richtet, die Menge der zum Glück des menſchlichen
Geſchlechts nöthigen Güter zu vermehren, die Vollkom=
menheit derſelben zu erhöhen, alles um ihn herum, ſo=
viel es an ihm liegt, zu verſchönern, die gerechte Ver=
theilung der Güter, die die Natur erzeugt, der Fleiß
vermehrt und die Kunſt vervollkommnet, zu befördern,
durch ſein Beiſpiel und durch ſeine Lehren die Liebe und
die Kenntniß des Guten zu verbreiten? Und hierzu
ſollen unſere jungen Leute in Philanthropinen vorbereitet
werden. Mir däucht alſo, wir können auch in dieſem
Geſichtspunkt die philanthropiſchen Erzieher ruhig arbeiten

laſſen, und unſer Kummer ſoll nicht ſein, daß ſie ihre
Zöglinge durch eine zu hohe Tugend in die Gefahr ſetzen,
der Welt unerträglich und ſich ſelbſt zur Laſt zu werden.
Dieſes wird denſelben vielleicht die größte Mühe verur-
ſachen, zu verhüten, daß nicht durch die Einbildung einer
höhern Tugend und größerer Einſichten, als ſie wirklich
beſitzen, die jungen Leute den Zweck verfehlen, den ihre
Erziehung hat bewirken wollen.“ Ebendaſelbſt bemerkt
er, Herr Kaufmann von Winterthur und Herr Ehrmann
von Strasburg ſeien im Begriff, ſich, wie ihre Freunde
Schweighäuſer und Simon, mit Herrn Baſedow zu vereinigen. „Sie werden gewiß bei ſeinen philanthropiſchen
Beſtrebungen keine gleichgültigen Mitarbeiter ſein, und
wenn die Anſtalten in Deſſau nicht den glücklichen Fortgang haben ſollten, der ihnen ſo ſehr zu wünſchen iſt,
ſo werden dieſe (vier) jungen Männer bei andern Erziehungsanſtalten oder für den Unterricht und die Bildung von vornehmen Kindern vortreffliche Werkzeuge
ſein. Einen ſolchen feurigen Eifer für Wahrheit, Tugend und Religion habe ich noch bei keinen andern
Jünglingen angetroffen. Es würde ein wahres Unglück
ſein, wenn ihre Talente und ihr guter Wille ungenutzt
blieben.“ Iſelin ſcheint jede Verbindung mit dem brau-
ſenden Kaufmann ganz aufgegeben, und um ihn von
ſeinem durch Schloſſer überkommenen Vorurtheil gegen
Deſſau abzubringen, ſich an Ehrmann gewandt zu haben.
Den Anfang von Ehrmann's Antwort theilten wir oben
mit. „Das Philanthropin in Deſſau hat auch für uns
(wie für Schloſſer) viel Unerklärbares“, heißt es dort
weiter. „Auch uns, theurer Freund, ſcheinen unſere
dortigen Freunde den Menſchen zu überſpannen, für

7.**

eine Welt, wie die itzige nicht ist, zu bilden. Da sie uns aber weder in öffentlichen noch privaten Schriften hinlängliche Einsicht in ihre Handlensart verschaffen, so werden wir's auf den Augenschein versparen müssen, um näher zu erkennen, inwiefern sie im Idealisiren zu viel thun, und inwiefern diesem Uebel abzuhelfen sei. Aber wird's uns möglich sein, nur so genau als nöthig, zu bestimmen, was die Natur hierin erlaube, was die Ver= hältnisse erfordern? Wie unfähig sind wir Jünglinge, wie unfähig ist, ich darf's sagen, unser Zeitalter, hierin zu entscheiden? Bietet uns die Hände, erfahrene, em= pfindende Männer! mit Beispiel und Rath. Der Hauptpfeiler unserer Unternehmungen kann nur die Em= pfindung sein, daß eine allumfassende Weisheit Gutes wirkt, wo wir nichts, wo wir das Gegentheil sehen." So hatte also Kaufmann den Plan, das Philanthropin zu besuchen und dort als Richter über dessen Wirksam= keit sich in Ansehen zu setzen, noch nicht aufgegeben; alles, was er in Wirklichkeit dagegen zu bemerken hatte, gründete sich einzig und allein auf Schlosser's Ansicht.

Auf den 13. bis 15. Mai hatte Basedow die erste große Prüfung der Philanthropinisten festgesetzt, und alle theilnehmenden Freunde aus ganz Deutschland auf diese Tage nach Dessau eingeladen, sich dort persönlich von den Leistungen des Philanthropins zu überzeugen. Ohne Zweifel erging auch an Kaufmann und Ehrmann eine dringende Einlabung, und es ist höchst wahrscheinlich, daß Basedow hierzu ein bedeutendes Reisegeld sandte. Wir lesen nämlich in „Mochel's Urne" (S. 143 fg.), was auf Mochel's Erzählung sich gründen muß, Kauf= mann habe Reisegeld verlangt, um das Philanthropin zu

untersuchen. „Und nachdem die Dessauer 200 Thaler
aufgenommen und ihm geschickt hatten, brachte er sie
durch und kam nicht, nahm zu den 700 schon für gemeinschaftliche Kasse erborgten Reichsthalern, woraus
Kosten bestritten worden, die er größtentheils mitgemacht,
noch 300 von seinem Bruder auf, brachte auch die auf
gemeinschaftliche Rechnung durch und kam nicht. Endlich verlangte er noch 50 Thaler, die erhielt er, und
dann kam er!" Jene 200 Thaler dürften die Dessauer
gerade vor der Prüfung gesandt haben. Wirklich scheint
Kaufmann mit Ehrmann im Mai seine Reise nach Deutschland angetreten zu haben, auf der er aber längere Zeit
sich an verschiedenen Höfen aufhielt, ehe er auf wieder-
holtes Dringen nach Dessau kam, wo wir ihn erst im
November eintreffen sehen. Vor seiner Reise hatte er
bereits die Bekanntschaft seiner spätern Gattin Anna
Elisabeth Ziegler, der Tochter des Obervoigts aus dem
Dorfe Hegi, drei Viertelstunden von Winterthur, gemacht,
ja nach deren eigenem Zeugniß war Kaufmann schon vor
der Reise nach Dessau mit ihr verlobt. Ob die Absichten des phantastischen Abenteurers auf eine ihn be-
schränkende, nicht gar glänzende Ehe gerichtet gewesen,
läßt sich freilich mit Fug bezweifeln. Ohne weiblichen
Umgang konnte er nicht leben, und der hingebenden Bewunderung der „Weiblein" sich zu entziehen, vermochte
niemand weniger als Kaufmann, dem es nichts kostete,
durch ein gegebenes Wort zu berücken.

Wir haben Kaufmann's Treiben in Strasburg und
seinen spätern Aufenthalt in der Schweiz bis zu seinem
apostolischen Zug durch Deutschland nach den uns vorliegenden zuverlässigen Quellen dargestellt, woraus sich

unzweifelhaft herausstellt, daß dasjenige, was seine Gattin von ihm selbst vernommen und Anton in seinen
Papieren fand, auf Lug und Trug beruht, sodaß der
Lügenprophet sich bis zu seinem Ende gleich geblieben.
Erstere berichtet, er habe sich von Strasburg auf Reisen
begeben und sich an verschiedenen deutschen Höfen aufgehalten, wo er in große Bekanntschaft und vielfache
Verbindungen gekommen. Zu Ende des Jahrs 1775
sei er in die Schweiz zurückgekehrt, wo er seine Mutter sehr krank gefunden habe, und den Trost gehabt, sie
bis an ihr Ende mit kindlichster Liebe und Treue pflegen
zu können; ihr ungemein seliges Verscheiden habe auf
ihn für seine ganze Lebenszeit einen tiefen, gesegneten
Eindruck gemacht. Der Krankheit und des Todes der
Mutter finden wir sonst nirgends gedacht. Die Reisen
an den deutschen Höfen sind offenbar verschoben. Nach
Anton, der genauere Angaben vorfand, wäre Kaufmann
1775 als Leibarzt des Erbprinzen in hessen-darmstädtische
Dienste getreten, und mit demselben nach Rußland ge-
reist, nachdem ihm der Landgraf den Hofrathstitel verliehen. Aber der Erbprinz Ludwig war eben aus Rußland zurückgekehrt, nach Beendigung des Türkenkriegs;
1775 und 1776 ging er gar nicht nach Rußland. Im
Herbst 1776 soll dann Kaufmann aus Rußland zurück-
gekommen sein und vom Markgrafen von Baden den
Auftrag erhalten haben, den Prinzen Friedrich von
Baden nach Holland zu seinem Regiment zu begleiten.
Darauf erst kehrte er in die Schweiz zurück, wo er
einige Zeit in Basel bei Iselin zubrachte, bei dem er
auch Zimmermann antraf. Allein letzterer hatte zur
Zeit, wo Kaufmann nach Basel kam, schon die Schweiz

verlassen, um sie nie wiederzusehen. Mit Schlosser soll
er dann eine Reise nach Hannover und Göttingen
gemacht haben, von dort zum Fürsten von Dessau berufen worden sein. Schlosser's Besuch von Hannover
und Göttingen ist rein ersonnen; dieser kam im Sommer
1776 nach der Schweiz, wo er Lavater, Iselin und Sarasin
persönlich kennen lernte. Wie es mit der Berufung nach
Dessau sich verhielt, wobei der Fürst sich gar nicht be-
theiligte, haben wir gesehen, und es wird sich später ergeben, daß Kaufmann erst von Weimar aus, wo er sich
längere Zeit aufhielt, Dessau besuchte. So liegt hier
die willkürlichste Erdichtung des eiteln Großsprechers zu
Tage, der noch als Herrnhuter die Welt zu täuschen gedachte, was ihm bis heute nach Wunsch gelang.

Lavater's und Schlosser's beste Empfehlungen und
Wünsche geleiteten Kaufmann auf seiner abenteuerlichen
Reise, die er zugleich mit Ehrmann unternahm. Schon
in Winterthur soll er Bauernfrugalität affectirt haben [36]);
noch stärker wird er dies auf seiner Reise gethan und
sich als urkräftigen Natursohn und feurigen Thatmann
überall dargestellt haben. Es wird uns berichtet, daß
unser Kraftapostel, in dessen Blick sich stürmisches Feuer
und unternehmende, allesbewältigende Kraft ausdrückte,
mit mähnenartig flatterndem Haar und langem Bart,
die Brust bis auf den Nabel nackt, in grüner Friesjacke
und gleichen Hosen (Charivaris), einen tüchtigen Knoten-
stock in der Hand, auftrat, und der biderbe Schweizer
auch an fürstlichen Höfen in einem solchen Aufzug erschien. Auch wird seines Schimmels gedacht, auf dem er,
ein anderer Don-Quixote, seinen Zug unternahm. [37])
Ueberall rühmte er sich, daß er nach Dessau gehe als

„Repräsentant der Menschheit" [38]), um das Philanthro=
pin, an welchem er zwei Lehrer besolde, in Ordnung zu
setzen oder zu zerstören, und daß er in Rußland ein
neues Philanthropin auf eigene Kosten zu gründen ge=
denke. [39])

Wohin sich Kaufmann zuerst gewendet habe, wissen
wir nicht, doch dürfen wir vermuthen, daß Stuttgart
zunächst aufgesucht wurde. Kaufmann fand dort wol
nicht lange seines Bleibens, da der Herzog Karl Eugen
nicht der Mann war, bei dem unser Abenteurer irgend=
einen Einfluß hätte gewinnen können. Von hier ging
es zum Teufelsbeschwörer Gaßner in Ellwangen, eine
für Lavater's schwärmerischen Glauben an übernatürliche
Wirkungen höchst bedeutende Erscheinung, die schon län=
gere Zeit dessen gespannteste Aufmerksamkeit erregt hatte.
Lavater schreibt an diesen im Mai, auf die Nachricht
von Kaufmann's Besuch: „Sie haben also meinen lie=
ben Freund, einen Seher Gottes und der Wahrheit,
gesehen? Es freut mich mit jedem Augenblick mehr,
und ich weiß nicht, wie mir zu Muthe wird, wenn ich
denke: so lebt doch zu gleicher Zeit mit dir ein Mann,
der mit Kraft zeuget von dem Leben Jesu, und einer
von den Menschen, denen ich am meisten glauben darf,
hat mir bezeugt, daß er ist kein Gaukler, kein Betroge=
ner, kein Betrüger." Kaufmann muß sich dieses Besuchs
bei Gaßner berühmt haben. Voß, der den Abenteurer
mehrere Monate später kennen lernte, bezeichnet ihn als
„Lavater's wellenhaarigen, um Gaßner geschäftigen
Kraftapostel".

Längere Zeit scheint er sich am Hof des bildungs=
reichen, für Kunst, Wissenschaft und edle Menschheit

begeisterten Markgrafen Karl Friedrich in Karlsruhe ver=
weilt zu haben. Mochel, der kurz darauf nach Dessau
berufen wurde und auf seiner Reise zum Theil dieselben
Höfe wie Kaufmann besuchte, vernahm in Karlsruhe,
wie anderwärts, von den scharfen Aeußerungen, zu denen
sich der Tollkopf gegen das Philanthropin hatte hinreißen
lassen, an dem doch der Markgraf selbst so lebhaften
Antheil nahm, daß er mehrere Pensionisten und einen
Aufseher nach Dessau schickte. Es habe sich hier, erzählt
Schmohl [40]), für Mochel und seine Freunde eine Aus=
sicht zur Errichtung einer Erziehungsanstalt eröffnet.
„Gewiß ist Kaufmann's Antiphilanthropisiren daselbst
kein Hinderniß gewesen. Denn ob er gleich mit dem
lakonisch nachdrücklichen Empfehlungsschreiben von Hof=
rath Schlosser: Wer Schlosser's Freund ist, sei
auch Kaufmann's! hinkam, und deswegen über Ver=
dienst respectirt, zu allen Großen gezogen, den Prinzen
und dem Markgrafen selbst vorgestellt worden war, und
er alle, selbst den Markgrafen, zu Rittern seines Ordens
von der hörnernen Dose zu machen, noch die Versicherung
brauchte, Lavater hab' ihn gestiftet u. s. w., so soll er
doch durch sein stolzes, unbesonnenes Reden und Han=
deln sich selbst Miscredit und Verlachung zugezogen
haben." Den Spitznamen Gottesspürhund, unter
dem ihn der Maler Müller, Goethe und Voß kennen,
möchte er gerade in Karlsruhe erhalten haben, in Ver=
spottung der Bezeichnung Lavater's, der ihn, wie wir
oben sahen, einen Seher Gottes nannte. Mochel
hörte, Kaufmann habe den Markgrafen „die Regierungs=
kunst lehren wollen, ihm als Arzt mit brachmanischer
Stirn das Fleischessen untersagt, die Erdäpfel als die

einzige gefunde und befte Nahrung gepriefen, und felbft
angerathen, feine Unterthanen in den einfältigen Natur=
ftand, wo man fich hiermit begnügte, zurückzuführen,
ungeachtet der Antwort des Markgrafen, er hätte bisher
mit Heinrich IV. geglaubt, feine Unterthanen nicht glück=
licher machen zu können, als wenn jeder Bauer des
Sonntags fein Huhn im Topfe habe".

Von Karlsruhe, wo weder der Markgraf noch die
Markgräfin noch die Prinzen für das wunderliche Na=
turevangelium des Don=Quixotifchen Schweizers empfäng=
lich waren, ging es an den mufenfreundlichen Hof Karl
Theobor's in Manheim. Hier fah ihn der Maler
Friedrich Müller, der fich durch die närrifche Erfcheinung
veranlaßt fah, in feinem 1778 erfchienenen Drama
„Fauft's Leben" den Abenteurer zu verfpotten, der fich
auch durch feine von Lavater überkommene phyfiognomifche
Kunft lächerlich gemacht zu haben fcheint. Die Scene
fpielt zwifchen Eckius, Kölbel, Freunden von Fauft, und
„Gottesfpürhund".

Eckius. Was für eine Erfcheinung?

Gottesfpürhund. Eure Hand! Ihr feid Fauft.

Kölbel. Wer fagt ihm das?

Gottesfpürhund. Was man nicht fehen kann. Eigent=
lich Phyfiognomik verfichert mich's.

Kölbel. Ein Beweis, daß fie dich betrügen kann.
Ich bin Fauft nicht.

Eckius. Phyfignom? Ha! So fchaut mir doch auch
'mal in die Fratze.

Gottesfpürhund. Meine Augen haben euch verwech=
felt. Du bift Fauft.

Eckius. Herr! Nochmal fehl gefchoffen. Bin fowenig

Fauſt als ich der Säckler bin, der euch eure langen Tol-
patſchhoſen genähet.

Gottesſpürhund (dreht ſich nach ſeinem Lohnlaquais, der im
Grunde ſteht). Wieder einmal durch ſolch einen Schurken
mich proſtituirt! Aller Effect jetzt hin.

Kölbel. Guter Freund, dieſer hier iſt Eckius, Doctor
der Rechte, und ich Kölbel, Fauſt's Freunde. Darf
ich jetzt fragen, wen wir vor uns haben?

Gottesſpürhund. Bin Spürhund aus der Schweiz.

Kölbel. Woher?

Eckius. Aus der Schweiz, ſagt er. — Iſt der Herr
ein Literator oder treibt er ſonſt ein Geſchäft?

Gottesſpürhund. Bin Spürhund aus der Schweiz,
mein Name und meine Beſchäftigung ſind bekannt. Ihr
habt wol auch von mir gehört?

Kölbel. Wüßte mich nicht zu beſinnen.

Gottesſpürhund. Iſt nicht vor vierzehn Tagen ein
Theologe hier durch, der bei Fauſt und Fauſt's Freunden
mein Kommen gemeldet? [41]

Eckius. Oho! Das war ohne Zweifel der zerſetzte
Bettelpfaff, der ſich für einen Sklavenerlöſer ausgab
und ſich um einen Schoppen Wein in der Wirthsſtube
mit den ſtärkſten Doggen herumbiß. Recht, recht! Er
ſprach immer von einem gewiſſen aus Zürich.... Ihr
ſeid alſo der reiche Ochſenhändler ſelbſt, Herr?

Gottesſpürhund. Ich bin kein Ochſenhändler. (Bei
Seite:) Die Bengel! (Geht ab.)

Eckius. Er logirt im Schwanen; ich ſah ihn heut'
früh auf einem Schimmel anreiten.

Um dieſe Zeit war auch die kleine Schrift erſchienen:
„Allerlei geſammelt aus Reden und Handſchriften be-

rühmter Männer. Herausgegeben von Einem Reiſenden
E. U. K. Erſtes Bbchn." (Frankfurt und Leipzig 1776),
deren Vorrede vom Juni datirt iſt. Der Gedanke der
Auswahl und der Titel ſcheinen Kaufmann anzugehören.
E. U. K. deutet ſich einfach Ehrmann und Kaufmann,
und daß ſie beide zuſammen als ein Reiſender bezeichnet
werden, iſt ganz in Kaufmann's wunderlicher Weiſe.
Von Kaufmann ſelbſt dürfte im Büchlein wenig oder gar
nichts ſich finden, das meiſte iſt von Lavater und Pfen=
ninger, die Anordnung wol von Ehrmann. Es wird uns
berichtet [42]), Lavater habe das Büchlein mit einigen
Freunden bei einem fröhlichen Mahle auf dem Lande
gemacht. Von ganz anderer Hand erſchien im folgenden
Jahr ein zweites Bändchen „herausgegeben von keinem
Reiſenden K. U. E.", mit dem beſondern Titel: „Ver=
miſchte Betrachtungen auf alle Tage im Jahr". Der
derbere und muthwilligere Ton dieſer Schrift veranlaßte
Lavater, ſich in einer Predigt und einem Briefe an Zim=
mermann dagegen auszuſprechen. [43]) In entſchiedenſten
Gegenſatz gegen das Genieweſen ſtellten ſich die „Bre=
locken ans Allerlei der Groß= und Kleinmänner" (1778),
deren Vorrede vom Juli 1777. Die meiſten Gedanken
dieſer Schrift kommen, wie es S. 183 heißt, „von einem
Manne, der tiefer blickt als tauſend andere, die ſich groß
dünken, der aber nur in ſeiner kleinen Sphäre gekannt
und geliebt iſt". Meuſel nennt einmal Lichtenberg, dann
aber den Candidaten des Predigtamts Johann Sulzer
zu Winterthur als den Verfaſſer der „Brelocken".

Von Manheim ging der Zug unſers Kraftapoſtels
zunächſt nach Darmſtadt, wohin er die beſten Empfeh=
lungen von Lavater und Schloſſer hatte, beſonders an

Merck und das Haus des Geheimraths Heß, dessen
Schwägerin Herder's Gattin war. Allein weder bei
Merck noch am Hofe, wo Kaufmann besonders auf den
sinnigen Erbprinzen gerechnet haben dürfte, scheint es
ihm gelungen zu sein; auch war der damals allgewaltig
herrschende Minister Friedrich Karl von Moser, wenn er
auch zu den Frommen hinneigte, zu einsichtig und gewandt, als daß er sich von einem solchen gaukelnden
Abenteurer hätte hinters Licht führen lassen. Zu gleicher
Zeit mit Kaufmann befand sich Claudius in Darmstadt,
wo er durch Herder's Vermittelung eine Anstellung gefunden hatte; diesem scheint Kaufmann, als Lavater's
Gesandter, schon damals nahe getreten zu sein. Welche
andere Höfe in der nächsten Umgebung Kaufmann gesehen, wissen wir nicht; jedenfalls wird er Homburg nicht
umgangen haben, dessen Landgrafen Lavater den dritten
Theil seiner „Physiognomischen Fragmente" widmete.
Leicht könnte er den Rhein abwärts bis nach Neuwied
gegangen sein.

Seinen eigentlichen Zweck, nach Dessau zu gehen,
scheint er bei dem Herumschweifen an den Höfen, wo er
durch sein sonderbares Wesen alle in Verwunderung zu
setzen und gelegentlich zu einer einflußreichen Stellung
zu gelangen gedachte, fast ganz aus den Augen gelassen
zu haben, obgleich ihm die Dessauer dazu 200 Thaler
geschickt hatten, die bereits durchgebracht waren, sodaß
er seinen Bruder um neue 300 Thaler angehen mußte.
Ueber Basedow und das Philanthropin dürfte er immer
unwilliger geworden sein, da diese Iselin als Curator
und Mochel als Lehrer berufen hatten; ersterer lehnte
ab, obgleich man ihm ein ansehnliches Reisegeld geschickt

hatte, letzterer aber folgte unverzüglich dem Rufe der
Freunde. Schloſſer hatte ſich unterdeſſen in einem zweiten Schreiben über das Philanthropin (vom 15. Juni
1776) in Iſelin's „Ephemeriden" in geſchärfterer Weiſe
ausgelaſſen, und dadurch Kaufmann neuen Stoff zu
plumpen Ausfällen gegeben. Unſer Jahrhundert, äußerte
er wiederholt, ſei keiner idealiſirten und ganz guten Erziehung fähig. Frühe, meint er, müſſe man die Jungen
zu anhaltender Kopfarbeit gewöhnen, nicht, wie es Baſedow thue, von halb Stund' zu halb Stund' mit dieſer
und den Leibesübungen und der Bearbeitung der Talente
abwechſeln. „Emile wollt ihr erziehen?" ruft er ihnen
zu. „Die ſtarken Menſchen! und wagt's nicht, ihnen
Stärke zu geben, länger als eine halbe Stunde ſich mit
Einer Sache zu beſchäftigen." Eher wolle er einen Schüler
des halliſchen Waiſenhauſes zu einem Menſchen machen,
als einen ſolchen philanthropiſchen Buben zu einem erträglichen Arbeiter in einem einzigen Fach der arbeitenden
Gelehrſamkeit. In Bezug auf Salis, den Gründer des
Philanthropins in Marſchlins, wünſcht er, dieſem nur
einen Gehülfen ſchaffen zu können, der ſo redlich wäre
wie er. „Tritt er mit dem etliche Stufen zurück, ſo
werden unſere Enkel ihn ſegnen." ·

Nachdem Kaufmann es an ſo vielen Höfen vergebens
verſucht hatte, ſcheint er alle ſeine Hoffnung auf Weimar
geſetzt zu haben, wo ſich ein ganz neues Leben zu entfalten ſchien, wo eben Goethe durch ſeine Ernennung
zum Geheimen Legationsrath mit Sitz und Stimme eine
ehrenvolle Stätte gefunden hatte, wohin auch Herder als
Generalſuperintendent berufen war. Und hatten ſich nicht
manche andere dorthin gewandt, hatte nicht manches zu-

kunſtvolle Genie eine Wallfahrt nach dieſem Wunder-
ort angetreten, wo es bald zu glänzen hoffte, da es den
Gott in ſeinem Buſen fühlte und ſich dem Dichter des
„Götz“ und „Werther“ ganz ebenbürtig hielt! Schon
im März war Lenz aus Straßburg über Darmſtadt nach
Weimar geeilt, wovon er ſich große Folgen verſprach,
die für das Vaterland wichtiger als für ihn ſelbſt ſein
würden. [44] Man ließ dort den geiſtvollen, aber zu
närriſchen Streichen aufgelegten, keiner entſchiedenen
Thätigkeit und folgerichtigen Wirkſamkeit fähigen „lieben
Jungen“, dieſe „ſeltſame Compoſition von Genie und
Kindheit“, ſo lange gewähren, als es anging. Ein paar
Monate ſpäter, am 24. Juni, war der männlich ernſte,
aber ſtarre Klinger eingetroffen und von Goethe mit
innigſter Freude aufgenommen worden. Auch Wieland
hatte dieſen ganz hingeriſſen, der größte Menſch, den er
nach Goethe geſehen, den man ſich gar nicht vorſtellen
könne, wenn man ihn nicht geſehen. „Hier ſind die
Götter!“ ſchreibt er an einen Freund, „hier iſt der Sitz
des Großen! Lenz wohnt unter mir und iſt in ewiger
Dämmerung. Der Herzog iſt vortrefflich, und ich werd’
ihn bald ſehen. — Es geht alles (hier) den großen ſimpeln
Gang. Sie werden mich hier ruhig machen; wo ich
hinſeh’, iſt Heilbalſam für meinen Geiſt und Herz.“
Leider ſollte dieſe Hoffnung ſich nicht bethätigen, da ſein
ſtrenger, ſtörriger, nach Wirkſamkeit ringender Geiſt ſich
bald verſtimmt fand und ſich in die Verhältniſſe nicht zu
fügen wußte. Am 24. Juli ſchreibt Goethe: „Lenz ward
endlich gar lieb und gut in unſerm Weſen, ſitzt jetzt (zu
Berka) in Wäldern und Bergen allein, ſo glücklich, als
er ſein kann. Klinger kann nicht mit mir wandeln, er

drückt mich, ich hab's ihm geſagt, darüber er außer ſich
war, und's nicht verſtund, und ich's nicht erklären konnte
noch mochte." Im September war Lenz auf dem Gute
der Frau von Stein in Kochberg, während Goethe ſich der
Anweſenheit des Erbprinzen von Heſſen-Darmſtadt er-
freute.

Auch Kaufmann kam im September nach Weimar,
und zwar in Begleitung von Herder's Schwager, des
Steuerſecretärs Sigmund Flachsland, der für Herder's
Ankunft hier alle Anordnungen treffen ſollte. Die Empfehlungen von Lavater und Schloſſer verſchafften ihm
hier leicht Eingang, doch ſcheint Goethe von Anfang an
dem Menſchen nicht getraut und ſeine Leerheit und niederträchtige Geſinnung, die ſich hinter der genialen Kraft
und Naturwüchſigkeit verbarg, wohl geahnt zu haben.
Das Verhältniß zu Klinger war ein immer peinlicheres
geworden. „Lenz iſt unter uns wie ein krankes Kind",
äußert Goethe am 16. Sept.; „wir wiegen und tän-
zeln ihn, und geben und laſſen ihm vom Spielzeug, was
er . will. — Klinger iſt uns ein Splitter im Fleiſch,
ſeine harte Heterogeneität ſchwürt mit uns, und er wird
ſich herausſchwüren." Kaufmann's Intriguen waren es,
welche den Bruch zwiſchen Klinger und Goethe vollendeten und letztern von Weimar trieben. Klinger ſelbſt
berichtet darüber in einem faſt 40 Jahre ſpäter (1814) an
Goethe gerichteten Brief[45]): „Das letzte mal, da ich Sie
ſah, war in Weimar während des erſten Sommers Ihres
dortigen Aufenthalts. — Ich ſchrieb damals im Drang
nach Thätigkeit ein neues Schauſpiel, dem der von Lavater
(er ruhe ſanft!) zur Bekehrung der Welt abgeſandte
Geſandte oder Apoſtel mit Gewalt den Titel «Sturm

und Drang aufdrang, an dem später mancher Halbkopf
sich ergötzte. [46]) Indessen versuchte dieser neue Simson,
da er weder den Bart mit dem Messer schor, noch Ge-
gorenes trank, auch an mir vergeblich sein Apostelamt.
Er rächte sich dafür. Hätte ich mich bei meiner Abreise
mehr als durch Blicke des Herzens gegen Sie erklärt, ich
wäre Ihnen gewiß werther als je geworden, aber ich
sollte es nicht vermöge dessen, was Sie in mir erkannt
hatten." [47]) Am 1. Oct. spät abends kam Herder
mit seiner Familie in Weimar an. Kaufmann wußte
diesen und besonders seine Gattin so ganz für sich einzunehmen, daß sie vom vollsten Glauben an seine hohe
Naturbegabung und reine Herzensgüte durchdrungen wurden. Am 6. Oct. schreibt Herder's Gattin an Gleim:
„Meines Bruders Reisegefährte oder vielmehr sein Engel,
Kaufmann aus der Schweiz, macht unsere erste Glückseligkeit in diesen Tagen aus." Kaufmann selbst verkündete
an Lavater mit höchstem Entzücken seine Bekanntschaft mit
dem einzigen Manne. „In Weimar also", ruft Lavater
am 19. Oct. Herder zu, „bei Goethe, bei Wieland, bei
— Kaufmann also. O daß Kaufmann Dich verschlang,
austrank und mir rief: «Das ist Quellwasser!» — das
ist Leben mir im Elend, in dem ich sterbe." Auch Wieland, der leicht entzündliche, jugendlich hitzige Mann,
wurde ganz hingerissen. Am 1. Nov. schreibt er an
Jacobi: „Dieser Tag ist mir weggekommen, ich weiß
selbst nicht wie, zwischen Herder, der jetzt bei uns ist,
und Kaufmann, einem wunderbaren, aber ganz in seinem
Centro ruhenden Mann."

Unmittelbar darauf begab er sich nach Dessau, wo
wir ihn am 4. Nov. an der fürstlichen Tafel finden.

Wahrſcheinlich hatte Baſedow, da er von Kaufmann's
längerer Anweſenheit zu Weimar hörte, ihn auf das
bringendſte eingeladen und ihm die obenerwähnten
50 Thaler als Reiſegeld geſandt. Die leichterregte
Fürſtin nahm den Kraftapoſtel in ſeiner wunderlichen
Tracht mit innigſter Freude auf, und auch der gutmüthige
Fürſt ſchenkte ihm ſein höchſtes Wohlwollen, da er von
ihm eine neue Ordnung des ihm ſo ſehr am Herzen
liegenden Philanthropins erwartete. Ganz Deſſau gerieth
in Verwunderung über den ſeltſamen Gaſt, der ſich an
der Spitze der Philanthropiniſten ſehen ließ. „Ich ſtaunte
ihn wie ein wildes Thier an“, erzählt Reil, der Lebens-
beſchreiber des Herzogs Friedrich Franz von Deſſau, „und
hielt ihn für einen Lappländer, den man habe kommen
laſſen, die jungen Leute das Schlittſchuhlaufen zu lehren.“
Da es verlautet hatte, Kaufmann werde als Lehrer nach
Deſſau gehen, ſo hatte dieſer nicht verfehlt, im Novem-
berheft von Wieland's „Merkur“ bekannt machen zu laſſen,
er unternehme die Reiſe „zu anderer Abſicht“.

Ueber ſeine Thätigkeit beim Philanthropin, die er ſo
großſprecheriſch vorausverkündet hatte, ſind wir faſt ganz
allein auf den in der Hauptſache gewiß zuverläſſigen
Bericht Mochel's hingewieſen. [48]) Baſedow empfing den
durch das auf ihn geſetzte Vertrauen höchſt aufgeblaſenen,
aller gründlichen Kenntuiß und Einſicht ganz ermangelnden
jungen Mann — Baſedow war gerade 30 Jahre älter
— mit freundlichſter Zuvorkommenheit und Achtung in
der Mitte ſeiner Lehrer, zu denen noch Campe hinzu-
getreten war. Er ſehe ihn jetzt, bemerkte er, weder als
Freund noch Feind an, ſondern als einen jungen Mann,
der zur unparteiiſchen Unterſuchung gekommen ſei; nur

wünsche er, daß er in den ersten acht bis vierzehn Tagen außerhalb ihres Kreises sich gar nicht über das Philanthropin äußern möge, da ihm vielleicht am Anfang manches auffallend scheinen dürfte, was er im Zusammenhang mit dem Ganzen durchaus anders beurtheilen werde. Kaufmann gerieth hierüber gleich in Hitze und schrie heftig, er sehe nun, daß es wahr sei, was jedermann ihm versichert habe, man wolle allen Leuten, die zu ihnen kämen, Fesseln anlegen. Das leide er nicht, fuhr er fort, indem er mit der Faust auf den Tisch schlug; frei sei er, frei wolle er bleiben, und sagen, wem und was er wolle. Vergebens suchte ihm Basedow bemerklich zu machen, er wolle seiner Freiheit nicht zu nahe treten, sondern ihn nur vor einem übereilten Urtheil warnen; Kaufmann, der sich gleich am Anfang recht zeigen wollte, lärmte und polterte und wollte von nichts hören. Unfähig, etwas Gründliches zu unternehmen, suchte er sich nur einen Schein zu geben, als ob er wirklich etwas geleistet, wobei er bedacht war, seine ehemaligen Freunde herunterzusetzen und mit Basedow, Campe und Wolke zu entzweien; denn er haßte jetzt diese, und besonders Mochel, den er beim Fürsten als seinen Teufel, als einen „Krötenspieß" des Philanthropins bezeichnete. [49]) Da von einer Constitution des Philanthropins mehrfach die Rede gewesen war, so ergriff Kaufmann, um doch etwas zu thun, diesen Gedanken und entwarf eine solche auf eigene Hand. Mit dieser ging er zunächst zu Basedow, Wolke und Campe, indem er vorgab, er habe sie mit seinen Leuten (so nannte er seine elsasser Freunde) entworfen, und er forderte, daß sie die Constitution unterschrieben, da der Fürst es dringend verlange, wobei er es an

schärfen Worten nicht fehlen ließ. Nachdem er diese
endlich zur Unterschrift bewogen, kam er damit zu Simon,
Schweighäuser, Mochel und den übrigen, denen er vor=
log, er habe diese Bestimmungen mit Basedow, Wolke
und Campe aufgestellt; der Fürst, sügte er hinzu, bringe
auf die Unterschrift, und wolle, wenn sie sich derselben
weigerten, gar nichts mehr mit der Sache zu thun haben.
So erreichte er durch Betrug und List seinen Zweck und
konnte sich beim Fürsten rühmen, die Parteien zu dieser
Constitution geeinigt zu haben. Und worin bestand diese
Constitution, deren er sich als einer Heldenthat rühmte?
Es war keineswegs eine genaue Festsetzung der ganzen
Einrichtung der Erziehung und des Unterrichts, wie man
sie beabsichtigte, sondern ein rein äußerlicher Vertrag.
Basedow, Campe und Wolke machten sich verbindlich,
lebenslänglich am Philanthropin zu bleiben, den übrigen
sollte gestattet sein, ein halbes Jahr vorher zu kündigen,
doch sollte ihnen auch gekündigt werden können. Dann
wurde der Jahresgehalt eines jeden, sowie die Glieder
der Conferenz bestimmt. Von dem innern lebendigen
Zusammenarbeiten zu einem wirksamen, sich immer kräf=
tiger belebenden Ganzen war nicht die Rede.

So unschuldig und unbedeutend auch die Constitution
auf den ersten Blick scheinen mag, so hatte Kaufmann
sie doch zu seinem Zwecke, Unfrieden und Störung zu
veranlassen, gar wohl berechnet. Was Basedow bisher
in seinem Eiser übersehen hatte, daß die elsasser Freunde
nicht gekommen waren, sich dem dessauer Philanthropin
für ihr ganzes Leben zu widmen, sondern sich zu tüch=
tigen Lehrern vorzubereiten, um in ihrer Heimat eine
ähnliche Anstalt zu gründen, das hatte Kaufmann scharf

ans Licht gestellt, und schon dadurch allein Basedow's
inniges Verhältniß zu ihnen gestört. Dies geschah noch
viel mehr durch den Gegensatz, in welchen durch die Con=
stitution die elsasser Freunde gegen Basedow, Campe und
Wolfe traten, denen das Recht gegeben ward, ihnen
nach Gefallen zu kündigen, wodurch jene, die früher
als gleiche Mitarbeiter dastanden, zu Untergebenen ge=
macht wurden, was nothwendig auf die Behandlung be=
sonders von seiten Basedow's um so mehr wirken mußte,
als Kaufmann auf offenem und verborgenem Wege
Basedow und Campe zu bestimmen wußte, mit denen er
Brüderschaft trank und die ihn in allem gewähren ließen,
weil sie durch seinen vorgeblichen Einfluß bei Fürsten
und Vornehmen reiche Geldmittel zu erlangen hofften.
Kaufmann war nun auch mit dem durch seine Constitution
geordneten Philanthropin höchlich zufrieden, und wenn
dasselbe noch nicht ganz vollkommen sei (wirklichen Mängeln
abzuhelfen wäre seine Sache gewesen, hätte er von der
Erziehung und dem Unterricht überhaupt etwas verstan=
den), so liege dies in der Natur der Sache. So schrieb
er denn auch an seine Freunde, 50000 Thaler wären
nicht übel am Philanthropin angewendet. Die nächste
entschiedene Folge der neuen Constitution war, daß
Basedow selbst der Sache überdrüssig ward und bereits
am 15. Dec. das Philanthropin an Campe als Curator
abtrat, wie er angab, wegen geschwächter Gesundheit,
übler Laune und Abnahme des Gedächtnisses. Wahr=
scheinlich hatte Kaufmann auch hierauf den bedeutendsten
Einfluß geübt; denn wie hoch sein Ansehen noch immer
bei Basedow stand, ergibt sich aus dem dritten Stück
des „Philanthropischen Archiv", wo dieser, nachdem er

8*

ſich entſchuldigt, daß ſeine gehäuften Geſchäfte ihm nicht
geſtattet, die an ihn ergangenen Anfragen zu beantwor=
ten, ſich alſo vernehmen läßt: „Unſer Kaufmann weiß
alles und wird zeugen. Unſer Kaufmann! Er iſt in
freundſchaftlicher Abſicht für mich und das philanthropiſche
Weſen zu mir gekommen. Aber durch mein bisherig
Schickſal zu neuen Ueberlegungen veranlaßt, verſchiebt
er ſeinen mit Freunden gefaßten Vorſatz, ein den menſch=
lichen Bedürfniſſen angemeſſenes Erziehungsinſtitut zu
ſtiften, und ſehnt ſich herzlich nach Vervollkommnung des
deſſauiſchen, mit dem Wunſche, daß ſeine Freunde ſich
entſchließen, demſelben nach Kräften aufzuhelfen, und
bis dieſes zur reiſen Vollkommenheit gelangt iſt, alle
Plane dieſer Art an andern Orten ruhen zu laſſen;
denn er ſelbſt muß jetzt einem beſtimmtern Berufe fol=
gen." Und am Schluß des dritten Stücks heißt es:
„Sollte in dem beiderſeitigen Plane der fernern Erziehung
und Unterweiſung (zu Deſſau und Marſchlins) eine er=
wünſchtere Uebereinſtimmung unter uns bleiben oder viel=
mehr geſtiftet werden, ſo verſichern wir (und derſelben
Geſinnung iſt auch unſer beiderſeitiger Freund Kaufmann),
daß wir auch des verehrungswürdigen Salis wegen eine
ausgebreitete Liebe des marſchlinſiſchen Inſtituts ebenſo
aufrichtig wünſchen als die hülfreiche Liebe zu dem unſerigen
in Deſſau." So hatte der niederträchtige Betrüger ſeinen
Zweck vollommen erreicht. Baſedow hatte ihn als höchſt
bedeutenden, ſo einſichtsvollen als wohlwollenden, voll=
berechtigten Richter ſeines Philanthropins, als einen von
wichtigen Berufsgeſchäften in Anſpruch genommenen Mann
öffentlich dargeſtellt, während Kaufmann ſeine frühern
Freunde herabgedrückt und ihre Trennung vom Philan=

thropin geschickt eingeleitet hatte. Kaufmann hatte Basedow
auch veranlaßt, in demselben Stück des „Archiv" sich
gegen den Vorwurf zu vertheidigen, daß er gewußt habe,
Simon, Schweighäuser, Kaufmann und Ehrmann hätten
früher eine Verbindung geschlossen, die mit ihrer Thätigkeit am dessauer Philanthropin nicht bestehen könne, wodurch jene beiden sich verletzt fühlten, sodaß Simon sich
gemüßigt sah, eine Erwiderung darauf in Iselin's „Ephemeriden" einrücken zu lassen. Seinen Freund Ehrmann
hatte Kaufmann als Lehrer dem Philanthropin gelassen,
durch den er wol von allem, was weiter im Philanthropin vorgehen würde, unterrichtet zu werden und so
auf seine Weise einzuwirken gedachte. [50]) Und dieser
Wohlthäter des Philanthropins entblödete sich nicht, trotz
der sehr beschränkten Mittel der jungen Anstalt, sich
400 Reichsthaler „zur Belohnung seines Wirkens" aus-
zahlen zu lassen!

Kaufmann's Ränke am Philanthropin fallen in den
November. Von Dessau scheint er sich nach Leipzig gewandt zu haben, wohin sich auch Goethe am 2. Dec.
mit dem Herzog, vielleicht in Begleitung des Erbprinzen
von Darmstadt, begeben hatte. Goethe reiste am 5. Dec.
nach Dessau; unterwegs hinter Holzweißig wurde er vom
Herzog, dem Erbprinzen von Darmstadt und Kaufmann
eingeholt; alle zusammen verweilten bis zum 20. Dec. in
Wörlitz. [51]) In diese Zeit fällt der Besuch, den Kaufmann nach seiner Gattin und Anton in Begleitung des
Fürsten von Dessau, des Herzogs von Weimar und
einiger andern merkwürdigen Personen, der Brüdergemeine
zu Barby machte, „der in ihm, ob er gleich damals noch
keinen Sinn für die Sache hatte, doch einen lieblichen,

achtungsvollen Eindruck zurückließ". Auch Goethe und
der Erbprinz von Darmſtadt hatten ſich ohne Zweifel
an dem Ausflug nach Barby betheiligt. Daß Kaufmann
in der vornehmen Geſellſchaft ſeine Verdienſte um das
Philanthropin in prahleriſchſter Weiſe herausgeſtrichen
haben wird, bedarf keines Zeugniſſes, doch dürfte ſchon
damals ſein Anſehen bei Hofe ſehr gelitten haben. Reil
berichtet uns, „dieſes Univerſalgenie, wie ihn Lavater
geſtempelt, großſprecheriſch, hinterliſtig, gleißneriſch, den
Weiblein gefährlich, dabei roh und unfläthig", habe ſich
bald bei Hofe wie in der Stadt höchſt lächerlich und
verächtlich gemacht. Des Fürſten Bruder, Hans Görge,
der ſo feingebildete kunſtſinnige Freund des Fürſten, Herr
von Erdmannsdorf, und der Pagenhofmeiſter Behriſch,
Goethe's drolliger leipziger Genoſſe, ſollen nach Böttiger
zuerſt dem Herzog die Augen über ihn geöffnet haben,
ſodaß er deſſen Nichtigkeit und Nichtswürdigkeit durch=
ſchaute, was aber erſt im folgenden März geſchehen ſein
dürfte, wenn er auch ſchon im December einen guten
Theil der Achtung des Fürſten eingebüßt haben wird.

Goethe und der Herzog kehrten am 21. Dec. im
Kurierritt nach Weimar zurück. Kaufmann ſcheint da=
mals die Abſicht gehabt zu haben, gleich von Deſſau
aus wieder nach der Schweiz zu gehen. Lenz, der Ende
November wegen einer „Eſelei" Weimar hatte verlaſſen
müſſen, war zu Schloſſer in Emmendingen gegangen,
von wo er in der Chriſtnacht an Herder ſchreibt, Kauf=
mann ſei noch nicht da, und er zweifle, ob er ihn noch
bei Schloſſer ſehen werde. Auch ſcheint Herder Kauf=
mann's Rückreiſe nach Darmſtadt an Claudius gemeldet
zu haben, der am 14. Dec. gegen dieſen äußert: „Es

ist meine Schuld nicht, daß ich nicht selbst hinkomme
(nach Weimar), die sämmtliche dortige Einrichtung in
Augenschein und den Meister Kaufmann alldort in Em=
pfang zu nehmen", und er spricht die Bitte aus, Kauf=
mann möge ihm einen gewissen Balsam aus Jena mit=
bringen. Unser Abenteurer scheint sich dem Erbprinzen
auf der Rückreise nach Darmstadt aufgedrungen zu haben.
Wieland fragt am 13. Jan. 1777 seinen darmstädter
Freund Merck: „Wie gefällt Ihnen Kaufmann? Entre
nous", eine Frage, worin sich der Unglaube an den
Großsprecher verräth, von dem er zehn Tage früher an
seinen Lobpreiser Lavater geschrieben hatte, wenn er noch
zehn Jahre Erfahrung mehr haben, seinen Schädel noch
oft tüchtig angestoßen und ein paar mal kräftig auf seine
Nase gefallen sein werde, möge wol noch ein herrlicher
Mann aus ihm werden. Auf. Kaufmann dürfte auch
wol die Aeußerung Wieland's im Brief an Merck vom
27. Jan. zu beziehen sein: „Gott vergelte es Ihnen,
daß Sie Ihrem eigenen Kopfe und Herzen mehr glau=
ben als dem Schnarcher, der Sie neulich besucht hat."
Die Bezeichnung als „Schnarcher" deutet auf seinen wild
anfahrenden, derb polternden Ton; denn zu einem ver=
nünftigen, anständigen Gespräch ließ sich der dreist be=
hauptende Kraftmann nicht herab.

Erst in Darmstadt, wo Kaufmann sich besonders an
Claudius, Herder's innigsten Freund, gehalten zu haben
scheint, dürfte ihm der Plan zu einer Reise nach Peters=
burg aufgegangen sein, wohin ihm der Erbprinz die
besten Empfehlungen mitgeben konnte. Die große Kai=
serin, die sich freute, ausgezeichnete Männer an ihrer
Seite zu haben und sie reichlich zu beschenken, sollte er

nicht auf diese einen gewaltigen Einfluß ausüben zu
können hoffen, besonders da Lavater in seinem eben im
Erscheinen begriffenen dritten Bande der „Physiognomi=
schen Fragmente" ihn in einer Weise geschildert hatte,
die ihn fast über alle Sterblichen zu erheben schien!
Wir finden hier zwei mal das Brustbild Kaufmann's,
der, wie er sagt, in den innersten Kreis seiner Geliebten
gehört, ein Jüngling, der Mann ist, unter dessen Bild
er die wol von Kaufmann selbst stammenden Worte zu
setzen wagte: „Man kann, was man will. Man will,
was man kann." Er nennt ihn einen absonderlichen
Mann, der schnell und tief fühle, festhalte, zurückstoße,
wirke, fliege — darstelle, wenig Menschen finde, auf
denen er ruhen könne, aber sehr viele, die auf ihm ruhen
wollen. „Wenn ein gemeiner Mensch", heißt es beim
zweiten Bilde, „so eine Stirn, so ein Auge, so eine
Nase (in der Nasenwurzel Kaufmann's sah er die meiste
Kraft) so einen Mund, ja nur solch ein Haar haben
kann, so steht's mit der Physiognomik schlecht. Es ist
vielleicht kein Mensch, den der Anblick dieses lebenden
Menschen nicht wechselsweise anziehe und zurückstoße —
die kindliche Einfalt und die Last von Heldengröße! So
gekannt, so miskannt werden wenige Sterbliche sein kön=
nen. Aber ja viel Sorgens ist, daß diese Stirn an=
prallen müsse? der Erfahrung noch viel bedürfe? Aber
meine lieben Weisen — wird Erfahrung von zehn Jah=
en [52]) von dieser Stirn ein Viertheil einer Messerrücken=
breite abrunden? — Also geschehe der Wille des Herrn!"
Mußte Kaufmann nicht mit einem solchen Paß, welcher
ihn geradezu für den „Allergeliebtesten und Allergefürch=
tetsten" in einem mit solcher Begeisterung aufgenommenen

Prachtwerk erklärte, bei der großen Katharina durchzubringen sich anmaßen dürfen? Auf dem Weg nach Darmstadt oder auf der Rückreise besuchte Kaufmann auch wol den braunschweigischen Hof; denn daß er, wie Anton berichtet, als Hofrath und Leibarzt des Herzogs Ferdinand von Braunschweig (der damalige Herzog hieß Karl, der Erbprinz Karl Wilhelm Ferdinand) mit diesem nach Holstein und Dänemark gegangen, ist eine Erdichtung, deren Kern, wenn ein solcher vorhanden, nur in einem Besuche des braunschweiger Hofes und einem kurzen Aufenthalt in Dänemark, wovon weiter unten, liegen wird. Mitte Februar finden wir Kaufmann wieder in Weimar, wo er aber diesmal weniger Glück gemacht haben dürfte; Herder glaubte noch an ihn, und auch mit dem Präsidenten des Oberconsistoriums von Lyncker scheint er auf vertrautem Fuße gestanden zu haben; denn Goethe schreibt am 19. Febr. an Lavater: „Kaufmann ist wieder da; ich hab' ihn nur mit einem Blick gesehen; er sitzt bei Lynckern [53]) auf dem Gute." Von Weimar begab er sich nach Dessau, wo wir ihn am 11. März an der fürstlichen Tafel antreffen. Diesmal wird der Fürst ganz über ihn enttäuscht worden sein. Vielleicht machte er erst damals seine Forderung von 400 Reichsthalern an das Philanthropin, dem er seinen Schimmel zurückließ. Er hatte sich einen Reisewagen gekauft, den er für ein Geschenk des Herzogs von Weimar ausgab.

Von Dessau führte ihn sein Weg zunächst nach Berlin, wo er seinen Landsmann, den berühmten Akademiker Sulzer aufsuchte. Wie wenig dieser aber von ihm erbaut worden sei, zeigt folgende Aeußerung Zimmermann's an Lavater, im September oder October 1777: „Sulzer

8**

rabotire, ſagſt Du. Ich hingegen ſage Dir, daß er
ſchon zwanzig mal an den Pforten des Todes war, und
da doch immer noch ſoviel Vernunft hatte, als Ihr
Genies alle zuſammengenommen. Er ſprach nicht nach
vorgefaßten Meinungen von Kaufmann, ſondern nach
dem, was Kaufmann ihm ſagte." Ob er Mendelsſohn,
Nicolai und andere berliner Gelehrte geſehen, wiſſen
wir nicht; nur vom Kapellmeiſter Reichardt, einem geborenen Königsberger, wird uns der Beſuch Kaufmann's
berichtet. In Königsberg war er durch Herder, Claudius
und Lavater beſtens an Hamann empfohlen. [54]) Dieſer
meldet am 18. Mai an Herder: „Den 18. April war
Kaufmann hier, ich erfuhr es aber erſt den Montag
darauf (den 22.), und zugleich daß er krank wäre und
Profeſſor Kant [55]) und den polniſchen reformirten Pre-
diger den vorigen Abend bis elf Uhr bei ſich gehabt
hätte. Ich ärgerte mich über dieſe Gleichgültigkeit, da
ich außer den beiden Empfehlungen von meinen beiden
einzigen Gevattern im heiligen römiſchen Reich (Claudius
und Herder) einen Brief von ſeinem Johann Caspar
(Lavater) hier hatte. Nach vieler Ueberlegung kam ich
auf den feſten Entſchluß, mich noch einen Tag um ihn
nicht zu bekümmern, ſondern erſt den 23. zu ihm zu
gehen, da unſer Bußtag einfiel, mit dem Vorſaße, den
ganzen Tag mit ihm zuzubringen. Kaum war ich aber
am 22. auf meiner Loge (Hamann war Packhofverwalter
beim königlichen Licent), ſo fragte ein Miethbedienter
nach mir und händigte mir ein klein Billetdoux von
ihm ein. Ich lief zu ihm, er lag im Bett und klagte
mir ſeine Noth in Königsberg. Ich nahm ihn mit mir
à la fortune du pot, aß zwei Teller Sauerkraut und

eine doppelte Portion gepreßten Caviar, ohne daß er im Stande war, mir Bescheid zu thun. Dieses gegebene Aergerniß meines sauern und grimmigen Geschmacks hielt ihn nicht ab, den ganzen Tag dazubleiben. Wir wurden gegen Abend übereinander misvergnügt, und er blieb die ganze Nacht auf meinem Sopha sitzen, unterdessen ich ein wenig unruhig in mein Bett wider Willen ging. Mittwoch war unser Bußtag, und ich führte ihn zu Kant, wo eben Kraus war, mit dem er bei dem Grafen Kayserlingk speisen sollte. Donnerstags besuchte er mich morgens und nachmittags; unser Nachtgespräch war abermals Widerspruch, aber mit überlegener Laune von meiner Seite. Er streckte sich auf meinem Sopha und lag also ein wenig bequemer. Freitags nachmittags besuchte er mich sedentem in teloneo, und wir waren den Abend bei meinem Director. — Kaufmann schlief wieder bei mir, wollte am folgenden Morgen abreisen, schenkte mir aber noch den ganzen Sonnabend. Sein ganzer Weg zu denken, zu empfinden und zu handeln ist so alpenähnlich, daß Sie sich leicht vorstellen können, wie einem armen Manne dabei zu Muthe gewesen sein muß, der leider nichts als in leimigen, sumpfigen Ebenen zu waten gewohnt ist. Da ich also ein paar Tage nachher im Florus (1, 7) monstrum pulcherrimum fand, fiel mir unser lieber Kaufmann an." [56]) An den Kapellmeister Reichardt schreibt Hamann: „Unser Freund Kaufmann hat mir wenig von Ihnen zu erzählen gewußt. Er hat vier elende Nächte auf meinem Sopha zugebracht, und ist den 27. April des Morgens aus meinem Hause verschwunden, da ich mich vom Schlaf nicht ermuntern konnte, weil ich ihm zu Gefallen bis auf den Schloß-

thurm geklettert war und mich sein Umgang wie ein
Spaziergang auf den Alpen erschöpft hatte, daß ich
meiner Sinne nicht mehr mächtig war und beinahe eine
ganze Woche nöthig gehabt, mich zu erholen." An
Claudius hatte sich Hamann gleich nach Kaufmann's
Abreise gewandt und ihm seinen Dank ausgesprochen
für die Zuweisung dieses „Biedermannes", dessen Genuß ein wahrer Leckerbissen für seine Neugierde und ein
würdiger Gegenstand seiner magischen Laterne gewesen,
die nach Menschen suche und nichts als Vegetabilien finde
oder perpetua mobilia. Er habe, bemerkt er an Herder,
den eigenen Mann, der im bürgerlichen Leben beinahe
dieselbe Rolle spiele, wie er selbst in der Autorwelt,
mehr nach seiner Abreise als bei seiner Anwesenheit genossen. Einige Monate später wünscht er, der Sommer
möge ihm noch Kaufmann mit seinem Man kann, was
man will, man will, was man kann zurückführen.
Sein Bild hing er neben denen von Herder und Lavater
über seinem Bett auf. So hatte denn Kaufmann auch
den sonst so mißmuthigen Hamann durch den Schein
„heiliger Einfalt" und mächtiger Naturkraft ganz hin-
zureißen gewußt, obgleich sein Zusammensein mit ihm
ein beständiges Kämpfen und Ringen gegen diese seiner
Natur gerade entgegenstehende ganz außerhalb des gewöhnlichen Menschenkreises sich bewegende Erscheinung
war, hinter welcher er um so weniger flache Nichtigkeit und leeren Trug ahnen konnte, als er von den drei
ihm selbst am nächsten stehenden Freunden für ihn eingenommen war.

Wie ganz verschieden sich Kaufmann bei verschiedenen
Personen darzustellen, wie er sein Benehmen nach dem

Charakter derselben einzurichten und sich überall als einen
ganz außergewöhnlichen Sterblichen darzustellen wußte,
ersehen wir aus einem Brief des geist- und kenntniß-
reichen Christian Jakob Kraus, der lange Zeit neben
Kant eine Zierde der königsberger Universität war, wo
er nicht allein durch außerordentlich umfassende Kenntnisse
und einbringenden Scharfsinn, sondern auch durch eine
ganz ungewöhnliche Gabe glänzte, Talente zu erkennen,
zu wecken und zu leiten. Dieser, der am 24. April die
Aufsicht über den neunzehnjährigen Sohn des kurz vorher in den Grafenstand erhobenen Kammerherrn Kayserlingk
in Königsberg übernommen hatte (er war, wie Kaufmann, eben 23 Jahre alt), schreibt am 29. Juli seinem
Freunde Herrn von Auerswald [67]): „Vor drei Monaten
kam Kaufmann aus Dessau hier an, war täglich bei
uns und sprach beständig mit meiner Gräfin, die ihm
nicht von der Seite ging, Minister sitzen ließ und sich
mit ihm unterhielt. Er ist eigentlich Arzt, aber noch
besser würde ich Ihnen sagen, er ist ein Apostel des
18. Jahrhunderts, auf dem Lavater's und Hamann's
Geist ruht, ein liebenswürdiger Schwärmer, der in
Maske alle Länder durchstreicht, im Stillen Kranke heilt,
Menschen schüttelt, wie er sich ausdrückt, und das Christenthum, wie es zur Zeit seiner Stiftung war, in den
Seelen derer, die dazu bestimmt sind, sie mögen Fürsten
oder Grafen sein, zu errichten sucht. Er steht auch im
dritten Bande der Lavater'schen «Physiognomik» nicht
weniger als fünf mal, theils in Kupfer, theils in Umriß,
theils in Silhouette. Er ist reich. Sein Vater ist
Schultheiß in Winterthur, und Sie wissen, was das
sagen will. Er hat sich an verschiedenen deutschen Höfen

aufgehalten, iſt ein Buſenfreund Ihres Anhalt's [58]), wie
ſich Anhalt ſelbſt in Brieſen an meine Gräfin rühmt,
und ſteht überall in einer Achtung, die man gar nicht
begreifen kann, wie er dazu gekommen. Er ſchreibt nichts,
und kann ſeinen Freunden, Herdern, Hamann, Lavatern,
Klopſtocken, Goethen u. ſ. w. alle Thorheiten vergeben,
nur die nicht, daß ſie Autoren ſind. Er reiſet, wie ich
geſagt, mit Masken herum, zeigt ſich bald als Schiffer,
bald als Fakir, und das blos um unbekannt zu bleiben,
und das Gute, was er thut, den Augen der Welt zu
entziehen, nicht aus Affectation, ſondern aus einer un-
erklärlichen Selbſtverläugnung. Sein Charakter iſt höchſte
idealiſche Ehrlichkeit, ich habe davon eine Probe [59]), und
Einfalt und Liebe. Man ſieht ihm beim erſten Anblick
ins Herz. Meine Gräfin hat, ſeitdem er weg iſt, das ſind
drei Monate, faſt alle Tage von ihm geſprochen, und wird,
ſo oft ſich nur der geringſte Anlaß zeigen wird, nicht aufhören,
von ihm zu ſprechen, ihn zu bewundern, ihn zu lieben.
Wenn Sie Anekdoten von ihm haben wollen, kann ich
Ihnen damit dienen; ich beſorge nur, Ihnen ſchon zu viel
von dem guten Manne geſagt zu haben. Sie können ihn
einigermaßen kennen lernen aus einem Büchelchen, das
dieſe Meſſe herausgekommen iſt [60]) unter dem Titel:
«Allerlei, geſammelt aus Reden und Handſchriften berühmter Männer, herausgegeben von E. u. K.» (d. h.
Ehrenmann und Kaufmann). Seine Freunde haben ihm,
weil er ſo ein Feind von Autorſchaft iſt, den Streich
geſpielt, und aus den Brieſen, die er an ſie ſchrieb,
Stellen herausgehoben und in dieſe Sammlung ſetzen
laſſen. Sie ſind ſchwer zu unterſcheiden, dieſe Stellen.“
So hatte alſo der großſprecheriſche Prahler mit ſeinem

Lügengewebe auch den sonst klar schauenden Kraus um-
strickt. Seiner mächtigen Gewalt über leicht erregbare
Frauenherzen gewiß, hatte er sich hier der Gräfin bemächtigt, deren Verehrung auf den jungen Erzieher ihres
Sohns von höchstem Einfluß war, so daß dieser, wenn
ihm alles auch ein unbegreifliches Räthsel schien, doch in
keines seiner Worte Zweifel zu setzen wagte. Daß ein
solcher Mann, der sich als Freund von Fürsten und den
größten Männern der Zeit darstellte, der als Wohlthäter der Menschen die Welt durchstrich und insgeheim
wirkte, allen Ruhm verachtete, so zutraulich sich ihm
eröffnete, mußte dem aufstrebenden Jüngling außerordentlich schmeicheln und seinen Glauben bald ganz gefangen
nehmen, besonders da Kaufmann die Kunst verstand,
durch einzelne wohlberechnete Mittel seine Ehrlichkeit und
Wahrhaftigkeit ins beste Licht zu setzen. An allem, was
Kaufmann ihm sagte, war kaum ein wahres Wort, fast
alles aufschneiderische Großsprecherei.

Von Königsberg wandte sich Kaufmann nach Riga,
wo er von Herder und Hamann an den Buchhändler
Hartknoch empfohlen war; derartige Empfehlungen hatte
Kaufmann als das trefflichste Mittel erfunden, sich in
Ansehen zu setzen und den Leuten Sand in die Augen
zu streuen.

Von Riga aus wendet sich Kaufmann am 6. Mai
an Hamann: „Meine gereimten Klagen an dem Magus"
schreibt er, „meine unverdaulichen Aventures von Königsberg bis Riga sollen Sie hören, wenn ich mich wiederum
auf dem herrlichen Sopha wie ein Baurenfünfer aus-
strecke, und den Magus neben mir und seine Sprößlinge
um mich habe, oder wenn ich ihn treffe in's alte Boten

zu Wandsbeck Hütte. Ja, liebster Hamann, seit ich
mich an dem heitern Sonntagmorgen nach dem frohen
Abend und der herrlichen Nacht von meinem Lager auf-
raffte und von Ihnen weg in den Wagen eilte, hat mich
das liebe Glück verlassen, und Unstern ist mir gefolgt."
Von dem Widrigen aber, das ihm begegnet, verräth er
nichts; er will es persönlich in des Freundes Brust
ausschütten. „In Mitau sprach oder konnte ich niemand
sprechen", schreibt er, „als Herrn Hofrath Schwender,
Freimaurerlogenmeister, der zuerst in Furcht war, daß
ich ein Viaticum wollte, hernach änderte es sich. Er
konnte meinen Namen Kaufmann fast nicht glauben,
endlich wurde er zufrieden und gläubiger, zeigte mir die
Freimaurerbibliothek, und ich bedankte mich. Bisjetzt
konnte ich in Riga noch niemand sehen als den Buchhändler Hartknochen, der mir einige angenehme Augenblicke machte in Erzählung der muntern Dinge, die geschehen, die gar zu grob waren. Meine Faquinsuniform
stoßte den Kranken (Hartknoch) zurück, mußte sie anziehen
für den hiesigen Commandanten — ein verrußter Schweizer."
Hartknoch schreibt auf denselben Brief: „Kaufmann ist
ein guter Junge, hat aber gewisse Ausdrücke von Spannung und Schlaffung der Seele, die er so oft anbringt,
daß sie nicht mehr das wirken, was er will. Seine
medicinischen Räthe sind vortrefflich; ich werde eins und
das andere davon nutzen." Hamann sandte den Brief
sofort an Ehrmann, „genannt Ehrenfried, freien Lehrer
am Philanthropin", den „vertrauten Freund seines lieben
Kaufmann's", um sich diesem so kurz und gut zu empfehlen, als ihr systema harmoniae praestabilitae gewähre,
und er lud ihn ein, „bei einer eventuellen Reise durch

Königsberg in Preußen sich bei ihm gebührend zu melden".

Der Zweck von Kaufmann's Reise scheint dahin gegangen zu sein, bei einem russischen Großen irgendeine Rolle zu spielen und wol auf dessen Kosten ein größeres Unternehmen auszuführen; denn wir finden ihn bald hernach auf den Chwastowischen Besitzungen zu Salo Weina. Aber wie wenig es ihm hier gelungen, zeigt ein uns vorliegender Brief an Hamann, am 15. Juni aus Narwa geschrieben, wo er klagt, daß er um sein Geld gekommen, den garstigsten Verdruß gehabt, und doch der Vorsehung danke, die ihn bald aus seiner Verlegenheit gerissen. Schon damals scheint er es auf den zu frommer Beschaulichkeit hinneigenden Freiherrn Kurt von Haugwitz, den spätern preußischen Minister, damals auf seinen Gütern in Oberschlesien, abgesehen zu haben; denn einen Brief an diesen legte er Hamann zur Besorgung bei. Dieser, seit kurzem mit einer Tochter des Generalinspectors von Breslau, des Generals Grafen von Tauenzien, vermählt, hatte im vorigen Sommer mit den Stolberg und Goethe in Zürich Lavater's Bekanntschaft gemacht, und war mit diesem wol in briefliche Verbindung getreten. Von Narwa aus begab sich Kaufmann nach Petersburg, wo er so lange bleiben wolle, so schreibt er an Hamann, bis es Zeit sei wegzureisen, um Ende Juli sicher und gewiß nach Lübeck zu kommen, da er um diese Zeit bei dem nach Wandsbeck zurückgeflüchteten Claudius zu sein hoffe, wohin er auch Hamann auf das bringendste einlud. Vielleicht werde er dann mit ihm zu Herder oder zu seiner Elise reisen oder sich nach Amerika einschiffen. Daß er so ganz zwecklos nach Petersburg

gegangen, iſt ganz unglaublich; wahrſcheinlich hoffte er
auf die ·Kaiſerin zu wirken, die aber ſich vor ſolchen
Betrügern wohl zu hüten wußte; hatte ſie ſelbſt ja drei
Luſtſpiele gegen den angeblichen Grafen Caglioſtro geſchrieben. [61])

Hamann ſandte Kaufmann's Brief nicht ohne Zeichen
der Verwunderung an Ehrmann, der am 13. Juli er-
widert: „Mehr Ahnung als Combination ſagt mir, die
Reiſe nach Amerika werde wol nicht geſchehen. Kaufmann trifft vielleicht in Hamburg Lavater'ſche Briefe an,
die ihn für Europa determiniren. Blos wegen Kaufmann's Freunden und in specie ſeinem Weibe bangt
mir vor der Seefahrt. Ich hoffe ſie mitmachen zu
dürfen; neben Kaufmann iſt mir nichts abſchreckend, ob-
ſchon meinem eigenen Charakter nach alles, was Entre-
priſe heißt, mir Taumel und Schrecken verurſacht. —
Das Ganze von Kaufmann's Beſtimmung, Plan ꝛc.,
ſowie von ˙ ſeinem Charakter bin ich ſchlechthin unfähig
zu überſchauen, und wo Sie, beſter Hamann, nicht verſtehen, was will ich einſehen können? Doch bekenne ich
frei, daß das bewußte Motto: „Man kann ꝛc." mir als
Symbolum der treuen Befolgung der Naturtriebe, der
Harmonie zwiſchen Können und Wollen, welches beides
der Natur nach reciproque ſein ſoll, verſtändlich bleibt.
Ich halte Kaufmann für einen ſolchen treuen Befolger
aller Winke der Natur, und habe deswegen einen beſondern Glauben an alles, was er thut." Auch er lud
Hamann auf das bringendſte nach Wandsbeck ein, wohin
er ſelbſt auf Kaufmann's Ruf Ende Juli gehen werde.
Aber Hamann folgte dieſer Einladung ebenſo wenig, als
einer ſpätern, die Ehrmann im Namen von Claudius

und Kaufmann am 8. Aug., gleich nach Kaufmann's
Ankunft, an ihn richtete. Kaufmann hatte wahrscheinlich
die Reise über Kopenhagen gemacht, da in seinen Papieren von einem Besuche Holsteins und Dänemarks,
freilich in Begleitung des Herzogs von Braunschweig,
die Rede ist. [62] Widrige Winde hatten seine Ankunft
verspätet.

In Wandsbeck wurde Kaufmann von Claudius auf
das freundlichste aufgenommen, der ihn auch mit seinem
vertrauten Nachbar Voß bekannt machte. „In dieser Zeit"
(im Sommer 1777), erzählt Ernestine Voß [63], „traf
der Schweizer Kaufmann (in Wandsbeck) ein, von dem
Lavater in seiner «Physiognomik» so großes Wesen gemacht, und ihm, ich meine, den ersten Platz nach Christus gegeben hat. Es war ein schöner, sehr kräftiger
Mann, der alles, was er redete, in dunkle, oft derbe
Worte hüllte, und doch alle einzunehmen wußte. Aus
seinen Reden sollte man den Schluß ziehen, daß er, trotz
seinem jugendlichen Ansehen, schon mit einem Menschen-
alter vor uns in Berührung gestanden, und bestimmt
sei, noch lange nach dem jetzigen Geschlecht fortzuwirken.
Er behauptete, fast gar keinen Schlaf zu bedürfen, aß
nichts als Vegetabilien und trank nur Milch und Wasser.
Er hatte einen jungen Mann (Ehrmann?) bei sich, der
in seiner Gegenwart nicht reden durfte und den ganzen
Tag schreiben mußte, weil sich bei Kaufmann die Gedanken so drängten, daß er nur dictiren konnte. [64] Eine
Menge Briefe hatte der Bote jeden Tag nach Hamburg
zu bringen und zu holen. Auch Arzt behauptete er zu
sein, dem kein Kranker, der Zutrauen hätte, stürbe, und
wirklich machte er einige Curen, die in Verwunderung

ſetzten. Von ſeinen Heldenthaten in Perſien erzählte er
gern; daß er auch in Weimar Beifall gefunden, konnte
ein ihm vom Herzog geſchenkter Wagen beweiſen. Wir
glaubten dies und manches andere, was wir ſpäter zu
glauben, aufhören mußten. Merkwürdig war es mit
anzuhören, wie Voß und Claudius ſich oft allerlei Zweifel über dieſen Wundermann mittheilten, und wie doch
jeder befliſſen war, ihn gegen den andern in Schutz zu
nehmen." Hier haben wir das anſchaulichſte Bild der
Mittel, welche der Kraftapoſtel in Anwendung brachte,
ſein Evangelium, man könne, was man wolle, zu be-
wahrheiten. In ihm ſollte man den eigentlichen Kraft-
und Muſtermenſchen bewundern, der durch natürliche
Begabung alles vermöge; die Natur ſollte in ihm ihre
vollendetſte Blüte getrieben, in ihm den Beweis geliefert
haben, daß ihr allein das Höchſte gelinge, daß That
und Wirken alles, Denken und Sinnen nichts ſei. Darum
dieſe räthſelhafte, an St.=Germain und Caglioſtro [65])
erinnernde Umhüllung ſeiner Perſon, darum das Ver-
werfen aller dem reinen Naturmenſchen fremden Bedürf-
niſſe, darum der große Briefwechſel mit ſovielen zum
Theil bedeutenden Männern, die ihn von manchen Dingen
in Kenntniß ſetzten und, durch ſeine Lügenberichte zu
ſtaunender Bewunderung hingeriſſen, ſeinen Ruhm verbreiten ſollten, obgleich der überaus große Briefwechſel
doch gewiß eine Erdichtung war. Daneben ſuchte er
durch eine natürliche Einfalt und Kindlichkeit anzuziehen,
womit es ihm ſo wundervoll bei den meiſten gelang,
daß ſelbſt diejenigen, bei welchen ſein tolles Prahlen
und gaukelndes Aufſchneiden Argwohn erregten, ſich von
ihm gefeſſelt fühlten.

Durch Claudius dürfte Kaufmann auch mit den geistigen Größen Hamburgs bekannt geworden sein, besonders mit Klopstock. Von Hamburg wollte Kaufmann sich nach Berlin begeben, und da Voß zu seinem Vater zu reisen beabsichtigte, so entschloß er sich, mit ihm über Mecklenburg zu gehen. „Recht viel Abenteuerliches", erzählt Ernestine Voß, „erlebten wir auf dieser Reise; denn Kaufmann hatte auf jeder Post Händel." Ueber seinen Aufenthalt in Mecklenburg, wo er auch wol am Hof zu Schwerin sein Wesen zu treiben versuchte, fehlen uns alle Nachrichten. Er hatte diesmal seinen unterthänigen Freund Ehrmann nach Berlin vorausgeschickt, wo sie am 10. Sept. zusammentrafen. Kaufmann, der eigentlich durchreisen wollte, aber durch einen Zufall ein paar Tage zurückgehalten wurde, sah diesmal nur wenige Personen, meist war er bei Chodowiecki. Ehrmann vernahm hier eine „wunderlich fatale" Anekdote über Kaufmann, über die er von Hamann sich Aufschluß erbat; er selbst war zu ängstlich, seinen Herrn und Meister darüber zu befragen. In Königsberg solle er nämlich erzählt haben, sein Vater habe ihn in der Jugend zum Scharfrichter bestimmt, auch habe er seine dreijährige Lehrzeit darin ausgehalten, wodurch er sehr blutgierig geworden, darauf sei er drei Jahre bei einem Bauer gewesen, wo er hinter dem Pflug gegangen. Solche wunderbare Erzählungen waren Kaufmann durchaus gemäß, der auf jede Weise sich merkwürdig zu machen suchte. Am 9. Sept. kamen sie auf dem Gute des Freiherrn von Haugwitz zu Krappitz bei Oppeln an, von wo Ehrmann am 18. an Hamann schreibt: „Wir werden uns wahrscheinlich einige Wochen in Krappitz bei einem der herrlichsten Ehepaare aufhalten.

Ich hoffe, Kaufmann werde bei diesen reinen Seelen
ausruhen und sich erholen von der allgemeinen Verstimmung der heutigen Menschheit, die jedem Edlern
(ohne Zweifel, Bester, auch Ihnen) sein tägliches Kreuz
und Wermut ist. Ich finde zwar täglich mehr, daß
Kaufmann in keinem einzigen Menschen außer sich Ruhe
und Zuflucht haben kann, sondern daß die Kraft Gottes
in ihm sein Ein und Alles ist und ewig bleiben wird."
Indessen scheint die Sache in Krappitz ein rasches Ende
genommen zu haben. Nach Böttiger's Bericht soll er
sich in die Gattin von Haugwitz verliebt, und Tauenzien
ihm geschworen haben, ihn, wenn er seiner habhaft
würde, vor der Hauptwache ausfuchteln zu lassen. Daß
unser Abenteurer auf die Frauen besonders sein Augenmerk richtete, lag durchaus in seiner schlau berechnenden
Weise, ganz abgesehen von seiner starken sinnlichen Neigung. Sein Verhältniß zu der Gattin von Haugwitz
mag manches Gerede verursacht und seine Abreise beschleunigt, Tauenzien, als er davon vernahm, in wüthende
Erbitterung versetzt haben; aber Haugwitz, der mit Kaufmann auch später in Verbindung blieb, war von seiner
Unschuld überzeugt.

Im October kehrte Kaufmann nach der Schweiz
zurück. Wenn Wieland schon am 22. Sept. von seiner
Rückkehr wissen wollte, so beruhte dies auf einem der
vielen Gerüchte, womit man sich über Kaufmann trug. [66])
In Weimar war man außer Herder allgemein auf Kaufmann erbittert, besonders Goethe, der manches von
seinem tollen Treiben und seiner niederträchtigen Prahlerei
vernommen haben mochte. „Vor Kaufmann, der einen
noch drei mal größern Weberbaum führt als Lessing,

scheuen Sie sich nicht, wenn Sie sonst Lust haben,
Goethen eine Freude zu machen", schreibt Wieland an
Merck. Lavater, den Kaufmann bald darauf heimsuchte,
war noch von feurigster Begeisterung für seinen Kraft=
apostel erfüllt, in dessen Worte er den vollsten Glauben
setzte, sodaß er auch seine persischen Großthaten be=
wunderte, und in wunderlichster Weise sich gegen Zim=
mermann äußerte. Dieser meldet am 26. Oct. seinem
Freunde Herder: „Gestern hatte ich einen Brief von
Lavater, worin er sagt, daß Kaufmann eben von Astrakan
in Zürich angekommen sei, von Astrakan bis Zürich
seines Gleichen nicht habe, ein herrliches Mädchen hei=
rathen, als Landwirth leben und Großes wirken werde."
Zimmermann aber unterließ nicht, Lavater auch diesmal,
wie es in seiner Art war, derb die Wahrheit zu sagen.
„Ich gratulire Dir zur Ankunft des Kraftkoloß Kaufmann
von Astrakan", schreibt er. „«Sei froh», sagst Du, «daß
er Dir nicht zu nahe kam; denn, Lieber, seine bloße stille
Gegenwart würde Dich tödten, und ein Wort von ihm
Deine Gebeine zerschmettern.» — Lavater, bist Du toll?
— Du sagst ferner: «Warum Kaufmann (als Arzt)
unbekannt sein will? Weil alle bekannten und berühmten
Aerzte Pedanten und Philister werden.» — Lavater, bist
Du toll? Von zwei Dingen wähle eins. Entweder
gestehe mir Deine Tollheit, damit ich Mitleiden mit Dir
habe, oder ich zeige Dir und ganz Deutschland öffentlich
mit meines Namens Unterschrift, ob der Student Kauf=
mann (man erkennt den Student an seiner Sprache)
vermögend sei, durch seine stille Gegenwart mich zu
tödten, oder durch ein Wort meine Gebeine zu zerschmet=
tern. Wählst Du das letztere, so thut es mir leid,

weil dabei unsere Freundschaft, die in meinem Herzen Wurzeln zur Ewigkeit hatte, in Trümmern geht. Es thut mir leid, daß Du so ganz unerwartet und so ganz ohne Noth nicht nur äußerst grob, sondern auch äußerst windigt wirst." Lavater aber war so leicht nicht zu belehren und von seinem Glauben an Kaufmann's „Man kann, was man will" und seine außerordentliche Sendung abzubringen. Ganz anders werden die meisten übrigen Bekannten des Abenteurers geurtheilt haben, wie Sarasin in Basel. An den letztern schreibt Pfeffel am 24. Nov.: „Lenzens Unfall (er war in Zürich von einer Art Wahnsinn befallen worden) weiß ich seit Freitag von Mocheln. [67]) Gott wolle dem armen Menschen beistehen! Ich gestehe Dir, daß diese Begebenheit weder mich noch meinen Lerse sonderlich überraschte. Ich wünsche Kaufmann Glück zu seinem Entschlusse, eine feste Lebensart zu wählen. — Singularitäten, Bruder, oder Paradoxien machen immer unglücklich." Im December war der unglückliche Lenz, auf kurze Zeit hergestellt, in Winterthur bei Kaufmann, wo freilich seine Seelenkräfte keine Stärkung gewinnen konnten. Von hier ging Lenz im folgenden Januar nach dem Elsaß zurück, wo er auch den Pfarrer Oberlin aufsuchte; daß Kaufmann diesem keine Andeutung von Lenz' Zustand gegeben, wird von Pfeffel mit Recht getadelt. [68])

Kaufmann hatte nun endlich erkannt, daß all sein Gaukelwesen ihm zu nichts helfe, und so schien es ihm denn am gerathensten, da er als Heiland der Welt keine nachhaltige Anerkennung finden, noch weniger zu einer glänzenden Stellung sich emporschwingen könne, zunächst an eine eheliche Verbindung zu denken, die ihm eine

sichere Stätte bereite. Und so hatte er denn nichts
Dringenderes zu thun, als die Verbindung mit seiner
Verlobten auf jede Weise zu beeilen, und sich auch dadurch das Ansehen zu geben, als sei er des Welttreibens
müde, und wolle in stillem Kreise jetzt sich, der Natur
und dem Besten seiner Nächsten allein leben. In einer
Sammlung satirischer auf Winterthur bezüglicher Zeichnungen des Malers Schellenberg mit lateinischen Ueber-
schriften und Knittelversen von Rector Hegner findet sich
unser Kaufmann abgebildet, vor dem ein hochschwangeres
Mädchen aus Hegi steht, von dem er weinend Abschied
nimmt. Auch hat sich in seiner Vaterstadt noch die Sage
erhalten, daß Kaufmann eines geschlechtlichen Fehlers
wegen bewogen worden, seine Vaterstadt zu verlassen. [69])
Jedenfalls hatten sich zu Winterthur ärgerliche Gerüchte
verbreitet. In einem Briefe an Sarasin aus dem Anfang des Jahrs 1778 kündigt Kaufmann diesem seine
baldige Verbindung an. „Ich habe lange geschwiegen
und entschuldige mich bei Ihnen nicht", schreibt er, „die
Sache soll sprechen. Nun ist's entschieden, daß der
2. Hornung der feierlichste Tag meines Lebens sein wird
— der Tag, an welchem ich mit meiner Elise, die
ich jahrelang liebte, mich öffentlich vor dem Altar in
reiner, fester, ehelicher Liebe verbinde, das sanfteste Joch
des Lebens zu tragen. Auch Ihnen, mein Sarasin, ist
es heilig; auch Sie blicken mit Ihrer Gehülfin zum
Vater in der Höhe, flehen Segen herab für uns beide?
Ja, ja, das weiß ich, und dies bewegt mich, Ihnen
weiter zu sagen, was ich wünschte. Ich muß Schlossern
besuchen, ziehe deswegen künftigen Donnerstag mit Lenz,
Ehrmann und Boshardt [70]) zu Fuß die Straße nach

Emmendingen, bleibe einige Tage allein bei Schloſſer, dann kommt mein Mädchen, und wir fahren nach Frei= burg und nach Strasburg, um ihr unſer zukünftiges ſtilles Glück in häuslichem Genuß beim Taumel des Städters lebhafter fühlen zu laſſen u. ſ. w. Weg von dem Lärm wallfahrten wir nach Strasburgs unerbautem Heiligthum und endlich zu 's Steinthals friedlichen Be= wohnern wieder zurück, und ſchnell bei Baſel vorbei nach Zürich, in welcher Gegend ich einen paritätiſchen Tempel ſuche und beim Altar mich durch Prieſterhand ehelichen laſſe. Dieſen Tag lebe ich allein mit meiner Frau, den folgenden im Geräuſch der Verwandten und im Genuß der Frau, den dritten im gereinigten Freundſchaftsgenuß. Bei dieſem allen möchte ich Sie und Ihre liebe Hälfte an unſerer Seite haben, wenn's möglich, von Emmen= dingen an, oder zum allerwenigſten ſuchen wir Sie in der Gegend von Baſel; denn wenn ich Sie beide und Toblers habe, ſo weiß ich jetzt nichts in Baſel zu ſuchen." Einen ausführlichen Bericht über die Trauung und die luſtige Hochzeit, mitgetheilt von Gildemeiſter in „Hamann's Leben", II, 253 fg., ſandte Ehrmann am 16. März an Ha= mann. Lavater ſelbſt vollzog am 2. Febr. die Trauung in einem Dorfe zwei Stunden von Baden in einer halb= katholiſchen Kirche. Am Abend wandelten ſie nach Zürich, wo ſie bei Lavater ein friedliches Mahl genoſſen. Am 3. kamen ſie nach Winterthur, wo man die Hochzeit auf der Zunftſtube außerordentlich fröhlich feierte; am folgen= ·den Tage wurde auf dem Schloſſe Hegi, wo Kaufmann vorab wohnen ſollte, ein feſtliches Mahl gehalten. Lavater, Schloſſer, Lavater's Freund, Pfenninger, Kauf= ·mann's neuer Schwager, waren von der Geſellſchaft.

Die Freunde scheinen nicht ohne Besorgniß auf diese Ehe und die neue Wirthschaft geschaut zu haben. Am 6. Febr. schreibt Pfeffel an Sarasin: „Meiner besten Zoe (Sarasin's Gattin) will ich künftige Woche antworten. Wir wollen ihren Kaufmann Gemahl und Vater werden lassen, und ruhig die Erfüllung ihrer Weissagung erwarten." Die dessauer Freunde hatten unterdessen sämmtlich im vorigen October das Philanthropin verlassen und waren nach Strasburg zurückgekehrt. Mit Kaufmann hatten sie jede Verbindung abgebrochen, dagegen suchten sie den mit blinder Bewunderung noch immer an Kaufmann hängenden Ehrmann sich selbst und seinen Aeltern wiederzugeben. Ein darauf gerichteter Brief, den Mochel in seinem und der Freunde Namen an Ehrmann schrieb, ist uns erhalten.[71] „Du weißt, Lieber", schreibt Mochel, „unsere schwärmerischen Plane zur Verbesserung der Menschheit im Erziehungswesen haben Dich aus den Armen Deiner Familie gerissen, Deiner Aeltern Absichten mit Dir vereitelt, Dich von Deiner Bestimmung und Lebensart ab in unsere Verbindung gerufen. — Höre, Lieber, was Deine ersten Freunde, deren Thätigkeit durch jede Deiner künftigen Leiden gehemmt werden wird, wenn sie nicht alles versuchen, was sie in Rücksicht auf Deine Entschlüsse, die Dir's zuziehen möchten, zur Verhinderung vermögen, aus Noth gedrungen, als eigenes Rettungsmittel Dir sagen müssen. Jede Möglichkeit, wie Du mit Kaufmann einst ein Schicksal erleben kannst, dessen Deine Familie sich freuen und froh werden könnte, ist zu weit aus ihrem Blick entrückt und in düsteres Dunkel gehüllt. — Wähnst Du Kaufmann folgen zu können? oder glaubst Du, er werde

Dich mit ſich auf die alles verachtende Höhe hinauf-
ſchleppen, um ſich in Geſellſchaft mit Dir in den Ab-
grund hinunterſtürzen zu können? Wer begreift dies?
Wo wirſt Du einſt ſtehen, wenn Verzweiflung oder
Schickſal Dir einſt Deine Stütze wegreißt? aus Deinem
Umgang, Deiner Gegenwart den Menſchen hinwegnimmt,
den Du Deiner Exiſtenz unentbehrlich · gemacht haſt?
Glaube Deinen Freunden, wenn etwas Reelles in Kaufmann's Thätigkeit wäre, ſo müßte ihm nach zehn Jahren
Chriſtus weit nachſtehen. Du meinſt, er iſt jetzt gebeſ-
ſert? Glaube, bleibende Gefühle werden in ſo kurzer
Zeit nicht erregt, der Sinn fürs Gute nicht viel weiter
ausgedehnt — und nur ſo weit iſt der Menſch gut, als
er Sinn dafür hat. Wend' die Hand um — iſt keine
Bekehrung. — Wenn der ausgefahrene unſaubere Geiſt
wiederkommt, findet er das Haus mit Beſemen gekehrt,
aber ſieben ärgere·darin wohnen, als er war! Kaufmann
wird einſt von allen Seiten zurück, in ſich hineingejagt,
ſich in der weiten Gotteswelt eingeengt finden, ſich thätig
nach andern, vielleicht jenſeits dieſer Welt hinſehen, und
Ehrmann ſo verzweiflungsvoll, als er von ihm wegeilt,
zurücklaſſen, oder doch ein unerträglicher Menſchenfeind
werden, der höchſtens einige Genieſchurken vergöttern
kann und alles Uebrige für entnervte Teufel hält. —
Nach unſerer Ueberzeugung hat Dich niemals ein Menſch
in der Welt, ohne Dein Fühlen und Merken, ſo misbraucht und gedrückt, ſo unbrauchbar gemacht, als eben
Dein Kaufmann, der Dir entweder nichts anvertraut,
ohne Deine Kräfte ringsumher zu verdämmen, oder
bei dem geringſten Fehltritt durch affectirte Empfindſam-
keit tauſend Meilwegs mit ſich fortreißt, wohin er will,

ober burch Aeußerung etwas Unwillens in völlige Muth-
losigkeit und Mistrauen in Dich selbst stürzt — Du
wirst, es fehlt nicht weit, endlich eine bloße Maschine.
Diese breifache Gattung, Dir mitzuspielen, sind Ein-
zäunung aller Deiner Triebe mit lebendigen Hecken, und
haben zur unausbleiblichen Folge, daß Du einst, von
Deinem Kaufmann getrennt, nicht das mindeste Selbstvertrauen zu Dir, Deinen Kräften und Deiner Thätigkeit hegen kannst. In welche Gesellschaft wünschest Du
nach Kaufmann's zu kommen, in welcher kannst Du
glücklich sein, da Du mit Kaufmann's Sinnen zu fühlen,
mit seinen Gefühlen zu urtheilen Dich gewöhnt, nichts
als Kaufmann's Spiegel bist, sein Auge, sein Ohr,
seine Hand u. s. w.? Möchtest Du wol dies ewig bleiben? — Hat Dich denn in der That der liebe Gott und
die zärtliche Mutter Natur so ganz und gar vernachlässigt, daß Du nicht eines Senfkorns groß Anlage zu
eigenem Gang solltest davongetragen haben? Doch Du
bist ja glücklich. Ja, Du bist glücklich, fühlst und
empfindest in allen Fällen mit Schüchternheit, wo Dir
Kaufmann nicht etwas zufließen läßt. Aber getrost, einst
wirst Du sitzen auf einem Stuhl des Demiurgen Kaufmann und mit ihm das 18. Jahrhundert richten, das
nicht glauben wollte, er wäre vom Vater — sondern
von seiner Eigenliebe und Leidenschaften gesendet." Doch
wie hätte es Mochel gelingen können, den verblendeten
Ehrmann zu retten, dessen ganzes Wesen an dem gott-
gesandten Naturgeiste Kaufmann's verehrungsvoll auf-
blickte, wenn selbst ein Mochel, der Kaufmann's wilde
Leidenschaft, tolle Ehrsucht und frevle Gewissenlosigkeit
so bitter kennen gelernt hatte, seine hohe Begabung noch

nicht zu läugnen wagte. Mochel ſelbſt ſtarb kurz darauf, am 29. Juni 1778.

Auf dem Schloſſe zu Hegi beſchäftigte ſich Kaufmann zunächſt mit der Landwirthſchaft, verfehlte aber auch nicht, in die Arzneikunſt zu pfuſchen und ſich als einen Wohlthäter ſeiner Nächſten darzuſtellen, der nach manchem Undank, den er erfahren, ſich aus der Welt zurückgezogen, aber noch immer bereit ſei, Gutes zu wirken und ſich um die Menſchen, wenn auch in kleinern Kreiſen, verdient zu machen. Dabei nahm er ſchon jetzt einen frommen Ton an, der ſich mit ſeiner naturwüchſigen Derbheit und albernen Naturſchwärmerei wunderlich verſchlang. In Deutſchland blieb er beſonders mit Herder, Claudius und Hamann in näherer Verbindung. An letztern ſchreibt er unter anderm einmal: „Wie mir's ſo wohl iſt, wenn ich ſo eine ſtille, ruhige Stunde mit meinem treuen Weib durchgefühlt, was der Herr an mir gethan, und wie er uns ſegnet mit neuem Frieden, mit himmliſchem Frieden — und wir denn das Patriarchenleben ſo nahe, ſo groß und heilig fühlen — ach! da drängt ſich das Herz in die Weite und die Ferne! Lieber, Sie fühlen's, es läßt ſich nichts ſagen von allem dem; was nicht vergehen ſoll — wir werden vergehen, aber du, Gott, bleibſt, Vater aller, die dich ſuchen. Claudius ſtellt ſich immer fleißig ein, und iſt munter und froh — lacht und trauert abwechſelnd über die zu erwarten meinende (sic) Unzufriedenheit ſeiner 1500 Subſcribenten, das aber bald vergehen wird. Er hat mir den fatalen Schwank gemacht, und 's Brautliebe in ſein Asmuſiſches Allerlei geſchmiſſen. Es iſt alſo ſchön gedruckt zu leſen. [72]) — Mein Vater iſt ein braver, red=

licher Mann, der jetzt in seinem 72. Jahr noch nicht
müßig ist und viel gethan hat und noch thut. Freilich
ist er auch aus sündlichem Samen geboren und erzogen
— und das ist also immer abzuziehen von den Super=
lativis, die der Herr Ehrmann nach der Weise jetziger
weit berühmter Schriftgelehrten[73]) manchmal in Gang
bringt, und mich deswegen schon öfters in Aerger ge=
bracht hat. — Adio! Ich muß in Garten, Gras ab=
hauen und meiner Kuh Amalia's Futter bringen, in der
Zeit meine Frau die Kuh melkt." Hier haben wir den
ganzen damaligen Kaufmann, welcher sich gern als einen
wunderlichen Patriarchen darstellte, der aus der Welt
geflohen, am Busen der Natur und Gottheit ausruhe,
aber bereit, sich dem Wohl seiner Mitmenschen mit ganzer
Seele zu widmen. Das letztere Hamann mitzutheilen,
wußte er geschickt seinen schwachen, ganz verblendeten
Ehrmann zu bestimmen.

Schon am 1. Sept., sieben Monate nach der Ver=
mählung, beschenkte ihn seine Gattin mit einem Knaben,
der angeblich infolge eines Schreckens zu früh zur Welt
kam, doch hatte Ehrmann schon am 16. März an Ha=
mann gemeldet, daß „ein wackerer junger Sohn unter=
wege" sei. Sarasin in Basel und dessen für Kaufmann's
Elise sehr eingenommene Frau wurden sofort von dem
fröhlichen Ereigniß und dem Jubel des Vaters benach=
richtigt, Hamann zum Gevatter gebeten, aber freilich
erst am 26. Oct. Kaufmann kann, ungewandt in der
Feder, wie er ist, natürlich nur wenige Worte schreiben.
Den umständlichen Bericht muß Ehrmann übernehmen.
Dieser erzählt denn auch, wie der Vater die Stärke
und Regsamkeit der Glieder des Knaben auf tausenderlei

Art in Uebung und Bewegung setzte. Sein Großvater, dessen Namen er auch führt, habe ihm einen alten schönen Schweizerharnisch geschenkt, welchen sein Vater getragen. Kaufmann zog ihn an und ritt auf seinem Schimmel nach Hause, wo ihm denn sein Weib, den Jungen auf dem Arm, mit Gesang entgegenkam: „mit bepanzerten Armen nahm er ihn ihr ab, drückte ihn an die eiserne Brust, und froh lächelte der Knabe das unter dem Helme sichtbare Gesicht des Vaters an." Mit solchen Possen wußte sich Kaufmann viel und dachte hiermit, wie mit seinen angeblichen Leiden, seine innere Leerheit zu verdecken. In demselben Briefe bemerkt Ehrmann: „In hausväterlicher Thätigkeit, von der Welt mit jedem Tag etwas weiter entfernt, tragend die Leiden von der Menschheit und die höhern Leiden, die von der edlern Menschheit unzertrennlich sind, die ihren Adel ausmachen, läutern und erhöhen — so lebt Kaufmann glücklich — in Zukunft und Gegenwart." Die Verbindung mit Hamann setzte sich auch die folgenden Jahre fort. Aber Lavater begann infolge von Kaufmann's leerem, zu nichts führendem, großsprecherischem Treiben allmählich an ihm irre zu werden. [74] „Kaufmann brütet sich entweder zum Propheten oder zum Narren", schreibt er am 8. Mai 1779 an Herder. „So groß kenn' ich keinen Menschen und so unerklärbar." Seine Großmannsucht und sein auf geniale Thatkraft pochendes „Man kann, was man will" hatten den tollen Abenteurer noch nicht verlassen, wenn es ihm auch selbst schon zuweilen um seine Zukunft gebangt haben mag, da seine meisten Verbindungen abgebrochen waren und noch keine Aussicht sich öffnen wollte. Herder war, wie er im Juli

an Lavater schreibt, schon längst mit Kaufmann unzu=
frieden, dem in Weimar kein Mensch mehr traute [76]);
doch blieb er noch immer für ihn eingenommen. Im
Juni finden wir ihn wieder einmal in Zürich, wo er
in einen bösen Handel gerieth, den er vielleicht absicht=
lich veranlaßt. Am 26. Juni meldet Lavater an Herder:
„Kaufmann, der sich viele Monate von mir getrennt
hat, ist jetzt durch eine ganz unbedeutende Veranlassung
ohne die geringste moralische Schuld, in einem obrig=
keitlichen Arreste (auf dem Rathhause), bewundert von
seinen Richtern, und wird, hoff' ich, mit Ehren entlassen.
Wenn kein Hauch des Fanatismus ihn anhaucht!
O Gott, was er wäre, wenn der Satansengel in
Lichtengelsgestalt ihn nicht berührte! Ich leid' im Stillen
sehr darunter, und möchte doch den Gott anbeten."
In einem weitern Briefe vom 7. Aug. erfahren wir den
Verlauf der wunderlichen Geschichte: „Kaufmann ward
mit einer Buße von 50 Fl. und einem Mißfallen ent=
lassen, weil er dem Magistrat den Mann nicht nennen
wollte, der ihm geklagt haben soll, die Brötlein eines
gewissen Almosenamts für Arme seien zu klein, welches
falsch befunden worden war. Kaufmann sagte es zwar
nur seinem Schwager, durch dessen Unvorsichtigkeit kam
es weiter. Kaufmann mußte Bescheid thun und den
Amtmann um Verzeihung bitten. Die Sache ist nun
vorbei." Daß die naturwüchsige Genialität noch nicht
aus ihm gefahren, zeigt Lavater's unmittelbar darauf=
folgende Aeußerung: „Sonst drückt Kaufmann alle durch
seine lieblose, stolze, richtende Härte, die er unserer
«Weichlichkeit» kraft eines «höhern Berufs», den wir
bei seiner unleiblichen Stolzzornmüthigkeit, von der wir

9 **

buchstäblich Arm= und Beinabschlagen fürchten, nicht
anerkennen können, entgegengesetzt." Daß er auch auf
jüngere Leute schädlich einwirkte, zeigt das Beispiel des
jungen Steiner aus Zürich, der 1780 durch ihn verleitet
wurde, nach Weimar zu entfliehen, wo er bei Herder
einige Zeit wohnte, dessen Genius er bewunderte. [76])

Ehrmann's Vater war im Herbst 1778 gestorben,
wodurch dieser auf einige Wochen nach Strasburg zu
gehen und die Sorge für drei kleine Geschwister zu über=
nehmen genöthigt wurde; Kaufmann brachte sie zu Zürich
und Schaffhausen unter. An letzterm Orte wohnte ein
„lieber, wackrer Herzensfreund von Kaufmann, der Tag
und Nacht drob kämpft, daß er zum Wohl mehrerer,
durch ihn allein glücklich subsistirenden Familien, obschon
mit Aufopferung seines eigenen Vortheils, in allen Stücken
Kauf= und Handelsmann sein muß". Ehrmann selbst
hatte sich entschieden, lebenslang in Kaufmann's häus=
lichem Kreise zu bleiben, hier „als Mensch, nicht als
Philanthropist, und nur insofern es zur Menschheit ge=
hört, nützt und frommet, als Theolog, Humanist, als
Theilnehmer an hausväterlichen landwirthschaftlichen Ge=
schäften, als Mitarbeiter an Kaufmann's eigenen und
angenommenen Kindern in seinem schwachen Maße zu
existiren, und für das, was dem Menschen so eigentlich
innerlich und überall wohl macht, nach und nach em=
pfänglich zu werden". Seine frühern philanthropischen
Bestrebungen erklärte er jetzt, wie sein Meister Kauf=
mann, für krankes Zeug. „Uebrigens leben wir hier",
schreibt er am 26. Juni 1779, „von aller großen ge=
lehrten, politischen und galanten Welt sehr isolirt, ent=
behren selig alle ihre Reichthümer, Weisheiten und Herr=

lichkeiten, fragen und wissen auch sehr wenig, was in
ihr vorgeht." Doch herrsche, wenn man nur einmal in
die Welt blicke, des Unwesens vollauf, so auch in der
Schweiz, wo die Kaufleute z. B. aus lauter Eigennutz
übel darauf zu sprechen, daß die Amerikaner das unsanfte
Joch der Mère patrie-marâtre abgewälzt. In einem
spätern Briefe klagt Ehrmann, dieser gläubige Widerhall
des so großsprecherischen als leeren Abenteurers: „Die
Welt liegt im argen. Erst kürzlich haben wir zu so
vielen, vielen alten Proben schreckliche neue gesehen.
Einige derer, für die Kaufmann am meisten aufgeopfert
hatte, für die er am meisten treue, wohlwollende, hoffnungsvolle Liebe fühlte, deren er sich in der Nähe und
Ferne, beim Publikum draußen, bei Monarchen und
Gelehrten u. s. w. und wieder in Familienangelegenheiten,
in moralischen, physischen, ökonomischen, politischen Verhältnissen mit beispielloser Treue und Thätigkeit angenommen, denen er auf so vielen Seiten Segen sein sollte
und wollte — sind auf die schändlichste Art an ihm
undankbar treulos geworden. Diese Leute sind auf einer
Seite in die unselige schriftstellerische Berühmtheit —
Autorsucht — und auf der andern in die im Schwang
gehende sentimentalische Koketterie, die da ein Weiblein
und andere gefangen nimmt, das Nervlein der Eigenliebe
und andere feinere und gröbere Nervchen hochspannt,
und sie am Ende ohne Befriedigung in Mangel und
Oede und Verzweiflung sitzen läßt, verwickelt." Und in
diesem Ton geht der Jammer über die Undankbaren
fort, die Kaufmann's rettende Hand mit Hohn zurückgewiesen.

Unterdessen hatte Kaufmann empfunden, daß er in

Hegi und der Umgegend zu wohlbekannt ſei, um hier
auf bedeutenden Einfluß Ausſicht zu haben; deßhalb
hatte er ſchon frühe daran gedacht, ſich in einer ganz
andern Gegend anzukaufen. „Den Wohnſitz, von dem
ich Ihnen ſchrieb", meldet Ehrmann am 26. Juni 1779
an Hamann, „ haben wir nicht bezogen; wachende Mächte
haben Kaufmann in Zeiten gewinkt, von dem Manne
ſich zu trennen, der ſeitdem als Schurke öffentlich und
bekannt geworden durch einen der häßlichſten Bankrotte.
— Wahrſcheinlich aber iſt uns ein anderer ſtiller, herrlicher Platz am Bodenſee beſtimmt, den wir bald in
Beſitz nehmen und froh das Feld bauen werden, davon
wir alle genommen ſind." Der Ankauf des hier gemeinten Freiguts Clariſegg bei Kloſter Feldbach und Arenen-
berg kam wirklich zu Stande, und dieſes wurde noch im
Herbſt 1779 von ihm bezogen, nachdem ein plötzlicher
Tod ihm ſeinen Knaben entriſſen hatte. Dieſer Verluſt
ſcheint ihm die neue Rolle näher gelegt zu haben, in
die er ſich jetzt, nachdem er mit ſeiner derben Naturwüchſigkeit nichts ausgerichtet, immer mehr hineinarbeitete.
Seine Gattin bemerkt, er ſei ihm ein Gewinn für die
Ewigkeit geworden; denn er habe dabei ſehr lebhaft das
Bedürfniß gefühlt, den rechten Nothhelfer zu kennen und
zu haben. „Wir thaten zu einer Gemüthserheiterung eine
Reiſe zu einem erweckten Freunde, welche für meines
lieben Mannes Herz nicht ohne Segen und die erſte
Gelegenheit zu ſeiner Sinnesänderung war."

Als Goethe im November 1779 zu Lavater nach
Zürich kam, dürfte das tolle Treiben Kaufmann's, über
den Lavater ſelbſt damals wol ganz enttäuſcht war,
nicht unbeſprochen geblieben ſein. Auf dem Rückweg

kam der weimarer Dichter in Begleitung des Herzogs
an dem Gut des gerade abwesenden Kaufmann vorbei,
wo er denn in seiner übermüthigen Laune sich nicht ent=
halten konnte, folgende Stachelverse an die Thüre zu
schreiben:

> Ich hab' als Gottesspürhund frei
> Mein Schelmenleben stets getrieben;
> Die Gottesspur ist nun vorbei,
> Und nur der Hund ist übrig blieben. [77])

Indessen fand Kaufmann an dem um diese Zeit die
Schweiz besuchenden Haugwitz, trotz früherer Unannehm=
lichkeiten, noch einen gläubigen Freund, auf den er jetzt
seine ganze Hoffnung zu gründen begann. Goethe, von
Lavater davon benachrichtigt, erwiderte am 6. März
1780: „Des armen schlesischen Schafs erbarme sich Gott
und des Lügenpropheten der Teufel!" Dagegen war
der bald darauf die Schweiz besuchende Fürst von Dessau
zu sehr von der Schurkerei des Kraftapostels durchdrungen,
als daß Kaufmann auf ihn etwas vermocht hätte, doch
dürfte es diesem auch kaum eingefallen sein, dem groß=
müthigen Schützer des Philanthropins zu nahen. „Der
Fürst von Dessau", meldet Goethe am 5. Juni an
Lavater, „ist auch einer von denen, die sich jetzo ver=
wundern, daß man sich von dem falschen Propheten die
Eingeweide konnte bewegen lassen. Alle, auf die der
Kerl gewirkt hat, kommen mir vor wie vernünftige
Menschen, die einmal des Nachts vom Alp beschwert
worden sind, und bei Tage sich davon keine Rechenschaft
zu geben wissen. Hüte Dich vor dem Lumpen, und
wenn Du jemals Ursache haben solltest, ihn wieder auf=
und anzunehmen, so bedenk' unter anderm auch vorher

dabei, daß ich von dem Augenblick an aufhören werde,
gegen Dich ganz frei und offen zu ſein."

Unterdeſſen war Kaufmann auch bereits in öffentlich
erſchienenen Schriften gebrandmarkt worden. Schon die
angeführten „Brelocken ans Allerlei der Groß= und
Kleinmänner" (1778) hatten dieſen „Lobpoſauner"
Lavater's als Lügner bezeichnet, und Lavater ſelbſt bitter
getadelt, der einen ſolchen Mann zu dem innerſten Kreis
ſeiner Freunde gezählt, ihm die reinſte, unbefangenſte
Kindlichkeit des Gefühls und des Handelns zugeſchrieben
habe. Der Verſpottung des Gottesſpürhundes in Müller's
Drama iſt bereits gedacht. Viel ſchärfer drangen mit
Nennung des Namens und den ſtärkſten Enthüllungen
„Mochel's Urne" und „Mochel's Reliquien" (1780) auf
Kaufmann's Leben ein und ſtellten ihn an den Pranger,
ohne daß dieſer gewagt hätte, ſich zu reinigen; doch
Simon und Schweighäuſer billigten dieſe Enthüllungen
nicht und ließen ſich zu einer beleidigenden Erklärung
gegen den Herausgeber Schmohl hinreißen, der den
Vorwurf nicht auf ſich ſitzen ließ.[78]) Die von Mochel
hinterlaſſene Schrift „Einiger vom deſſauiſchen Philanthropin abgegangener Lehrer Gedanken über die wichtigſten
Grundſätze der Erziehung und die darauf gegründete
Einrichtung einer Erziehungsanſtalt", die 1779 von
Simon, Schweighäuſer und Schmohl herausgegeben
wurde, enthält nichts gegen Kaufmann. In der Wid=
mung der Herausgeber an Iſelin heißt es: „Wir ſind
den großen Verbindungen, die wir auf uns genommen
haben, treu verblieben, wie Du gehofft haſt, wir zwei
wenigſtens von den vieren, die wir nun in Verbindung
mit zwei andern (o daß ich den dritten mit meinem

Leben in diese Zeit zurückrufen könnte!) mit uns gleich=
gesinnten Freunden Dir diese Schrift zueignen." Kaufmann
selbst fand am gerathensten zu schweigen.

Schon im October 1779 war Klinger, den Kauf=
mann von Weimar verbrängt hatte, bei Schlosser in
Emmendingen angekommen, da er nach Beendigung des
bairischen Erbfolgekriegs die österreichischen Dienste ver=
lassen hatte. Dieser, der, wie Goethe selbst auf seiner
Durchreise im September, ihn über den Lügenpropheten
aufgeklärt haben wird, lebte im folgenden Frühjahr
einige Zeit in Sarasin's Sommerwohnung zu Pratteln
bei Basel.[79]) Hier entstand der seltsame satirische Roman
„Plimplamplasko, der hohe Geist (heut' Genie). Eine
Handschrift aus den Zeiten Knipperdolling's und Doctor
Martin Luther's. Zum Druck befördert von einem Di=
lettanten der Wahrheit, und mit Kupfern geziert von
einem Dilettanten der Kunst" (1780), an dessen Abfassung
sich bei einem gemeinschaftlichen dortigen Aufenthalt
Sarasin, Klinger, Pfeffel und Lavater betheiligten. Bei
manchen Stellen dieser unfeinen Satire schwebt unser
Kaufmann vor. Seite 42—52 lesen wir: „Kund Plim=
plamplasko nit mehr sein unter den klein Leuten, sundern
thät ziehen auf die academiam, und thät Vater und
Mutter heulen, aber Plimplamplasko doch nit, weil er
hoher Geist was in allem. Da was Plimplamplasko in
seinem elemento, und als er hätt gesehen da die Leut,
hielt er sie all für klein Geisterlein, und ums ihnen recht
zu zeigen, begann er viel, und da was nit grosses was
er nit beginnen wöllt, was nur etwas ungeheures, recht
abentheuerliches was, was ihm gar willkommen. — Grief
oft giftig den Fürsten, Königen an die Schädel und

Bärten — und da giengs recht drüber und drauf in der
groſſen Herrn Herz und Bauch: dann ſo zog er als
herum an ihren Höſen, was er aber weg und weit fort,
lachten ſie ſein und machten alles noch wie vor, ſazten
all Schädel und Bärt wieder recht, und lieſſen ſichs nit
irren noch hindern. — Hätt er nun Wochen lang ge=
ſtreift und Ungeheuer geſucht, und Hiſtorien gedichtet
von ſeinen Siegen und Triumphen über die ſchwache
Geiſter, warff er ſich hin auf die Erd und zappelt mit
den Füſſen, und den Fäuſten, kunt ſich ſelber nit er=
tragen in der engen Welt, noch Himmel noch Erde; das
was nit dabei als weils andre nit ſo loben thäten wie
er wöllt, und ſein Thaten nit prieſen. Dann er thäts
auch, daß er allerlei ausſchwäzte, verbreitete und unter=
einander hezte alle Leut, und ſo macht er groß, was er
begonn und nit begonn, ſo thät nun ſein groß Kraft
und Weſen andern nit wohl. Oft ließ er große Wort
fallen wie von ungefähr, und wöllt doch dabei, man
ſollt ſie auffaſſen und ihn anbethen für die Weisheit und
Gnad des abgeworfenen Wort, Krafft und Sinnſpruch.
— Oft ritt er zu Pferd, einem weiſſen Rößlein, und
ſaß er nun droben, ſo glaubt er ſelbſt, er wäs nun der
Tod und Zerſtöhrer ſelbſt, oder Herr Chriſt. — Er hat
faſt wenig Freund, dann er wöllt die Leut nit gehn
laſſen auf ihrem gemein Weg, und ſie gleich hoch ſpannen,
und was anders aus ihnen kneten, daß dann einigmal
gar poßirlich Leut aus ihnen worden. Und wann er
einen ſah, der hätt was im Antliz, von dem er meint,
er könnt was aus ihm baken, rennt er auf ihn zu und
ſchrie: Du! ich will dich wohl nach anderm Maas machen!
Einmal hätt er einen Freund gehabt, der in ſeinem

Gesicht las den Hoch Geist und die Gewalt seines Wesens, und däucht der Freund sich fast schwach gegen ihn,
und wie eitel Nit, und was doch ein ganzer Mann.
Solches thät dann recht herzlich behagen dem Plimplamplasko. Und thät ihn der Freund hernach heissen etwas
vorzunehmen ehrlichs und bitters, sein Brod zu gewinnen, und nicht so zu verthun seines Vaters Schweiß,
den er schon bald ausgedrükt hätt, und soll den walten
lassen, der die Menschen so gemacht hätt, und sollt
er tragen in Gebuld die schwache Menschen, und nit alles
schelten und beekeln. — Alsbald schlug er ans, wie ein
bös Roß hinten und vornen, zermalmt den Freund mit
Blik und Wort, und floh flugs von ihm, als wöll er
der Erb entfliehn. — Seine Trabanten tummelt er tüchtig
h'rum, das waren so Leut, wie Windhund, die um ihn
sprungen, um ein Bröklein vom hohen Geist seiner
Weisheit zu haben, und da schont er doch nit ihren
Bukel und Schädel mit Stok und Peitsch, wie es ihm
gut däuchte, und fordert doch unaufhörlich Sturm und
Treiben und Anhängen, daß sie all ihm söllten an der
Ferse kleben und vor Gottes Huld halten söllten, ihm
den Staub von den Füßen zu leken. So königlichen
Stern = und Sturmgeist hätt er, und kunt doch nit dann
zertretten und zertrümmern mit seinem Wiz, Urtheil und
Geschwäz, was da was und stand, als obs nit mehr
sei; so bald er geredt und geurtheilt hätt, was alles noch
völlig da wie vorher, er möcht geredt haben oder nit.
Daher dann auch kam, daß er nit Ruh hätt an einem
Ort, wies heisse, zielt immer weiter, denkt, er werd
schon zertrümmern, wenn er weg sei, und der Ort mit
samt den Menschen werd zergehen, und die lieb Sonn den

Leuten ſchwarz ſein, was er ſort. An ſein Vater und
Mutter dacht er gar nit, als wenn er wollt Geld haben,
da ſchrieb er ihnen dann; wie er mit Fürſten und hohen
Geiſtern gut ſtünd, und bald mächtig werden würd, da
ſöllten ſie ihm nun Gold ſchiken wegen des Aufwands,
und verplimpampamte alles in hohem Geiſt, und thät
die Leut weiß machen, er brauchs zum Beſten der Men=
ſchen, und löge (sic) ganze Länder an voll Schulen
und Hoſpitälern, und baue Erziehungshäuſer, wo er wöll
machen die Leut zu dem, was er was. — Sein Ge=
ſchreibs was aber auch unendlich, und konnts kein Menſch nit
brauchen, dann es was faſt zu groß, und was alles ſo, als
wöll er die armen Menſchen todt machen, und aus ihnen
neue ziehen, wie er was. Das was nun, daß er ſchrieb
über die Erziehung, und da macht Geſez und Ordnung,
daß die arme Werktagwelt müßt zergehen, weil all die
Menſchen ſollten gar groß und weiß ſein und gar zu
hell, und was ſein Philoſophei ein langer Traum übers
Verbeſſern; die Menſchen aber wölltens nit, das verdroß
ihn faſt." In dieſer Schilderung dürfte Klinger's Spott
gegen den ihm verhaßten Lumpenpropheten nicht zu ver=
kennen ſein, die ſelbſt Lavater's Leichtgläubigkeit leiſe
traf. Klinger berichtet im Jahr 1814, als er 1779
in Zürich bei Lavater geweſen, habe dieſer ihm in ſeinem
gewaltigen Grimm ſolche Schurkenſtreiche und ſolche un=
ſaubere Dinge von ſeinem ehemaligen Apoſtel erzählt,
daß man einen Profanen damit erfreuen könnte. Aber
Klinger dürfte Lavater nicht vor dem Frühjahr 1780
geſehen haben, da er den Winter über bei Schloſſer
blieb. [80])

Ueber Kaufmann's Bekehrung berichtet uns ſeine

Gattin, nachdem sie der Geburt ihrer Tochter Maria
(im Mai 1780) gedacht hat: „Der Selige lebte sehr
im stillen mit einigen Freunden, und suchte je länger
je eifriger Ruhe für seine äußerst bekümmerte Seele.
Bei dem Besuche eines ihm nahe verbundenen Freundes,
den er abends nach Hause begleitete, fühlte er sich erst
sehr gedrückt und sehnsuchtsvoll nach höherm Licht,
empfand aber auf einmal eine unbeschreibliche Kraft von
der Allgegenwart Gottes, sobaß er ungewöhnlich heiter
und froh und lichtvoll zurückkam. Jedoch gerieth er bald
wieder in große Aengstlichkeit und eifriges Wirken. Der
Heiland entdeckte ihm die Tiefen seines eigenen Herzens.
Er verließ Clarisegg, an welches er sonst sehr attachirt
war, aus Treue gegen sein Gewissen, weil er glaubte,
Gott misfällig zu handeln, wenn er sich mit solchen
irdischen Dingen zu weit einlasse. Wir hielten uns einige
Zeit in Schaffhausen auf, und machten die Bekanntschaft
einer betagten gläubigen Witwe, die mit der Brüder=
gemeine in Verbindung stand. Sie gab sich ungemein
viel Mühe, ihn zur Lesung der Gemeinnachrichten zu
bewegen; er war aber nicht dazu zu bestimmen, weil er
nichts als die Bibel lesen wollte. Diese gute Frau
schickte ihm aber doch einmal Nachrichten zu, welche er
zu lesen anfing, und da das erste, was er darauf fand,
ein Vortrag von einem grönländischen Helfer war, in
welchem das Licht des Evangelii hell leuchtete, so machte
ihm dies einen so lebhaften Eindruck von der Sünder=
liebe Jesu, die sich an einem Grönländer, und also
doch auch an ihm, so herrlich offenbaren könne, daß er
von der Zeit an Bekanntschaft mit den Brüdern suchte,
sich zu ihnen und ihren Versammlungen hielt, in mehrere

evangeliſche Klarheit kam, und dadurch auch mich in dieſe
nähere Verbindung brachte.“

Scheiden wir hier die Dichtung, deren ſich Kaufmann
ſelbſt ſeiner Gattin gegenüber nicht enthalten konnte, von
der Wahrheit. Kaufmann, der ſein ganzes Vertrauen
jetzt auf Haugwitz geſetzt hatte, von dem er nach Schleſien
berufen und verſorgt zu werden gedachte, veräußerte ſein
Gut, das ſich nicht im beſten Zuſtande befunden haben
dürfte, und zog zunächſt nach Schaffhauſen. Aber der
Ruf von Haugwitz verzögerte ſich, da dieſer ſich bereits
im Auguſt 1780 nach Schleswig zum Landgrafen Karl
begab und den folgenden Winter beim Grafen Chriſtian
von Stolberg zubrachte, der ſchon mehrere Jahre als
Amtmann zu Tremsbüttel in Holſtein lebte. Daß Kaufmann einen ſolchen Ruf erwartete und zuverſichtlich
davon redete, können wir aus der Aeußerung Hamann's
ſchließen in einem Briefe an Herder vom 18. Dec. 1780:
„Pfenninger hat mir vorigen Sonntag (den 10.) gemeldet, daß K. (Kaufmann) auf ein Gut des von H.
(Haugwitz) gezogen iſt. Wiſſen Sie etwas von dem
Zuſammenhang dieſer Kreuz = und Winkelzüge? Geht es
nicht mit der Freundſchaft wie mit der Liebe?“[81]) Daß
er ſich die Zeit über immermehr zu den Frommen hielt
und ſich von der Sünderliebe Jeſu durchdrungen zeigte,
war ſehr natürlich, doch hielt es ihm ſchwer, ſich der
weltlichen Gedanken zu entſchlagen, und den Sprung zu
wagen, bei dem er ſich wenigſtens als genialen Sünder,
als einen großen Saulus, der ein größerer Paulus
werde, zeigen mußte. Erhalten ſind uns zwei ungedruckte
Briefe Kaufmann's an Saraſin, der wol in der Schweiz
noch ſein einziger Freund geblieben war, oder wenigſtens

von ihm als solcher beansprucht wurde; beide sind aus
Schaffhausen, vom 15. und 26. Mai 1781. In dem
erstern kommt Kaufmann nach längern Umschweifen in
frommen Redensarten endlich „zur Sache". Hier heißt
es denn: „Mir ist all mein ewiges eitles Dichten und
Handeln zum Ekel worden: durch vieles Kämpfen
komme ich zu der Einfalt, in der ich mich so selig finde."
Und doch verräth er unmittelbar darauf, wie wenig er
vom Weltlichen ablassen kann. Sarasin soll ihm zu
einer Lotterie verhelfen und die Billets in der Schweiz
vertheilen. Er meldet dann, daß er nach Schlesien wolle,
nur noch auf Briefe von Haugwitz warte. Da Sarasin
seine Verwunderung über den frömmelnden Ton Kauf=
mann's scharf aussprach, so erwiderte dieser: „Lieber
Sarasin, mich hat's wirklich gefreut, daß Sie so reden,
wie Sie denken; weiß man denn doch auch, wie man
einander zu nehmen hat, und ist in Zukunft nicht mehr
beschwerlich. Das glaube ich Ihnen gern, daß Ihnen
mein Stil lästig und ungenießbar war; es ging mir
ehedessen auch so, und ich ahndete dann die Sache nicht
so gelinde. Nun da ich die Sache kenne und genieße,
möcht' ich's doch ohne Ursache auch nicht verbergen, und
mir thät's wehe, wenn ich, durch Schonung meiner, der
Wahrheit, die ich im Herzen legitimirt fühle, geschadet
hätte. Also wollte ich doch lieber bei Ihnen das nicht
verhehlen, was mir Wahrheit ist und wobei mir so wohl
ist." Sarasin aber scheint seine Heuchelei klar durch=
schaut zu haben.

So steuerte denn Kaufmann, als Lumpen= und Lügen=
prophet allgemein verachtet, dem herrnhutischen Hafen
zu, da auch die auf Haugwitz gesetzten Erwartungen sich

nicht verwirklichten, den man noch zeitig genug vor ihm
gewarnt ·haben dürfte. Wir sind hier ganz auf den
Bericht von Kaufmann's Gattin angewiesen. „Wir
reisten nach Oberschlesien", schreibt diese, „und weil
meine Entbindung mit unserm zweiten Sohne nahe war,
eilten wir nach Gnadenfrei, wo wir 1781 den 9. Aug.
ankamen. Der selige Bruder Layritz redete meinen Mann
ungefähr so an: «Sie, mein lieber Doctor, als ein so
großer Geist, der mit den berühmtesten und gelehrtesten
Männern in Verbindung war, was wollen Sie bei einem
so geringen und verachteten Häuflein?» Seine Antwort
war, die Eitelkeit der Welt habe er genugsam erkannt,
er, als ein Armer und Elender, wünsche nichts so sehr,
als zu dieser Gemeine zu gehören, und daß vorerst seine
Frau in diesem Gemeinort ihre Niederkunft. abwarten
dürfte. Letzteres wurde uns zu unserer großen Freude
gewährt. Seine Bekanntschaft mit der Brüdergemeine
entzog ihm zwar gleich gewisse, bisher genossene beträcht=
liche Unterstützungen im äußern; dennoch war sein Ver=
langen, derselben einverleibt zu werden, so groß, daß
er sich gern entschloß, vorerst eine Zeit lang in Breslau
sich aufzuhalten, um sich daselbst zu ungehinderter Aus=
übung der Arzneikunde die erforderliche Legitimation zu
verschaffen. Während dieser fünf Monate that er alle
Wochen, selbst im Winter, zu Fuß die Reise von acht
Meilen nach Gnadenfrei, um den Sonntagsversamm=
lungen daselbst beizuwohnen. Vom Mai bis in den Juni
1782 blieben wir wieder in Gnadenfrei, und zogen als=
dann nach Neusalz, wo er viele und glückliche Curen. in
der ganzen Gegend verrichtete. Im Jahr 1784 den
8. Febr. wurde uns unser sehnlicher Wunsch und an=

haltendes Bitten durch die feierliche Aufnahme in die
Brüderunität gewährt und den 13. Aug. wurden wir
ihre Mitgenossen des heiligen Abendmahls. — 1785
wurde er als Arzt in die Gemeine zu Gnadenfeld be=
rufen, und als er bereits seine Sachen theils schon hin=
geschickt theils dazu eingepackt und alles Nöthige zubereitet
hatte, veranlaßten dringende Umstände, daß er sich be=
wegen ließ, seine Dienste sowol der Aeltestenconferenz
der Unität als auch der hiesigen Gemeine (in Herrnhut)
zu widmen."

So hatte Kaufmann sich endlich aus dem Sünder=
leben gerettet, aber er hatte es zugleich verstanden, sich
nach geschickt überstandener Staatsprüfung eine behagliche
Stellung zu verschaffen und sich in Herrnhut selbst fest=
zusetzen; seine Schlauheit hatte ihn auch hier nicht ver=
lassen, überall hatte er die Verhältnisse zu seinem Vor=
theil auf das beste benutzt. Viel schlimmer erging es
dem armen Ehrmann, der selbst von den Herrnhutern
zurückgewiesen wurde, wie wir aus einem Briefe Campe's
an Lavater vom 15. Oct. 1785 ersehen, worin dieser
dem züricher Propheten gerade Kaufmann und Ehrmann
zum Beweise anführt, daß sein System für die gewöhn=
lichen Menschen nicht tauge und viele auf die gefährlichsten
Abwege leiten könne. „Wer lebte und webte mehr in
Ihrem System als — Kaufmann, und durch ihn in
Ihnen als der gute, treusinnige, nach christlicher Voll=
kommenheit von ganzer Seele hinstrebende und hinneigende
Ehrmann? Auf wen setzte Lavater, der Physiognom,
ein unbegrenzteres Vertrauen, und wen hielt er mehr für
ein von Gott unmittelbar ausgerüstetes Werkzeug zur
Verbreitung der Lavater'schen Lehre als jenen, von welchem

er zu ſchreiben wagte: Man kann, was man will, und
will, was man kann? Wer war endlich ein treuerer,
ſich mit Leib und Seele ganz hingebender Schüler dieſes
Ihres Schülers als Ehrmann? Und nun — was ward
aus beiden? Was ward aus ihnen auf dem Wege,
auf welchem Ihre eigene Hand ſie geleitet hatte? Ihre
ältern Freunde haben mir geſagt, mit welchem Abſcheu
ſie jetzt den erſten von beiden nennen hören, und ihn
fernerhin in ihrer Gegenwart zu nennen verbieten. Der
letztere aber hat mir neulich ſelbſt erzählt, daß er durch
ſein eifriges und redliches Beſtreben, ſein Heil auf dem
von Ihnen und Kaufmann ihm vorgezeichneten Wege zu
ſuchen, ſo ganz blödſinnig ward, daß ſogar die Herrn=
huter ihm die Aufnahme in ihre Geſellſchaft verſagten,
weil ſie ihn ſelbſt für dieſe zu ſchwachköpfig hielten."
So war denn Mochel's Weiſſagung an Ehrmann in
ſchreckliche Erfüllung gegangen. [82])

Mit allen frühern Bekannten von Bedeutung hatten
ſich Kaufmann's Verhältniſſe gelöſt; nur mit Hamann
ſtand er noch in Verbindung. Dieſer ſchreibt am 1. Febr.
1783 an Herder: „Am zweiten Sonntag nach Epiphanias
erhielt ich ein dickes Pack mit Spangenberg's Idea fidei
fratrum, mir von Kaufmann dedicirt, mit einem Briefe
des jungen Grafen Kayſerlingk, den Kraus hier geführt."
In einem Brief an Reinhardt vom 24. April wünſcht
Hamann, Schmohl möge ebenſo gut unter den Antipoden
und Quäkern ſeine Befriedigung finden, wie ſein Gevatter
Kaufmann unter den Mähriſchen Brüdern. Schmohl
ſchiffte ſich nämlich in dieſem Jahr nach Amerika ein,
er hatte aber das Unglück, auf der Reiſe zu ertrinken.
Glücklicher waren Simon und Schweighäuſer, die beide,

der erstere zu Neuwied, der andere am landgräflich hessen=
darmstädtischen Gymnasium zu Buchsweiler, eine ent=
sprechende Wirksamkeit fanden. [83]) Hamann erhielt noch
1784 durch einen Freund sehr günstige Nachrichten über
Kaufmann's Lage.

Kaufmann's ärztliches und sonstiges Wirken wird von
seiner Gattin und den Brüdern in ehren= und liebevollster
Weise anerkannt. Erstere berichtet: „Mit welcher Treue
und Angelegenheit er hier allen und jeden, ohne Unter=
schied, die seinen Rath und Hülfe begehrten, bei Tag
und Nacht, mit Aufopferung seiner eigenen Gesundheit,
sich annahm, davon sind Beweise zu viele, als. daß ich
mehr davon zu sagen nöthig hätte. Außerdem beschäf=
tigte ihn ein weit ausgebreiteter Briefwechsel mit Personen
in vielen Ländern und von verschiedenem Rang und
Stand. Auch hierbei war sein Bestreben hauptsächlich
auf die Verbreitung der wahren selig machenden Erkennt=
niß Jesu Christi und seines Evangelii gerichtet." Die
Brüder bestätigen dies vollkommen, indem sie bemerken:
„Alle, die den selig Vollendeten näher kannten, ertheilen
ihm das einstimmige Zeugniß, daß ein ungemein thätiger
Eifer, seinen Nächsten zu dienen und das Wohl der
Menschen nicht nur in Ansehung ihrer Gesundheit, son=
dern auch hauptsächlich in Absicht auf ihr ewiges Heil
auf alle Weise zu fördern, ihn unablässig und so stark
beseelte, daß er darüber oft seiner eigenen Bedürfnisse
vergaß, und die ihm von seinem Schöpfer so reichlich
verliehenen Geistes= und Leibeskräfte diesem edeln Zweck
aufopferte. Wo er mittelbar oder unmittelbar etwas
Gutes und Heilsames bewirken zu können glaubte, war
er ganz Thätigkeit und Eifer, und ließ sich durch Schwie=

rigkeiten und Hinderniſſe nicht leicht abſchrecken, ſondern ſuchte dieſelben durch alle Mittel, die ihm ſein ſchneller und vielumfaſſender Blick zeigte, zu überwinden. Sowie nun hierbei ſein Natureifer ihn bisweilen zu Uebereilungen verleitete, welche ihn ſelber am meiſten ſchmerzten und bemüthigten, ſo wird nichtsdeſtoweniger die Güte Gottes von vielen mit innigſter Dankbarkeit geprieſen, welche ſeine treuen Bemühungen und raſtloſe Arbeit für das Beſte der Menſchen mit ſo vielfachem Segen gekrönt hat. Inſonderheit lag ihm das Wohl der Brüderunität vorzüglich am Herzen, und daſſelbe, ſoviel an ihm lag, zu fördern, war ſein anhaltendes und eifriges Beſtreben. Er ſchätzte die Gnade, ein Mitglied derſelben zu ſein und ihr zu dienen, ſo hoch, daß er verſchiedene, auch in der letzten Zeit an ihn ergangene Einladungen und damit verbundene ſehr rühmliche und vortheilhafte Anerbietungen ſtandhaft ablehnte. Aus eigener Erfahrung überzeugt, daß irdiſcher Ruhm, Reichthum und Ehre dem menſch- lichen Herzen keine Beruhigung und Sättigung gewähren kann, ſuchte und fand er dieſe nur in der erbarmenden Liebe und freien Gnade Gottes, unſers Heilandes, dem er auch allein jeden glücklichen Erfolg ſeiner Unterneh- mungen verdankte."

Das Gefühl der Sündhaftigkeit und Schwäche des Menſchen und die frohe Ueberzeugung, daß Gott ſich der Sünder annehme und ſie zu höchſter Liebesſeligkeit erhebe, war der Anker, an welchem der geſtrandete Dränger und Stürmer ſein ſchwankendes Lebensſchiff feſthielt. An einen der von ihm zum Glauben Bekehrten ſchrieb er an ſeinem Geburtstag: „Wohl, ewig wohl Ihnen, herzenslieber Freund, daß Sie nun Jeſum Chriſtum

erkennen, ihn Ihren Herrn und Gott nennen können, und
nun göttlich gewiß werden, daß Sie sich mit allen Ihren
Anliegen, in allen Umständen, ja mit aller Noth zu ihm
wenden und von ihm getrost und zuversichtlich Hülfe
begehren und erwarten dürfen.   Wie vielen Antheil ich
an dieser Ihrer glücklichen Lage, die mehr werth ist als
alle Königreiche auf Erden, nehme, wird Ihnen Ihr
eigen Herz sagen, da Sie wissen, wie Jesus Christus
selbst, der Regierer und Erhalter aller Dinge, Mittel
und Wege fand, und Bahn machte, daß er Sie zu mir
führte und uns in ihm bekannt machte.   Es ist Ihnen
aus Erfahrung bewußt, daß ich bei Ihnen keinen Ruhm,
keine Ehre suchte, als Jesum den Gekreuzigten in seiner
Sünderliebe anzupreisen.   Es muß auch Ihnen Wahrheit
in mir sein, daß ich nur nach dem trachte und strebe,
was droben ist, nicht nach dem, was auf Erden ist.
Was in mir göttlich wahr ist, ist die einige Sehnsucht
nach dem himmlischen Vaterland, wo ich auch Sie mit
Ihrer treuen Gehülfin vor Gottes Thron, besprengt mit
dem Blute der Versöhnung, gewiß zu finden hoffe."

Inwiefern dieser Glaube wirklich in ihm fest gestanden oder eine bloße Maske gewesen, hinter welcher er
sich verstedte, wollen wir nicht zu entscheiden wagen.
Daß aber der Glaube und die Liebe des Heilandes nicht
alle Schlacken seiner Einbildung und falschen Ruhmsucht
weggebrannt, das dürfte zunächst aus den falschen, ruhmredigen Angaben zu schließen sein, welche man in seinen
Papieren fand, und die er nur absichtlich hinterlassen
haben kann.   Auch was von den vielfachen Berufungen
nach außen von den Brüdern berichtet wird, dürfte sich
nur auf Kaufmann's eigenes Vorgeben gründen.   Wie

10 *

hätte ſein Ruf als Arzt nach außen bringen und ihm
ſolche ehrenvolle Anerkennungen erringen können, beſon=
ders da er keine gründlichen ärztlichen Studien gemacht!
Der oben bereits genannte Dr. Knebel berichtet nach
perſönlicher Kenntniß, Kaufmann ſei ein ziemlich unruhiger
Kopf geweſen, lebhaft und von großer Geiſtesgegenwart,
einſeitig in ſeinen ärztlichen Kenntniſſen, mitunter parabor
und wol ganz originell, berühmt als praktiſcher Arzt und
beliebt, doch beſonders nur bei den Mitgliedern und
ſonſtigen Anhängern der Brüdergemeine, glücklich in ſeinen
Curen, weil ihm ſein ungemein beſchränkter Wirkungskreis
nicht ſo gar viel Bedeutendes zu thun gegeben. In
ſeinem Nachlaß haben ſich Auszüge aus den Schriften
der berühmteſten Aerzte über alle Krankheiten gefunden,
die aber wol ohne allen wiſſenſchaftlichen Werth waren,
vielleicht größtentheils nur zu ſeiner Vorbereitung für
die Staatsprüfung angefertigt. Daß er den Titel eines
Doctors widerrechtlich führte, und der fromme Herrnhuter
dieſen Betrug feſthielt, ward ſchon erwähnt. Sehr
möglich iſt es, daß die von ſeiner Gattin in ſeinem
Nachlaß gefundenen Briefe an fromme Seelen von ihm
abſichtlich erdichtet waren; was hätte ihn auch beſtimmen
können, eine Abſchrift ſolcher die tiefſten Geheimniſſe der
Seele enthüllenden Briefe zurückzubehalten? Daß er mit
berühmten Aerzten einen Briefwechſel anzuknüpfen geſucht,
mag man immer glauben, aber daß dieſer und überhaupt
ſeine briefliche Verbindung nach außen eine große Aus=
dehnung gewonnen, möchten wir höchlich bezweifeln; im
Schreiben hat überhaupt Kaufmann's Stärke nie beſtanden,
dazu fehlte es ihm zu ſehr an Ideenreichthum, lebendiger Er=
faſſung, folgerichtigem Denken und geiſtiger Durchbildung.

Sein Tod, der den so kräftigen, vielleicht innerlich gebrochenen Mann unerwartet früh wegraffen sollte, war nach dem Bericht seiner Gattin die Folge einer galligen Brustentzündung, die ihn am 12. März 1795 auf das Krankenbett warf. Vier Tage vorher hatte er auf einem Spaziergang nach Berthelsdorf, wo ihm das Athmen beschwerlich fiel, gegen einen darüber bekümmerten Freund geäußert: „Eine Ursache zum Tode muß im Körper sein." Und als sie des Hutbergs ansichtig wurden, fuhr er fort: „Da wird es sich sanft ruhen lassen, nach einer sauern Berufsarbeit. Von des Menschen Sohn kann uns nichts als Liebes und Gutes geschehen; er ist treu." Und als sie in Herrnhut ankamen, versicherte er: „So elend, arm und bloß ich mich fühle, durch göttliche Gnade, so genieße ich doch solch ein Glück, daß ich mit keinem König tauschen mag. Als ich zuerst in die Schule des heiligen Geistes kam, ging es bei mir so tief, daß ich mit David sagen konnte, ich schwemmte mein Bett die ganze Nacht mit Thränen, weil ich allenthalben ge= ängstigt war. Aber es hält freilich am schwersten, von aller eigenen Gerechtigkeit ausgezogen zu werden; denn dann halten wir am festesten. Jedoch seine Gnade ist groß auch dem armen sündigen Wurm Kaufmann ge= wesen, und hat mir die Ueberzeugung geschenkt, daß auch mir Barmherzigkeit widerfahren ist." Vortrefflich hatte er sich, wie man sieht, in den frömmelnden Ton hinein= gefunden. „Auf dem Krankenbett verordnete er sich selber die nöthigen Arzneimittel", so erzählt seine Gattin, „be= diente sich dabei auch des Raths einiger verständiger Brüder, verbat sich aber ausdrücklich alle weitere Hülfe von auswärtigen Aerzten, weil er überzeugt sei, daß in

dieſer Krankheit er derſelben nicht bedürfe, und nichts
verſäumt werde, was zu ſeiner Geneſung dienen könne.
Er ruhte, wie er ſelber dieſes an einen auswärtigen
Freund dictirte, in der gewiſſen Empfindung, daß die
Krankheit nicht zum Tode, ſondern zur Verherrlichung
Gottes ihren Ausgang nehmen würde. Doch war er
auch hierin ganz willenlos und ſeinem Herrn ergeben.
Den Tag vor ſeinem Verſcheiden rufte er einigen ihn
beſuchenden Freunden entgegen: «Ich wünſche aufgelöſt
zu ſein!» und bei einigen wehmüthigen Erinnerungen
derſelben verſetzte er: «Das kann man mir doch nicht
verdenken; das iſt der Zweck des Lebens.» Ein ander
mal äußerte er, ſo vergnügt, ſo ruhig und zufrieden ſei
er in ſeinem Leben nicht geweſen als jetzt auf dieſem
Lager, aus lauter unverdienter Gnade; kein Sturmwind,
nur ſanfte Lüftchen, der Friede Jeſu Chriſti erfülle
ſeine Seele. In dieſem Frieden, der höher als alle
Vernunft, verſchied er ſanft und ſelig, uns allen früh,
unvermuthet früh in der dritten Stunde am 21. März."[84])

Welch ein Gegenſatz dieſes gottſeligen lammgleichen
Gläubigen gegen den frühern naturwüchſigen dreiſten
Gefühlsſtürmer und Thatmann, der wie ein ſcharfer
Wind einherfuhr, überall ſeine Fußtapfen der Welt ein-
drücken, auf den Schultern anderer, durch keine eigene
Tüchtigkeit getragen, emporſteigen, durch ſein flackerndes
Feuer reinſten Sonnenglanz erlügen wollte! Dieſer
leere, von raſender Eitelkeit getriebene Menſch ſollte
endlich alles für nichtig erklären und in den Wunden
Chriſti die Seligkeit finden, welche er ſich einſt in de-
müthiger Verehrung und blindem Anſtaunen aller Welt
erträumt hatte. Sein unglücklicher Erfolg hatte ihn be-

kehrt, aber diese äußerlich aufgedrungene Bekehrung,
wenn sie anders eine solche war, hatte nicht sein Herz
ergriffen, er machte sich selbst nur glauben, er sei nun
am Ziel seiner irdischen Wünsche, er habe die Welt
wahrhaft überwunden, das gewonnen, was nicht von ihm
genommen werden könne. „Ich hoffe", schrieb er an
einen Freund, „gegründet auf Gnade, zu beharren bis
ans Ende, und durchgebracht zu werden in dem Glauben,
daß du Gotteslamm unsere Sünde auf dich nimmst.
Ach, daß mein Leben und meine Existenz nur in der
Schächersgnade ruhte!" Grenzenlose Eitelkeit hatte
Lenz, den glühenden, geistsprudelnden Empfindler, in
den Wahnsinn getrieben: unsern Kaufmann, den drang=
vollen Weltbeglücker, den Kraft= und Thatapostel ohne
Gehalt und schaffende Wirksamkeit, ließ sie verflackern,
um in empfindelnder Frömmigkeit und Beschaulichkeit zu
zerfließen, in verehrendem Preise von Christi unendlichem
Liebeserbarmen sich einzusargen. Lavater hatte ihn als
den Geweihten Gottes und als den lebendigsten Beweis
seiner physiognomischen Kunst der Welt vorgestellt —
ein solches Gesicht könnte unmöglich einem gemeinen
Menschen angehören, sonst müßte die Physiognomie trü=
gen —; aber auch nach seiner Enttäuschung riß ihn sein
Wunderglaube noch immer hin, wie er denn bald darauf
an Cagliostro's Wunderthaten unerschütterlich glaubte,
und selbst nach der Entlarvung des Betrügers nicht zu=
geben wollte, das sei der echte Cagliostro. Mit Recht
durfte ihm daher Campe seine übereilte Anhänglichkeit
an solche Wundermänner vorwerfen, die noch immer als
Betrüger und Schurken entlarvt worden seien. Neben
Cagliostro verdient unser Lügenprophet Kaufmann, der

Kraftapostel der Geniezeit, eine der hervorragendsten
Stellen; der Sturm und Drang — den Namen hatte
er selbst erfunden — ward in diesem Charakter auf das
leibhafteste verkörpert, und zwar im gröbsten, wider=
wärtigsten Sinne, weil die größte Leere des Geistes und
die gewissenloseste Gemeinheit der Seele die Grundpfeiler
waren, auf welcher der wildeste Ehrgeiz, die ärgste Ver=
stellung und Ränkesucht einer glühend aufwallenden, nach
Thaten haschenden, aber jeder edelkräftigen Ausdauer und
eigenthümlichen Begabung ermangelnden Natur ruhten.

Anmerkungen.

———————.

1) Besonders sind wir den Herren Professor Böttger in Desssau, Dr. Eckardt in Bern, Dr. Gildemeister in Bremen, Professor Hagenbach in Basel, Archivar Dr. Schneegans in Strasburg und Rector Troll in Winterthur zu Dank verpflichtet. Den gleich zu erwähnenden handschriftlichen Aufsatz verdanken wir der gefälligen Mittheilung der Familie. Wir haben daraus alles treulich benutzt, mußten aber der Wahrheit die Ehre geben.

2) Einzelne derselben dürfte er erst später in der Schweiz kennen gelernt haben, wie z. B. Spallanzani 1779 die Schweiz besuchte.

3) Mochel's Reliquien, S. 185.

4) Ueber dieses Buch vgl. Goethe's Urtheil in dem Brief an Lavater vom 3. Juli 1780. „Kaufmann hätte man noch weit treffender schildern können", äußert Goethe, „und was von Dir und seinen übrigen Freunden gesagt ist, läßt sich noch sehr halten. Ich wollte allenfalls den Spargel tiefer aus der Erde hervorgehoben haben: dieser Ehrenmann ist billig genug, ihn nur, so weit er grün ist und hervorguckt, abzuschneiden."

5) Hagenbach, Sarasin und seine Freunde, S. 71.

6) Von ähnlicher Art war der von Knigge zu Hanau gestiftete „Orden für vollkommene Freunde", zu welchem auch Herder, Klinger und die Gräfin Luise von Stolberg gehörten. Auch der Arzt Christian Ehrmann aus Strasburg, der wegen eines

10 * *

unglücklichen Zweikampfs ſeine Vaterſtadt verlaſſen und ſich nach
Frankfurt begeben hatte, gehörte ihm an.

7) In einem ungedruckten Brief an Hamann vom Juni 1779
ſchreibt Ehrmann: „Mein bisjetziges Schickſal war erſtlich Kauf-
mannſchaft und Krämerei bei meinem Vater, der mich von groß-
günſtiger Prätenſion für ıneine ſcientifiſchen Anlagen und Kennt-
niſſe vollgepfropften, von aller Anleitung zu ſicherm Gang auf
dem Weg des menſchlichen Lebens ſo in- als auswendig entblößten Jungen vom funfzehnten bis ins vierundzwanzigſte Jahr zum
vermeintlichen dereinſtigen Wohl ſeiner ſechs jüngern Kinder mit
dringendem Zureden in ſeinem Kattun- und Bäurinnenkleidungs-
zeug-Ausſchnitthandel wider meine Inclination, als welche immer
aufs Leſen und Schreiben und Rechnen (noch allenfalls) ging,
feſthielt. Es that in die Länge je länger je minder gut, und ich
machte mit einigen mir ähnlich welt- und ſelbſtkenntnißloſen Jungen philanthropiniſche Projecte." Ehrmann war am 8. Mai
1751, Schweighäuſer am 16. Juli 1753 zu Straßburg geboren.
Letzterer war der jüngſte Sohn eines achtbaren Kaufmanns.

8) Mochel's Urne, S. 118.

9) Mochel's Reliquien, S. 138 fg.

10) Mochel's Urne, S. 138.

11) Mochel's Reliquien, S. 251.

12) Mochel's Urne, S. 137.

13) Mochel's Reliquien, S. 175 fg.

14) Stöber, Der Actuar Salzmann, S. 22 fg.

15) Mochel's Reliquien, S. 142.

16) Ebend., S. 148 fg.

17) Ebend., S. 143 fg.

18) Ebend., S. 142 fg.

19) Ebend., S. 171 fg.

20) Ebend., S. 174.

21) An Iſelin und Schloſſer ſchrieb er (S. 172), die Haupt-
frage ſei, ob nicht das „öde, lichtloſe und Licht nicht unfähige"
Winterthur den erſten Anſpruch auf Kaufmann habe.

22) Mochel's Reliquien, S. 173 fg.

23) Vgl. deſſen Brief in Mochel's Reliquien, S. 150 fg.

24) Böttiger, Literarische Zustände und Zeitgenossen, I, 54.

25) Mochel's Reliquien, S. 158 fg.

26) Der oben angeführte Brief an Iselin über das Philanthropin ist gemeint.

27) Kaufmann ließ dies von Lavater durch seine Namensunterschrift bestätigen.

28) Er gab diese später auf; die wirklich erschienene Uebersetzung der Physiognomischen Fragmente ist von ganz anderer Hand.

29) Mochel's Reliquien, S. 159 fg.

30) Es ist dies blos auf das Lesen der Schriften Goethe's, nicht auf ein persönliches Zusammenleben zu beziehen.

31) Mochel's Reliquien, S. 169 fg.

32) Mochel's Urne, S. 141.

33) Iselin, Ephemeriden der Menschheit (1776), III, 31 fg.

34) Im Abdruck bei Iselin ist der Name durch K** bezeichnet.

35) Als fünfter Lehrer trat später der Magister Mangelsdorf ein, nach dem zweiten Stück des Archiv, S. XXX.

36) Brelocken aus Allerlei der Groß- und Kleinmänner, S. 171.

37) Böttiger; Reil, Leopold Friedrich Franz, S. 68; Voß, Bestätigung der Stolbergischen Umtriebe, S. 24.

38) Mochel's Urne, S. 141.

39) Brelocken.

40) Mochel's Urne, S. 145.

41) Wir wissen nicht, wer hier gemeint ist. Lavater kam im Jahr 1776 nicht nach Karlsruhe, wohl aber einer seiner Freunde, wenn dieser Zug nicht etwa rein erdichtet ist.

42) Geßner, Leben Lavater's, II, 192; Ergänzungsblätter zur Allgemeinen Literaturzeitung (1795—1800), IV, 85. Meusel hat seine frühere Angabe, daß Häfeli der Verfasser sei, im zweiten Nachtrag widerrufen.

43) Lavater, Vermischte Schriften (1778), II, 248 fg.

44) Aus Herder's Nachlaß, I, 220, 240; II, 364.

45) Der Brief findet sich in den Verhandlungen der Philologenversammlung zu Darmstadt abgedruckt; später hat ihn auch das Frankfurter Museum als ungedruckt gebracht.

46) Von dem Klinger'ſchen Stück hat man dieſe Bezeichnung bekanntlich auf die ganze Richtung der wilden Genies über= tragen.

47) Wagner zu den Briefen an und von Merck, S. 277, bemerkt, Goethe ſei kalt gegen Klinger geworden, weil er den Klatſchereien Kaufmann's Glauben geſchenkt.

48) Mochel's Urne, S. 172 fg.

49) Ebend., S. 250.

50) In dem oben angeführten Brief Ehrmann's an Hamann ſchreibt er, er ſuche allerlei unechtes in ſtraßburger, lothringer und ſächſiſcher Luft eingehauchtes Zeug auszuſchwitzen, wonach er ſich einige Zeit in Lothringen aufgehalten haben muß, von wo Kauf= mann ihn nach Deſſau gerufen haben wird.

51) Riemer, Mittheilungen über Goethe, II, 37.

52) Lavater deutet hier auf die oben mitgetheilte Aeußerung Wieland's gegen ihn deutlich genug hin.

53) So iſt ſtatt „Lyndern" zu leſen. Lyncker beſaß ein Gut zu Tennſtädt.

54) Kaufmann's Gattin ſchreibt ſpäter an Hamann, ſie habe ihn ſchon in ſeinem Porträt geliebt und geehrt, ehe Kaufmann ihn perſönlich kennen gelernt.

55) Kant ſchreibt 1798 mit Bezug auf Kaufmann in ſeiner Anthropologie: „Was iſt von dem ruhmredigen Ausſpruch der Kraftmänner, der nicht auf bloßes Temperament gerichtet iſt, zu halten: Was der Menſch will, das kann er? Er iſt nichts weiter als eine hochtönende Tautologie: was er nämlich auf das Geheiß ſeiner moraliſch gebietenden Vernunft will, das ſoll er, folglich kann er es auch thun; denn das Un= mögliche wird ihm die Vernunft nicht gebieten. Es gab aber vor einigen Jahren ſolche Gecken, die das auch im phyſiſchen Sinn von ſich prieſen, und ſich als Weltbeſtürmer ankündigten, deren Raſſe aber vorlängſt ausgegangen iſt."

56) Später hält er die ſo contemtible und infamous ge= ſchriebene, von andern Goethe beigelegte Erzählung von Stilling's Jugend Kaufmann ganz ähnlich, und dieſen, wie es ſcheint, für den Verfaſſer wegen der „heiligen Einfalt", die daraus athme.

57) Boigt, Das Leben des Professors Christian Jakob Kraus, S. 65 fg.

58) Der Graf zu Anhalt war damals Generalmajor und Chef des in Bartenstein in Ostpreußen stehenden Infanterieregiments.

59) Sollte dies darauf zu beziehen sein, daß Kaufmann Hamann mit Kraus wieder näher brachte, wie Hamann am 18. Mai an Herder berichtet?

60) Es war bereits im vorigen Jahr erschienen, wie oben bemerkt wurde.

61) Kaufmann's Gattin gedenkt nur kurz der Reise nach Rußland, die Anton ganz übergeht.

62) Anton bemerkt, nachdem er die Reise nach Holstein und Dänemark erwähnt hat: „Von vielen Strapazen ermüdet, suchte er nun endlich einige Ruhe und Erholung, die er auch bei seinen Freunden in Wandsbeck, Hamburg und Altona fand, mit denen er an einigen literarischen Arbeiten, die nicht unbekannt blieben, theilnahm, nach Wunsch fand." Die hier angedeuteten literarischen Arbeiten, an denen sich Kaufmann betheiligt, beruhen wieder auf leerer Großthuerei.

63) Briefe von Johann Heinrich Boß, II, 21 fg.

64) Das war wol eine Nachahmung Basedow's, von welchem Goethe, Werke, XXII, 210 ganz dasselbe berichtet.

65) Von beiden wird die Anekdote erzählt, wie sie einen ihrer Diener über einen bei der Hochzeit zu Kana vorgefallenen Umstand befragt, worauf dieser erwiderte, er stehe ja erst fünfhundert Jahre bei ihnen in Dienst. Cagliostro wollte zu Noah's Zeit gelebt, ein andermal dem Grafen Federigo Gualdo gedient haben, der um das Jahr 1688 vierhundert Jahre alt gewesen sein soll.

66) Der Maler Oeser schreibt am 1. Nov. an Knebel: „Ist es wahr, was ich in einem Briefe aus der Schweiz gelesen, daß Kaufmann sein glorreiches Apostelamt mit einer Apotheke verwechselt und wenigstens den Armen mit Arzneien für den Körper umsonst dient?"

67) So ist statt „Mecheln" zu lesen. Die Stelle gibt Hagenbach S. 92, dessen Güte ich die dort ausgelassenen Worte über

Kaufmann ſowie ſonſtige Mittheilungen aus den Briefen an Saraſin verdanke.

68) Hagenbach, S. 92.

69) Mittheilung von Herrn Rector Troll in Winterthur.

70) Ein auch von Lavater ſehr geſchätzter Bauer. Aus Herder's Nachlaß, II, 131.

71) Mochel's Reliquien, S. 181 fg.

72) Demnach bezieht ſich das Lied von Claudius (II, 74): „Als C. mit dem L. Hochzeit machte", auf Chriſtoph Kaufmann und ſeine Eliſe (Liſeli). L** iſt Lavater.

73) Ueber Lavater's Superlative hatte er wol von andern, vielleicht von Hamann ſelbſt oder von Goethe, ſpotten hören.

74) Er nannte noch in dieſem Jahr im vierten Bande der Phyſiognomiſchen Fragmente Kaufmann unter den Freunden, die ihn durch Beiträge zu Dank verpflichtet.

75) Die Herzogin Amalie ſcherzt über den glücklichen Kauf- mann, der durch den Naſenknochen, womit ihn die weiſe Mutter Natur beſchenkt, alles könne, was er wolle (Brief an Merck vom 28. Dec. 1778). Daß in Goethe's Satyros und in dem Brief der Herzogin Amalie an Merck vom 2. Aug. 1779 unſer Kauf- mann nicht vorſchwebe, habe ich in Henneberger's Jahrbuch für deutſche Literaturgeſchichte (1855) gezeigt.

76) Aus Herder's Nachlaß, II, 189.

77) David Veit in Varnhagen's Galerie von Bildniſſen aus Rahel's Umgang und Briefwechſel, I, 41 fg.; Riemer, Mitthei- lungen, II, 535 fg.

78) Deutſches Muſeum, 1780, II, 363 fg.; 566 fg.

79) Dünzer, Frauenbilder aus Goethe's Leben, S. 86 fg.

80) Daß Klinger im Sommer 1780 noch in Baſel war, ſehen wir aus Lavater's Brief an Knebel vom 10. Aug. 1780.

81) Lavater's Freund Häfeli hatte Hamann geſchrieben, Kaufmann habe eine ſonderbare Komödie in der Schweiz geſpielt, deren Knoten ihm nun ſo enge um den Hals würge, daß er ihn kaum werde löſen können. „Alle ſeine Freunde hat er von ſich, ſich von allen ſeinen Freunden entfernt. Ungemeſſener Ehrdurſt und Herrſchaft iſt ſein Wurm, der nicht ſtirbt. Ich kannte ihn

von seinem zehnten Jahr, und lernte mit ihm unter einer Ruthe Latein."

82) Nach einem Brief Hamann's vom 5. Aug. 1784 muß Ehrmann sich nach Strasburg gewandt haben.

83) Schweighäuser, seit 1784 oder 1785 mit Renata Stuber, der Tochter des bekannten Pfarrers im Steinthal, vermählt, hatte neben dem Rectorat des Gymnasiums ein bedeutendes Pensionat, in welchem viele vornehme deutsche Jünglinge ihre Erziehung genossen. Als das Gymnasium infolge der französischen Staats= umwälzung einging, begab sich Schweighäuser mit den Seinen nach Strasburg zurück, wo er als interprète juré de la pré= fecture am 8. April 1801 starb. Die von ihm abgefaßten Schul= bücher waren zu ihrer Zeit sehr beliebt.

84) Allgemein gibt man irrig nach Anton den 21. Mai als Kaufmann's Todestag an. Das winterthurer Kirchenbuch hat den 31. Märj.

Zur neuern Geschichte Roms.
1848—50.

.

Von

Friedrich von Raumer.

Bei Entwerfung des nachstehenden Aufsatzes sind von mir, außer mündlichen Belehrungen, benutzt worden:

Balbo, Delle speranze d'Italia.

Ballendier, Histoire de la révolution de Rome.

Boni, Il Papa Pio IX.

Bresciani, l'Ebreo di Verona.

Bresciani, Della republica Romana. Cibrario ricordi d'una missione.

Farini, Lo stato Romano.

Gioberti, Del primato degli Italiani.

Lubienski, Guerres d'Italie.

Mailand und der lombardische Aufstand.

Martini, Studj alla politica moderna.

Mittermaier, Italienische Zustände.

Rusconi, La republica Romana.

Schönhals, Erinnerungen eines österreichischen Veteranen.

Solaro della Margarita, Memorandum.

Torre, Memorie storiche.

Die Erinnerung an große Vorfahren und deren Thaten ist für den einzelnen sowie für ganze Völker sehr heilsam; sofern sie ermuntert, stärkt und Wetteifer erzeugt. Sie kann aber auch schädlich werden, sobald sie Eitelkeit und Hochmuth bei eigener Nichtigkeit hervorruft; oder, unter ganz veränderten Verhältnissen, zu falschen Hoffnungen und verkehrter Nachahmung Veranlassung gibt. Nirgends hat das letzte in solchem Maße stattgefunden, als in Rom. Was schon zur Zeit des Julius Cäsar unmöglich war, wollten Arnold von Brescia, Cola Rienzi u. a. herstellen, oder neubegründen.

Arnold von Brescia war ein Schüler oder doch Verehrer Abälard's, von großen Anlagen, hinreißender Beredsamkeit und sehr strengem Wandel. Noch tadelnswerther als die herkömmliche Lehre erschienen ihm die Sitten der Geistlichen, die Verfassung der Kirche und die übergroße Macht des Papstes. Gestützt auf Stellen der Schrift drang Arnold lebhaft auf viele Aenderungen und Besserungen, und behauptete, kein Geistlicher solle Eigenthum, kein Bischof Lehn besitzen; alles irdische Gut gehöre allein der Obrigkeit und den Fürsten, und dürfe von diesen nur an Laien überlassen werden.

Zu diesen als ketzerisch bezeichneten Ansichten gesellte
sich nun eine neue Lehre über das Verhältniß Roms
zum Papst und zum Kaiser. Der Einfluß des ersten
auf die Beherrschung jener Stadt sei durchaus ungerecht
und ganz zu vertilgen; der des Kaisers aber, bei nur
geringem Anrecht, sehr zu beschränken. Indem Arnold
hierdurch den beiden weltbeherrschenden Mächten überkühn
entgegentrat, während es ganz außer der Zeit und bei
mangelnden Mitteln unmöglich war, in Rom eine mächtige Republik zu gründen, warb er das Opfer seiner
Unternehmung: der eiligen äußern, erfolglosen Begeisterung der Römer fehlte zunächst die innere, aus
Einigkeit, Zucht und Tugend hervorgehende Haltung,
weshalb sie bald zu Freveln frech hinüberschweiften, bald
in schwächliche Sorgen zurücksanken. Arnold warb gefangen und im Jahr 1155 in Rom verbrannt.

. Im Anfang des 14. Jahrhunderts hatten die Kaiser
in Rom gar keinen Einfluß mehr, und der des in Avignon
abwesenden Papstes war äußerst verringert. Die Sehnsucht nach Wiederherstellung einer altrömischen Republik
war jedoch nie ganz verschwunden, und besonders lebendig in Kopf und Herzen des durch Lesen der alten
Schriftsteller doppelt befeuerten Cola di Rienzi. Die
Römer gingen auf seine Ansichten und Lehren mit Begeisterung ein, und selbst Petrarca hoffte von hier aus
auf eine Wiedergeburt Italiens. Zunächst aber fanden
alle Freunde der Neuerungen Widerstand an dem römischen, zeither unbillig herrschenden Adel, und neben
manchen verständigen Maßregeln gingen thörichte und
gewaltsame her. Nach glänzender, zu Hochmuth und
Eitelkeit verführender Erhebung Rienzi's folgte anfangs

Spott und Tadel; dann offener Aufstand. Im Jahr 1354, 199 Jahre nach dem Tode Arnold's von Brescia, ward Rienzi grausam ermordet, und von allen fröhlichen Hoffnungen ging keine in Erfüllung.

Gleichwie die Bestrebungen Arnold's und Cola's scheiterten alle in gleicher Hinsicht während des 18. und 19. Jahrhunderts gemachten Versuche. Es sei erlaubt, in höchster Kürze einzelnes über den letzten derselben vorzutragen, über die römische Republik des Jahres 1849.

Im Ablauf der Jahrhunderte waren die Päpste mehrere male in Gefahr gewesen ihr weltliches Besitzthum (Kirchenstaat genannt) zu verlieren an mächtige Kaiser, eigennützigen Adel und unruhige Bürger. Sie hatten jedoch, über kurz oder lang, stets obgesiegt, und die neuesten und größten Besorgnisse schienen durch die Beschlüsse des Wiener Congresses für immer beseitigt. Diesem Congreß ward jedoch vorgeworfen: er habe für eine neue Belebung Italiens, für Begründung natürlicher, zufriedenstellender Verhältnisse durchaus nichts Genügendes gethan, vielmehr die Keime steter Unzufriedenheit zurückgelassen. Ohne hier auf Untersuchung der Frage einzugehen: ob ihm hierzu Macht und genügende Mittel zu Gebote standen, war doch die natürliche Folge, daß bei dem Mangel allgemeiner, gesetzlicher Besserungen man zunächst die Hoffnung auf einzelne Personen richtete; und in der That half der Cardinal Consalvi manchem Uebelstande ab und eröffnete die Bahn zu weitern Fortschritten. Nach Leo's XII. Erhebung (1823) ward Consalvi jedoch entlassen, die 1816 von Pius VII. gegebene Verfassung beseitigt, vieles Frühere hergestellt und (trotz einzelner löblicher Maßregeln) neue Unzufriedenheit der Freigesinnten

veranlaßt, auch durch harte Bestrafung Widersprechender
eher vermehrt als beseitigt. Dies führte unter der Regierung Pius' VIII. (1829 — 30), nicht ohne Zusammenhang mit den pariser Ereignissen, zu politischen Verbindungen, woraus, nachdem Gregor XVI. (Capellari,
1831 — 46) Papst geworden, Unruhen in Bologna
und der Romagna hervorgingen, die schon deshalb von
den Oesterreichern leicht bezwungen wurden, weil man sie
ohne Klugheit und Zusammenhang begonnen hatte. Dieser
Erfolg konnte jedoch die Beschwerden nicht unterdrücken,
welche immer lauter wurden über schlechte Verwaltung,
hohe Steuern, leichtsinniges Schuldenmachen, drückendes
Prohibitivsystem, Handelsmonopole und Schmuggelei,
über die ausschließliche, unduldsame Herrschaft der Geistlichen, Mangel selbst an bürgerlicher und communaler
Freiheit, Uebertragung des Erziehungswesens u. s. w. an
die Jesuiten ꝛc.

Viele dieser Klagen erschienen auch außerhalb des
Kirchenstaats so begründet, daß die fünf Großmächte
Europas im Mai 1831 gemeinsam dem Papst eine
Denkschrift überreichten, worin sie ihm die Nothwendigkeit
vorstellten, in jenen Beziehungen manche Aenderungen
und Besserungen vorzunehmen. Es geschah aber so wenig, daß die Geduldigen und Gemäßigten, von den Un-
geduldigen und Kühnern überflügelt, wiederholte Unordnungen hervorriefen, aber wiederum durch die, ein zweites
mal einrückenden, Oesterreicher beseitigt wurden. Nach
diesen Ereignissen hielt es die herrschende klerikale Partei
noch weniger für nöthig als zuvor, jene billigen Forderungen der Mächte und neue Klagen derselben (ins-
sondere Englands) zu berücksichtigen. Sie rühmte viel-

mehr [1]): „Gregor XVI. ist unbesiegt geblieben im Kampfe
gegen die Nachstellungen einer dem römischen Hofe feindlichen Diplomatie. Er hat den hohen Stand des Papstthums festgehalten und behauptet gegen katholische Herrscher, und muthig den Stoß und Andrang ketzerischer
Regierungen bezwungen." — Diese Thatsachen, weit
entfernt die Unzufriedenen zu beruhigen und abzuschrecken,
wirkten nur dahin, ihre Verbindungen und Hoffnungen
allmählich über ganz Italien auszudehnen, und den Glauben zu erzeugen: man könne und müsse, da gesetzliche
Wege zu Besserungen meist versperrt seien, durch Verschwörungen echte Freiheit begründen.

Obgleich diese Ansichten und Hoffnungen von der
ganzen Geschichte widerlegt werden, erhielten geheime
Verbindungen immer größern Umfang und Bedeutung,
und viele Personen, die ihnen nicht förmlich beitraten,
befanden sich doch in einer Stimmung, welche darauf
rechnen ließ, sie würden, sobald sich eine Gelegenheit
darbiete, politische Unternehmungen der Verbündeten begünstigen. Selbst den Gelehrtenversammlungen in Pisa
und Turin wurden die öffentlichen Verhältnisse Italiens
bald wichtiger als die einzelnen Zweige der Wissenschaft. [2])

Keine der italienischen Regierungen war geneigt den
angedeuteten oder laut ausgesprochenen Wünschen nachzugeben. So hatte Karl Albert, König von Sardinien,
den Prätendenten Don Carlos gegen die Königin Isabelle
unterstützt, und sein erster, einflußreicher Minister Solaro
della Margarita sprach sich aus für Annahme der bis dahin
zurückgewiesenen tridentiner Beschlüsse, Anlegung neuer
Klöster, Beibehaltung alter Lehrmethoden in Schulen,

Begünstigung römischen Kirchenrechts, Verbot protestan=
tischen Gottesdienstes außerhalb der waldenser Thäler,
Abweisung aller neuen, revolutionär gescholtenen Plane,
Unabhängigkeit des sarbinischen Staats ohne irgendeine
Erhebung oder Einmischung über seine Grenzen hinaus. [3])
So waren die Verhältnisse selbst in dem Staat, den
die Liberalen am leichtesten zu gewinnen hofften, und
gegen den sie im Jahr 1834 von Genf aus eine über=
eilte und rechtswidrige, und schon deshalb völlig mis=
glückte Unternehmung gewagt hatten.

Da trat ein Ereigniß ein, höchst unerwartet, und die
glänzendsten Aussichten an der Stelle eröffnend, wo
man zeither den größten, beharrlichsten Widerstand ge=
funden hatte. Nach dem Tode Gregor's XVI. ward am
16. Juni 1846 Pius IX. (Mastai Ferreti) auf den
päpstlichen Stuhl erhoben, ein Mann milder, edler Ge=
sinnung, bereit, echte Fortschritte in jeder Weise zu be=
fördern und von dem starren Festhalten am Alten zur
Begründung neuer Zufriedenheit soviel als möglich nach=
zulassen. Zuvörderst verkündete er (unter Zustimmung
Englands und Frankreichs, und unterstützt vom Cardinal
Staatssecretär Gizzi) eine Amnestie für die politischer
Gründe halber Verwiesenen oder Verhafteten. Die
natürliche Freude über diese große Bewilligung steigerte
sich bald zu maßlosen Lobeserhebungen, welche insgeheim
oder bereits öffentlich den Papst zu viel größern und
umfassendern Bewilligungen stimmen und seinen Glauben
an unverbrüchliche, ewige Dankbarkeit verstärken sollten.
In Italien, ja in ganz Europa ward Pius gepriesen,
und kaum irgendwo ein Zweifel gegen die Heilsamkeit
und Mäßigung der weitern Entwickelung ausgesprochen.

Wohl aber gab die Befreiung von alten Banden die
Veranlassung, daß in Reden und Schriften unzählige
Vorschläge und Rathschläge mit steigender Kühnheit ausgesprochen wurden, denen aber meist Uebereinstimmung,
Zusammenhang und Besonnenheit fehlten. Das Volk
(so wird berichtet) gewöhnt sich zu schwatzen und nichts
zu thun.[4]) Alle glauben Politiker und Staatsmänner
zu sein. Weiber, Fremde, geheime Gesellschaften haben
großen Einfluß; die wirklichen Häupter der Sekte zeigen
(man kann es nicht leugnen) Geschicklichkeit, Beharrlichkeit und Muth. Sie wissen, sie benutzen alles. Jede
Waffe ist ihnen willkommen: sie wirken bei Tag, wachen
in der Nacht und ermüden niemals.

Jene Anarchie des Redens und Schreibens, sowie
diese gefährliche Thätigkeit wäre am besten durch rasches,
folgerechtes Handeln bezwungen worden; allein die Frage,
was zu thun sei, war um so schwerer zu beantworten,
da Pius gleichzeitig von den Neuerern bestürmt und
von den Anhängern des Alten gehemmt wurde. Mancherlei geschah, aber es war den einen zu viel, den andern zu wenig, und auch dieser Papst bestätigte, daß
guter Wille und edle Gesinnung, ohne Festigkeit und
überlegene Kraft des Charakters, nicht hinreichen, um
wahrhaft zu herrschen. Natürliche Bedenken führten zu
getadelter Unentschlossenheit, entgegengesetzte Einwirkung
zu mancherlei Widersprüchen; bis das Vertrauen zu des
Papstes aufrichtiger Gesinnung verloren ging, und das
fernere Lob von Bewilligungen abhängig gemacht wurde,
welche mit dem System der Kirchenherrschaft unvereinbar
erschienen. Zur Erreichung geheimer Zwecke bildeten sich
Clubs (circoli), welche mit Erfolg strebten, eine vom

Papst unabhängige Macht zu grünben, ja sich über ihn
hinaufzustellen. Männer des Volks wie Ciceruvacchio
wurden zum Anbahnen des Wegs vorgeschoben, vom
Adel geschmeichelt unb von der eingeschüchterten kirchlichen
Partei mindestens geschont.

Zur Jahresfeier der Erwählung Pius' IX. (16. Juni
1847) wurden in Rom große Feste angeordnet, welche
indeß nur kurze Zeit die Unsicherheit aller Zustände unb
das Misvergnügen sowol der erhaltenden als der
neuernden Partei verberben konnten. Jene, so warb
unwahr verkünbet, habe eine große Verschwörung gegen
ben Papst unb alle Freigesinnten angestellt; unb diese
Partei mußte (wiber die Neigung von Pius) die
Errichtung einer Bürgerwache durchzusetzen. Fast in
allen neuern Revolutionen hat sich ber Gebanke geltend
gemacht, baß eine solche das beste unb sicherste Mittel
sei, Bestehendes zu erschüttern unb Neuerungen zu be-
förbern. Sie hat, hier unb bort, im einzelnen unb gegen
bestimmte Gefahren sehr heilsam gewirkt, auf die Dauer
jeboch nicht minder Unordnung unb Faulheit herbeigeführt.
Zucht unb Ordnung fanden sich gewöhnlich erst ein, wenn
man bie Unruhigen unb Untauglichen entfernte, unb aus
ben Brauchbaren eine Lanbwehr bilbete.

Zur Errichtung jener römischen Bürgerwache hatte
bie Besetzung Ferraras durch die Oesterreicher wesentlich
mitgewirkt. In ben wiener Verträgen warb eine solche
Besetzung ber *place* angeordnet; wogegen man aber
päpstlicherseits nicht blos im allgemeinen protestirte, sonbern auch behauptete: jenes Wort bezeichne blos die Burg
unb nicht die Stabt. Auf erhobene Beschwerden leugnete
Oesterreich die Richtigkeit dieser Deutung, erwies, baß

sie niemals zur Anwendung gekommen, und die neuen Anordnungen, über welche man so laute Klage erhebe, ganz unbedeutend seien. — Obgleich sich dies im wesentlichen nicht leugnen ließ, beharrte die bedrängte päpstliche Regierung dabei: die Maßregeln seien unzeitig und herausfordernd. Dieser Ansicht konnten auch Unbetheiligte beistimmen: wenn aber Oesterreich dessenungeachtet Tadel und Aufregung nicht scheute, so lag im Hintergrund wol die Besorgniß vor dem weitern Umsichgreifen revolutionärer Bewegungen und der Glaube an die Nothwendigkeit, selbst den Papst wider dieselben zu schützen.

Obgleich dieser Streit über Ferrara nach dem aufrichtigen Wunsche beider Regierungen bald freundschaftlich verglichen wurde, gab er doch zu vielen Veranlassungen eine neue, immer lauter und allgemeiner die Stimme für die Einheit und Unabhängigkeit (unità ed independenza) Italiens zu erheben. Es war unmöglich zu leugnen, daß Uneinigkeit und Abhängigkeit Italiens dem schönen Lande und dem geistreichen Volk unzählige Nachtheile gebracht hatte, und eine Abänderung dieser Verhältnisse jedem edeln Italiener Gegenstand lebhafter Wünsche und eifriger Thätigkeit sein mußte. Ueber jene Klagen und Wünsche hinaus wäre es aber sehr nöthig gewesen zu untersuchen: woher es komme, daß jene Uebel seit Jahrhunderten vorherrschten? Ob blos Unglück und äußere Gewalt, oder auch Natur und Sinnesart des Volks selbst sie herbeigeführt; ob aus jenen Uebeln nicht auch Vortheile, etwa eine reichere Entwickelung und Geschichte hervorgegangen. Die Worte Einigkeit und Unabhängigkeit schienen so einfach und verständlich, und doch dachten z. B. etliche an Einigkeit der verschiedenen

Staaten durch einen Bund, andere dagegen an Ver=
schmelzung aller Staaten in einen einzigen. Ueberall
offenbarte sich die größte Verschiedenheit der Auffassung
und der Plane für Gegenwart und Zukunft, wobei fast
alle vernachlässigten, über Wünsche hinaus Mögliches
vom Unmöglichen zu scheiden. Abgesehen von denen,
welche gar keine Veränderung wollten, gingen schon die
Ansichten der besonnenern und gemäßigten Schriftsteller
weit auseinander, wieviel mehr die der Regierungen.

Der edle Cesare Balbo drang in seiner Schrift über
die Hoffnungen Italiens auf Ordnung und Mäßigung,
widersprach allen Verschwörungen und gewaltsamen Um=
wälzungen, empfahl die Einigkeit zwischen Fürsten und
Völkern, sowie das Ehren der Religion. Unpraktisch
erschien ihm der Gedanke eines neuen Ghibellinismus
durch Oesterreich oder Frankreich; ebenso der Gedanke,
den Papst in einen Herrn Italiens zu verwandeln, oder,
umgekehrt, seine Macht zu vernichten. Unmöglich die
Herstellung vieler kleinen Republiken, sowie eine gewalt=
same Vertreibung der Oesterreicher. Doch ließen sich
für freiwillige Abtretungen in Italien, zum besten Pie=
monts, vielleicht türkische Landschaften als Entschädigung
überweisen. Hiermit im Widerspruch stand aber die
Erklärung des Fürsten Metternich, sein Kaiser sei ent=
schlossen, von seinen italienischen Besitzungen nichts zu
verlieren, und die bestimmte Antwort Palmerston's auf
Metternich's Frage: daß die Festsetzungen des Wiener
Congresses über die Landesgrenzen nicht ohne Zustim=
mung aller Großmächte geändert werden sollten [5] —
eine Antwort, über welche das junge Italien in großen
Zorn gerieth.

Obgleich Balbo selbst in jenem Vorschlag schon über das wahrscheinlich Erreichbare hinausging, hatte er doch mehr als genügende Gründe, zu klagen über die Träumereien der unreifen Rhetoriker, der Dutzendpoeten und der Politiker aus Kaffeehäusern.

Gioberti, vielgeehrt in seinem Vaterlande (obgleich selbst Italiener den Wechsel seiner Ansichten und die ermüdende Weitläufigkeit seiner Schriften nicht leugnen), behauptet in dem Buche über den Vorrang Italiens: eine gemäßigte Freiheit unsers Vaterlandes kann nicht durch Revolutionen, sondern nur dadurch bewirkt werden, daß man den Papst an die Spitze stellt. Er ist der Grund und Mittelpunkt der Einheit, des Friedens, des Rechts in der europäischen Christenheit und vor allem Italiens. Unduldsamkeit kann man der katholischen Kirche nicht zur Last legen, und selbst das Heil und die Rettung Englands beruht auf dem Katholicismus. Italien ist Fürst und Haupt in der allgemeinen Anordnung der Wissenschaften, in Philosophie und Religion, in den mathematischen, beobachtenden, versuchenden Studien, in bürgerlichen Kenntnissen, Geschichte, schönen Wissenschaften und Künsten, Sprache und Redekunst. Italien ist Anfang und Ende der Geschichte, Inbegriff (sintesi) und Spiegel Europas!

Es mag gut sein, in einem niedergedrückten Volk Vertrauen zu erwecken und es aus Verzagtheit zu muthiger Selbsterkenntniß zu erheben; aber Selbstüberschätzung gibt keine wahre Kraft, und Hochmuth kommt vor dem Fall. Das erfuhr später Gioberti, als er in Turin für demokratische Wahlen und Erhebung des Kriegs wider die Oesterreicher wirkte. Diese aus Italien zu vertreiben, warb (trotz der größten Verschiedenheit der Ansichten und weitern Zwecke) der Hauptgedanke des jungen Italien; und seitdem man den König Karl Albert (im Widerspruch mit seinen feierlichen, an Oesterreich gegebenen Versprechungen) dafür gewonnen, durch allgemeine, scheinbar heldenmüthige Begeisterung fortgerissen hatte, schien das anfangs Unmögliche leicht und doppelt verdienstlich zu werden. Die Warnungen Frankreichs und Englands galten für um so bedeutungsloser und unwürdiger, da die großen Aufstände, welche (nicht ohne Mitwirkung geheimer Sekten) im Frühling 1848 zuerst in Paris, dann in mehreren Ländern ausbrachen, für Italien, ja für ganz Europa unerwartet eine neue Zeit verkündeten.

Zunächst gerieth der Papst hierdurch in große Bedrängniß. Aenderung der Minister, Bewilligungen hinsichtlich der Verwaltung, Verjagung der Jesuiten (28. März) u. dgl., waren mehr von ihm erzwungen als bewilligt worden; und als er nun (seiner Stellung als Friedensfürst eingedenk) keinen Krieg wider Oesterreich (April 1848) erheben, sondern nur die Grenzen des Kirchenstaats decken wollte, hielten die Neuerer ihren Ungehorsam gegen derlei Feigheit für gerechtfertigt, und die Befreiung Italiens für ihre höchste und edelste Pflicht. In dieser Zeit leidenschaftlicher Aufregung ward in Rom das österreichische Wappen abgerissen, an den Schwanz eines Esels gebunden und zuletzt verbrannt. Hierbei äußerten mehrere: zur Erreichung unserer erhabenen Zwecke ist jedes Mittel erlaubt. Die Freiheit Italiens bleibt unverträglich mit einer Priesterherrschaft, mit einem Kirchenstaate. Das Papstthum, diese Leiche,

verpestet die Luft und ist der Tod unsers Vaterlandes. [6])

Zu diesem Uebergange aus glänzenden Träumen zu
finstern Thaten, aus löblichem Bestreben zu Misachtung
des Billigen, Anpreisung des Gewaltsamen und Maßlosen,
zum Verdrängen aller Besonnenern trug niemand mehr bei,
als der Genueser Joseph Mazzini. Alle Regierungen stürzen,
und durch eine allgemeine Demokratie hindurch unausbleib-
lich eine Herrschaft eigener, bloßer Willkür gründen, war
ausgesprochener, oder geheimer Zweck. Mazzini's Pro-
clamationen erinnern an die verdammungswürdigsten der
französischen Schreckenszeit, sein Einfluß ist nur erklärlich
durch eigene unbegrenzte Anmaßung, Fehler und Schwäche
seiner Gegner, allgemeine Ueberspannung, Mangel an
wahrhaft großen Staatsmännern und Charakteren. Zuletzt war aber Mazzini (wie alle solche Revolutionäre)
nur mächtig im Zerstören, aber unfähig, wahrhaft Tüch-
tiges zu gründen.

Daß der Senator und die Stadtobrigkeit Roms (im
März 1848) vom Papst eine repräsentative Regierung
forderten, erschien den Eiferern als das wenigste, was
man mit Recht verlangen könne; und nach Vertreibung
der Oesterreicher aus Mailand steigerten sich die Hoffnungen und Forderungen für ganz Italien. Der allgemeine Gedanke von Einheit und Unabhängigkeit dieses
Landes bedurfte aber nach den Siegen der Piemontesen
einer bestimmtern Gestaltung und Formulirung; wobei
die verderbten Gegensätze, sogleich in schroffster Weise
hervortraten, das Ziel verrückten und verdunkelten. War
doch z. B. Sicilien und Neapel in offener Fehde, und
während eine Partei für den tapfern Karl Albert die

Herrschaft über ganz Norditalien forderte und wünschte,
drang eine zweite auf unabhängige Herstellung Venedigs,
und eine dritte suchte in Turin, hinter dem Rücken des
Königs, eine demokratische Republik zu gründen.

Seinerseits fühlte und erklärte der Papst (Ende
April 1848), daß die Forderungen der Neuerer mit
seiner kirchlichen Stellung ganz unvereinbar seien und er
alles gethan, was die Großmächte im Jahr 1831 ver=
langt hätten. Dennoch sah er sich gezwungen darüber
hinauszugehen. Am 5. Juni 1848 wurden zufolge eines
neuen Gesetzes in Rom zwei Kammern eröffnet, die der
Räthe (consiglio alto) und die der Abgeordneten. Diese
Bewilligung genügte aber um so weniger, weil in der
Stille die Macht derer wuchs, welche eine Verjagung
des Papstes und aller italienischen Herrscher wünschten
und bezweckten. Hierfür, sagt ein Journal, kann Italien
eine Million Krieger stellen. — Die Rede, welche
Mamiani bei Eröffnung der römischen Kammern hielt,
war sehr liberal, aber wenig katholisch; was dem Papst
natürlich misfiel, wogegen die Minister eine von ihm
entworfene Rede verwarfen. Als er ferner (wie man
erzählt) von allen durch die Kammern vorgelegten Ge=
setzentwürfen nur einen bestätigte, gab dies um so mehr
Veranlassung zu immer höher steigendem Misvergnügen,
weil um dieselbe Zeit die Hoffnungen der Neuerer über
Erwartung und aufs glänzendste in Erfüllung gingen.

Die österreichische Regierung war in Wien so kläg=
lich, muthlos und kraftlos geworden, daß sie (23. Mai)
die Abtretung der Lombardei unter sehr billigen Bedin=
gungen anbot. Anstatt rasch mit beiden Händen zuzu=
greifen, veranlaßte man Zögerungen und forderte (trotz

Palmerston's Warnungen und Widerspruch) im Sieges=
übermuth auch die Abtretung der venetianischen Land=
schaften, ja der Küsten Illyriens und Dalmatiens.
Während die fanatischen und phantastischen Demokraten
so alle Vorschriften der Klugheit und Vorsicht hintan=
setzten, erhob sich wider sie (und wider die schwächliche
österreichische Regierung selbst) ein Mann, der zugleich
die Besonnenheit und Festigkeit eines vorschauenden
Staatsmannes, und den kühnen Muth eines erfahrenen
Feldherrn besaß: Radetzky begann seine Kriegslaufbahn
und rettete Oesterreich.

Als König Karl Albert auf seinem Rückzuge nach
Mailand kam, erhob sich wider den noch vor kurzem bis
in den Himmel Erhobenen ein frevelhafter Aufstand.
Diejenigen, für welche er frühere Ueberzeugungen ge=
opfert, ja den Vorwurf der Wortbrüchigkeit auf sich ge=
laden und eine höchst gefährliche Unternehmung gewagt
hatte, schalten ihn ohne allen Beweis und höchst undank=
bar einen Verräther, und er entging der wahrscheinlichen
Ermordung nur durch die Flucht! Am 6. Aug. 1848
hielt Radetzky seinen Einzug in Mailand.

Diese Ereignisse und die bringenden Vorstellungen
der Vertheidiger jener alten Kirchenherrschaft veranlaßten
den Papst die Kammern am 23. Aug. bis zum 15. Nov.
zu vertagen. Eine solche Zwischenzeit hätten alle Par=
teien benutzen sollen, um zur Erkenntniß darüber zu
kommen, was gerecht, möglich und nützlich sei. Die
Kirchlichen mußten sich überzeugen, es sei unmöglich und
schädlich, unbedingt am Frühern festzuhalten; die Ge=
mäßigten, es sei nöthig sich eng aneinander zu schließen,
um nach beiden gefährlichen Seiten widerstehen zu können;

die Kriegslustigen, daß ihre übertriebenen Hoffnungen be=
reits vereitelt worden; die demokratischen Fanatiker, daß
ihr Ziel in der vorgesteckten Weise auf die Dauer un=
erreichbar sei. — Von dem allen geschah leider nichts,
und nur der Papst glaubte durch die Ernennung Rossi's
zu seinem ersten Minister einen Beweis seines guten
Willens und seiner Beharrlichkeit für gemäßigte Besse=
rungen an den Tag zu legen.

Rossi war ein Mann von Geist und Charakter, ge=
rühmt als Schriftsteller und Geschäftsmann, Gegner
alles Uebermäßigen und Unmöglichen. Wie er aber auch
war oder sein mochte, in jener Zeit konnte niemand all=
gemeinen Beifall gewinnen. Seine Gegner sagten: er
ist hochmüthig, eigensinnig, unbeliebt, und schon deshalb
seine Ernennung tadelnswerth. Er steht nicht auf der
Höhe der Zeit und wird für seine theoretischen Grillen
keine Theilnehmer und Mitarbeiter finden. — Mit Recht
fühlte Rossi, daß seine Tadler Personen geringerer Be=
deutung waren, eine demokratische Regierung unzeitig
und unmöglich bleibe, das Papstthum noch große Lebens=
kraft besitze und durch Krieg keine allgemeine Republik
zu gründen, sondern ein italienischer Staatenbund
anzustreben sei. Als demokratische Blätter nach ihrer
Weise Rossi schmähten, sagte er: es gibt Lob, welches
verletzt, und Tadel, welcher ehrt. Ansichten und Aeu=
ßerungen dieser Art erhöhten den Haß maßloser Eiferer,
und jener verdammliche Grundsatz, daß der Zweck die
Mittel heilige, ward von ihnen geltend gemacht.

Rossi erhielt mehrere Nachrichten über die ihm drohen=
den Gefahren, ergriff aber keine neuen Maßregeln sie
zu beseitigen, es sei, daß er sie für unnöthig oder für

unwürdig hielt. Am 15. Nov. 1848 hoffte er bei Er=
öffnung der Kammern durch eine wahre und beredte
Darlegung aller Verhältnisse die Mehrheit der Stimmen
für einen angemessenen und würdigen Gang der Regie=
rung zu gewinnen. Indem er aber aus dem Wagen
steigt, um die Treppe zu dem Sitzungssaal hinaufzugehen,
trifft ihn tödtlich der Dolch eines Mörders. Dieser und
seine nächsten Genossen sind ohne Zweifel arge Ver=
brecher; leider aber muß das Entsetzen über den ganzen
Hergang sich noch weiter erstrecken. Der Präsident der
Reichsversammlung, anstatt thätigen Abscheu über den
ungeheuern Frevel und dessen unausbleibliche Folgen her=
vorzurufen, geht mit eiskaltem Pedantismus zur Tages=
ordnung über und läßt das Protokoll der Sitzung ver=
lesen; nichts geschieht, den Mörder zu entdecken, zu er=
greifen, zu bestrafen; vielmehr ziehen blutgierig wilde
Schaaren durch die Straßen, bis vor die Wohnung der
unglücklichen Witwe des Ermordeten, singend und trium=
phirend ausrufend: Es lebe Brutus der Zweite! Kein
Journal wagte den Mord und derlei Greuel zu mißbilligen!
    Diesen großen, preiswürdigen Sieg, sprachen die
Fanatiker, müssen wir eiligst benutzen und die Dinge zu
einer allgemeinen durchgreifenden Entscheidung bringen.
Sie ahnten nicht, daß die Sache des jungen Italien von
hier ab (trotz alles scheinbaren Uebergewichts) in der
That sinken und die Nemesis auch die Unthätigen und
Schweigenden ergreifen werde. [7] „Am Tag nach Rossi's
Ermordung", erzählt Boni, „erhob die Revolution feierlich
ihre Fahnen, sie breitete ihre Majestät aus vor dem
Quirinal. Auf einer Seite stand die Sklaverei, auf der
andern die Freiheit, hier das Volk und das Leben, dort

das Papstthum und der Tod." — Eiferer dieser Art vergaßen, daß ihre leidenschaftlichen Unterbreitungen von kirchlich Gesinnten (mit gleichem Recht oder Unrecht) leicht konnten in das Gegentheil umgewandelt werden: auf einer Seite standen Ordnung und Gesetz, auf der andern bloße Willkür; hier der Statthalter Christi und das Leben, dort Anarchie und der Tod. — Beschränken wir uns indeß auf Mittheilung der Thatsachen.

Am 16. Nov. 1848 zogen Bürgerwache und Volkshaufen zum Quirinal, und der Papst ward von ihnen belagert, wie Ludwig XVI. am 10. Aug. 1792. Zu seinem Schutz thaten die Kammern nichts, wohl aber fanden sich (mit Ausnahme der italienischen) alle Gesandten bei ihm ein, zum Beweis, daß sie seine Rechte anerkannten und das was geschah misbilligten. Als die Schweizer gegen Andringende mit Recht die Thore schlossen, und der Papst Bedenken trug, alle an ihn gerichteten Forderungen (ein neues Ministerium, Krieg wider Oesterreich, eine constituirende Versammlung) zu bewilligen, erhöhte sich der Lärm. Ein Schweizer, ward verkündet (ähnlich in andern europäischen Städten), habe zuerst geschossen und das weitere veranlaßt. In der That kommt nicht viel darauf an, wer zuerst eine Flinte losschoß; gewiß waren die Massen um so weniger berechtigt, in solcher Weise einzugreifen, da der Papst in den Kammern eine Behörde gegeben hatte, in gesetzlichem Weg etwaige Wünsche vorzutragen. Als die Gefahr für die Eingeschlossenen stieg, Monsignore Palma durch ein Fenster in dem Zimmer des Papstes erschossen ward und man Vorbereitungen zu einem allgemeinen Sturme zu treffen schien, gab Pius seiner augenblicklichen Rettung halber nach, entließ die ihn vertheidigenden Schweizer und ernannte ein demokratisches Ministerium.

Auf die Kammern, welche durch eigene Schuld bereits an Achtung sehr verloren hatten, nahmen die neuen Häupter wenig Rücksicht, oder fanden bei Feinden des Papstes, z. B. bei Bonaparte, Prinzen von Canino, bereitwillige Unterstützung.

Da entschloß sich Pius IX. (bedrängter als Innocenz IV. durch Kaiser Friedrich II.) am 24. Nov. zur heimlichen Flucht. Sie gelang durch Hülfe einiger Getreuen, insbesondere des bairischen Gesandten, Grafen Spaur, und seiner so schönen als muthigen Gemahlin. Von Gaeta aus (wo ihn der König von Neapel ehrfurchtsvoll aufnahm) rechtfertigte Pius seine Entfernung und ernannte eine neue Regierungscommission; wogegen das römische Parlament des Papstes Erklärung als unecht und verfassungswidrig verwarf und ihn durch Abgeordnete zur Rückkehr aufforderte. Als er, bei fortdauernden Gefahren, hierauf nicht einging, vielmehr am 7. Dec. beide Kammern vertagte, erklärten die in Rom Herrschenden alle seine Rechte für erloschen, ernannten aus eigener Macht eine neue Regierung und beschlossen (trotz eines ernsten päpstlichen Verbots) eine neue bessere Verfassung zu gründen.

Diese Verhältnisse waren von der Art, daß sie unleugbar die ernstesten, vorsichtigsten Berathungen erforderten, welche aber durch die leidenschaftliche Thätigkeit der einen und das ängstliche Schweigen der übrigen gleichmäßig verhindert wurden. Wie konnte man sich in Rom einbilden, daß der kleine Kirchenstaat fähig sei, derlei Umwälzungen ungestört durchzusetzen. Selbst die

Protestanten nahmen Partei für den mishandelten Papst,
oder glaubten doch, daß seine etwaigen Misgriffe und
Irrthümer nicht in so gewaltthäiger Weise zu beseitigen
seien. Von den Katholiken aber war die thätigste Mis=
billigung zu erwarten: sie konnten und wollten nicht ohne
den Papst leben, ihn nicht in einen von demokratischen
Neuerern abhängigen Stadtpfarrer verwandeln lassen;
sie würden mit Recht widersprochen haben, wenn Pius
freiwillig oder gezwungen seinen Sitz in Paris, Wien
oder Madrid aufgeschlagen hätte.

Nachdem der Papst (in welchem man das Haupt=
hinderniß aller Freiheit sah) entfernt war, glaubten die
Sieger, es sei an der Zeit, über den Kirchenstaat hinaus
zunächst für ganz Italien eine neue, glücklichere Zeit
herbeizuführen. Bald aber traten die alten Gegensätze
der Wünsche und Ansichten noch schärfer als ehemals
hervor[8]), und man war in der That entfernter von der
Einheit Italiens als in ruhigern Zeiten. Uneins blieben
unter sich die Könige, uneins Priester, Aristokraten,
Constitutionelle, Demokraten, Beförderer einer oder meh=
rerer Republiken. Es gehörte kein großer Scharfsinn
dazu, die unvermeidliche, gefährliche Einmischung anderer
Mächte vorherzusehen; es war eine große Selbsttäuschung,
daß die neuerregte Begeisterung für allerhand Ideale
alsdann durch Kraft und Dauer alle Hindernisse über=
winden werde. Deshalb steigerte sich gleichzeitig die
Hoffnung der jetzt Besiegten, daß der Ueberspannung
Schwäche folgen und die Macht zu strafen und sich zu
rächen in ihre Hände kommen müßte.

Da selbst die eifrigsten Neuerer einsehen mußten, es
sei in diesem Augenblick unmöglich eine constituirende

Versammlung für ganz Italien zu Stande zu bringen
ordneten sie (ohne Rücksicht auf ein neues päpstliches
Verbot) die Wahlen nach allgemeinem Stimmrecht für
eine römische Versammlung. Mehrere Abgeordnete der
Kammern, welche, unzufrieden mit diesen und andern
Maßregeln, ihre Stellen niederlegten, erfuhren deshalb
heftigen Tadel.

Am 5. Febr. 1849 ward die neue Versammlung
eröffnet: sie zählte 184 Abgeordnete, darunter 69 Ad-
vocaten. Die meisten waren voller Hoffnung und Muth,
keineswegs aber stimmten alle in Ansichten und Plänen
überein. Gioberti (und Anhänger der sogenannten Pie-
montesischen Schule) hatte den Rath ertheilt, die verfassungsmäßigen Rechte des Papstes anzuerkennen und
Maßregeln für seine Sicherheit zu ergreifen, ohne welche
eine Aussöhnung nicht denkbar bleibe. Man sei bereit, pie-
montesische Soldaten zur Unterstützung dieser (von Frankreich und England sicher gebilligten) Plane nach Rom
zu senden. Gehe man auf diese Vorschläge nicht ein,
so sei fremde Dazwischenkunft unabwendbar. Sie wurden
als unzeitig und unwürdig zurückgewiesen.

Mamiani (der demokratische Minister des 16. Nov.
1848) behauptete hierauf: Die Gründung einer römischen
Republik sei ebenfalls unzeitig, werde nur die Gefahren
vermehren, Italien noch ärger als bisher spalten und
dem Kriege für die Unabhängigkeit großen Schaden
bringen.

Unbekümmert um diese und ähnliche Bedenken, wiederholten die Demokraten (aufgereizt durch Mazzini's Lehren):
Der Gedanke, mit dem Papst, dessen Regierung nie
etwas getaugt habe, nochmals zu unterhandeln, sei thö-

richt und feig, die Fortdauer eines blos vorläufigen und
einstweiligen Zustandes schädlich, die Gründung einer
Republik nothwendig und preiswürdig. Am 9. Febr.
1849 um 2 Uhr nachts ward nach langen Berathungen
mit 142 gegen 23 Stimmen der Beschluß gefaßt: Die
Verfassung des römischen Staats ist rein demokratisch
und der Papst durch die That und dem Rechte gemäß
der weltlichen Regierung und der weltlichen Besitzungen
verlustig. — Der Präsident der Versammlung, General
Galetti, verkündete der ewigen Stadt, daß die neue Re=
publik das alte Rom wieder ins Leben rufe. — Die
Gegner der Maßregel schwiegen, die Beistimmenden
riefen: Das Pontificat Pius' IX. ist eins der unglück=
lichsten für Italien, er sagte sich los vom Unabhängig=
keitskriege und verdient schon deshalb die Absetzung. Die
römische Republik ist patriotisch, italienisch, tapfer, einig;
sie wird ewig uud glücklich sein. — Am 6. März hielt
Mazzini im römischen Parlament unter großem Beifall
eine lange Rede, worin er unter anderm sagte: Nach
dem Rom der Kaiser und der Päpste kommt jetzt das
Rom des Volks. Die Republik ist ein glänzender ewiger
Stern; wir haben nur Einen Feind, Oesterreich, wir
werden es besiegen!

Wenn Oesterreich früher die italienischen Gefahren
zu gering geschätzt hatte, so überschätzten seine Feinde
jetzt ihre Kräfte und gewahrten nicht, daß jenes jetzt
schon viel mächtiger war als im vorigen Jahr. Be=
drängt von republikanischen, siegsgewissen Eiferern, kün=
digte Karl Albert gegen Frankreichs und Englands Rath
am 16. März (10 Tage nach Mazzini's römischer Rede)
den Waffenstillstand, ward aber schon am 23. März bei

Novara völlig von Radetzky geschlagen. Mit großem
Muthe hatte er auf dem Schlachtfelde den Tod gesucht,
aber nicht gefunden. Von den Oesterreichern ward Karl
Albert bezeichnet als wortbrüchig, von dem jungen Italien
als unfähig; getäuscht in allen Hoffnungen fühlte er,
daß seine Laufbahn zu Ende sei und übertrug seinem
Sohn Victor Emanuel die Regierung. Aehnlicherweise
hatte er in Novara schon 1821 seine liberale Regent=
schaft in die Hände des Königs Karl Felix niedergelegt.
Seine Irrthümer standen in enger Verbindung mit edeln
Absichten und Zwecken, und die, welche ihn verführten,
haben ihn am undankbarsten verdammt und verlassen.

Nur die Rücksicht auf Frankreich hielt Radetzky ab,
bis Turin vorzurücken; der rasch mit Sardinien abge=
schlossene Friede brachte den Oesterreichern Ersatz der
(auf 75 Millionen Francs abgeschätzten) Kriegskosten,
sicherte ihre italienischen Besitzungen und erhöhte ihren
Einfluß auf alle Nachbarstaaten.

Unterdessen hatte man viel seit langer Zeit als Mis=
brauch Angeklagtes in Rom beseitigt; so z. B. den
Bischöfen die Leitung der Schulen, den Priestern viele
Rechte und Einkünfte genommen, kirchliche Gerichtsbarkeit,
Censur und Inquisition abgeschafft, Klöster aufgehoben,
Anleihen ausgeschrieben 2c. Natürlich konnten Maßregeln
dieser Art nicht allgemeinen Beifall gewinnen, und trotz
des ernsten Bestrebens der Republikaner, persönliche Grau=
samkeiten zu vermeiden, blieben Strafen gegen Wider=
spenstige nicht aus. Noch übler, daß entfesselte Partei=
wuth, trotz löblicher Gegenbemühungen, in den Land=
schaften zu vielen politischen Mordthaten führte.

Damit nun Ordnung erhalten oder hergestellt und

die vollziehende Gewalt verstärkt werde, ernannte man
drei Dictatoren mit unumschränkter Gewalt, Saffi,
Armelini und Mazzini. Sie beharrten auf dem betretenen
Weg; ungestört dadurch, daß kein italienischer, kein euro=
päischer Staat die Republik anerkannte, Neapel und
Spanien sich gegen sie erklärten, und Oesterreich im
Begriff war sie zu bekämpfen. In dieser Lage blieb die
wichtigste Frage: wie sich Frankreich benehmen werde,
wie es zu gewinnen sei. Nun war aber Cavaignac schon
im November 1848 willens gewesen, Mannschaft zum
Schutz des Papstes nach Italien zu senden, und von
Bonaparte konnte man in keiner Weise voraussetzen, er
werde eine Demokratie gründen und beschützen. Jedenfalls
ließ sich nach dem Geschehenen eine Einmischung fremder
Mächte nicht mehr abhalten, und ganz verschwanden die
erträumten Hoffnungen auf eine völlige Unabhängigkeit
und Selbständigkeit Italiens.

Am 25. April 1849 landete Oudinot mit Heeres=
macht bei Civita=vecchia und erklärte: wir kommen als
Freunde, nur um (wie früher durch die Besetzung
Anconas) für Frankreich den gebührenden Einfluß zu
erhalten und Rom gegen Oesterreich, Neapel und
Spanien zu schützen. Wir denken nicht daran uns in
die innern Angelegenheiten des Kirchenstaats zu mischen,
eine Regierung aufzubringen oder den Papst herzustellen.
Wir sind bereit mit den jetzigen Behörden zu unterhan=
deln. Aus Leidenschaft und auf den Grund unamtlicher
Redereien hielten die römischen Machthaber diese Erklä=
rung für unglaubwürdig, und protestirten gegen die
Landung, obgleich ihnen keine Mittel zu Gebote standen
sie zu verhindern. Umgekehrt irrte Oudinot, indem er

hoffte, man werde ihn mit offenen Armen empfangen und eine große Reaction ihm zu Hülfe kommen. Er fand am 30. April so tapfern Widerstand vor den Thoren Roms, daß er sich zurückziehen mußte; was Mazzini (den Hauptförderer des Kriegs) aus hochmüthigem Eigensinn und, im Widerspruch mit allen Besonnenen, zu dem thörichten Glauben veranlaßte, jener augenblickliche Erfolg werde Frankreichs Willen ändern und seine Macht brechen. Vielmehr ließ sich mit Bestimmtheit voraussehen, die Franzosen würden nach Ablauf des jetzt geschlossenen Waffenstillstands mit erhöhter Macht und verdoppeltem Eifer, aber mit einer weniger erfreulichen Gesinnung die Fehde fortsetzen. Bauern von Velletri, sagte jemand im römischen Parlament, reichen hin, die Neapolitaner, und Sackträger von Bologna, die Oesterreicher, zurückzutreiben.

Als ein römischer Bevollmächtigter, Mariani, England für die Republik zu gewinnen suchte, gab Palmerston wiederholt und mit größter Bestimmtheit zur Antwort: „Ohne Heeresmacht ist eine Vermittelung Englands bedeutungslos, und nie wird das Parlament hierfür seine Zustimmung geben. Begnügt euch mit dem, was möglich ist, unterhandelt und vertragt euch eiligst in diesem günstigen Augenblick mit den Franzosen und dem Papst. Durch Zögern und Eigensinn verliert ihr unfehlbar alles, der Papst wird gewiß zurückkehren, von öffentlicher Freiheit euch aber nichts zu Theil werden." — Den also lautenden Bericht Mariani's verhehlte Mazzini; und beharrte ohne Rücksicht auf Palmerston's weisen und weissagenden Rath auf seinem thörichten Wege.

Nachdem die Franzosen sich verstärkt hatten, begann

am 3. Juni der Krieg von neuem. Während des Ka=
nonenfeuers verlas man im Parlament Salicetti's Bericht
über die künftigen Einrichtungen der Republik und sagte:
wie Gott vom Sinai Gesetze gab, so auch wir; die neue
römische Verfassung wird ewig sein gleich den Gesetzen
Gottes. — „Wie erhaben!" riefen die einen; „wie un=
sinnig!" dachten die andern.

Gewiß kämpften die Republikaner mit großer Ge=
schicklichkeit und Tapferkeit, jedoch vergeblich. Am 3. Juli
1849 zogen die Franzosen in Rom ein, erklärten (ohne
Rücksicht auf die durch den Krieg beseitigte erste Be=
kanntmachung Oudinot's) die Stadt in Belagerungs=
zustand, schlossen die Clubs, lösten das Parlament auf,
erlaubten die Herstellung des päpstlichen Wappens und
gestatteten (wie Palmerston geweissagt hatte) der kirch=
lichen Partei eine Rückführung alles Alten, mochte es
gut oder verdammlich sein. Als der Papst am 12. April
1850 seinen Einzug in Rom hielt, fehlte es nicht an
Illuminationen und Beifallsbezeugungen; wohl aber (bis
auf den heutigen Tag) an wahrer Beruhigung der Ge=
müther und allgemeiner Zufriedenheit. Viele Republi=
kaner waren entflohen, oder wurden gefangen und hart
bestraft, wenigen eine Amnestie bewilligt.

Vom Unrechtleiden ist der Uebergang so leicht zum
Unrechtthun, und von Uebertreibungen und Ungerechtig=
keiten, welche man den Republikanern mit Recht vorwarf,
hat sich die Kirchenpartei seit ihrem Siege keineswegs
frei gehalten. Aus den großen Bewegungen dieser
Jahre [9]) ist für Italien durch die Italiener leider fast
nichts hervorgangen, nichts von dem gegründet, was sie
wünschten oder bezweckten. Deshalb sagt Cesare Balbo:

In Italien ist Verstand und Einsicht weniger zur Hand (provito) als Phantasie, und die Phantasie weniger als die Leidenschaften. [10]) — Wir waren, schreibt Colletta [11]), nicht reif für freiere Einrichtungen. Sie gehen hervor aus den Sitten, nicht aus Gesetzen, nicht aus revolutionären Sprüngen, sondern aus Fortschritten echter Bildung. Deshalb ist der Gesetzgeber weise, welcher hierfür den Weg bahnt und die Gesellschaft nicht auf ein Ideal hintreibt, für welches die Einsicht der Köpfe, die Wünsche der Herzen und die Gewohnheiten des Lebens nicht passen. Bekennen und hoffen wir, daß wenig sich schickt und wenig genügt den meisten Italienern; sie sind nicht genug oder zu viel gebildet (troppo civili) für die Unternehmungen der Freiheit.

Durch diese bittern Wahrheiten und ernsten Warnungen wollten zwei vaterländisch gesinnte Italiener keineswegs zu völliger Verzweiflung oder zu fauler Unthätigkeit Veranlassung geben; sondern auf das hinweisen, was dem schönen Lande, dem geistreichen Volk wahrhaft fehlt und noth thut. Nicht aus großen Umwälzungen ganzer Reiche, nicht durch leidenschaftliche, verblendete Schreier, oder rückläufige tyrannisirende Fürsten, Zionswächter und Beamte wird eine neue glückliche Zeit hervorgehen, sondern durch Unterordnung des eigenen Interesse unter das gemeinsame, durch lebendige Bewegung innerhalb gesetzlicher Schranken, Unterscheidung des Möglichen vom Unmöglichen und echter Freiheit von hochmüthiger, phantastischer Willkür!

Anmerkungen.

1) Bresciani, l'Ebreo di Verona, I, 15.
2) Solaro della Margarita, Memorandum, S. 171.
3) Derf., S. 208, 245, 334, 512.
4) Bresciani, l'Ebreo, I, 43.
5) Balleydier, Histoire de la révolution de Rome, Bd. I; Solaro, S. 444.
6) Boni, Il Papa Pio IX., S. 153.
7) Derf., S. 204.
8) „Immensa discordia", Cibrario, S. 213; „Ciascuno ebbe un idolo ed un interessa proprio", S. 225; „Quant à leurs plans, on peut dire qu'il y en a autant que d'individus", Rayneval's Bericht vom 14. Mai 1856.
9) Von spätern Entwickelungen, besonders in Piemont, sprechen wir an dieser Stelle nicht.
10) Speranze, S. 110.
11) Colletta, II, 15; Rayneval (Bericht vom 14. Mai 1856) sagt: „Partout intelligence, pénétration, conception vive, — mais manque d'énergie, force d'âme, vrai courage civil."

Ueber den künstlerischen Bildungsgang Rafael's und seine vornehmsten Werke.

Von

Gustav Friedrich Waagen.

Es ist eine sehr treffende Bemerkung Goethe's, daß es, um die höchsten Erscheinungen in Kunst und Wissenschaft hervorzubringen, nicht an dem hochbegabten Genie genügt, sondern daß hierzu auch noch Lebensverhältnisse treten müssen, welche der Entwickelung desselben günstig sind. Denn wie eine edle Pflanze in einem milden Klima, abwechselnd von der Sonne beschienen, von lauen Lüften gefächelt, von warmem Regen getränkt, zur herrlichen Entfaltung ihrer Blütenkrone gelangt, dagegen im dürren Boden und vom Nordwind gepeitscht, wennschon ihre edle Art nicht verläugnend, dennoch mehr oder minder verkrüppelt: so ist auch, wie soviele Beispiele beweisen, das höchste Wesen der irdischen Schöpfung — der geniale Mensch in hohem Grade von den günstigen oder widrigen Bedingungen seines Lebens abhängig.

Nur selten begegnen wir aber in der ganzen neuern Zeit einem Beispiel, daß fast durchgängig so günstige Gestirne über die Entwickelung eines Genius gewaltet haben, als über Rafael. Betrachten wir zunächst die Umgebungen und die Eindrücke, welche Rafael schon als Kind empfing! Die kleine Stadt Urbino, in welcher er am 28. März 1483, am Charfreitag, das Licht der Welt erblickte, krönt den Gipfel eines hohen Bergs, und ist ebenso durch die gesunde, leichte Luft, die seine, edle

Geſichtsbildung ſeiner Bewohner, als durch die großartig
romantiſche Umgebung ausgezeichnet. Eine beſondere
Eigenthümlichkeit der letztern iſt aber, daß man zwiſchen
den zum Theil rauhen und gewaltigen Bergen ringsum=
her auf der Oſtſeite den Spiegel des mehrere Meilen
entfernten Adriatiſchen Meers erblickt. Der Eindruck
dieſes Zuſammenwirkens der beiden großartigſten Gegen=
ſtände der Natur, Hochgebirge und Meer, iſt auf das
in ſo ſeltenem Grade empfängliche Gemüth Rafael's als
Kind ſo tief und bleibend geweſen, daß er denſelben in
verſchiedenen ſeiner landſchaftlichen Hintergründe, in wel=
chen zu beiden Seiten Bergreihen in der Ferne von
dem den Horizont abſchließenden Meeresſpiegel getrennt
werden, wiedergegeben hat. Ebenſo hat ſich die örtliche
Bildung der Geſichter ihm ſo ſehr eingeprägt, daß ich,
als ich Urbino beſuchte, verſchiedentlich Geſichtszüge an=
traf, welche aus ſeinen frühern Gemälden entnommen zu
ſein ſchienen. Nicht minder günſtig als Natur und Men=
ſchen mußte aber Giovanni Santi, der Vater Rafael's,
auf ihn einwirken, denn dieſer war nicht allein ein Maler
von ſehr achtbarem Talent, deſſen Werke einen richtigen,
milden und echtkirchlichen Sinn offenbaren, ſondern auch
ein edles Naturell und ein mehrſeitig gebildeter Mann.
Letzteres geht beſonders aus einem langen, in Terzinen
geſchriebenen Gedicht hervor, in welchem er das Leben
und die Großthaten ſeines verehrten Herrn und Gönners,
des hochgebildeten, berühmten Feldherrn Federigo von
Montefeltre, Herzogs von Urbino, zu verherrlichen ſuchte.
In dieſem Gedicht zeigt Giovanni Santi eine genaue
Bekanntſchaft mit den größten Malern ſeiner Zeit, na=
mentlich mit dem Luca Signorelli, Pietro Perugino,

Leonardo da Vinci und Andrea Mantegna, welchen letztern er vor allen hoch preist. Es ist leicht zu ermessen, welchen Eindruck Mittheilungen über Wesen und Art dieser Meister von einem liebenden Vater auf den Knaben Rafael machen mußten. Manche dürften vielleicht glauben, daß hierauf nicht viel zu geben sei, da Rafael seinen Vater bereits im zarten Alter von elf Jahren verlor. Wer länger in Italien gewesen ist, weiß indeß, wie frühzeitig sich dort überhaupt der Geist der Kinder entwickelt. Hierzu kommt aber noch für diesen besondern Fall, daß bei Rafael, wie bei Mozart, der wunderbare, ihnen innewohnende Genius schon in früher Jugend Knospen trieb. Daher ist auch auf die sonstigen Kunstanschauungen, welche der feinsinnige Knabe in Urbino hatte, den großartigen Palast, den der Herzog Federigo von Luciano Lauranna in dem edelsten Geschmack der sogenannten Renaissance hatte erbauen lassen, die Bilder eines Pietro della Francesca, eines Luca Signorelli, sowie des Justus von Gent, des größten Schülers von Hubert van Eyck, welche sich dort in den Kirchen befanden, als Bildungsmomente kein unbedeutendes Gewicht zu legen. Endlich mußte Rafael durch seinen dem Hof von Urbino so nahe befreundeten Vater schon manches von den ausgezeichneten Persönlichkeiten, welche denselben zu einem der gebildetsten in ganz Italien machten, von dem Herzog Guidobaldo und seiner Gemahlin, der Elisabeth Gonzaga, eine der größten Zierden ihres Geschlechts, vernommen haben.

War es gewiß auf der einen Seite als ein Unglück zu betrachten, daß Rafael so früh einen solchen Vater, welchem seine Mutter schon einige Jahre früher vorangegangen war, verlor, so war es ihm doch für seine

Entwickelung als Künstler und Mensch auf der andern
Seite wieder fördersam. Der große Schmerz, den er
durch diesen Verlust so früh empfand, mußte lange in
einem so zarten, tieffühlenden Gemüth nachklingen und
in der edeln Wehmuth, in dem tiefen Seelenschmerz,
welche einige seiner frühern Bilder athmen, seinen künst=
lerischen Ausdruck und zugleich seine Versöhnung finden.
Dadurch aber, daß seine Vormünder ihn, wahrscheinlich
schon im Jahr ·1495, zu dem Pietro Perugino nach
·Perugia in die Lehre schickten, mußte seine künstlerische
Ausbildung auf das glücklichste gefördert werden. Dieser
Meister befand sich nämlich damals gerade auf der Höhe
seiner Kunst, und seine Bilder aus dieser Zeit verbinden
eine tüchtige Kenntniß und eine gewissenhafte Durchfüh=
rung mit dem keuschen Sinn und dem begeisterten Gefühl
für den Gehalt seiner religiösen Aufgaben, in welchem
er damals alle übrigen Maler Italiens übertraf. Wel=
chen Eindruck die solchen Geist athmenden Werke seines
Lehrers auf das Gemüth des jungen Rafael hervor=
gebracht, und wie ganz er sich in denselben versenkt hat,
beweisen seine Werke, welche bis zum Jahr 1504 durch=
·aus derselben Geistesrichtung angehören.

Auch der Aufenthalt in dem poetischen, auf freier,
luftiger Höhe gelegenen Perugia, welches weite Ausblicke
auf die gesegneten Gegenden Umbriens gewährt, endlich
der Umgang mit andern liebenswürdigen und begabten
Schülern des Perugino, z. B. einem Spagna, konnte
nicht anders als wohlthätig auf die Bildung des jungen
Rafael einwirken. In seinen Werken aus dieser Epoche
spricht sich indeß seine Eigenthümlichkeit, ungeachtet jener
·Abhängigkeit von seinem Lehrer und der noch beschränkten

Kenntniß der Formen, in einem wunderbaren Gefühl für Anmuth und innere Befriedigung der Seele, wie in einer großen geistigen Energie aus. Die beiden Hauptwerke dieser Epoche sind die in den Jahren 1502 und 1503 gemalte Krönung Mariä [1]), gegenwärtig in der Galerie des Vatican, und die Vermählung Mariä und Joseph's oder das sogenannte Spofalizio [2]), die Hauptzierde der Galerie des Brera zu Mailand. Letzteres mit dem Jahr 1504 bezeichnet, ist mit wenigen Veränderungen noch nach einer Composition des Perugino genommen. [3])

Im Jahr 1504 trat ein neues, höchst wichtiges Mo=ment in dem Bildungsgang Rafael's ein. Der damalige Aufenthalt des Leonardo da Vinci in Florenz, des größten Malers, welchen Italien in jener Zeit besaß, und des eigentlichen Begründers der höchsten Ausbildung der Malerei daselbst, vermochte den jungen Rafael zu einer Reise nach jener Stadt, wohin er sich, ausgerüstet mit einem Empfehlungsbrief der Johanna della Rovere, Schwester des Herzogs von Urbino, an Pietro Soderini, den damaligen Vorstand der Republik von Florenz, im Lauf des October auf den Weg machte. Dieser vom 1. Oct. [4]) datirte Brief beweist durch die Wärme der Ausdrücke, wie hoch der junge Rafael schon zu jener Zeit am Hof zu Urbino geschätzt war. Betrachten wir einen Augenblick den Eindruck, welchen das herrliche Florenz, seit lange der Mittelpunkt vielseitiger Natur=studien und wissenschaftlicher Begründung in der Kunst, namentlich der Zeichnung und der Kenntniß von Licht und Schatten, auf den damals im einundzwanzigsten Jahr befindlichen Rafael machen mußte! Aus der ganzen Welt von Kunstwerken, welche sich hier vor seinen jugendlich

begeisterten Blicken aufthat, will ich hier von frühern
Werken nur die berühmten Frescogemälde des Masaccio
in der Kirche del Carmine⁵) und die bronzenen Thüren
des Lorenzo Ghiberti⁶) am Taufhaus zu Florenz erwähnen, da der große Eindruck beider auf den jungen
Maler sich in seinen spätern Werken entschieden nachweisen läßt. An den erstern lernte er eine Schärfe und
Großartigkeit, eine Sonderung der Massen kennen, wie er
sie bisher noch nie gesehen, in den Thüren des Ghiberti
trat ihm aber eine Feinheit und Mannichfaltigkeit der
Naturbeobachtungen und eine Ausbildung der malerischen
Anordnung entgegen, welche ihm gleichfalls neu sein
mußte. Unter den lebenden Malern konnte jedoch keiner
eine solche Wirkung auf ihn hervorbringen wie Leonardo
da Vinci, in dessen Werken sich das tiefste Wissen in
Zeichnung und Abrundung mit dem feinsten Eindringen in
den geistigen Gehalt seiner Aufgaben vereinigt, und welcher gerade damals den weltberühmten Carton der Schlacht,
welche die Florentiner im Jahr 1440 dem Heer der Herzogs von Mailand. bei Anghiari siegreich lieferten, im
Auftrag der Regierung von Florenz beendigt hatte. ⁷)
Wurde nun Rafael allen diesen Eindrücken gegenüber
aufs neue zum Schüler, indem er inne werden mußte,
wie vieles und großes ihm noch in seiner Kunst fehle,
so löste er sich doch nur allmählich von seiner bisherigen
Gefühlsweise und den Kunstformen, worin er dieselben
auszuprägen gewohnt war, ab, und es ist höchst interessant in einigen der während der vier Jahre, welche er
mit drei Unterbrechungen in Florenz zubrachte, von ihm
ausgeführten Werke seine allmählichen Fortschritte und
die Veränderung, welche mit ihm vorging, zu verfolgen.

Diese vier Jahre aber sind als die eigentliche Zeit seiner höhern Ausbildung zum Meister zu betrachten.

Drei Werke sind für den Uebergang Rafael's von der einen zur andern Kunstweise besonders charakteristisch: ein für die Nonnen des heiligen Antonius von Padua zu Perugia ausgeführtes großes Altarbild, ein dergl. von der Familie Ansidei für die von dem 1490 gestorbenen Simon Ansidei gestiftete Kapelle des heiligen Nikolaus in der Seovitenkirche St.-Fiorenzo in demselben Perugia, und das unter dem Namen der Madonna della Granduca bekannte Bild.

Auf dem ersten mit 1505 bezeichneten Bild [*]) ist die ganze Composition mit Ausnahme der Altarstaffel offenbar noch im Jahr 1504 vor der Reise nach Florenz entworfen. Und auch in der Ausführung gehören folgende Theile gewiß derselben Zeit an. Die Lunette (das Halbrund) über dem Hauptbild mit der halben Figur des segnenden Gott-Vater, welcher von zwei verehrenden Engeln und zwei Cherubim umgeben wird. Hier findet sich noch ganz der Schulzuschnitt des Perugino, mit welchem es auch in der Färbung und Behandlung noch sehr übereinstimmt. Auf dem Hauptbild möchten dagegen nur das bekleidete Jesuskind und der dasselbe verehrende kleine Johannes am Fuß des Throns wegen ähnlicher Eigenschaften aus jener Zeit herrühren. Dagegen verräth schon der Kopf der Maria in dem länglichern Oval und dem richtigern Verhältniß der einzelnen Theile der Nase, des Mundes und der Augen zu demselben, welche in der peruginesken Epoche meist etwas zu klein gehalten sind, den florentinischen Einfluß. Noch mehr gilt dies von den Figuren des Petrus und Paulus. Die

Motive sind hier freier, besonders die Stellung der Füße natürlicher, die Massen der Gewänder breiter. In ihnen, wie in dem tiefen, glühenden Ton des ganzen untern Bildes ist der Eindruck zu erkennen, welchen die Werke des Fra, Bartolomeo auf den jungen Rafael ausgeübt haben. Dagegen verräth sich in der Freiheit und ungemeinen Grazie der Bewegung der heiligen Katharina und Rosalia deutlich der Einfluß des Leonardo da Vinci.

Von den Nonnen im Jahr 1678 um 2000 Scudi an den Grafen Giovanni Antonio Bigarrini in Rom ver= kauft, gelangte des Bild später in die Galerie Colonna, und gegen das Jahr 1800 an den König von Neapel, wo es sich noch in den Zimmern des königlichen Palastes befindet.

Von den fünf Stücken der Altarstaffel, welche von den Nonnen schon 1603 an die Königin Christina von Schweden verkauft, später in die Galerie Orleans, und mit dieser nach England kamen, zeigen die Kreuztragung [9]) und die Beweinung Christi [10]) in Composition wie Aus= führung entschieden den florentinischen Einfluß; bei dem Christus am Oelberg [11]) möchte die Ausführung, bei dem heiligen Francescus und Antonius von Padua [12]) aber auch die Erfindung von Mitschülern des Rafael herrühren.

In dem zweiten Bild [13]), ebenfalls mit 1505 be= zeichnet, läßt sich dagegen die peruineske Epoche fast nur noch in dem etwas starken Leib des Kindes, in der Stellung des hier im männlichen Alter genommenen Johannes des Evangelisten auf einer Seite des Throns, sowie in dem Ausdruck der Köpfe dieser beiden und der Maria wahrnehmen. Das fleißige Naturstudium und

die Abrundung der nackten Theile, die Freiheit in der
Stellung des Nikolaus und die Naturwahrheit seines
Kopfes, die Klarheit der Schatten und Reflexe beweisen,
welche Früchte Rafael bereits damals aus seinem Aufent=
halt in Florenz gezogen hatte. [14]) Im Jahr 1764 von
Gavin Hamilton aus jener Kirche in Perugia für Lord
Robert Spencer gekauft, schenkte es dieser später seinem
Bruder, dem Herzog von Marlborough. Seitdem befindet
es sich auf dem Landsitz dieser Familie, dem Schloß
Blenheim.

Das dritte Bild, welches hier in Betracht kommt,
ist die Madonna del Granduca, welchen Beinamen das
Bild erhielt, weil der Großherzog von Toscana, Ferdi=
nand III., es so sehr liebte, daß er es auf allen seinen
Reisen mit sich führte. [15]) In dem Kopf der Maria
erreichte Rafael noch ganz im Geist seines Meisters das
höchste im Ausdruck von Innigkeit und mütterlicher Be=
seligung, welches er jemals hervorgebracht, und dabei
hat dieses Bild durch das liebevolle Naturstudium, wel=
ches sich infolge des Eindrucks der florentinischen Kunst
in dem Körper des Kindes vorfindet, vor seinen frühern,
ein ähnliches Gefühl athmenden Bildern einen ganz
neuen Reiz voraus, sodaß man sich nicht wundern darf,
wenn die Liebe zu demselben auf die jetzige Großherzogin
von Toscana in solchem Maß übergegangen ist, daß sie
es gewöhnlich in ihrem Schlafgemach aufbewahrt. In
diesem wol sicher gegen Ende des Jahrs 1505 gemalten
Bild findet sich zum ersten mal jener klare und leichte
Gesammtton im Fleisch wie in den Gewändern, welcher
den Bildern Rafael's aus seiner florentinischen Epoche
gemeinsam ist.

Wie rasch sich aber dessenungeachtet Rafael die großen Vorzüge der florentinischen Malerschule anzueignen wußte, beweist das berühmte Frescogemälde in dem Halbrund (Lunette) der Kirche San-Severo zu Perugia, welches nach der Aufschrift ebenfalls noch im Jahr 1505 beendigt worden ist. In diesem von Gott-Vater überschwebten Christus in der Herrlichkeit, in den Jünglingsengeln, in den sechs Heiligen (Benedict, Romuald, Lorenz, Hieronymus, Maurus und Placibus) zu den Seiten Christi gewahrt man nun zuvörderst in der symmetrischen Anordnung den Eindruck, welchen die alten Mosaiken zu Florenz im Baptisterium und im San-Miniato in Monte auf Rafael gemacht haben. Die edeln naturgemäßen Charaktere, die Freiheit und Grazie der Bewegungen, die schönen und breiten Massen der Gewänder, die harmonisch abgewogene Färbung zeigen dagegen den außerordentlichen Erfolg seiner Studien der damaligen Kunst zu Florenz. Zugleich ist dieses Werk höchst wichtig als die früheste bekannte monumentale Malerei Rafael's, wenngleich die meisterliche Behandlung der Frescomalerei auf eine schon frühere Handhabung derselben schließen läßt. Der Dr. Emil Braun in Rom hat sich daher bei allen Freunden Rafael's ein großes Verdienst erworben, daß er diese Malerei zum ersten mal, und zwar von einem so vortrefflichen Stecher, wie der Professor Keller in Düsseldorf, durch einen Kupferstich allgemein bekannt gemacht hat, und zwar um so mehr, als das sehr verdorbene Original sich mehr und mehr seinem Untergang nähert.

Aber auch in den Staffeleibildern Rafael's tritt von dem Jahr 1505 ab jener Einfluß der florentinischen

Kunst mehr und mehr in den Vordergrund. Ich be=
trachte jetzt diejenigen, welche mir hierfür besonders
charakteristisch zu sein scheinen, und zwar in der Folge,
in welcher sie meines Erachtens gemalt sein dürften.

Bei der Madonna mit dem Kind aus der Casa
Tempi, jetzt in der königlichen Galerie zu München, ist
das Motiv, wie die Mutter das Kind voll Innigkeit
an sich drückt, ungleich dramatischer, die Aufgabe, welche
er sich gestellt, bei einigen starken und noch nicht ganz
gelungenen Verkürzungen, ungleich schwieriger als in den
obigen drei Uebergangs=Bildern. In dem Kopf der
Maria sehen wir nicht mehr den Anklang von sinniger
Wehmuth aus der Schule des Perugino, sondern nur die
der innigsten und freudigsten Mutterliebe. Dieses Bild
möchte sicher im Verlauf des Jahrs 1506 ausgeführt
worden sein. [16])

Diesem schließt sich in der Zeit das schöne Bild der
Madonna mit der Fächerpalme, eine der ersten Zierden der
Bridgewatergalerie, an. [17]) Nur ein wenig später dürfte
die heilige Katharina, jetzt eine der Zierden der National=
galerie, fallen. In der sogenannten „belle jardinière",
bekanntlich eine der Zierden des Louvre, welche im Jahr
1508 [18]) gemalt worden, zeigt sich wieder ein ungemeiner
Fortschritt. Der Ausdruck der stillen, von keinem Schmerz
und keiner Sorge berührten Seligkeit und Jungfräulich=
keit, womit die Maria auf das zu ihr emporblickende
Kind herabschaut, deutet hier schon leise auf die erhabene
Würde späterer Madonnen von Rafael. Das Motiv in
dem knieend das Jesuskind sehnsüchtig verehrenden Jo=
hannes erforderte schon ein bedeutendes Maß kunstreichen
Wissens. In den Körpern beider Kinder erkennt man

die sorgfältigsten Naturstudien und das gelungene Be=
streben, die einzelnen Theile abzurunden, sowie hier jede
Spur der conventionellen Grazie aus der Schule des
Perugino verschwunden, und an deren Stelle jene aus
einer feinen Beobachtung der Natur gebildete getreten
ist, welche dem Rafael bei seinen Zeitgenossen den Bei=
namen „il graziosissimo" erworben.

Alle Seiten seines damaligen Kunstvermögens zeigt
aber Rafael in einem in demselben Jahr beendigten Ge=
mälde, ·der Grablegung, welches eine Hauptzierde der
berühmten Sammlung im Palast Borghese zu Rom
ausmacht. [19]) Hier galt es eine höchst dramatische Hand=
lung, starke und schmerzliche Seelenaffecte auszudrücken.
Rafael scheint ganz die Größe und Schwierigkeit dieser
Aufgabe empfunden zu haben, denn von keinem seiner
andern Werke ist eine so große Anzahl von Studien
vorhanden als von diesem. Dessenungeachtet hat er sich
entschlossen, in den Hauptmotiven sich an einen berühmten
Kupferstich der Grablegung des schon von seinem Vater
so hoch verehrten Andrea Mantegna zu halten, dieselbe
aber freilich in ihren einzelnen Theilen zu ungleich größerer
Schönheit ausgebildet. Es ist ihm hier ebenso wohl ge=
lungen, in den Köpfen der Magdalena, des Johannes
und der ohnmächtigen Maria den tiefsten Seelenschmerz
auf das ergreifendste und schönste auszudrücken, als den
Körper Christi und die übrigen nackten Theile nach der
Natur mit einer noch an Härte grenzenden Bestimmtheit
auszubilden und abzurunden.

Eins der letzten Bilder, welches Rafael während dieser
seiner florentinischen Epoche, wahrscheinlich in der ersten
Hälfte des Jahrs 1508, ausführte, ist die Madonna di

casa Colonna, eine der Zierden des königlichen Museums zu Berlin. [20]) Von den Madonnen des Perugino ist hier keine Spur mehr übrig geblieben. Wir sehen hier die schöne Mutter in der Freude und Heiterkeit über ihr liebliches, lebensfrohes Kind. In dem Augenblicklichen des Motivs, wie sie, vom Lesen in einem Gebetbuch abgezogen, das an ihr emporstrebende Kind unterstützt, in den schönen und feinen Formen des Kindes, in dem leichten, geistreichen Vortrag zeigt dieses unter allen Bildern Rafael's aus dieser Epoche die größte künstlerische Freiheit. In Zeit und Art stimmt mit diesem Bild am meisten die eine Maria mit dem Kind in der Sammlung des Lord Cowper zu Pansanger überein. [21]) Aber auch die Maria, welche das mit inniger Lust zu ihr emporblickende Kind voll Liebe betrachtet, in der Bridgewatergalerie, gehört dieser Zeit und Richtung an, wenn das Bild auch vielleicht etwas später gemalt ist. Ich habe früher die Originalität desselben irrig in Zweifel gezogen.

Auf dieser Stufe der Ausbildung befand sich der damals fünfundzwanzigjährige Rafael, als er durch Vermittelung seines Oheims, des berühmten Architekten Bramante, im Lauf des Sommers 1508 eine Aufforderung des Papstes Julius II. erhielt, ein Zimmer im Vatican mit Frescomalereien zu schmücken. Bevor wir ihn indeß dahin begleiten, muß ich noch einiger Bildungmomente für Rafael während seiner florentinischen Epoche gedenken. Auf seine allgemeine geistige Ausbildung, die so selten von Künstlern anerkannte, aber unerläßliche Bedingung, um in der Kunst etwas wahrhaft Großes zu leisten, wirkte in Florenz der genaue Umgang mit dem gelehrten und vielseitig gebildeten Tabbeo Tabbei, in dessen Haus

er die liebreichste Aufnahme gefunden hatte[22]), höchst
wohlthätig ein und setzte ihn in den Stand, als er im
Jahr 1506 auf längere Zeit in Urbino verweilte, aus
dem Umgang mit verschiedenen der hochgebildetsten Männer, welche Italien damals besaß, und der Hof von
Urbino gerade zu jener Zeit vereinigte, des Pietro Bembo,
des Bibiena, des Grafen Balthasar Castiglione, den gehörigen Vortheil zu ziehen.

Auf den hohen Flug, welchen Rafael nachmals in
Rom nahm, mußten aber noch zwei Umstände einen
großen Einfluß ausüben. Seine innige Freundschaft zu
dem damals in einer schwärmerisch-religiösen Richtung
befindlichen, ihm an Jahren überlegenen berühmten Maler
Fra Bartolomeo di San-Marco sachte aufs neue in
ihm die Begeisterung für den Sinn religiöser Gegenstände
an, welchen die Freude an dem Wiedergeben des bloßen,
schönen Naturlebens in ihm eine Zeit lang in etwas
zurückgedrängt hatte. Die im Jahr 1506 erfolgte öffentliche Ausstellung des gepriesenen Cartons von Michel
Angelo Buonarotti aber, welcher die beim Baden durch
einen Angriff der Pisaner überraschten Florentiner darstellt, wie sie sich ankleiden, rüsten und zum Kampf
eilen[23]), mußte nothwendig mächtig auf ein Streben
nach einer größern Auffassung und freiern Behandlung
der Form einwirken. Das Augenblickliche und höchst
Bewegte dieser Handlung hatte nämlich dem Michel Angelo
Gelegenheit gegeben, sein tiefes anatomisches Wissen,
seine Meisterschaft in den kühnsten Verkürzungen, in dem
angestrengtesten Muskelspiel, in den mannichfaltigsten und
schwierigsten Stellungen in einem Grad zu zeigen, wie
die neuere Kunst noch nichts Aehnliches hervorgebracht

hatte, sodaß dieser Carton bei allen Künstlern von Toscana auch förmlich Epoche machte, und dem oben erwähnten des Leonardo da Vinci, mit dem er, ebenfalls im
Auftrag des Staats von Florenz, als Gegenstück ausgeführt worden, noch vorgezogen wurde.

So ausgerüstet, und mit solchen Eindrücken konnte
aber Rafael damals möglicherweise nichts günstigeres
begegnen als jener Ruf des Papstes Julius II. nach
Rom; denn dieser Herr war allen Fürsten seiner Zeit
an wahrem Kunstgeschmack, sowie an Energie und an
Mitteln, großartige Kunstunternehmungen durchzuführen,
weit überlegen. Zugleich mußte sowol die Größe der
antiken Welt, welche sich hier zum ersten mal vor Rafael's
Augen aufthat, auf einen Geist von seiner Empfänglich-
keit und seiner Hervorbringungskraft wunderbar erweiternd und erhebend einwirken. Hierzu kam endlich noch
der Umgang mit einer Anzahl von Männern, welche
Rom damals zum Mittelpunkt der geistigen Bildung erhob. Rafael zeigte sich aber auch diesen großen Lebens-
verhältnissen und den umfassenden und erhabenen Aufgaben, welche von jetzt an ihn gestellt wurden, vollkommen
gewachsen, und in unglaublich kurzer Zeit entfalteten sich
die Schwingen seines Genius zu ihrer ganzen Mächtigkeit.
Dieses bewies sogleich der Kreis der Ideen, welche er
dem Papst zur malerischen Ausschmückung der Camera
della segnatura, eines Zimmers, worin der Papst seine Verordnungen feierlich zu unterzeichnen pflegte, in Vorschlag
brachte. Seine Absicht ging nämlich dahin, daselbst die
höchsten Interessen der Menschheit: die Religion, die
Wissenschaft, die Kunst in der Form der Poesie, und das
Recht künstlerisch darzustellen und zu verherrlichen.

In der im Jahr 1509 ausgeführten Darstellung der
Religion, welche mit der der Kirche in der mittelalter=
lichen Bedeutung derselben zusammenfiel, erkannte Rafael
mit der seltensten Genialität und Tiefe des Blicks, daß
er hier, um die dem Gegenstand angemessene Feier und
Erhabenheit zu erreichen, in der Anordnung den alt=
christlichen Mosaiken folgen müsse, deren vielfältigen und
großartigen Eindruck er neuerdings in Rom empfangen
hatte. In dem obern Theil des Bildes [24]) stellte er
daher in der streng symmetrischen Anordnung jener Mo=
saiken ganz oben Gott=Vater, unter ihm Christus in
der Herrlichkeit zwischen Maria und Johannes dem
Täufer, umher in einem Halbkreis Apostel, Patriarchen
und Heilige dar, wußte aber diese alterthümliche Strenge
durch die Verschiedenheit der Motive in den sich ent=
sprechenden Figuren, wie in der zwar sehr bestimmten,
aber doch künstlerisch vollendeten Durchbildung der For=
men, mit den höhern Ansprüchen der ausgebildeten Kunst
seiner Zeit mit dem feinsten Takt auszugleichen. Noch
mehr Gelegenheit zu der freiern Ausgestaltung der sich
entsprechenden Gruppen bot ihm der untere Theil des
Gemäldes dar, wo Kirchenväter, Heilige und die Ge=
meinde um den auf einem Altar stehenden, vom Heiligen
Geist überschwebten Kelch mit der Hostie, als dem
eigentlichen Symbol der Erlösung, versammelt sind. Es
ist sehr interessant wahrzunehmen, wie Rafael, während
er dieses Werk ausgeführt, an Großheit der Formen, an
Freiheit der Darstellung, an Breite der Massen in den Ge=
wändern zugenommen hat. Die religiöse Malerei im ernsten
und strengen Kirchenstil hat in diesem Bild die höchste und
schönste Ausbildung erreicht und feiert darin ihren Triumph.

In dem im Jahr 1510 ausgeführten Apoll und den Musen auf dem Gipfel des Parnaß, worin uns Rafael die Poesie darstellt, schließen sich den berühmtesten griechischen und römischen Dichtern, einem Homer, einem Virgil, die größten italienischen Dichter, Dante und Petrarca, würdig an. [25]) Wir sehen in diesem, in der Zusammenstellung der Farben besonders heitern und harmonischen Gemälde die Begeisterung für die antike Poesie veranschaulicht, welche die damalige Zeit so lebhaft durchdrang. Die Gestalten wie die Köpfe der Musen sind von einer wunderbaren Schönheit. Rafael hatte dem Apollo ursprünglich die Lyra gegeben, wie ein nach der Zeichnung Rafael's ausgeführter Stich des Marcanton zeigt, und ich stimme ganz meinem Freund Passavant bei, daß die Vertauschung derselben mit einer Violine auf dem Gemälde wahrscheinlich auf den Wunsch Julius' II. geschehen ist, der darin einen besonders beliebten Improvisator der Zeit, welche sich damals gewöhnlich auf der Violine zu begleiten pflegten, vielleicht den Giacomo Sansecondo, verewigen wollte.

Das dritte von Rafael in diesem Zimmer an der Wand, der Religion gegenüber, ebenfalls 1510 gemalte Bild behandelt die Wissenschaft, und ist am meisten unter dem Namen der Schule von Athen bekannt. Dieses Gemälde [26]) zeigt, dem Gegenstand angemessen, in der Anordnung eine größere Freiheit als das Bild der Religion. An die Stelle des Gesetzes der Symmetrie ist hier mehr das Gesetz der Eurythmie getreten. Die Formen haben eine größere Fülle und sind von der vollendetsten Meisterschaft, die Gewandmassen zeigen eine größere Breite, die Haltung des Ganzen endlich entspricht

in einem ungleich höhern Grad dem, was man unter
einer malerischen Wirkung versteht. Schon die Räum=
lichkeit, ein wunderschöner Prachtbau im Geschmack des
Bramante, mit verschiedenen perspectivischen Gründen in
der Mitte, ist in dieser malerischen Weise ausgebildet.
Unter den Standbildern, welche diesen Bau schmücken,
nehmen, in höchst sinnreicher Beziehung auf den Gegen=
stand des Bildes, Minerva und Apollo die Hauptstellen
ein. In dem Mittelpunkt des Ganzen sehen wir Plato
und Aristoteles, die Häupter der beiden großen Richtungen,
in welche sich die Philosophie spaltet, des Idealismus
und Realismus. Unvergleichlich ist dieser Gegensatz in
dem Idealisten Plato, einem begeisterten Greise, durch
das Deuten nach dem Himmel, in Aristoteles, dem kräf=
tigen Mann mit dem Vorwiegen des scharfen Verstandes,
durch die abwärts ausgespreizte Hand, wodurch er die
breite Basis der Wirklichkeit, worauf er sich stützt, an=
deutet, ausgesprochen. In den perspectivisch nach der
Tiefe geordneten und sein nach den Gesetzen der Luft=
perspective abgetönten Zuhörern beider tritt wieder das
malerische Princip, welches in dem ganzen Bild waltet,
besonders deutlich hervor. Mit Sicherheit darf man
annehmen, daß Rafael bei der Beziehung der Philo=
sophen aufeinander, sowie bei der Charakteristik der
einzelnen die Mittheilungen des Balthasar Castiglione,
des Bibiena und anderer hochgebildeter Männer, mit
denen er in Rom bald in ein sehr vertrautes Ver=
hältniß getreten war, mannichfach zu statten gekommen
sind. In Bezug auf Rafael's Zeit gewährt uns
dieses Bild die geistreichste künstlerische Verlebendigung
des eifrigen Studiums der griechischen Philosophie durch

die damals in Italien so verbreiteten Schüler der Pla-
toniker.

Ebenso ist die 1511 ausgeführte Darstellung des
römischen und des kanonischen Rechts, welche auf der
vierten Wand zwei Gemälde bildet, einestheils eine Ver-
gegenwärtigung der großen gesetzlichen Macht des Papstes,
anderntheils des Eifers, womit das römische Recht damals in Italien betrieben wurde. In drei allegorischen
Figuren aber, welche den Raum oberhalb jener beiden
durch das Fenster getrennten Bilder einnehmen, der Vorsicht, von der Kraft und der Mäßigung umgeben, befindet sich der damals achtundzwanzigjährige Rafael in der
stilmäßigen Abwägung der Figuren im Raum, der hohen
Grazie der Motive, dem Adel der Charaktere, der
Schönheit und Größe der Formen, endlich in der Feinheit und Harmonie der Färbung, bereits auf der vollen
Höhe der Ausbildung seines Genius. [27])

Die vier allegorischen Figuren der Theologie, der
Poesie, der Philosophie und der Jurisprudenz, sowie
die historischen Bilder, welche den Schmuck der Decke
ausmachen, sind in ihrer Art nicht minder schön als die
Gemälde der Wände.

In seiner Gesammtheit aber enthielt dieses Zimmer
das höchste, welches die Malerei der neuern Zeit in der
repräsentirenden Kunstweise überhaupt hervorgebracht hat.
Auch erwarb dasselbe sich im vollsten Maß den Beifall
des geistreichen und kunstsinnigen Papstes, und erregte
unter allen Künstlern und Kunstfreunden in Rom den
höchsten Enthusiasmus.

Während der Zeit, daß Rafael an den Malereien
dieses Zimmers arbeitete, führte er wahrscheinlich das

Bildchen aus, welches unter dem Namen des Rafael Aldobrandini bekannt ist. In der Art der anmuthigen und lebhaften Bewegung, in dem schlanken Verhältniß der Maria erinnert es noch an die letzten Bilder aus der florentinischen Epoche, der Madonna aus dem Haus Colonna und der Maria mit dem Baldachin. Dasselbe gilt von dem Christuskind, sowie von dem kleinen Johannes, welcher seine Hand lebhaft nach einer ihm von jenem dargereichten Nelke ausstreckt. Die Ausbildung der Formen zeigt indeß eine größere künstlerische Reise, der Ton im Fleisch, wie in den lichten und kühlen Gewändern den Einfluß einer längern Beschäftigung mit der Frescomalerei. Auch der, obwol sehr zarte, Gebrauch des Goldes in den Säumen und Heiligenscheinen deutet auf diese frühere Zeit der römischen Epoche. Während der Gewaltherrschaft der Franzosen in Italien infolge der Revolution von 1789 erwarb der Maler Day dieses Bildchen von der Familie Aldobrandini in Rom und verkaufte dasselbe an Lord Garvagh, in dessen Hause zu London es sich noch jetzt befindet. [28])

Gleichfalls im Jahr 1511, und wahrscheinlich gegen Ende desselben, führte er auch für den Sigmondo Conti, Geheimschreiber des Papstes, das Altarblatt aus, welches unter dem Namen der Madonna di Fuligno so berühmt geworden ist. Dieses Bild gehört in verschiedenem Betracht zu den wichtigsten Staffeleigemälden Rafael's. [29]) Zum ersten mal in seiner künstlerischen Laufbahn stellte er darin die Maria, welche auf Wolken thront, als Himmelskönigin dar. Hoheit und Anmuth herrschen in ihren Zügen. Das Christuskind, ihr zur Seite stehend, schaut liebevoll zu dem unten in inniger Andacht knienden

Donator, jenem Conti, einer höchst lebendigen Porträt=
bildung, herab, welcher ihm von seinem hinter demselben
stehenden Schutzpatron, dem heiligen Hieronymus, einem
würdigen Greis, empfohlen wird. Auf der andern Seite
des Bildes kniet, dem Conti entsprechend, der heilige
Franciscus und bittet voll Inbrunst um die göttliche
Gnade für die vor dem Bild versammelte Gemeinde,
auf welche er mit der Rechten deutet. In dem Kopf
des Heiligen hat Rafael der Gefühlsweise religiösen
Sehnens und Schmachtens, welche er sich in der Schule
des Perugino zu eigen gemacht, in der Form der ganz
vollendeten Kunst ihren höchsten Ausdruck geliehen. Hinter
dem Franciscus steht, dem Hieronymus entsprechend,
Johannes der Täufer, von strengem und ernstem Cha=
rakter, und deutet, auch hier ganz im Geist der Schrift
als Verkündiger Christi aufgefaßt, mit der Rechten nach
ihm hin, indem er aus dem Bild heraus nach der Ge=
meinde blickt und sie auf die Gegenwart der Gottheit
aufmerksam macht. In der Mitte zwischen diesen beiden
Gruppen hat Rafael mit dem ihm eigenen seinen Stil=
gefühl die Leere, welche sonst hier entstanden sein würde,
durch einen Engel, dessen schöne Züge von himmlischer
Freudigkeit strahlen, ausgefüllt. Auf einem Täfelchen,
welches er hält, befand sich vordem eine auf den Be=
steller des Gemäldes bezügliche Inschrift. In diesem
Werk, worin das glänzende, aber scharf umschriebene
Rund, welches die Maria und das Kind umgibt, noch
an die althergebrachte, mittelalterliche, mandelförmige
und daher von Vasari mandorla genannte Form erinnert,
worin die Gottheit in der Regel erscheint, bildete Rafael
nun wieder die althergebrachte Weise der Composition

für Altargemälde, nämlich der Maria mit dem Kind,
welche auf beiden Seiten von Heiligen verehrt werden,
zur höchsten Kunstform aus. Ohne auch hier das für
solchen Zweck sehr wohlbegründete Gesetz der symmetrischen
Anordnung aufzugeben, hat er es auf eine unübertreffliche
Weise verstanden, die Strenge desselben durch Mannich=
faltigkeit der Motive in den sich entsprechenden Gestalten
zu mildern und durch die oben erwähnten geistreichen
Beziehungen zu beleben. Dabei zeigt dieses Werk in
der satten, goldigen und kräftig harmonischen Färbung,
welche keinem der frühern Bilder Rafael's eigen ist,
sowie in der breiten und markigen Behandlung der Oel=
malerei ein neues, bisher unbeachtet gebliebenes Bildungs=
moment in der ·künstlerischen Entwickelung Rafael's, näm=
lich den entschiedenen Einfluß des im Jahr 1511 nach
Rom gekommenen Sebastian del Piombo, welcher sich
jene Eigenschaften von seinem Meister Giorgione, dem
eigentlichen Urheber des freien und breiten Vortrags in
der Oelmalerei, angeeignet hatte, und dessen Bilder
deshalb nach dem Zeugniß des Vasari in Rom die größte
Bewunderung erregten. Dieser Einfluß läßt sich nicht
hinreichend aus den Arbeiten des Sebastian del Piombo
nachweisen, welche wir aus seiner römischen Epoche be=
sitzen, deren Mehrzahl einen mehr gebrochenen und fahlen
Ton haben, welchen er dort allmählich, infolge des ihm
von MichelAngelo mitgetheilten Bestrebens auf Ausbildung
der Form, angenommen hatte, sondern man muß, um
diesen richtig zu würdigen, das Bild des S. del Piombo
kennen, welches sich von ihm zu Venedig in der Kirche
des heiligen Chrysostomus befindet. Dieses Werk, wel=
ches jenen Heiligen auf dem Thron von sechs andern

Heiligen umgeben vorstellt, verräth allerdings in einigen
Theilen, z. B. in den Beinen des Johannes, noch die
Schwäche in der Zeichnung, welche den römischen Künstlern während der ersten Zeit seines dortigen Aufenthalts
so sehr auffiel, zeigt aber dafür eine Tiefe und Glut
der Färbung, welche seinem Meister Giorgione nichts
nachgibt, und woran besonders die Maria und das Kind
auf der Madonna di Fuligno auf eine auffallende Weise
erinnert. Da er aber, als er nach Rom kam, erst
sechsundzwanzig Jahre alt war, so ist mit Sicherheit
anzunehmen, daß er dieses Bild nicht lange vor seiner
Abreise dahin beendigt haben möchte, sodaß wir darin
einen sichern Anhalt für die Kunstweise besitzen, womit er
zuerst in Rom auftrat.

Daß Rafael aber auch in dieser Zeit die Maria
mit dem Kind in ihren mehr häuslichen Beziehungen mit
unvergleichlicher Anmuth darzustellen wußte, beweist das
schöne Bild, welches er wahrscheinlich 1512 für den
Leonello da Carpi ausführte und jetzt eine der Haupt-
zierden der königlichen Galerie zu Neapel ausmacht. [30])

In einem zweiten Zimmer, dessen malerischer Schmuck
dem Rafael vom Papst aufgetragen wurde, war der Haupt-
inhalt der Darstellungen, wie Gott die Kirche gegen Un-
glauben und äußere Bedrängnisse durch Wunder zu schirmen
weiß. Dieses Zimmer, welches nach dem erst daselbst
ausgeführten Bild, den Tempelräuber Heliodor, der durch
herabfahrende Engel verscheucht wird [31]), unter dem
Namen der Stanza d'Elioboro bekannt ist, gab Rafael
Gelegenheit, seine Größe in dem dramatischen Element
der Kunst in gleicher Weise zu bewähren, wie dieses in
dem ersten Zimmer in dem der repräsentirenden geschehen

war. Unvergleichlich ist in diesem Bild die Blitzesschnelle
in den Motiven der Engel, sowie in ihren Zügen der
edle Zorn ausgedrückt. In dem zweiten Bild daselbst,
der sogenannten Messe von Bolsena, erreichte er in der
Kraft und Wahrheit der Färbung die größte, von allen
Kunstfreunden noch immer angestaunte Höhe in der
Frescomalerei. Sowol hierin als in dem durchweg hier
mehr Realistischen und Porträtartigen wird wieder die
noch frische Einwirkung der Kunstweise des Sebastian
del Piombo offenbar. Als er dieses Werk im Jahr 1512 vollendet hatte,
begegnete ihm meines Erachtens das einzige große
Unglück seines ganzen Lebens, indem er am 21. Febr.
1513 seinen hohen Gönner, den Papst Julius II., durch
den Tod verlor. Denn wie sehr ihm dessen Nachfolger,
der Papst Leo X., in Dingen der Kunst sein unbedingtes
Vertrauen schenkte und ihm die großartigsten Aufträge
ertheilte, so fehlte es ihm doch an der richtigen Einsicht
seines Vorgängers, vermöge welcher dieser die Malerei
als das Gebiet erkannt hatte, worin Rafael's Genie
das Höchste zu leisten berufen war, und ihn daher aus=
schließlich in demselben beschäftigt hatte. Dadurch aber,
daß der Papst Leo X. Rafael bereits am 1. Aug. 1514
zum Baumeister der Peterskirche ernannte und etwas
später ihm den Auftrag ertheilte, nach den vorhandenen
Ueberresten und den schriftlichen Nachrichten auf dem
Papier eine Herstellung des antiken Rom zu machen,
zersplitterte er die Kraft Rafael's so sehr, daß er hinfort
der Malerei nur noch einen Theil derselben zuwenden
konnte. Wir wissen nämlich, daß er über den Bau der
Peterskirche fast alle Tage mit dem Papst persönlich zu

verhandeln hatte [32]), und daß er in jener zweiten
Beschäftigung viele zeitraubende örtliche und literarische
Vorarbeiten machen mußte, versteht sich von selbst, wird
aber noch ausdrücklich durch einen langen Bericht Rafael's
an Leo X. über diese ganze Angelegenheit bestätigt. [33])
Die unausbleibliche Folge hiervon war, daß er von jetzt
an sich für seine Wirksamkeit als Maler in den meisten
Fällen mit Angabe der Erfindungen in mehr oder minder
ausgeführten Zeichnungen begnügen, die Ausführung im
großen aber mehr oder minder begabten Schülern überlassen mußte. Da nun Rafael's Plan der Peterskirche
nach seinem Tod nicht weiter berücksichtigt worden, auch
seine Zeichnungen der Wiederherstellung des alten Rom,
welche von Zeitgenossen als höchst vortrefflich gerühmt
werden, verloren gegangen sind, so ist die viele kostbare
Zeit, welche er auf beide Beschäftigungen verwendet,
ohne irgendein dauerndes Ergebniß geblieben, und dieser
Verlust um so mehr zu beklagen, als der Abstand von
den von Rafael selbst, und den von seinen Schülern
ausgeführten Erfindungen durchgängig nur zu groß ist.

Im Vatican malte Rafael unter diesen Verhältnissen
eigenhändig nur noch die beiden andern Bilder in der
Stanza d'Elioboro, Attila, von dem Papst Leo I. von
Rom abgehalten [34]), und die Befreiung Petri aus dem
Gefängniß. [35]) In dem letzten lieferte Rafael den Beweis, daß er auch sogenannte Nachtstücke, wobei es auf
die Darstellung verschiedener Beleuchtungen ankommt,
vortrefflich zu behandeln wußte, indem das Mondlicht,
der Fackelschein und der himmlische, von dem Engel aus-
strahlende Glanz hier meisterlich unterschieden sind. Im
Attila ist außer dem höchst vortrefflich durchgeführten

Gegensatz desselben mit seinen wilden Scharen und des milden und friedlichen Leo mit seinen Priestern eine großartigere Auffassung der Formen als bisher bemerkbar, meines Erachtens eine Folge des Studiums der Malereien des Michel Angelo an der Decke der Sixtinischen Kapelle, welche bekanntlich im November 1512 aufgedeckt worden waren.

Sehr wichtig für die sinnige Weise, wie Rafael in einem Altarbild die Maria und das Kind auf dem Thron mit den Figuren am Fuß desselben recht eigentlich in eine dramatische Beziehung zu setzen verstanden, ist wieder die berühmte Madonna mit dem Fisch. [36]) Um die Zusammenstellung der Figuren in diesem Bild zu verstehen, muß man wissen, daß es von den Dominicanern von Neapel für den Schmuck des Altars der Kapelle ihrer Kirche bestellt worden, worin man die Maria als die helfende für Augenkrankheiten anrief. In dieser Beziehung sehen wir hier den Engel Rafael als Schutzengel des jungen Tobias, wie er an die Maria eine Fürbitte für die Heilung der Blindheit des alten Tobias richtet. Die hohe Milde, womit Maria auf den Tobias herabschaut, die Freundlichkeit, womit das Kind ihn mit der erhobenen Rechten segnet, bezeugt, daß diese Bitte gewährt wird. Unterdeß ruht die Linke des Kindes in dem großen aufgeschlagenen Buch des heiligen Hieronymus, dem der Orden der Dominicaner eine ganz besondere Verehrung zollt. Durch dieses Motiv wird nun vortrefflich sowol angedeutet, daß der Kirchenvater durch das Herannahen des Engels mit dem jungen Tobias im Vorlesen aus dem Buch unterbrochen worden, als daß er nach Gewährung der Bitte darin fortfahren wird.

Letzteres spricht sich überdem in der Art aus, wie der Hieronymus aus dem Buch aufblickt, um abzuwarten, wann er wieder anfangen kann. Alles vereinigt sich dafür, daß dieses Bild im Jahr 1512 gemalt sein möchte. In dem Engel, bei dem Rafael ein Motiv, welches schon in frühern Bildern der umbrischen Schule vorkommt, benutzt hat, klingt wieder in hinreißender Art jenes der Schule des Perugino so eigenthümliche andächtige und innige Sehnen an. Die Maria ist, in ihrer Vereinigung von Schönheit, Hoheit und Jungfräulichkeit, eine der vorzüglichsten, welche Rafael hervorgebracht hat. Der kräftige Charakter des Hieronymus aber entspricht dem der Köpfe der Cardinäle auf der sicher 1512 gemalten Messe von Bolsena ebenso wie der schüchterne und naive Tobias den Chorknaben auf demselben Bild, womit auch der ganze, besonders warme Farbenton übereinstimmt, der wieder unverkennbar die Einwirkung des Sebastian del Piombo verräth. Im Jahr 1656 wurde dieses Bild von dem König Philipp IV. von Spanien von den Dominicanern für die Kirche im Escurial erworben. Im Jahr 1814 nach Paris gebracht, dort von Holz auf Leinwand übertragen, und in einigen Theilen stark restaurirt, bildet es jetzt eine der Zierden des Museums zu Madrid.

Einen bedeutenden Einfluß auf die künstlerische Thätigkeit Rafael's gewann vom Jahr 1514 ab der reiche Kaufherr aus Siena, Agostino Ghigi. Durch ihn wurde Rafael veranlaßt, zwei der schönsten Werke seines Lebens auszuführen, sodaß der Künstler wie die Nachwelt nächst den beiden Päpsten Julius II. und Leo X. ihm als Mäcen am meisten verpflichtet sind. Das eine dieser Werke sind

13 *

die vier im Jahr 1514 ausgeführten Sibyllen, in der
Kirche der Madonna della Pace.[37]) Der scheinbar
ungünstige Raum, eine ziemlich lange und schmale Wand,
in deren Mitte ein von unten eintretender Bogen noch
obenein über die Hälfte der Höhe wegschneidet, ist mit
wunderbarer Genialität zu einer der schönsten Compositionen benutzt und mit dem feinsten Stilgefühl ausgefüllt worden. In den einzelnen Gestalten der Sibyllen,
von denen die am meisten links die cumäische, die folgende die persische, die zunächst die phrygische, die letzte
endlich die tiburtinische ist, sowie der sie begleitenden
Engel weht eine hinreißende Begeisterung, herrscht eine
wunderbare Grazie.

In dem andern Werk gab Ghigi dem Rafael Gelegenheit sein Genie von einer ganz neuen Seite zu zeigen, nämlich in der Darstellung aus dem Kreis der antiken
Mythologie, woran bekanntlich die Gebildeten jener Zeit
ein besonderes Gefallen fanden. Für ihn führte Rafael
in dem von dem berühmten Balthasar Peruzzi ausgeführten Haus, jetzt die Farnesina genannt, das berühmte
Gemälde, den Triumph der Galatea[38]), aus. Ohne
in der Auffassung dieses Gegenstandes, sowol bei der
Göttin als bei den Tritonen, in die Nachahmung einzelner, in Basreliefs auf uns gekommener, antiker
Vorstellungen solcher Wesen der Phantasie zu verfallen,
ist Rafael hier dennoch tief in den Geist der antiken
Kunst eingedrungen und feiert darin einen ganz neuen
Triumph. Es herrscht in diesem Bild nämlich in hohem
Maß jene griechischen Kunstwerken eigenthümliche Ver-
einigung von gesunder, sinnlicher Kraft, von Schönheit
und Anmuth, von geistiger Heiterkeit und Befriedigung,

in welcher nur in dem Kopf der emporschauenden Galatea und des im Vorgrund des Bildes schwimmenden Kinder- génius ein leiser Zug von Wehmuth anklingt, wie man solches auch an einigen edeln Gebilden antiker Sculptur antrifft, z. B. in der berühmten Statue der Leucothea in der Glyptothek in München. Die in den nächstfol- genden Jahren in derselben Farnesina fast durchgängig von Rafael's Schülern nach seinen Erfindungen aus- geführten Frescomalereien aus der Mythe von Amor und Psyche [39]) athmen einen ganz ähnlichen Geist wie die Galatea, stehen in der Ausführung derselben aber weit nach.

Wie alle diese und viele andere Compositionen auf diesem Gebiet das Ausgezeichnetste sind, was die neuere Malerei darin hervorgebracht hat, so sind sie die Vor- bilder der zahlreichen Werke aus dem Kreis der antiken Mythologie, welche Giulio Romano, Perin del Vaga, ja in manchen Fällen selbst Nicolas Poussin hervor- gebracht haben.

Ein höchst bedeutender Auftrag, welchen Rafael vom Papst Leo X. erhielt, gab ihm Gelegenheit seinen Genius wieder in einer andern Richtung zu entfalten. Dieser bestand in zehn in Wasserfarben colorirten sehr großen Cartons aus der Apostelgeschichte, und einem elsten, die Krönung Mariä vorstellend, um hiernach in Flandern Tapeten ausführen zu lassen, welche bestimmt waren, bei kirchlichen Festen die untern Wände des Presbyteriums der Sixtinischen Kapelle zu schmücken. In jedem Betracht zeigt Rafael sich in diesen in den Jahren 1514 und 1515 ausgeführten Cartons auf der größten Höhe seiner Kunst. Seine erfinderische Kraft gibt sich hier noch

unbedingter als in den meisten andern kirchlichen Aufgaben
kund, bei denen es ihm nur übrig blieb, die bereits her=
kömmliche Weise zur größten Vollkommenheit auszubilden.
In der Behandlung dieser Gegenstände aber war Masaccio
der einzige bedeutende Künstler, welcher ihm voraus=
gegangen war. In den meisten Cartons erscheint er
daher durchweg als Schöpfer, und diese als die bedeu=
tendste Erweiterung, welche der christliche Bilderkreis seit
Jahrhunderten erfahren hatte. Nirgends aber fühlt man
so sehr, wie tief Rafael in den rein biblischen Geist
eingedrungen, als in diesen Cartons, worin die wenigen
und schlichten Worte der Schrift sich in seiner künstlerischen
Phantasie zu den reichsten Bildern ausgestalten, die doch
in allen Theilen nur dem Sinn jener Worte entsprechend
sind. Der dramatische Gehalt jener Vorgänge ist darin
auf eine so erhabene und ergreifende Weise ausgesprochen,
daß sie meines Erachtens unbedingt das höchste sind,
welches die neuere Kunst im Gebiet der dramatischen
Malerei hervorgebracht hat. In keinem andern der
figurenreichen Werke Rafael's sind die Compositionen in
ihren einzelnen Massen so vereinfacht, die Figuren so
deutlich voneinander abgesetzt, die Formen so groß auf=
gefaßt, die Gewänder von dieser malerischen Breite.
Wenn irgendwo, so ist hier nach meinem Gefühl der
Einfluß wahrzunehmen, welchen die schon oben erwähnten
Malereien des Michel Angelo an der Decke der Sixtinischen
Kapelle, namentlich die Propheten und Sibyllen auf
Rafael ausgeübt haben.' Derselbe besteht hier aber nicht
etwa in einer äußern Nachahmung jenes Meisters, wie
dieses in etwas bei dem Propheten Jesaias, einem
Frescogemälde in der Kirche San=Agostino, der Fall

gewesen, sondern nur in der höhern Ausbildung in der dem Rafael eigenthümlichen Kunst= und Geistesart.

Die einzelnen Gegenstände jener Cartons sind be= kanntlich der Fischzug Petri, Christi Worte an Petrus: Weide meine Schafe, die Heilung des Lahmen an der Pforte des Tempels, der Tod des Ananias, die Bekeh= rung des Paulus, die Erblindung des Zauberers Elymas, das Opfer zu Lystra, die Predigt Pauli in Athen; endlich Paulus im Gefängniß und die Steinigung des Stepha= nus. Mit Ausnahme der beiden letzten und der Bekeh= rung des Paulus befinden sich die übrigen, mithin sieben Cartons, bekanntlich jetzt in dem königlichen Schloß Hamp= toncourt in der Nähe von London. Die andern drei sind verloren. Ich enthalte mich hier indeß um so mehr, auf eine nähere Besprechung der einzelnen Cartons ein= zugehen, da dieses sowol in meinen „Kunstwerken und Künstlern in England 2c." als neuerdings in einem besondern Aufsatz über die Cartons und die nach denselben gewirkten Teppiche, welchen ich nächstens zu veröffentlichen denke, geschehen ist. '

Ein anderer Auftrag Leo's X., die offene Galerie, welche zu den von ihm im Vatican mit Malereien ge= schmückten Zimmern führt, ebenfalls künstlerisch zu ver= zieren, gab ihm zuvörderst die Veranlassung für die kleinen an den Gewölben befindlichen Gemälde die be= deutendsten Gegenstände des Alten Testaments in einer Reihe höchst geistreicher Compositionen zu behandeln, deren Ausführung er freilich seinen Schülern überlassen mußte. Die Verzierungen der Pfeiler aber gewährten ihm die Gelegenheit in größerer Ausführlichkeit als bisher in seinem Leben das Gebiet der Arabeskenmalerei anzubauen.

Hierbei kam ihm nun wieder als Bildungsmoment der Umstand unvergleichlich zu statten, daß in jener Zeit gerade die verzierenden, antiken Malereien in den Bädern des Titus entdeckt worden waren. Er erkannte darin die Richtigkeit des Princips und die Schönheit des Geschmacks, und wußte sich beides in seinen Entwürfen anzueignen, worin indessen sich seine Eigenthümlichkeit wieder in einer wunderbaren Fülle der anmuthigsten Erfindungen auf das entschiedenste geltend macht. Diese Arabesken werden daher mit Recht für das Vollendetste angesehen, welches die ganze neuere Zeit in diesem Fach hervorgebracht, und haben unzähligen andern Malereien verwandter Art, welche seitdem ausgeführt worden sind, zum Vorbild gedient. Höchst glücklich mußte sich Rafael zur Ausführung dieser Arabesken des Giovanni von Udine, welcher, als der venetianischen Schule angehörig, in vorwaltendem Maß Talent und Neigung zur getreuen Wiedergabe der einzelnen Naturerscheinung (Realismus) besaß, zu bedienen, sodaß, während Rafael in den Erfindungen für das höhere architektonische Stilgesetz und die Schönheit sorgte, zugleich auf das vortrefflichste für die an dieser Stelle besonders erforderliche naturgemäße Ausführung des einzelnen gesorgt war.

Ich komme jetzt auf eine Reihe von Staffeleigemälden, welche derselben reiffsten Epoche angehören. Gleichzeitig mit jenen Cartons fällt die Ausführung des berühmten Gemäldes der heiligen Cäcilia. Obwol dieses Bild von dem Cardinal Lorenzo Pucci schon gegen Ende des Jahrs 1513 bei Rafael für eine Kapelle der Cäcilia bestellt wurde, welche sein Neffe, Antonio Pucci zu Florenz, um einem aus religiöser Begeisterung hervorgegangen Wunsch seiner Verwandten, der Elena Duglioli zu Bologna, zu genügen, in der Kirche San-Giovanni in Monte bei Bologna hatte erbauen laffen, so ist dasselbe doch erst im Jahr 1515 vollendet und wahrscheinlich im Jahr 1516 an dem Ort seiner Bestimmung aufgestellt worden. [40])

Der Gedanke, die Heilige, welche nach der Legende die Orgel erfunden, um darauf den Herrn zu preisen, so darzustellen, daß sie, plötzlich von oben herab den Gesang der himmlischen Heerscharen vernehmend, unwillkürlich die Orgel finten läßt, und, den Blick emporgewendet, ganz verloren ist in seligem Entzücken über die wunderbaren Harmonien, welche ihr Ohr erfüllen, gehört zu den schönsten dieses reichen Genius. Der heilige Paulus neben ihr, eine edle männliche Gestalt, von ernstem Charakter, bildet einen schönen Gegensatz zu ihr. Mit gesenktem Blick steht er in tiefem Nachsinnen da. Die Magdalena, ihm gegenüber, eine schlanke Gestalt, richtet den Blick auf den Beschauer des Bildes, und bedeutet ihn mit der Rechten, ebenfalls den himmlischen Tönen zu lauschen. In dem Augustinus neben ihr ist die feurige, begeisterte Glaubenskraft ebenso ergreifend ausgedrückt, wie die innige und hingebende Liebe in dem Johannes gegenüber. Keins der übrigen Bilder Rafael's ist endlich im Fleisch wie in den übrigen Farben von einer so glühenden, den Einfluß des Sebastian del Piombo verrathenden Färbung. Leider hat dieses schöne Werk jetzt ungemein an seiner Ursprünglichkeit eingebüßt. Bei dem Transport von Bologna nach Paris im Jahr 1789, wie bei dem Uebertragen von Holz auf Leinwand daselbst, hatte es an vielen Stellen gelitten, sobaß es einer starken

Restauration beburfte. Als das Bild nun im Jahr 1815 nach Bologna zurückkam, fand man für gut, jene Retouchen herunterzunehmen und durch neue zu ersetzen, welche sich aber so sehr über die ganze Fläche des Bildes verbreitet haben, daß die alte klare Färbung nur noch stellenweise vorhanden ist.

In diese Zeit gehört auch die berühmte Bision des Hesekiel [41], sowol nach der großartigen Auffassung der Formen, als der kräftig bräunlichen Färbung und dem freien meisterlichen Bortrag. Es gibt kein Bild, welches bei so kleinem Umfang eine so erhabene Figur enthielte, als dieser Jehovah, wie er, die Hände erhoben, in strenger, gewaltiger Majestät in raschem Flug einherbraust. Auch die beiden Engel neben ihm athmen eine wunderbare Begeisterung. Meisterhaft sind endlich die vier Zeichen der Evangelisten componirt. Dieses für den Grafen Vincenzo Ercolani zu Bologna ausgeführte Kleinod schmückt jetzt die Sammlung im Palast Pitti.

Mit Recht gehört sodann die in derselben Sammlung befindliche Madonna della Sedia [42] unter den kleinern Bildern aus der reifsten Epoche Rafael's zu den berühmtesten. Unvergleichlich schmiegt sich die Composition durch das herzige Herabneigen der Maria zu dem Kind in die runde Form. Ist hier in ihren lieblichen Zügen mehr die mütterliche Seite hervorgehoben, so tritt uns in dem tiefen Ernst, in den großartigen Formen des schönen Kindes schon die Auffassung der göttlichen Natur entgegen, welche erst in dem Kind der Madonna des heiligen Sixtus zur erhabensten Ausgestaltung gelangt ist. Die Innigkeit im Ausbruck des Johannes zeigt die Durchdringung der der umbrischen Schule eigenthümlichen

Gefühlsweise mit den Formen der vollendetsten Kunst. In dem hellen Gesammtton, den lichten und heitern Farben macht dieses reizende, wahrscheinlich im Jahr 1516 ausgeführte Bild eine den Frescomalereien verwandte Wirkung.

Das ergreifendste Pathos in den verschiedensten Aeußerungen nach den Persönlichkeiten hat Rafael in der berühmten unter dem Namen „Lo spasimo di Sicilia" bekannten Kreuztragung 43) erreicht. Jenen Beinamen hat das Bild davon erhalten, daß es, höchst wahrscheinlich im Jahr 1517, für die Kirche der Maria zu Palermo gemalt worden, in welcher sie gegen Krämpfe, im Italienischen „spasimo", angerufen wurde. Höchst kunstreich ist nun vorerst die Anordnung dieses Werks. Da die durch den Altar vorgeschriebene überhöhte Form des Bildes eine Ausbreitung des Zugs nach der Länge nicht gestattete, sehen wir hier die Spitze desselben mit dem Fahnenträger im Mittelgrunde auf einer Biegung, welche der Weg nach Golgatha bald vor dem Thor von Jerusalem macht, das Ende des Zugs aber noch unter dem Thor selbst. Hierdurch ist der unter der Last des Kreuzes zusammengesunkene Christus als geistiger Mittelpunkt in die Mitte des Bildes gebracht, und zieht sogleich die Augen des Beschauers auf sich. Wunderbar ergreifend ist nun in den Zügen seines edeln, von der schweren Anstrengung gerötheten Antlitzes der unsagliche Schmerz des Leibes und der Seele und doch wieder das Mitleid mit den Frauen ausgedrückt, welches in den Worten liegt: Weinet nicht über mich, ihr Töchter Zion, sondern über euch und eure Kinder. Unter dieser Gruppe der Frauen fesselt wieder vor allen die Maria, deren

Ausdruck des namenlosen Schmerzes noch durch das
hülflose Vorstrecken der schönen Hände gesteigert wird.
Ungleich leidenschaftlicher spricht sich der Schmerz in der
Magdalena im rothen Gewand und dem nachlässig herab=
fließenden Haar, schöner und milder wieder in der
Maria, welche die Hände gegen die Wange preßt, aus.
Ein tiefes inneres Seelenleiden verrathen die edeln Züge
des Johannes. Der Schmerz der Maria im Profil,
ganz vorn, wird dadurch zum Weinen gesteigert, daß
sich zu dem über den Erlöser auch noch das Mitleid
über die unendliche Qual seiner Mutter gesellt. Einen
erschütternden Gegensatz bildet hiermit der kräftige, vom
Rücken gesehene Henker, welcher Christum an einem um
die Mitte des Leibes gelegten Strick gewaltsam empor=
zureißen sucht; sowie der andere, der in roher Weise mit
der Lanze nach ihm stößt, endlich der Simon von Cyrene,
von athletischem Körperbau, welche auf den, durch den
vorgestreckten Arm mit dem Commandostab ausgedrückten
Befehl des Hauptmanns mit seinen kräftigen Händen
das Kreuz ergreift. In diesen drei Gestalten erscheint
in der Zeichnung wie in den Motiven die Freiheit und
Meisterschaft, womit Rafael die darstellenden Mittel der
Kunst beherrschte, im vollen Maß. In der Stimmung
der Färbung hat Rafael die kühle und helle Frische des
Morgens, welche sich in der schönen Landschaft mit dem
fernen Zug der Schächer und Golgatha ausspricht, in
allen Theilen beibehalten. Daher der kühlröthliche, bei
ihm sonst ungewöhnliche Ton des Fleisches, und das
Vorwalten des kalten Blaus, des kalten Roths in den
Gewändern. Gleich nach seiner Entstehung war dieses
Meisterwerk dem Untergang ganz nahe. Das Schiff,

welches es nach Palermo bringen sollte, ging mit Mann und Maus zu Grunde. Nur die Kiste mit dem Bild wurde von den Wellen im Hafen von Genua an das Land gespült, als ob das wilde Element Scheu getragen, ein so hohes Geisteswerk zu verschlingen. Man kann sich das Erstaunen der Genueser denken, als sie bei Oeffnen der Kiste das Bild entdeckten, und es bedurfte der Vermittelung des Papstes, um sie zu bewegen, dasselbe an den Ort seiner Bestimmung gelangen zu lassen. In der ersten Hälfte des 17. Jahrhunderts ließ Philipp IV. König von Spanien, das Bild dem Kloster gegen eine jährliche Rente von 1000 Scudi wegnehmen und in der königlichen Kapelle zu Madrid aufstellen. Im Jahr 1814 wanderte es nach Paris, woselbst es von Bonnemaison von Holz auf Leinwand übertragen und einer starken Restauration unterworfen worden ist. Gegenwärtig bildet es die vornehmste Zierde des königlichen Museums zu Madrid.

Der mit der Jahreszahl 1518 [44]) bezeichnete Engel Michael [45]) zeigt in dem herabstürmenden Engel den Rafael auf dem Gebiet des Augenblicklichen, lebhaft Dramatischen wieder auf der ganzen Höhe seiner Kunst. Vortrefflich ist das pfeilschnelle Herabfahren in dem emporgewehten Haupthaar ausgedrückt. Wie die edeln Züge des Antlitzes nur wenig von erhabenem Unwillen bewegt. werden, so ist die Bewegung des Stoßens mit der Lanze auch nur noch die letzte Drohung gegen den schon bis zum Abgrund der Hölle, welcher durch emporschlagende Flammen bezeichnet wird, herabgestürzten Feind. Das Schönheitsgefühl Rafael's hat in dem Teufel bis auf einen Drachenschweif die menschliche Gestalt bewahren

und Bosheit und ohnmächtige Wuth in den gemeinen
Zügen auch ohne widrige Verzerrung ausdrücken lassen.
Die etwas zu starke Angabe der Knochen an den Schul=
tern, Elnbogen und Knien, ganz besonders aber der
Knöchel an Händen und Füßen, das sehr Verschmolzene
des Vortrags, der schwere und dunkle Ton der Schatten
sprechen für einen großen Antheil des Giulio Romano.
Von Lorenzo Medici, Herzog von Urbino, bei Rafael
bestellt und dem König Franz I. von Frankreich verehrt,
befindet sich das Bild jetzt in der Galerie des Louvre.

Im Umfang wie in der Schönheit der Composition
nimmt unter allen Heiligen=Familien Rafael's die ebenso
von dem Lorenzo Medici dem Rafael aufgetragene und
dem König Franz I. geschenkte, nach der Aufschrift im
Jahr 1518 ausgeführt, unbedingt die erste Stelle ein.
Die Hoheit und Milde in der Mutter, die selige Lust,
womit das Christuskind aus der Wiege sich zu ihr em=
porschwingt, die kindliche und innige Verehrung des klei=
nen Johannes, die edle Würde in der Elisabeth, wie in
dem in Nachsinnen versunkenen Joseph, die hinreißende
Anmuth der Engel, von denen der eine Blumen auf das
Kind herabstreut, der andere anbetet, ziehen ebenso sehr
im einzelnen an, wie die Eurythmie, womit diese Ge=
stalten den Raum ausfüllen, Bewunderung erregt. Aehn=
liche Eigenschaften, wie an dem Engel Michael, zeugen
auch hier für die sehr starke Theilnahme des Giulio
Romano, welche überdem ausdrücklich von Vasari be=
zeugt wird.

An der unter dem Namen der „Perle" bekannten
Heiligen Familie [46]) gehört aber dem Rafael nur die
Composition, die Ausführung zeigt in dem glatten Vor=

trag, den kalten Lichtern, den schweren und dunkeln
Schatten durchgängig die Hand des Giulio Romano.
Am anziehendsten ist der liebliche, feine Kopf der Maria,
welche mit der Linken die sehr ernst und alt genommene
Elisabeth umfaßt, mit der Rechten aber den kleinen Je=
sus unterstützt, der in kindlicher Freude über die Früchte,
welche ihm der kleine Johannes in seinem Fellchen dar=
bietet, lächelnd emporblickt. Dieses wahrscheinlich im
Jahr 1518 für den jungen Marchese von Mantua aus=
geführte Gemälde kam später mit dem ganzen Bilderschatz
des Hauses Gonzaga in den Besitz des Königs Karl I.
von England. Nach dessen Tod ließ Philipp IV., König
von Spanien, dasselbe in der von Cromwell veranlaßten
Versteigerung der Kunstschätze des Königs durch seinen
Gesandten in London, Don Alonzo de Carbenas, für
200 Pf. St. kaufen, und rief bei dessen Anblick: „Das
ist meine Perle!" woher jener Beiname stammt. Gegen=
wärtig befindet sich das Bild im königlichen Museum zu
Madrid.

In dem berühmten Altargemälde der Maria mit dem
Kind in der Herrlichkeit, welche von den Heiligen Sixtus
und Barbara verehrt werden[47]), hat Rafael in der
repräsentirenden Malerei dieselbe Höhe erreicht, welche
die Cartons in der dramatischen einnehmen. Dieses Bild,
wol sicher im Jahr 1519 für die Benedictiner des
Klosters zum heiligen Sixtus in Piacenza ausgeführt,
macht jetzt bekanntlich die vornehmste Zierde der so rei=
chen königlichen Galerie zu Dresden aus. Es ist un=
bedingt die geistigste Schöpfung Rafael's, und man kann
davon sagen, daß sie an materiellem Stoff nicht mehr
an sich trägt, als nöthig ist, um in die Erscheinung zu

treten. Nirgends sonst ist es selbst dem Rafael gelungen, die Idee der Maria als Himmelskönigin in so begeisterter Erhabenheit und Schönheit auszudrücken, und dennoch wird sie wieder noch von dem Christuskind übertroffen, in welchem sich kindliches Wesen und Bewußtsein der Göttlichkeit auf eine so wunderbare Weise durchbringen, wie die ganze christliche Kunst so es nur Ein mal hervorgebracht hat. Durch die Heiligen wird das Bild, ähnlich wie oben bei der Madonna di Fuligno bemerkt worden, nur auf eine noch vereinfachtere Weise, mit der vor demselben versammelten Gemeinde in Beziehung gesetzt; denn der heilige Sixtus deutet mit der Rechten nach der Gemeinde aus dem Bild heraus, für welche er, im Anschauen der Gottheit versenkt, sein inbrünstiges Gebet emporsendet, die heilige Barbara aber, zu der Gemeinde vor dem Bild herabblickend, scheint die Worte zu sagen: Sehet, das ist eure Himmelskönigin mit ihrem Sohn.* Es ist dies das einzige größere Altargemälde Rafaels, welches seit dem Regierungsantritt Leo's X. in dem freiesten und geistreichsten Vortrag gleichmäßig in allen Theilen die eigene Hand des Meisters verräth.

Von andern nach Rafael's Compositionen ausgeführten Frescomalereien bemerke ich nur noch einiges über die Konstantinische Schlacht.[48]) Denn wenn dieselbe auch erst nach seinem Tod in den Jahren 1524—26 von Giulio Romano in einem der Säle des Vaticans ausgeführt worden ist, so zeigt die Erfindung das Genie von Rafael doch wieder von einer neuen Seite. Indem er uns darin alle die Motive einer Schlacht, Kampf, Unterliegen, Tod, Sieg und Verfolgung auf das ergreifendste vorführt, hat er das Ganze durch Anordnung und Formengebung in die Sphäre der Historienmalerei im höchsten Stil gezogen, und in den beiden Haupt= figuren, dem siegesfrohen Konstantin, der hoch zu Roß den Speer schwingt, und dem in der Tiber in ohnmäch= tiger Wuth untersinkenden Maxentius, den welthistorischen Moment des Siegs des Christenthums, des Untergangs des Heidenthums, unvergleichlich dargestellt.

Daß Rafael nun ungeachtet der vielseitigen idealen Kunstwelt, in welcher er sich mit so seltenem Erfolg be= wegte, das Studium der einzelnen Naturerscheinung nie= mals gering geachtet, sondern sich vielmehr zu jeder Zeit der Auffassung derselben mit aller Liebe hingegeben, be= weisen seine Bildnisse. Bewundernswürdig ist, wie er sich darin ganz die diesem Fach der Malerei angemessenen Stilgesetze angeeignet hat, vermöge welcher sich die Treue und das ins einzelne Gehende im Wiedergeben der vor= liegenden Naturerscheinung gleichmäßig auf den Kopf wie auf die Nebendinge erstreckt. Seine Porträts stehen daher mit denen der berühmtesten Maler, welche sich vorzugsweise in diesem Fach ausgezeichnet haben, eines Tizian, eines Holbein, eines van Dyck, oder Belasquez auf gleicher Höhe, ja haben vor jenen noch den wunder= baren Zauber des Rafael'schen, alle andern Künstler übertreffenden Naturells, welcher in ihnen waltet, vor= aus. Ich führe hier nur einige der vorzüglichsten aus seinen verschiedenen Epochen an. Zuerst gedenke ich seines eigenen in der Galerie zu Florenz befindlichen Bildnisses, welches er im Jahr 1506 gemalt hatte. [49]) Es strahlt uns aus diesen feinen Zügen eine Tiefe des Gemüths, eine Güte der Seele, eine Poesie des Genius entgegen, welche es dem sinnigen Beschauer schwer machen, sich

davon loszureißen. Ich habe bei meinem letzten Aufenthalt die Freude gehabt, daß dieses Kleinod auf meine
Vorstellungen an den damaligen liebenswürdigen General-
intendanten der großherzoglichen Kunstschätze, dem Marchese Montalvi, glücklich von einigen Retouchen befreit
worden ist, welche dessen seine Modellirung höchst störend
unterbrachen.

Nächstdem betrachte ich das mit 1512 bezeichnete
weibliche Bildniß, welches, irrig die Fornarina genannt,
eine der schönsten Zierden der Tribune in Florenz ausmacht. [50]) Unter den weiblichen Bildnissen Rafael's
gebührt diesem meines Erachtens unbedingt der Preis.
Denn die hier gemalte Frau, nach Passavant's mir
sehr wahrscheinlicher Vermuthung vielleicht eine berühmte
Improvisatorin jener Zeit, vereinigt mit großer Schönheit der Züge eine wunderbare Poesie im Charakter,
einen höchst anziehenden Ausdruck, und der edeln Auffassung, der seinen Zeichnung Rafael's gesellt sich hier
noch eine Wärme und Harmonie der Färbung hinzu,
welche, wie auch Passavant sehr richtig bemerkt, an
Giorgione erinnert. Nach meiner schon oben bei verschiedenen historischen Bildern Rafaels ausgesprochenen
Ueberzeugung ist diese Färbung auf den Einfluß des
Sebastian del Piombo zu schreiben, welcher um diese
Zeit noch in der warmen Weise seines Meisters Giorgione malte. Endlich komme ich auf das im Jahr 1518
ausgeführte, im Palazzo Pitti befindliche Bildniß vom
Leo X. mit den Cardinälen Giulio de Medici und de
Rossi [51]), ohne Zweifel wieder das vorzüglichste unter
den männlichen Bildnissen Rafael's. Mit der edeln
Auffassung verbindet dieses Werk eine überwältigende

Kraft der Wahrheit und Lebendigkeit und gehört zu den größten Wunderwerken, welche die ganze neuere Kunst hervorgebracht hat.

Bevor dieser edle Geist in seinen frischesten Jahren und in der großartigsten und vielseitigsten Thätigkeit der Welt entrissen werden sollte, war es ihm vergönnt, die ganze Kraft seines Genius noch ein mal in einem Werk zu offenbaren, in welchem, wie in der Disputa, die altkirchlich-symmetrische und die freier bewegte Anordnung, auf die bedeutendste Art vereinigt, zum erhebendsten Ausdruck einer großen Idee zusammenwirken. In dem obern Theil der berühmten Transfiguration [52]) erscheint Christus, das höchste geistige Licht, vom irdischen Lichtglanz umflossen, im Bewußtsein seiner göttlichen Natur von der Erde emporgetragen, aufgehend im Ausdruck seliger Verklärung. Zu seinen Seiten bezeichnen, ebenfalls schwebend, Moses, als der Stifter des Alten Bundes, und der Prophet Elias, im begeisterten Anschauen der Gottheit verloren, die höchste Stufe des gottähnlichen Zustandes, zu welcher der Mensch durch innere Heiligung gelangen kann. In den drei Jüngern auf dem Gipfel des Tabor ist der jenem sich zunächst anschließende Grad der Erhebung zum Göttlichen wieder auf das feinste abgestuft, denn Petrus allein versucht mindestens, frei emporblickend, den himmlischen Glanz zu ertragen, muß aber die Augen schließen, Johannes, sein Unvermögen hierzu fühlend, schirmt die Augen durch die Hand, Jakobus aber, sein Angesicht am Boden verbergend, kann ihn vollends gar nicht ertragen. Auf dem untern Theil des Bildes wird derselbe Gedanke in noch mehr dramatischer Weise fortgeleitet. Die übrigen am Fuß des

Bergs versammelten Apostel haben erkannt, daß das wahre Heil, die wahre Hülfe in irdischer Noth nur von der Gottheit kommen kann, und zwei von ihnen deuten, so den untern Theil des Bildes mit dem obern in Verbindung setzend, daher auch nach oben. Ihnen gegenüber sehen wir endlich in dem besessenen Knaben, welcher von seinem Vater den Aposteln zur Heilung herbeigebracht wird, die Menschheit in ihrem ganzen irdischen Jammer, in ihrer ganzen Rathlosigkeit, in den mannichfachsten Abstufungen, von dem in ängstlicher Besorgniß sein wüthendes Kind haltenden Vater bis zu den beiden Frauen, von denen die im Vorgrund kniende Mutter mit Recht zu den schönsten Figuren der ganzen neuern Kunst gerechnet wird. Diese tiefsinnige Gedankenfolge ist aber durchgängig in den großartigsten Formen mit der seltensten Meisterschaft der Kunst ausgedrückt.

In diesem Werk sollte Rafael seine eigene Verklärung feiern, denn, noch bevor er es vollendet, wurde er am 6. April des Jahrs 1520, am Charfreitag, in dem jugendlichen Alter von 37 Jahren von einem hitzigen Fieber hingerafft, und das Bild, wie es war, zu den Häupten des aus den Schranken des Irdischen zu einem höhern Dasein entrückten Meisters aufgestellt. Die Hand des Giulio Romano, welcher es, nur in einigen minder wesentlichen Theilen, vollendete, erkennt man namentlich in den Gewändern des Vaters des besessenen Knaben, sowie in den Kräutern des Fußbodens auf derselben Seite des Bildes.

Nur selten ist wol die Trauer um einen Menschen so lebhaft und so allgemein gewesen, als die über den Tod des Rafael in Rom. Sie betraf aber nicht blos seine Kunst, welche ihm mit Recht den Beinamen des Göttlichen erworben, sondern ebenso sehr den Menschen. In einem schönen Körper wohnte nämlich bei ihm eine noch schönere Seele. Seine Liebenswürdigkeit, seine Anmuth, seine Herzensgüte, seine echte Bescheidenheit, sein geistreiches Gespräch übte auf seine ganze Umgebung einen wunderbaren Zauber aus, sodaß dadurch seine in ihrem Naturell so sehr voneinander verschiedenen zahlreichen Schüler in Eintracht verbunden waren, und bei seinem Anblick eine jede Verstimmung bei ihnen erlosch und jeder niedere Gedanke unterdrückt wurde. Man sagt, erzählt Vasari, daß er jedem Maler, gleichviel ob er ihn gekannt oder nicht, wenn ein solcher irgendeinen Wunsch gegen ihn äußerte, sogleich zu helfen bereit war und seine eigene Arbeit liegen ließ; seine Schüler aber belehrte er mit einer Hingebung, wie man nicht einen Künstler, sondern seine eigenen Söhne zu behandeln pflegt. Die Liebe und Verehrung der Schüler zu ihm war aber auch unbegrenzt, sodaß, wenn er zu Hof ging, er von seinem Haus aus wol von funfzig ausgezeichneten Malern begleitet wurde, die ihn dadurch zu ehren suchten. Nicht minder wurde er von Männern, die durch Rang und Bildung zu den ersten ihrer Zeit gehörten, verehrt und geliebt, wie denn der Cardinal Bibiena ihn mit seiner Nichte verlobt hatte.

War aber so sein Los schon während seines Lebens beneidenswerth, indem von Jugend an die verschiedensten Umstände auf das glücklichste zusammenwirkten, um seinen Genius zur vollsten Entfaltung zu bringen, sodaß er, wie wir gesehen haben, die Kunst der Malerei in ihren bedeutendsten und verschiedensten Beziehungen auf ihren

Gipfelpunkt erhoben, und dadurch eine unermeßliche Einwirkung ausgeübt hat, so ist ihm auch nach seinem Tod
durch seine Werke eine Unsterblichkeit der schönsten Art
geworden. Schon mehr als drei Jahrhunderte hat er
durch sie die heilige Flamme der Liebe zur Kunst in jeder
edlern Brust geweckt und genährt, und so werden sie mit
unversiegbarer Kraft von Geschlecht zu Geschlecht fort-
wirken, solange noch ein Herz für das wahrhaft Schöne
schlägt!

Anmerkungen.

1) Gestochen von C. Stölzel.

2) Gestochen von Giuseppe Longhi.

3) Gestochen von Samuel Amsler. Dieses für den Dom von Perugia ausgeführte Bild des Perugino wurde von den Franzosen weggenommen und befindet sich jetzt im Museum zu Caen in der Normandie. Passavant, Rafael, I, 75.

4) Der Abdruck desselben bei Passavant, I, 527.

5) Die besten Abbildungen von Carlo Lasinio in sieben Blättern.

6) Sehr getreu von dem Kalmücken Feodor in elf Blättern gestochen.

7) Die einzige hiervon übrige Gruppe, der berühmte Kampf der vier Reiter um die Fahne, ist durch den Stich von Edelinck und das Blatt in der Etruria Pittrice (I, Taf. XXIX) bekannt.

8) Bisher nur in einem kleinen Umriß bei d'Agincourt gestochen.

9) Jetzt bei Hrn. Miles in Leight-Court. Waagen, Kunst-werke und Künstler in England und Paris (3 Bde., Berlin 1837—39), II, 351.

10) Jetzt bei Frau H. Danson in Baronhill. Waagen, a. a. O. II, 471.

11) Jetzt bei Miß B. Coutts in London. Waagen, a. a. O. I, 408.

12) Jetzt in Dulwichcollege. Waagen, a. a. O., II, 193.

13) Im Umriß gestochen von Gruner für das Werk von Passavant, 1856 aber von demselben in einem trefflichen und sehr ausgeführten Blatt.

14) Eine ausführliche Würdigung Waagen, a. a. O., II, 43 fg.

15) Gestochen von Rafael Morghen.

16) Gestochen von Desnoyers.

17) Eine nähere Würdigung Waagen, a. a. O., I, 316.

18) Passavant hat neuerdings an dem in römischen Zahlen geschriebenen Datum die sichern Spuren einer dritten römischen Eins entdeckt, während ich mit andern bisher 1507 gelesen hatte.

19) Gestochen von Samuel Amsler.

20) Gestochen von Casper, und neuerdings von Mandel.

21) Eine nähere Beschreibung dieses Bildes Waagen, a. a. O., II, 115 fg.

22) Passavant, I, 92 fg.

23) Der Haupttheil von 19 Figuren von S. Schiavonetti nach einem grau in Grau ausgeführten Bild zu Holkham, dem Landsitz des Grafen Leicester, gestochen. Außerdem noch die Hauptgruppe von Augustin Veneziano, einzelne Figuren von Marcanton. Das Nähere darüber Waagen, a. a. O., II, 511.

24) Gestochen von Volpato. Ein anderer Stich, welcher das Ausgezeichnetste erwarten läßt, von dem Professor Keller in Düsseldorf, ist jetzt ganz vollendet.

25) Gestochen von Volpato.

26) Gestochen von Volpato.

27) Gestochen von Rafael Morghen.

28) Waagen, a. a. O., II, 15. Gestochen von Alessandro Mochetti.

29) Gestochen von Desnoyers.

30) Gestochen von Longhi.

31) Gestochen von Volpato.

32) „Et onni di il Papa ce manda a chamare, e ragiona un pezzo con noi di questa fabrica" sagt Rafael in seinem Brief an seinen Oheim Simone Ciarla vom 1. Juli 1514. Passavant I, 531.

33) Ein Abdruck desselben bei Passavant, I, 539—548.

34) Gestochen von Bolpato.

35) Gestochen von Bolpato.

36) Gestochen von Desnoyers.

37) Gestochen von Bolpato.

38) Gestochen von Nikolaus Dorigny und Richomme.

39) Gestochen von Nikolaus Dorigny.

40) Gestochen von Massard.

41) Gestochen von J. Longhi, Anderloni, Ed. Eichens.

42) Gestochen von Rafael Morghen, Desnoyers, Schäfer, und sonst noch sehr häufig.

43) Gestochen von Agostino Beneziano, Paolo Toschi, Cunego ꝛc.

44) Nach einer neuen von meinem Freund Passavant an-gestellten und mir gütigst mitgetheilten Untersuchung, während früher 1517 für das Datum galt, womit dieses Bild bezeichnet sein sollte.

45) Gestochen von Alexandre Tardieu, Ed. Eichens ꝛc.

46) Gestochen von Gio. Batt. Franco und Jos. Mari.

47) Gestochen von Friedrich Müller und Steinla.

48) Gestochen von J. P. de Cavallerys und Pietro Aquila.

49) Gestochen von Friedrich Müller und F. Forster.

50) Gestochen von Rafael Morghen.

51) Gestochen von Samuele Jesi.

52) Gestochen von Nikolaus Dorigny und Rafael Morghen.

Die Entwickelung des Staatswesens in Deutschland, England und Frankreich.

Ein Beitrag zur vergleichenden Staats- und Verfassungsgeschichte.

Von

Karl Biedermann.

Was wir in der nachstehenden Abhandlung über das in der Ueberschrift bezeichnete Thema zu geben gedenken, kann und soll natürlich nicht mehr als eine Skizze sein, der Carton zu einem Gemälde, welches im einzelnen auszuführen einer spätern Zeit vorbehalten bleiben mag. Auch in so skizzenhafter Behandlung wird hoffentlich ein Versuch dieser Art den Freunden geschichtlicher Betrachtung nicht ganz unwillkommen sein, manchem vielleicht sogar willkommener als eine breiter angelegte Arbeit, denn die rasche und gedrängte Ueberficht eines so großen und so verwickelten Stoffs dient zur bequemern Orientirung für das minder geübte Auge, welches eine in alle Einzelwindungen der Geschichte einbringende Betrachtungsweise leichter verwirrt. Eben diese Rückficht wird uns hoffentlich auch in den Augen der fachgelehrten Männer entschuldigen, wenn wir fast nur Resultate geben, die Voraussetzungen aber, worauf solche sich gründen, (soweit sie nicht zur Veranschaulichung derselben nothwendig gehören), höchstens in Noten hinter dem Text beifügen oder durch Angabe der Quellen, woraus sie geschöpft find, andeuten.

Ueber die Wahl des Stoffs brauchen wir uns wol nicht zu rechtfertigen. Nichts hat in neuefter Zeit die

Aufmerksamkeit der Politiker wie der Geschichtsforscher
in so hohem Grade auf sich gezogen, wie die frappanten
Gegensätze und die zum Theil ebenso überraschenden Be-
rührungspunkte, welche dem Beobachter der drei größten
und wichtigsten Culturstaaten des modernen Europa,
Deutschlands, Englands, Frankreichs, selbst der oberfläch-
lichste Hinblick auf das Staatsleben dieser drei Reiche
zeigt. Diesseits wie jenseits des Rhein, diesseits wie jenseits
des Kanals haben ernste Forscher und warme Patrioten
sich damit beschäftigt, die öffentlichen Zustände ihres Vaterlandes mit denen der beiden andern genannten Länder
(welche zu einer solchen Parallele sich am natürlichsten
darboten) zu vergleichen, sei es um ihre Landsleute mit
dem, was sie anderwärts Besseres zu finden glaubten,
bekannt zu machen und zu dessen Aneignung, soweit
möglich, anzuleiten, sei es um sich des Besitzes der Vorzüge ihrer heimischen Verfassung zu vergewissern und zu
erfreuen.   Dies letzte glücklichere Los fiel in der Hauptsache den englischen Schriftstellern zu; doch haben sich
dieselben dieses Vortheils mit Mäßigung bedient.   Denn
abgesehen von den allerdings oft scharfen Seitenblicken,
welche die politischen Tagesblätter Englands bei gegebener
Veranlassung auf die Mängel und Schattenseiten des
continentalen Staatslebens zu werfen lieben, weist die
neuere englische Literatur nur äußerst wenig Versuche
einer geflissentlichen Vergleichung englischer mit continentalen Zuständen auf.   Wenn wir die beiläufigen Betrachtungen dieser Art in Macaulay's „History of England"
und einzelne Aufsätze in englischen Reviews ausnehmen,
so wüßten wir eigentlich nur einen einzigen Schriftsteller
aus der neuesten Zeit zu nennen, welcher in planmäßiger

Weise die Verfassungs- und Verwaltungszustände der wichtigern Festlandsstaaten, besonders Frankreichs und Preußens, durchforscht und mit denen Englands in Parallele gestellt hat, den Schotten Laing, den Verfasser der vortrefflichen „Notes of a traveller", die zuerst 1842 erschienen, später durch eine Fortsetzung vermehrt wurden, welche sich mit der neuesten Wendung der Dinge auf dem Festlande (nach der Katastrophe von 1848) beschäftigt.

Um so zahlreicher sind und waren von jeher (wie das in der Natur der Sache liegt) die Versuche französischer und deutscher Geschichtsforscher und Politiker, die englischen Verfassungszustände in ihrer Eigenthümlichkeit zu erforschen und direct oder indirect mit denen der eigenen Länder zu vergleichen. Den ältern Spuren Montesquieu's, Delolme's u. a. folgend, hatte zuerst Guizot in fast allen seinen Geschichtswerken den Blick gleichzeitig auf England und auf Frankreich gerichtet, hatte, wenn auch mit möglichster Schonung tiefgewurzelter nationaler Vorurtheile, seine Landsleute zu der Kenntniß, Bewunderung und Nachahmung der mannichfachen Vorzüge des englischen Staatswesens anzuleiten versucht. Aehnliche Versuche machten später zwei andere Schriftsteller, welche jedoch zu Vergleichungspunkten nicht sowol das englische Mutterland als die davon abgezweigten anglo-amerikanischen Staats- und Volkszustände wählten; planmäßiger Tocqueville in seinem Buch: „La démocratie en Amérique", mehr nur beiläufig Michel Chevalier in seinen „Lettres sur l'Amérique du Nord". Neuerdings, d. h. in den letzten zehn Jahren etwa, hat sich in Frankreich eine förmliche Englische Schule gebildet,

welche sich sowol von Guizot als auch von den englisch-
constitutionellen Politikern der Restaurationszeit, wie
Benjamin Constant, darin unterscheidet, daß sie den
Hauptgegensatz des englischen und des französischen Staatswesens, und zwar zum Vortheil jenes erstern, nicht blos
in der consequentern Durchbildung und wirksamern Anwendung der parlamentarischen Formen in England,
sondern mehr noch in dem alle Verhältnisse des dortigen
Staatslebens durchbringenden Grundsatz der Selbstregierung, der individuellen und lokalen Freiheit, im Unterschied von der in Frankreich aufs äußerste getriebenen
Centralisation, erblickt. An der Spitze dieser zur Zeit
freilich wohl noch kleinen, aber, wenn nicht alles trügt,
in entschiedenem Wachsthum begriffenen und zukunfts-
reichen, ja auf die öffentliche Meinung schon jetzt nicht
ganz einflußlosen Schule steht derselbe Tocqueville, der
bereits durch sein oben erwähntes Werk dem politischen
Geist seiner Landsleute einen entscheidenden Anstoß
in dieser Richtung gab und ihnen neuerdings wieder auf der gleichen Bahn mit einem mustergültigen
Geschichtswerk: „L'ancien régime et la révolution"
vorangegangen ist. An ihn haben sich angeschlossen:
Raudot in seinen Schriften: „La France avant la révolution", „De la décadence de la France" und „De
la grandeur future de la France", Gouraud in seiner
„Histoire des causes de la grandeur de l'Angleterre".

Daß französische Schriftsteller das deutsche Staatswesen und seine Entwickelung zu einem Gegenstand ihres
besondern Studiums machen würden, konnte kaum erwartet werden; indeß hat doch Tocqueville in seinem zuletzt genannten Werk auch auf das deutsche Staatsleben

vor der französischen Revolution von 1789 einige Rücksicht genommen.

In Deutschland war auf die zwar ernst gemeinte,
aber in ihren Zielen und Wegen nicht immer ganz klare
Hinneigung zu englischem Staatswesen, als deren prak-
tischer Ausdruck und Gewinn für unser nationales Leben
die leider unvollendet gebliebene Stein'sche Reformgesetz-
gebung größtentheils zu betrachten ist, in der Zeit nach
dem Wiener Congreß eine Wendung anderer Art, nach
dem französischen Constitutionalismus hin, gefolgt. Jener
frühern Periode verdankten wir in wissenschaftlicher Hinsicht ein treffliches, bei dem Mangel anderer Quellen
über den gleichen Gegenstand doppelt schätzbares Werk,
des preußischen Oberpräsidenten von Vincke (eines intimen
Freundes des Freiherrn von Stein) Buch „Ueber die Verwaltung Großbritanniens" (herausgegeben von Niebuhr).

Hauptsächlich Dahlmann war es, der die Aufmerksamkeit und das Interesse der deutschen Constitutionellen
von dem französischen Nachbild wieder zu dem englischen
Urbild zurücklenkte. Seine „Politik" athmet den Geist
der englischen Freiheit und Verfassungsmäßigkeit, und
seine „Geschichte der englischen Revolution", nicht ohne
absichtsvolle Seitenblicke auf die Zustände des eigenen
Vaterlandes geschrieben, gab wenigstens Andeutungen darüber, worin denn eigentlich jene englische Freiheit, die
wir beneiden, und jene Verfassung, die wir gern auf
unsern heimischen Boden verpflanzen möchten, ihr Wesen
und ihre Wurzel habe.

Inzwischen führten von anderer Seite her Werke
wie Jakob Grimm's „Rechtsalterthümer", die Quellen-
forschungen von Pertz u. a., Eichhorn's „Deutsche

Rechts= und Staatsgeschichte", Waitz' „Deutsche Ver=
fassungsgeschichte" und was sonst noch in ähnlicher Rich=
tung im Bereich der sogenannten germanistischen Studien
geschah, auf eine Vergleichung deutscher mit englischen
Rechts= und Staatseinrichtungen hin, indem dadurch auf
die gemeinsame Quelle hingewiesen wurde, aus welcher
das deutsche, das englische, ja in gewisser Hinsicht auch
das französische Staatsleben ursprünglich hervorgegangen
ist — auf das altgermanische Volksleben. Diese
erhöhte Theilnahme für die urgermanischen Institutionen,
die man, wenn irgendwo, in England noch in lebendiger
Kraft und Wirksamkeit bestehen sah, dieses — wenn wir
so sagen dürfen — Sichselbstbesinnen des deutschen
Geistes auf sein eigenstes, ursprüngliches, nur leider hier
durch allerlei fremdartiges Bauwerk überdecktes, ja theil=
weise zerstörtes Volksleben hat in Deutschland während
der letzten zehn Jahre ganz augenfällige Fortschritte ge=
macht. Schon die praktisch=politischen Experimente des
Jahrs 1848 bezeugten das entschiedene Vorwalten eng=
lisch=constitutioneller Ideen vor den bis dahin zum
größern Theil gäng und gäbe gewesenen französischen.
Das Verlangen nach wirksamerem Schutz der individuellen
Freiheit, das Verlangen nach möglichster Selbständigkeit
der communalen und lokalen Verwaltungen, das Verlangen
nach strengster Unabhängigkeit der Gerichte und nach unbe=
dingtem Uebergewicht der richterlichen Entscheidung vor dem
bloßen Verwaltungsermessen — dies und ähnliches, worin
die Beziehung auf altgermanische Einrichtungen nicht zu
verkennen war, stand fast überall damals in erster Linie der
Forderungen, ebenso wohl bei der demokratischen als bei
der constitutionellen Partei.

Die Entwickelung der Dinge in Frankreich in und
nach 1848 trug wesentlich dazu bei, diese Wandelung
der öffentlichen Meinung in Deutschland zu vollenden
und zu befestigen. Auch die extremsten Radicalen, welche
bis dahin noch immer alles Heil von Paris erwartet
hatten, fingen an zu begreifen, daß eine Freiheit, die
heute durch eine Revolution erobert wird, um morgen
durch einen Staatsstreich vernichtet zu werden, auf sehr
schwachen Füßen steht, und auch die leidenschaftlichsten
Vertheidiger einer „starken" d. h. absoluten Regierungsgewalt wurden bange vor einem Zustand der Dinge,
der alle Garantien des Bestandes und alle Hebel · der
Entwickelung des Staatslebens lediglich in einer einzigen,
doch immerhin nicht blos dem Irrthum, sondern auch
dem allgemeinen Los der Sterblichkeit unterworfenen
Persönlichkeit concentrirte.

So kam es, daß die gebildete öffentliche Meinung
in Deutschland sich immer lebhafter mit Vergleichungen
zwischen dem englischen und dem französischen, oder, im
weitern Sinn, zwischen dem germanischen und dem romanischen Staatswesen beschäftigte und sowol die Symptome
als die geschichtlichen Voraussetzungen und Ursachen der
frappanten Abweichungen des einen von dem andern
aufmerksamer denn je zu studiren anfing. Die Wissenschaft des vergleichenden Staatsrechts und der Geschichte
ist ihren Antheil an dieser unstreitig sehr heilsamen Ent-
wickelungsphase des politischen Bewußtseins unsers Volks
nicht schuldig geblieben. Wenn sie dabei mit besonderer
Vorliebe sich der Betrachtung des englischen Staatswesens
zugewandt hat, so kann dies nicht wunder nehmen.
Die politischen Institutionen Frankreichs, ein planmäßig

gegliederter und in allen seinen Theilen genau formu-
lirter Schematismus, sind an sich leicht erkennbar und
begreiflich, überdies aber auch gerade uns Deutschen, da
in unsere vaterländischen Zustände im Lauf der letzten
Jahrhunderte leider nur zu viel davon übergegangen ist,
von Haus aus nicht fremd; das englische Staatswesen
dagegen erfordert ein tiefes und schwieriges Studium,
zumal seitdem man zu der Einsicht gekommen ist, daß
dessen eigentliche Kraft und Wesenheit nicht blos in dem
parlamentarischen Mechanismus, sondern hauptsächlich in
einem Zusammenwirken mannichfaltiger Factoren des
politischen Lebens, und nicht blos in dem, was gegenwärtig ist, sondern weit mehr noch in der Art und
Weise, wie dies geworden ist, zu suchen sei. So
erklärt es sich, daß die deutsche Publicistik in jüngster
Zeit vorzugsweise auf das Studium des englischen Staatswesens und seines geschichtlichen Gewordenseins sich ver-
legt hat. Zu den reifsten und nutzbarsten Früchten
dieses Studiums rechnen wir die neuesten Schriften von
Gneist, deren erste: „Adel und Ritterschaft in England" den Kernpunkt der ganzen englischen Verfassungsgeschichte, die eigenthümliche Stellung der dortigen
Aristokratie zu den übrigen Klassen und zum Gemeinwesen scharf und klar herausstellt, und deren zweite, sehr
umfänglich angelegte: „Das heutige englische Verfassungs-
und Verwaltungsrecht" das ganze Staatsleben Englands, besonders aber einen ebenso wichtigen als bisher
noch wenig bekannten Theil desselben, die Verwaltungs-
verhältnisse, in ihrer ganzen Breite und ebenso wohl
nach ihrer geschichtlichen Entwickelung wie nach ihrem
gegenwärtigen Bestand darzustellen unternimmt.

Wir haben das Obige vorausschicken zu müssen ge=
glaubt, um den augenblicklichen Stand der öffentlichen
Discussion und der wissenschaftlichen Erörterung in Bezug
auf das von uns gewählte Thema zu bezeichnen. Das
Bedürfniß einer gründlichen Vergleichung der politischen
Zustände jener drei großen an der Spitze der heutigen
Civilisation stehenden Nationen ist offenbar vorhanden
und allerseits gefühlt. Zu der Befriedigung dieses Be=
dürfnisses sind mancherlei und zum Theil sehr gelungene
Anläufe gemacht. Allein diese Versuche haben sich bisher
darauf beschränkt, theils nur eins jener drei Staatswesen
in erster Linie zu schildern, mit blos beiläufiger Berück=
sichtigung der andern, theils einen bestimmten Abschnitt
geschichtlicher Entwickelung zu umfassen, nicht den ganzen
Verlauf derselben

Für das, was wir hier unternehmen, dürfte somit
immerhin noch ein Platz offen, und die Mühe, der wir
uns unterziehen, keine ganz verlorene sein. Uns nämlich
kommt es vor allem darauf an, in raschem Ueberblick
die epochemachenden Ereignisse und Verhältnisse in der
Verfassungsgeschichte der drei Reiche aufzuzeigen, die
zwingenden oder doch veranlassenden Ursachen der eigen=
thümlichen Entwickelungsphasen, welche jedes derselben
in Bezug auf sein inneres Staatsleben durchlaufen hat,
gleichsam die Keim= und Knotenpunkte, wo diese Ent=
wickelung hier zu neuen gedeihlichen Bildungen ansetzt
und sich entfaltet, dort ins Stocken geräth, verkümmert
oder in unnatürliche Formen und Richtungen abgebeugt
wird. Denn die Erkenntniß dürfen wir wol gegenwärtig
als eine sichere Errungenschaft ebenso wohl unserer jüng=
sten äußern Kämpfe auf praktisch=politischem Gebiet als

der innern Durchbildung und Abklärung der Wissenschaft
vom Staat und von der Gesellschaft für allgemein verbreitet halten: daß staatliche und gesellschaftliche Zustände
von irgendwelcher Bedeutung und Dauer, (vollends so
tief greifende und grelle Gegensätze, wie die in dem politischen Leben jener drei Culturvölker hervortretenden)
nicht· von gestern auf heute und von heute auf morgen
sich machen oder gar machen lassen, vielmehr stets das
Erzeugniß eines langen, inhaltreichen und vielverschlunge-
nen geschichtlichen Processes sind.

Man hat wol bisweilen den Ausgangspunkt der so
eigenthümlich abweichenden Gestaltung des Staatslebens
in den drei Reichen Deutschland, England und Frankreich in eine der Gegenwart nicht allzu ferne Zeit
verlegen zu dürfen geglaubt. Die englische Revolution
im 17. Jahrhundert, die französische von 1789 und das
daraus hervorgegangene Militärregiment des ersten Napoleon schienen ausreichende Erklärungsgründe für das
zu bieten, was heutzutage in dem einen und dem andern
dieser beiden Länder als der Typus des Staatswesens
erscheint. Was Deutschland betrifft, so blieb die geschichtliche Beobachtung des gleichmäßigen Verfalls der
Volksfreiheit nach unten wie der Einheit des Reichs
nach oben gewöhnlich bei dem Westfälischen Frieden
oder der Reformation stehen, stieg höchstens bis zu dem
Untergang der Hohenstaufen hinan.

Die .neuere Geschichtsforschung hat über dies alles
ein helleres Licht verbreitet. Von der gewonnenen allgemeinen Erfahrung ausgehend, daß so gewaltige Veränderungen, wie wir sie in dem Verfassungswesen jener
drei Staaten, ihren gegenwärtigen Zustand verglichen

mit einem weit rückwärts liegenden, offenbar wahrnehmen, nur durch früh eingetretene, lange und gleichmäßig fort= wirkende Einflüsse hervorgebracht sein können, hat man den entfernten Ursachen dieser Abwandlungen nachgespürt, und ist so dahin gekommen, den Ursprung derselben in einer weit ältern Zeit, als man bisher gewohnt war, zu suchen und zu finden. Von England zwar galt es schon immer als ziemlich ausgemacht, daß dessen freie Verfassung ·nicht erst aus der Revolution von 1688 fix und fertig hervorgegangen, vielmehr im Lauf der Zeiten allmählich entstanden und durch jenes große Er= eigniß nur wiedergeboren und befestigt worden sei. In= deß haben doch erst neuere Geschichtswerke über England und englisches Verfassungswesen, vor allen Macaulay's treffliche Einleitung in seine berühmte „History of Eng- land", die Frage nach den ersten Anfängen und den eigentlichen Grundlagen des heutigen englischen Verfas= sungswesens mit Bestimmtheit auf weit rückwärts liegende Entwickelungsstadien, ja zum Theil bis in die angelsäch= sische Zeit zurückverwiesen. Rücksichtlich Frankreichs hat am entschiedensten und überzeugendsten neuerdings Tocque= ville den Wahn zerstört, als ob. erst die Revolution von 1789 oder das in ihre Erbschaft eingetretene Napoleo= nische Regiment das Princip der künstlichen Centralisation des ganzen Staatslebens erfunden, die Unabhängigkeit und freie Bewegung des Provincial= und Lokalgeistes zerstört hätte, und in Deutschland ist man mehr und mehr dahin gelangt, die Anfänge jener verhängnißvollen Wendung unserer Geschichte von der Einheit zur Vielheit und innern Spaltung hin immer weiter zurückzuverlegen und den ersten entscheidenden, · nicht wieder zu heilenden

Riß in das Ansehen und die Macht deutschen Kaiser=
thums mindestens schon in der tragischen Geschichte Hein=
rich's IV. zu finden.

In der That bedarf es auch keiner ungewöhnlichen
Beobachtungsgabe, um zu erkennen, daß jene divergirende
Entwickelung der politischen Einrichtungen Deutschlands,
Englands und Frankreichs, welche, fort und fort sich
erweiternd, allmählich zu den merkwürdigen Gegensätzen
geführt hat, die wir heute in dem Staatswesen und dem
öffentlichen Geist dieser drei Länder wahrnehmen, bereits
in den allerfrühesten Zeiten beginnt.

Bekanntlich haben alle drei Staaten insofern eine
gemeinsame Wurzel, als sowol der angelsächsische und
der normannische Stamm, welche nacheinander dem bri=
tischen Staatswesen den Stempel ihrer Herrschaft auf=
drückten, wie der fränkische, welcher in dem ehemaligen
Gallien ein Reich gründete, woraus später das heutige
Frankreich erwuchs, ihren Ursprung von den Küsten und
aus den Wäldern Germaniens ableiten. Aber schon bei
diesen ersten Ansiedelungen germanischer Stämme auf
neuen Gebieten sehen wir dieselben, hier mehr, dort
weniger, von den eigenthümlichen Bedingungen dieser
Ansiedelungen selbst, von dem Charakter der Völkerschaf=
ten, mit denen sie in Beziehung traten, von den Sitten,
den Einrichtungen, den gesellschaftlichen und religiösen
Ideen, die sie vorfanden, berührt und in einen unwill=
kürlichen Umwandelungsproceß hineingezogen. In einem
hohen Grad ist dies bei den Franken der Fall, welche
unter romanisirten, an geistiger Bildung, oder wenigstens
Verfeinerung, ihnen selbst überlegenen Völkerschaften, auf
einem überall mit den Spuren römischer Weltherrschaft

und Civilisation bedeckten Boden, in vielfachster Berührung mit der bereits mittels eines kunstvollen Organismus hierarchischer Gliederung nach gebietendem Einfluß
ringenden Kirche ihren anfänglich kleinen und verhältniß-
mäßig schwachen Militärstaat aufrichteten. Für die
politische Gestaltung dieses jungen Staats hatte dies
die wesentlichsten Folgen. Das stark vorwaltende demokratische Element der Gleichheit aller freien Männer,
welches in den germanischen Wäldern Tacitus und Cäsar
vorfanden, mußte jetzt einer mehr monarchisch = aristokratischen Organisation weichen. Inmitten einer ungleich
zahlreichern, fremden, von ihr unterbrückten Bevölkerung
mußte die fränkische Militärkolonie eine straffere Gliederung annehmen, mußte der Herzog, den man sonst
nur für den einzelnen Heerzug zu wählen pflegte, sich
in einen bleibenden, mit umfassenden Vollmachten beklei-
deten König verwandeln, genügte es nicht mehr, wie in
der alten Heimat, daß eine Schar kampflustiger Jünglinge (ein Gefolgewesen) freiwillig sich zu einem Aben-
teuererzug vereinigte, oder daß nach einem gemeinsamen
Beschluß aller freien Männer ein allgemeiner Volkskrieg
bedachtsam vorbereitet wurde, bedurfte es vielmehr eines
immer schlagfertigen Heers zur Vertheidigung wie zum
Angriff, also einer feststehenden Verpflichtung zum Kriegs-
dienst — sowol seitens der Masse der Waffenfähigen
gegen bestimmte Führer als seitens dieser gegen den
gemeinsamen obersten Kriegsherrn, den König.

So entstand hier gleichsam von selbst und mit einer
gewissen Nothwendigkeit der militärische Lehnsstaat.
Zwei Richtungen waren in demselben gemischt und stritten
um den Vorrang — beide dem germanischen Wesen bis

dahin fremd, oder doch nur in schwachen Ansätzen darin
wahrnehmbar und durch die vorwaltende Hinneigung der
Germanen zu persönlicher Freiheit und zur Gleichberech=
tigung aller Freien niedergehalten und gebunden — die
Richtung auf Alleinherrschaft eines Einzelnen und
die auf Vielherrschaft einer Kaste, die monarchische
und die aristokratische. Noch war unentschieden, welche
von beiden im Lauf der Zeit den Vorrang über die
andere und das Ausschlag gebende Uebergewicht in dem
neuen Staatswesen erringen werde; gewiß aber war,
daß die altgermanische Verfassung hier eine Ablenkung
von ihren ursprünglichen, vorwaltend demokratischen
Grundlagen erfahren habe, von welchen eine Umkehr
zu den frühern Zuständen nicht so leicht zu erwarten
stand. [1]) Denn alle Verhältnisse des neuentstandenen
Staatswesens drängten vielmehr auf das Gegentheil,
auf eine Stärkung und Befestigung der einen oder andern
jener beiden Richtungen hin. Der bisherige Herzog
eines freien germanischen Volksstamms war durch die
Eroberung Galliens und die Besiegung der frühern Ge=
bieter dieses Landes, der Römer, zugleich Herr einer Be=
völkerung geworden, welche durch den Despotismus
römischen Imperatorenthums die Gewohnheit des Be=
herrschtwerdens und des Gehorchens tief in sich aufge=
nommen hatte. Chlodwig selbst und seine Franken hatten,
ehe sie Gallien eroberten, längere Zeit als Hülfstruppen
in römischem Sold gestanden und waren mit den Ein=
richtungen und dem Geist des römischen Staats vertraut
geworden. Um sich der Unterwürfigkeit der eingeborenen
Bevölkerung zu versichern, schien es keinen sicherern Weg
zu geben als: die Aristokratie geistlicher und weltlicher

Großen, welche man in Gallien vorfand, und welche einen weithinreichenden Einfluß auf die Masse des Volks ausübte, der neuen Ordnung der Dinge dadurch zu befreunden, daß man ihr die Stellung, die sie unter der Römerherrschaft besessen, als ein Gnadengeschenk des neuen Oberherrn zurückgab oder bestätigte. Zugleich war darin das beste Mittel geboten, um jenen verletzenden gesellschaftlichen Unterschied auszugleichen, welchen der angeborene Freiheitsstolz des Franken zwischen ihm als dem Sieger, und dem Gallier oder Römer als Besiegten zu machen pflegte, und welcher, wenn er keine Milderung erfuhr, der friedlichen Verschmelzung der Sieger mit den Besiegten zu einem einzigen Volk unüberwindliche Hindernisse entgegenzusetzen drohte. Gallier und Römer konnten jetzt dem Franken gleichgestellt, ja über denselben erhoben werden — durch den Dienst des Königs. Der Dienst des Königs ward eine Quelle der Auszeichnung, die, immer reichlicher fließend und sich immer weiter ausbreitend, allmählich jene andere Quelle, aus welcher bisher allein der Germane seine Ehre geschöpft hatte — das stolze Bewußtsein: ein freier Mann auf eigenem Grund und Boden zu sein, erst in den Schatten stellte, zuletzt beinahe völlig trocken legte. Ein Lehnsmann oder Hofbeamter des Königs, ja nur der Lehnsmann eines Lehnsmanns des Königs zu sein, ward bald das höchste Ziel des Ehrgeizes nicht blos für den Römer und Gallier, sondern auch für den Franken, der immer häufiger seine Unabhängigkeit und seinen angestammten freien Besitz daran gab, um nur in jene große Gliederung eingereiht zu werden, welche, vom König anhebend und durch eine lange Reihe höherer und nie-

berer Grade sich verzweigend, allein denen, welche daran
Theil hatten, gesellschaftliche Ehre und Auszeichnung zu
verleihen schien.   Die urgermanische Sitte des Gefolge-
wesens, welche nur ein freies und rein persönliches An-
hänglichkeitsverhältniß der Kampfsgenossen an den Führer
begründete, verschmolz mit der den Gallo-Romanen ab-
gelernten Gewöhnung, Macht und Ansehen nach · unten
um den Preis von Dienstbarkeit und Unterwürfigkeit nach
oben zu erkaufen, zu jenem eigenthümlichen Institut des
Lehnswesens, welches den Vasallen dauernd, für sein
ganzes Leben, mit Gut und Blut an die Person und
den Dienst eines Höhern, seines Lehnsherrn, knüpfte —
ein Institut, das sich nirgends · sonst als · in den aus
germano-romanischen Elementen entstandenen Staatswesen, in diesen aber auch überall entwickelte.

Die Erbschaft der Römerherrschaft, welche der fränkische Eroberer in Gallien angetreten, leistete. der Ausbildung dieses Instituts auf mancherlei Weise Vorschub.
Die Formen und Traditionen einer vielgegliederten und
wohl abgetheilten Hof- und Staatsbeamtenschaft, wie man
sie in Gallien vorgefunden, boten sich zur leichten
Uebertragung auf die neue Ordnung der Dinge dar.
Das kaiserliche Domänengut, welches naturgemäß dem
neuen Herrn dieser Lande zufiel, stellte demselben reiche
Mittel zur Verfügung, um durch Schenkungen oder Be-
leihungen die Tapfersten, Angesehensten oder seiner Gunst
am nächsten Stehenden sich zu verbinden, und so alsbald
eine zahlreiche Vasallenschaft zu gewinnen.   Auch die
Römische Kirche trat bereitwillig in dieses neue System
ein, indem sie ihr reiches Gut unter den Schutz und in
den. Dienst .entweder des Königs selbst oder eines seiner

Großen stellte, ihrerseits aber wiederum Güter und Personen kleiner Freisassen, die sich nicht selbst zu schützen
vermochten, unter ihren geheiligten Schutz nahm.

So kam es denn, daß die Zahl der wirklich freien
Männer allmählich immermehr abnahm, daß die einen
ihr vordem freies Besitzthum und sich selbst aus eigenem
Antrieb in den Schutz eines größern Grundbesitzers gaben
und sich zu dessen Lehnsmann oder Hintersassen erklärten,
andere von einem mächtigern Nachbar gewaltsam aus
dem freien Besitz verdrängt oder dermaßen bedrückt und
geängstigt wurden, daß sie eine wenn auch abhängige,
doch gesicherte Existenz dieser schutzlosen Freiheit vorzogen,
noch andere endlich, um sich den immer häufiger wiederkehrenden Verpflichtungen des Kriegsdienstes zu entziehen
und in Ruhe ihren Acker bauen zu können, durch ander-
weite Leistungen, die sie dem Anführer versprachen, sich
bei diesem von der persönlichen Heeresfolge loskauften.

Mit dieser Umgestaltung der Besitz- und Standes-
verhältnisse ging natürlich eine Umgestaltung der politischen Verfassung Hand in Hand. Wenn vordem alle
freien Männer in öffentlichen Versammlungen, unter
selbstgewählten Leitern der Verhandlungen, die gemeinsamen Angelegenheiten, namentlich das Rechtsprechen in
Streitigkeiten oder bei Verbrechen wahrgenommen hatten,
so wurden jetzt nicht blos die Leiter dieser Versammlungen vom König ernannt (die Grafen), sondern es
bildete sich auch neben der ältern demokratischen Form
der Selbstverwaltung und der Rechtsfindung durch die
Genossen eine neue aristokratische aus, welche jene im
Lauf der Zeiten mehr und mehr überflügelte und ver-
drängte: eine richterliche und obrigkeitliche Gewalt der

Schutzherren über ihre Schutzbefohlenen und Hintersassen
— die Vorläuferin der spätern Patrimonialgerichtsbarkeit. Die Vertretung des Volks im ganzen endlich —
im alten Germanien ebenfalls vorzugsweise demokratisch,
indem der Schwerpunkt der Entscheidung bei allen wichtigern Angelegenheiten in der Gesammtheit aller freien
und wehrhaften Männer lag, — spitzte sich jetzt immer mehr
halb aristokratisch, halb monarchisch zu: statt des ganzen
Volks waren es nur die Großen, welchen man fortan
noch eine wirklich mitberathende Stimme bei den öffentlichen Angelegenheiten einräumte (die übrigen ließ man
höchstens der Form nach ihre Zustimmung durch Zuruf
erklären) — und auch diese wurden weder regelmäßig
noch vollständig versammelt, sondern der König berief
gewöhnlich nur in seinen Rath wen es ihm beliebte und
so oft es ihm beliebte.[2])

Ganz anders waren in allen diesen Beziehungen die
Verhältnisse auf der britischen Insel geartet, auf welcher, nahezu gleichzeitig mit der fränkischen Besitznahme
Galliens, germanische Kraft ein neues Reich gründete.
Von allen den Einflüssen, welche in Gallien auf die
fränkischen Stammesvettern der Angelsachsen so mächtig
umbildend eingewirkt hatten, fand sich hier wenig oder
nichts vor. Von einer altbegründeten und überlegenen
Cultur, welche die ursprüngliche Natur der neuen Ansiedler hätte verändern können, war auf dieser Insel
kaum eine Spur, denn römische Macht und römische
Sitte waren hier niemals so tief und bleibend wie auf
dem gallischen Festland eingedrungen; ein römisches
Kirchenthum gab es hier nicht, und selbst das Christenthum fand erst langsam und spät seinen Weg zu diesen

Gestaden. Die angelsächsischen Abenteurer selbst, welche Britannien in Besitz nahmen, kamen unmittelbar von den Küsten Germaniens, und gehörten einem Stamm an, der niemals weder mit den Römern selbst, noch mit einem von diesen beherrschten und civilisirten Volk in nähere Berührung gekommen war. Der Kampf, welchen die Angelsachsen zur Begründung ihrer Herrschaft in Britannien zu bestehen hatten, ward nicht gleich dem der Franken mit den Römern gegen eine organisirte Macht geführt, bedingte daher auch nicht die Nothwendigkeit einer ähnlichen militärischen Organisation; es war ein wilder Kampf von Stamm gegen Stamm, ein Volkskrieg, wie ihn die Germanen auch daheim oft geführt hatten. Die besiegten Bretonen verschmolzen wol nur zum kleinsten Theil mit den Siegern; der bei weitem größte Theil ward entweder vernichtet oder nach dem Kriegsbrauch der Germanen zu Sklaven gemacht, oder vertrieben. Genug, nach beendetem Kampf und vollbrachter Eroberung des Landes fand sich diese angelsächsische Abenteuererschar sehr wahrscheinlich nahezu in demselben Zustand politischer und gesellschaftlicher Gestaltung wieder, in welchem sie ihre alten Sitze jenseits des Meers verlassen hatte. Ja selbst die alte nationale Untugend der Zerspaltung in einzelne sich feindlich oder doch fremd gegenüberstehende Stämme stellte sich auch hier alsbald wieder ein, indem diese Ansiedler auf der britischen Insel, kaum als sie das Werk der Eroberung vollbracht, nicht wie die Franken in Gallien Ein Reich, sondern eine Mehrheit von Reichen gründeten, welche nicht selten im Kampf miteinander lagen. Dies letztere namentlich ist ein sprechender Beweis dafür, daß die äußere Spannung

der Verhältniſſe hier ungleich geringer als in dem fränk=
kiſchen Reich in Gallien, also auch weit weniger Anlaß
gegeben war, die demokratiſchen Grundlagen der Ver=
faſſung zu Gunſten eines monarchiſch=ariſtokratiſchen Sy=
ſtems ſtreng militäriſcher Gliederung abzuändern.

Allerdings brachte im Lauf der Zeit theils der
natürliche Gang ſtaatlicher und geſellſchaftlicher Ent=
wickelung, theils das Eindringen fremder Einflüſſe,
theils endlich die zwingende Macht äußerer Ereigniſſe
auch in das angelſächſiſche Gemeinweſen allerlei Anſätze
ſowol einer mehr monarchiſchen Concentration als einer
ariſtokratiſch=feudalen Geſellſchaftsgliederung. Die Ge=
wöhnung des einen Theils der Bevölkerung an die
friedlichen Beſchäftigungen des Ackerbaus, der Gewerbe,
des Handels verſchaffte dem andern Theil, welcher das
Kriegshandwerk zu ſeinem regelmäßigen Beruf machte,
dem Adel und der Ritterſchaft ein Uebergewicht und
eine Herrſchaft über jenen, indem mancher freie Mann
auch hier es vorzog, ſich in den Schutz und Dienſt eines
kriegsgeübten und mächtigen Herrn (eines „Hlaford“
oder Lords) zu begeben. Das Beiſpiel des nahe gelegenen
Frankreich wirkte zur Nachfolge lockend herüber — in
dem Maße, wie der Verkehr zwiſchen beiden Geſtaden
ſich entwickelte — und die Römiſche Kirche brachte, als
ſie auch hier Eingang fand, neben neuen religiöſen
Ideen auch neue politiſche Anſchauungen mit. Endlich
aber machten die ſeit dem Ende des 8. Jahrhunderts
ſich immer häufiger wiederholenden Raub= und Er=
oberungszüge der Dänen an die Küſten Britanniens eine
ſtarke militäriſche Organiſation nöthig, und leiſteten alſo
gleichfalls der Entwickelung feudaler Einrichtungen Vor=

schub. Die Unterjochungen des einen Stamms durch
den andern (wennschon beide derselben Völkerfamilie an=
gehörten) brachten jedesmal neue Ungleichheiten in den
Personen= und den Besitzverhältnissen hervor. Eine
Vereinigung der bis dahin getrennt gewesenen angelsächsi=
schen Reiche oder wenigstens einzelner derselben zu dem
Zweck einer Abwehr des gemeinsamen furchtbaren Fein=
des mochte eine weitere Folge dieser Einfälle der Dänen
sein; weil letztere aber in der Regel so plötzlich und un=
vorhergesehen erfolgten, daß nur eine rasch bereite lokale
Kriegsmacht im Stande war, ihnen einigermaßen Wider=
stand zu leisten, so hatten sie (ähnlich wie die Einfälle
der Normannen in Frankreich unter den spätern Karo=
lingern) auch noch die andere Wirkung: ein starkes und
unabhängiges Vasallenthum zu schaffen, welches biswei=
len die Königsmacht selbst und die Einheit des Staats=
wesens in Frage stellte. [3])

Bei alledem glauben wir dennoch als zweifellos hin=
stellen zu dürfen, daß die Umwandelung der alten, auf
einer ausgedehnten Freiheit und Gleichheit aller wirk=
lichen Volksgenossen beruhenden germanischen Verfassung
in eine der persönlichen und der Vermögensungleichheit,
der Unterordnung einer Gesellschaftsklasse unter die andere
und der Abhängigkeit aller von einem obersten, schlecht=
hin gebietenden Willen — daß eine solche Umwandelung,
wie sie in Frankreich, zumal im westlichen, auf gallo=
romanischem Boden, sich so entschieden und so rasch voll=
zog, in dem angelsächsischen Reich an den britischen
Küsten nur in ungleich schwächerm Maß und ungleich
langsamer vor sich ging. Bis zu der normannischen
Eroberung dieses Reichs (im 11. Jahrhundert) behaup=

tete das ursprüngliche germanische Princip gegen die
hereinbrechende Feudalität, wenn nicht das Uebergewicht,
doch sicher ein sehr starkes Gegengewicht. Die Grundlage alles Staatswesens, die Verwaltung des Rechts
und der Polizei, blieb fortwährend eine vorwaltend demokratische oder volksgenossenschaftliche. Zwar verwandelte sich auch hier die anfangs gewählte Obrigkeit des
Bezirks allmählich in eine vom König ernannte; aber
die Bedeutung der Genossenschaftsgerichte selbst erhielt
sich fast ungeschmälert, und die Guts- und Herrschafts-
gerichte, welche sich daneben ab und zu bildeten, erlangten hier nie jenen gewaltsamen übergreifenden Einfluß
auf die Gau- und Gemeindeverfassung, welcher ihnen
in Frankreich wahrscheinlich schon ziemlich früh zu Theil
ward. Die Zahl derer, welche in ein solches Abhängigkeitsverhältniß zu einem größern Grundbesitzer traten,
war überhaupt hier ohne Zweifel eine viel geringere im
Verhältniß zu denen, die nach wie vor auf freiem Grund
und Boden saßen, als drüben. Die allgemeinen Volksversammlungen schrumpften zwar auch hier im Lauf der
Zeit zusammen zu aristokratischen Versammlungen, bei
denen sich in der Regel nur die großen Grundherren
und die königlichen Beamten — die Grafen und Vice-
grafen (Sheriffs), gleichsam als Vertreter ihrer Bezirke —,
selten wol noch einfache Freisassen einfanden; allein
theils war und blieb das Gewicht der angelsächsischen
Landesvertretung — des Witenagemot — gegenüber
dem Staatsoberhaupt ein viel größeres und fester be-
messenes als in dem merovingischen Frankreich und unter
den Nachfolgern Karl's des Großen, theils hatte selber
die mehr aristokratische Zusammensetzung dieser Versamm-

lungen hier weniger Bedenkliches, weil die angelsächsische
Aristokratie viel enger mit dem Volk zusammenhing, viel
weniger den Charakter einer herrschenden und alle andern
Klassen unterdrückenden Kaste an sich trug, als die west=
fränkische. Denn die Verwandlung des altgermanischen,
auf persönlicher Auszeichnung und Schätzung durch die
Volksgenossen oder auf größerm Grundbesitz ruhenden
Adels in einen Dienstadel nach gallo=fränkischem Muster
ging bei den Angelsachsen jedenfalls nur in viel beschränk=
term Umfang vor sich: die Masse und der eigentliche
Stamm des Adels blieben selbständig, freie Herren auf
eigenem Besitz und in freundlichen Beziehungen zu den
sie umwohnenden kleinern Freisassen, welche in ihnen na=
türliche Vertreter und Beschützer, nicht Gebieter und
Unterdrücker erblickten. Allerdings erhob der Dienst des
Königs den, welcher in denselben eintrat, zu dem bevor=
zugten Rang eines Thane; aber eben diesen Rang (oder
wenigstens den Anspruch darauf) verlieh auch ein ge=
wisser Grundbesitz, verlieh auch der Besitz einer voll=
ständigen kriegerischen Waffenrüstung, ja verlieh sogar
dem einfachen Kaufmann eine dreimalige Seefahrt aus
eigenen Mitteln. [4])

In Deutschland (oder, wie es damals noch hieß,
Germanien), von wo die beiden neuen Staatswesen,
das fränkische und das angelsächsische, ausgegangen, war
inzwischen die gesellschaftliche und politische Verfassung
nahezu dieselbe geblieben, wie sie zur Zeit der Völker=
wanderung gewesen war. Die einzelnen Stämme und
Stammesbündnisse lebten nebeneinander hin, bisweilen
friedlich, bisweilen einander bedrängend, zum Theil in
einer strengern oder losern Abhängigkeit von dem großen

Frankenreich im Westen, zum Theil noch völlig frei und
unberührt davon. An der Spitze dieser einzelnen Völ=
kerschaften standen Stammesfürsten, Herzöge, auch wol.
bisweilen Könige genannt, ihnen zunächst eine Klasse
der Edeln, von höherer persönlicher Auszeichnung, jedoch
im übrigen ohne wesentliche politische Vorzüge, vollends
ohne irgendwelche eigentliche Herrschaftsrechte über die
freien Männer.

Daß von dem Frankenreich her auch in diese ger=
manischen Länder, zumal in die mit jenem in näherer
Berührung stehenden, Ansätze des dort sich ausbildenden
Feudalwesens nach und nach eindrangen, ist wohl glaub=
lich. Indeß widerstand doch das ungemischtere germa=
nische Element diesen Einflüssen ziemlich lange, und selbst
jene germanischen Landstriche, die unter dem Namen
Ostfranken oder Austrasien als ein integrirender Theil
des Frankenreichs betrachtet wurden, unterschieden sich
von dem eigentlich gallo=romanischen Theil (Neustrien)
durch ein strengeres Festhalten an den volksthümlichen
Einrichtungen der ursprünglichen germanischen Verfassung.
Der Kampf der austrasischen Familie Pipin gegen die
neustrischen Hausmeier der merovingischen Könige —
ein Kampf, der mit der Entthronung dieser letztern und
der Einsetzung einer neuen Dynastie an ihrer Statt en=
dete —, war daher auch kein bloßer Kampf persönlichen
Ehrgeizes, sondern hatte die höhere Bedeutung einer
Reaction des germanischen Elements in seiner größern
Reinheit gegen das entartete germano=romanische, der
volksthümlichen Aristokratie eines auf großen eigenen
Besitz und auf die freie Anhänglichkeit der Volksgenossen
gestützten Geschlechts gegen eine nur durch Anmaßung

und Misbrauch der königlichen Gewalt sich behauptende, das Volk mishandelnde, alle Ordnung und alles Recht im Staat verhöhnende Hofbeamtenschaft, wie sie unter den entarteten Merovingern namentlich im westlichen oder neustrischen Theil des Reichs aufgekommen war.[5]

Eine ganz neue Phase des franko=gallischen Staats= lebens beginnt mit Karl dem Großen. Es ist oftmals darüber gestritten worden, welcher Nation, ob der deut= schen, ob der französischen, dieser große Monarch zu eigen angehöre; französische Geschichtschreiber haben ihn für Frankreich, deutsche haben ihn für Deutschland in Anspruch genommen. Gewiß ist, daß in seiner Regie= rungsweise germanische und romanische Elemente sich auf das Allermerkwürdigste vermischen und durchbringen. In Einem Punkt indeß treffen beide Richtungen seines po= litischen Systems zusammen; Ein Ziel verfolgen beide mit der entschiedensten Consequenz: die Niederhaltung und Wiederherabbrückung der unter den schwachen Nachkom= men Chlodwig's und bei deren steten Kämpfen unter= einander übermächtig gewordenen Aristokratie. Dahin zielen die centralisirenden Einrichtungen des großen Kai= sers, die stete Controle, welche er über die Statthalter der Provinzen durch Sendgrafen oder Bischöfe zu üben suchte, sowie die Auflösung der alten Stammesherzog= thümer in dem germanischen Theil des Reichs, die er, soweit möglich, in Markgrafschaften, als Reichslehne, die der Kaiser vergab und zurückziehen konnte, verwandelte; die Entbietung der großen und kleinen Vasallen zu regel= mäßigen Reichsversammlungen, um in ihnen das stete Gefühl der Zubehörigkeit zu einem Ganzen wach zu er= halten und zugleich die Centralgewalt in einen persön=

lichen Rapport mit den Lokalgewalten zu setzen; der
Unterthaneneid gegen den Kaiser als den obersten Lehns=
herrn, den nach seiner Vorschrift die Aftervasallen neben
und vor dem Eid gegen ihren nächsten Lehnsherrn schwö=
ren mußten; die Sorgfalt, womit Karl das durch Schen=
kungen ungebührlich verminderte Domänengut der Könige
durch gute Verwaltung wieder zu einer reichlicher fließen=
den Machtquelle zu machen beflissen war, sowie die
bessere Einrichtung der Reichszölle; dahin aber auch die
von ihm unternommene Kräftigung der alten germanischen
Rechtsverfassung durch Neubelebung der Volksgerichte,
sowie durch Sammlung und Verbesserung der alten
Volksrechte, dahin endlich die Wiederherstellung des
Heerbanns aller freien waffenfähigen Männer an der
Stelle des bloßen Gefolgedienstes der Lehnsmänner.

Schon die Vorgänger Karl's des Großen, namentlich
der gewaltige Karl Martell, hatten denselben Gedanken
verfolgt: eine kräftige einheitliche Gewalt auf starken
nationalen und volksthümlichen Unterlagen zu begründen.
Die Verhältnisse waren diesem Vorhaben damals günstig
gewesen, und waren es auch jetzt wieder. Die Gefahr,
welche der fränkischen Monarchie und dem Christenthum
— zwei Begriffen, die in den Gemüthern des Volks
durch die karolingische Politik bis zur Ununterscheidbarkeit
verschmolzen — erst von den mohammedanischen Sara=
zenen, dann von den heidnischen Friesen, Sachsen und
Normannen drohte, erzeugte in den sämmtlichen Bevöl=
kerungen dieses christlich=germanischen Reichs ein Gefühl
der Zusammengehörigkeit und einen Zug der Unterord=
nung unter die oberste Schirmgewalt der Christenheit,
welcher die auseinanderstrebenden und eigensüchtigen Ten=

denzen des Feudalismus wenigstens für den Augenblick
paralysirte.

Freilich aber auch nur für den Augenblick! Denn
das rasche Wiederzerbröckeln des gewaltigen Baus staat-
lich=nationaler Einheit, den Karl's des Großen starke
Hand für lange Dauer aufgerichtet zu haben schien, bekundete deutlich, daß nur persönliche Größe, nicht die
Natur der Verhältnisse einen vorübergehenden Sieg über
die widerstrebenden Elemente davongetragen, und daß
die aufsteigende Bewegung aristokratischer Sonderung
und Unbotmäßigkeit noch lange nicht ihren Höhe= und
Haltpunkt erreicht habe.

Wir überspringen einen größern Zeitraum und knüpfen
den Faden unserer Betrachtung da wieder an, wo wir,
aus den Trümmern der großen karolingischen Monarchie
ausgeschieden, zwei selbständige Reiche auf mehr oder
minder nationalen Grundlagen gesondert erblicken: ein
französisches und ein deutsches. Wir sehen diese
beiden Reiche, ein jedes in seiner Weise, nach Erfüllung
der Bedingungen ringen, welche die moderne Idee des
Staats an jeden durch Stammesgemeinschaft oder sonstige
Verhältnisse verbundenen Complex von Individuen oder
von Völkerschaften stellt. Aber welchen merkwürdigen
Gegensatz nehmen wir da sogleich wahr! Frankreich
stellt sich uns vor der Hand noch als ein bloßes Agglo-
merat großer und kleiner Herrschaften dar, die mit beinahe vollkommener Souveränetät nebeneinander bestehen;
das Königthum ist unter den Händen einer Reihe schwach-
sinniger, zum Theil selbst körperlich verwahrloster Fürsten,
entarteter Nachkommen des gewaltigen Karl, zu einem
völligen Schattenbild herabgesunken, das Volk aber liegt

darnieder unter dem Druck eines bis zur äußersten Härte
verschärften Feudalsystems. [6])

Die Maßregeln Karl's des Großen, welche bestimmt
gewesen waren, der Ausbildung dieses Systems einen
heilsamen Zaum anzulegen, einestheils durch Befestigung
und Ausdehnung der Königsmacht, anderntheils durch
Wiederbelebung und Beschützung der allgemeinen Volksfreiheit, waren von keiner nachhaltigen Wirkung gewesen.
Das germanische Princip der Gemeinfreiheit und Gleichheit hatte in dem westlichen Theil des Frankenreichs
niemals recht Wurzel geschlagen, weder in den Sitten,
noch in den Einrichtungen, und seine künstliche Einführung hielt daher nicht länger Stich als die Gewalt selbst,
von welcher sie ausgegangen war. Die wiederholten
Erbstreitigkeiten unter den Nachkommen Karl's des Großen,
welche die weisen Absichten ihres großen Vorfahren gänzlich mißachteten, gaben wiederholt das Reich allen Greueln
der Verwüstung, die Königsgewalt den ärgsten Demü-
thigungen durch den Uebermuth trotziger Vasallen preis,
und steigerten Einfluß und Macht dieser letztern ins
Ungemessene. Nicht blos Güter und Rechte der Krone
wurden mit verschwenderischer Hand von den um die
Unterstützung der großen Vasallen buhlenden Thronprä-
tendenten verliehen oder verschenkt, sondern, was schlimmer war, durch die der Feudalaristokratie bewilligte Erblichkeit ihrer Lehen ward dieselbe fast gänzlich unabhängig
von der oberstherrlichen Gewalt der Krone gestellt, während die letztere eben dadurch in noch entschiedenere Abhängigkeit von jener gerieth.

Wesentlich anders stand es in dieser Hinsicht in dem
östlichen Theil des ehemaligen großen Frankenreichs, dem

nun zu nationaler Selbständigkeit zurückgekehrten Deutschland. Weder die Zersplitterung des Ganzen, noch die Unterdrückung der Volksfreiheit durch eine übermächtige Aristokratie war hier so weit vorgeschritten wie drüben. Die Gauverfassung und die sonstigen altherkömmlichen volksthümlichen Einrichtungen bestanden hier noch in ziemlich ungeschwächter Kraft. Die einheitliche Gewalt über das Ganze war zwar auch hier keineswegs unbestritten, allein was ihr gegenüberstand war nicht eine Vielheit dynastischer Feudalherrschaften, sondern eine kleine Zahl natürlicher Gruppirungen, nämlich die vier oder fünf großen Stämme oder Völkerbünde, in welche die Nation zerfiel, jeder mit einem oder einigen hervorragenden Geschlechtern an ihrer Spitze, aus denen die Stammesherzöge, als die natürlichen Oberhäupter und Vertreter dieser großen Volksgemeinschaften, hervorgingen.

Dieser Zustand der Dinge in Deutschland kam offenbar, dem äußern Anschein nach, der Einheit viel näher als jene dreißig oder — in späterer Zeit — nahezu sechzig verschiedenen Halb- oder Ganzsouveränetäten, in welche Frankreich während des 9. und 10. Jahrhunderts zerfiel.

Näher betrachtet freilich war jener erstere Zustand (wie auch der Erfolg bald genug zeigte) der wahren und dauernden Begründung einer obersten einheitlichen Staatsgewalt viel weniger günstig als dieser letztere. Damals allerdings, als nach dem Erlöschen des karolingischen Stamms in Deutschland und nach dem Aufgeben auch jener letzten Tradition fränkischer Oberhoheit, welcher der Franke Konrad seine Erhebung auf den erledigten Thron verdankt hatte, das Haupt des mächtigsten und bisher unbotmäßigsten deutschen Stamms,

15 **

der Sachse Heinrich mit starker Hand das Scepter über
Deutschland ergriff, als er die übrigen Stämme sammt
ihren Fürsten theils mit Gewalt, theils durch seine Weis=
heit und Mäßigung, unter dem mitwirkenden Einfluß
großer nationaler Gefahren von außen, der oberstherrlichen
Gewalt des deutschen Königs unterwarf, — da schien
dieses Königthum auf festen Grund gebaut und Deutsch=
land auf dem besten Weg zu einer compacten einheit=
lichen Gestaltung zu sein.   Und als dagegen (etwa drei=
viertel Jahrhundert später) Hugo Capet, der kleine Graf
von Paris, die den letzten Karolingern entfallene Krone
des westlichen Frankenreichs sich aufsetzte, als er das kühne
Wagstück unternahm, von seinem Besitzthum, der Isle
de France, aus die weiten Lande zwischen den beiden
Meeren, den Pyrenäen, dem Jura, den Vogesen und
den Ardennen zu beherrschen und die nahezu sechzig
großen und kleinen Landesherren, welche dieses Gebiet
unter sich getheilt hatten, und die sich sämmtlich so sou=
verän bünkten wie er, und zum nicht geringen Theil
reicher und mächtiger waren als er, seiner Oberhoheit
zu unterwerfen, da konnte ein solches Unternehmen recht
wohl für chimärisch gelten; und wer damals hätte vor=
aussagen wollen, daß diese Masse ungleichartiger, aus=
einanderstrebender, weder durch ein gemeinsames politi=
sches Band, noch selbst durch Sitte, Sprache oder
Blutsverwandtschaft zu einer Einheit verbundener und
aufeinander angewiesener Völker und Ländergruppen einst=
mals das am stärksten centralisirte Reich und die am
meisten gleichförmige Nationalität in Europa bilden
würde, der hätte wahrhaftig ein guter Prophet sein
müssen.

Und doch waren noch nicht zwei Jahrhunderte ſeit
jenem Zeitpunkt verfloſſen, als man bereits Frankreich
im vollen Zug nach den Zielen einer ſtarken einheitlichen
Organiſation erblickte, Deutſchland dagegen von den
hoffnungsvollen Anfängen einer ſolchen ſo weit zurück=
geworfen, daß ſelbſt das noch weniger geübte Auge
damaliger Geſchichtſchreiber den drohenden Verfall der
deutſchen Königsmacht mit ziemlicher Sicherheit voraus=
ſah. Mit Heinrich's IV. Fall iſt jener ſtolze Bau, den
Heinrich I. errichtet, in ſeinen tiefſten Grundfeſten er=
ſchüttert, während der Zeitgenoſſe Heinrich's IV. und
Heinrich's V., Ludwig VI. (der Dicke) von Frankreich,
das ſcheinbar ſo hoffnungslose und abenteuerliche Be=
ginnen ſeines Ahnherrn Hugo Capet bereits ſo weit
gelungen ſieht, daß nicht blos die widerſpenſtigen Va=
ſallen ſich der oberſtrichterlichen Gewalt des Königs, als
des geborenen Beſchützers der Armen und Unterdrückten,
freiwillig oder unfreiwillig unterworfen haben, ſondern
daß auch in den Völkern ſelbſt ſich bereits ein ſo leb=
haftes Gemeingefühl ankündigt, daß, als Heinrich V.
von Deutſchland den franzöſiſchen König mit Krieg be=
droht, aus allen Theilen des Landes, von den Geſtaden
der Rhône und der Loire wie von denen der Seine,
kampfluſtige Scharen herbeieilen und ſich um das gemein=
ſame Banner Frankreichs, die Oriflamme, ſammeln!
Die Urſachen dieſer ſo überraſchenden Wendung in
der politiſchen Entwickelung der beiden Länder ſind zum
Theil allerdings von jener Art, welche man im gewöhn=
lichen Leben zufällige zu nennen pflegt. Die Capetinger
hatten das große Glück, daß eine Reihe langer und
weder durch Unmündigkeit noch durch Ausſterben des

Mannsstamms unterbrochener Regierungen eine stetige
und ungestörte Tradition einerseits des Herrschens, an=
bererseits des Gehorchens erzeugte. In Deutschland sand
leiber das gerade Gegentheil davon statt. Otto II. warb
nur achtundzwanzig, Otto III. gar nur zweiundzwanzig
Jahre alt, und mit dem letztern erlosch schon in der vierten
Generation die Dynastie der Sachsen. Nicht anders ging
es mit der fränkischen Dynastie. Heinrich III., nächst
Heinrich I. und Otto I. vielleicht der kräftigste Herrscher
Deutschlands, mußte schon im sechsunddreißigsten Jahr
sein thaten= und planreiches Leben enden; die lange
Unmündigkeit Heinrich's IV. warb eine wesentliche Ursache
der Zerrüttung, in welche das Reich unter diesem
Kaiser fiel, und kaum daß Heinrich V. einigermaßen
das Ansehen des Kaiserthums, welchem er selber durch
seine Erhebung gegen seinen Vater die schwerste Wunde
geschlagen, wiederherzustellen begonnen hatte, so riß
mit seinem Tod abermals der Faden der Erbfolge
entzwei.

Allein das eigentlich Ausschlag gebende Moment für
die so rasche Wiederkräftigung der bis zur Ohnmacht
geschwächten monarchischen Gewalt in Frankreich, wie
für das ebenso rasche Zurücksinken des scheinbar erstark=
ten beutschen Königthums in Schwäche und Abhängigkeit
von der Fürstenaristokratie lag nicht in den Menschen,
sondern in den Dingen, oder doch weit mehr in diesen
als in jenen. Zwar will uns jene geschichtliche Prä=
bestinationstheorie gar zu materialistisch erscheinen, welche
den ganzen Bildungsgang eines Volks aus geographischen
und geologischen Voraussetzungen erklären zu können
meint und aus den äußern Formationsverhältnissen

Frankreichs dessen politische Concentration, aus der Ungleichförmigkeit der Erdoberfläche in Deutschland und
der Trennung von Nord und Süd durch einen in der
Mitte hinstreichenden Höhenzug die politische Zerrissenheit
unsers Vaterlands und speciell den Gegensatz von Nordund Süddeutschland wie eine Naturnothwendigkeit zu
deduciren sucht. Man kann zugeben, daß der Ausdehnung Frankreichs nach allen Seiten natürliche Grenzen
gesteckt sind durch die Ardennen, die Vogesen, den Jura,
die Pyrenäen und die zwei Meere; aber nicht ebenso
leicht ist einzusehen, was die innerhalb dieser Grenzen
wohnenden Völkerschaften hätte zwingen sollen, sich zu
einem einzigen Staatswesen zu vereinigen, wenn nicht
andere nöthigende Ursachen hier im Spiel gewesen wären.
Italien erscheint durch das ringsumher flutende Meer
und die Alpenkette noch mehr in sich abgeschlossen als
Frankreich, und doch hat es zu keiner Zeit eine politische
Einheit gebildet, außer wenn es durch militärische Gewalt
zusammengeschweißt war. Griechenland, oder wenigstens
der Peloponnes, hat ähnliche geographische Verhältnisse,
und war doch selbst in den Zeiten seiner kräftigsten Entwickelung immer eine Vielheit, die sich nur schwer einem
gemeinsamen Band fügte. England und Schottland, durch
die gleiche insularische Lage aufeinander angewiesen und
durch kein wesentliches Naturhinderniß getrennt, haben bis
vor britthalb hundert Jahren abgesonderte Reiche gebildet und sind erst seit hundertfunfzig Jahren wirklich
zu Einem Staat verbunden. In Deutschland haben sich
lange Zeit Franken und Sachsen gegenübergestanden,
die durch keine geologische Scheidewand getrennt waren,
dann Hohenstaufen und Welfen und wieder ein ander

mal Baiern und Oesterreicher, die einen wie die andern
nicht nach Nord und Süd, sondern nach Ost und West
voneinander geschieden. In Frankreich selbst hat jene
angebliche geographische Nöthigung des Zusammenhaltens
nicht verhindert, daß mehr als vier Jahrhunderte lang
der Süden — Aquitanien, Toulouse, die Provence —
kaum dem Namen nach zu dem französischen Reich ge=
hörte und nur mit Mühe endlich — halb durch Gewalt,
halb durch Schlauheit — ihm einverleibt ward, nicht
verhindert, daß Lothringen bis ins vorige Jahrhundert
eine ungewisse Mittelstellung zwischen Frankreich und
Deutschland einnahm, nicht verhindert, daß der Süden
und Norden Jahrhunderte lang sich fremd, fast feindlich
gegenüberstanden, ja in mancher Beziehung sich noch
jetzt gegenüberstehen. Auch dafür, daß gerade vom
Norden aus Frankreich zwei mal unterworfen und be=
herrscht ward, liegt der Erklärungsgrund in andern als
in den geologisch = hydrographischen Verhältnissen des
Seinebeckens. Die erste Eroberung Galliens erfolgte
von dorther aus der ganz einfachen Ursache, weil dort,
und dort allein, ein leichter, durch kein Naturhinderniß
unterbrochener Zusammenhang zwischen den vorgeschobenen
Scharen Chlodwig's und der vorläufig in ihren alten
Wohnsitzen zurückgebliebenen Masse des Frankenstamms
stattfand. Die zweite, unter den Capetingern, fand die
politische Initiative des Nordens schon als eine Tradition
vor und hatte daran eine wesentliche Stütze ihres Ge=
lingens. Dazu kam wahrscheinlich noch ein besonderer
Umstand. Gerade hier im Nordwesten hatte, in wieder=
holten Kämpfen mit den durch die Seinemündungen
einbringenden Normannen, sich eine starke und compacte

Territorialmacht, die der Grafen von Paris und Herzöge von Francien, ausgebildet, die, als eine Art von Vormauer oder Markgrafschaft des Reichs gegen diese gefährlichsten Feinde, die wilden Seeräuber des Nordens (an deren Abwehr die oberste Reichsgewalt selbst längst verzweifelt) ein hervorragendes Ansehen weithin auch in den fernern Hinterlanden genoß.

Jedenfalls waren Motive dieser und ähnlicher Art in der damaligen Zeit weit wirksamer als ein vermeintlicher concentrischer Zug des Verkehrs, welchem manche Geschichtschreiber einen so wesentlichen Einfluß auf die Gestaltung der politischen Geschichte Frankreichs zuschreiben. Denn abgesehen davon, daß der Verkehr damals überhaupt noch viel zu kleine Dimensionen hatte, um in so große Entfernungen hin, wie von der untern Seine bis zum Fuß der Pyrenäen oder des Jura, eine Anziehungskraft zu üben, besteht auch in der That ein natürlicher Zug des Verkehrs aus ganz Frankreich nach jenem nordwestlichen Punkt nicht, da jedes der andern großen Stromgebiete Frankreichs für Schiffahrt und Handel wichtiger ist als gerade das der Seine. Wenn gleichwol Paris der Mittelpunkt des Landes auch in vielen Beziehungen des materiellen Lebens geworden ist, so hat sicherlich nicht der commercielle Verkehr der politischen Centralisation, sondern diese jenem die Wege dorthin gebahnt und angewiesen.

Lassen wir also jene geographische Hypothese auf sich beruhen! Um so mehr, als es uns an näherliegenden und überzeugendern Entscheidungsgründen für die Wiedervereinigung des eine Zeit lang zerstückelten Frankreich, wie andererseits für das Auseinanderfallen des scheinbar weit einheitlicher oder doch weit gleichförmiger angelegten Deutschland keineswegs fehlt.

Gerade dasjenige, wodurch Deutschland der Einheit näher schien als Frankreich, hinderte dort die wirkliche Einigung, und gerade je näher hier die Gefahr des Auseinanderfallens war, desto natürlicher erfolgte ein Rückschlag dagegen. Die Absonderung der deutschen Bevölkerungen in große Stammesbündnisse gewährte den einzelnen Volksgenossen eine Befriedigung, welche sie die Vereinigung zu einem noch größern Ganzen weder vermissen noch ersehnen ließ. Auch war ihnen die Tradition einer solchen Einheit so gut wie fremd, denn selbst dem großen karolingischen Reich hatten die diesrheinischen Stämme immer nur widerstrebend und gezwungen angehört.

Drüben dagegen, wo schon zwei mal, erst unter der Römerherrschaft, dann wieder unter Karl dem Großen, die Zusammenfassung aller Theile zu einem großen Gesammtreich planmäßig durchgeführt gewesen war, mußte wohl diese Tradition, wenn auch eine Zeit lang verwischt, früher oder später von neuem aufleben. Die Schranken, welche die einzelnen Bevölkerungen des westlichen Frankenreichs voneinander schieden, waren größtentheils nur politische, selten natürliche. Poitiers, Toulouse, Ponthieu, Anjou, Vermandois u. s. w. bezeichneten weit mehr bestimmte Abgrenzungen dynastischer Herrschaftsgebiete, als Einigungen des Volks nach Stammverwandtschaft, Sprache oder Zusammenbehörigkeit. Der Schwabe oder Sachse mochte sich als Glied einer großen Völkergenossenschaft fühlen: der Unterthan eines Grafen von Bigorre oder eines Vicomte von Turenne fand sich nur durch ein

persönliches Abhängigkeitsverhältniß zu dem Herrn des Landes an dieses Land gebunden und von seinen Nachbarn, mit
denen er einst ein größeres Ganzes gebildet, abgeschnitten.

Die Empfindungen, welche so in den durch eine rein
dynastische Absonderungspolitik auseinandergerissenen Bevölkerungen erregt wurden, erhielten noch eine wesentliche
Verstärkung durch die innern Zustände dieser Territorien
selbst.   In den großen deutschen Stammesherzogthümern
war die Macht des Herzogs ihrem Ursprung nach eine
volksthümliche, ihrem Gebrauch nach in der Regel
eine gemäßigte, — die Seigneurien, in welche Frankreich
zerfiel, hatten fast nur den Charakter ausgedehnter Guts-
herrlichkeiten, deren Besitzer sich als Gebieter, ihre
Schutzbefohlenen als Unterthanen betrachteten.

In Deutschland gewährte die noch in ziemlicher Geltung bestehende Gau- und Gemeindeverfassung dem einzelnen Schutz vor Willkür; in Frankreich waren diese
Institutionen schon längst fast bis auf die letzte Spur
zerstört oder unwirksam gemacht.   An die Stelle der
Gaugerichte waren die Hofgerichte, an die Stelle der
Urtheilsfindung durch freie Genossen war die Entscheidung
durch Grund- oder Landesherren getreten.

Hier nun war der Punkt, wo die französischen Könige
aus dem Hause Capet, zum Theil schon die ersten Nachfolger Hugo's, entschiedener und planmäßiger die spätern von Ludwig VI. an, die Hebel ihrer Machtentwickelung mit ebenso viel Geschick als Erfolg einsetzten.   Sie
erklärten sich zu geborenen Wächtern des Rechts und
Beschützern der Unterdrückten. Und sie bewiesen sofort
durch die That, daß es ihnen mit dieser Erklärung Ernst
sei.   Sie fingen damit an, in den Gebieten ihrer un-

mittelbaren Vasallen eine strenge Controle über die Hand=
habung des Rechts und die Behandlung der Unterthanen
zu üben. Als ihnen dies gelungen, versuchten sie das
Gleiche auch in jenen Gebieten, welche nur noch in mit=
telbarem oder eigentlich fast in gar keinem Zusammen=
hang mehr mit dem sogenannten Reich standen. Die
stolzen Seigneurs, welche längst nur noch dem Namen
nach sich als Vasallen der schwachen Karolinger bekannt
und eben darum kein Bedenken getragen hatten, dieses
wesenlose Verhältniß auch auf Hugo Capet und seine
Nachkommen übergehen zu lassen, belächelten wol anfangs
eine Prätension, welche durch keinerlei ausreichende Macht=
mittel unterstützt schien. Aber bald wurden sie inne,
eine wie gefährliche Waffe gegen sie das von ihnen so
gering geachtete neue Königthum schon in der bloßen
Idee oberstrichterlicher Gewalt besitze. Wo immer es
einen Streit zwischen den Territorialherren und ihren
Vasallen, den Bürgerschaften ihrer Städte, oder einem
Bischof, einer Abtei, einem Kloster gab, da riefen die
wirklich oder vermeintlich in ihrem Recht Verkürzten den
Schutz der Herzöge von Francien, als der Rechtsnach=
folger der Karolinger, an, und diese letztern verfehlten
nicht, sich der verletzten Unterthanen gegen die Ungerech=
tigkeit und Willkür ihrer Gebieter anzunehmen, zunächst
durch Dazwischentreten mit ihrer oberstherrlichen Autorität,
wenn nöthig auch wohl mit Waffengewalt. In beharr=
licher Verfolgung dieses Wegs gelangten die Capetinger
allmählich dahin, von bloßen „Ersten unter ihresgleichen“,
was sie eigentlich nur gewesen waren, sich zu einer wirk=
lichen Oberhoheit über die andern Seigneurs zu erheben
und der eine Zeit lang in den Hintergrund gedrängten

Idee einer rechtlichen und staatlichen Gemeinsamkeit aller auf dem Gebiet des einstigen karolingischen Reichs (westlichen Antheils) lebenden Bevölkerungen von neuem thatsächliche Geltung zu verschaffen.

Während so aus kleinen Anfängen und mit fast unscheinbaren Mitteln die Capetinger in Frankreich langsam aber stetig und sicher ein monarchisch geordnetes Staatswesen und eine starke Königsgewalt gründeten, sehen wir in Deutschland die gewaltigsten und beharrlichsten Anläufe nach dem gleichen Ziel hin, trotz mancher glänzenden Erfolge im einzelnen, doch immer wieder, bevor sie festen Fuß zu fassen vermögen, nach ihrem Ausgangspunkt hin zurückgeworfen, und so eine Sisyphusarbeit unternommen, deren Vergeblichkeit nicht lange zweifelhaft bleiben kann. Die äußern Verhältnisse Deutschlands sind es nicht, welche diesen Planen einer festern Einigung entgegenstehen, denn weder an nationalen Gefahren, noch an nationalen Unternehmungen ist Mangel, und diese sind, nach allen geschichtlichen Erfahrungen, einer der wirksamsten Hebel festern Zusammenschließens der Bevölkerungen aneinander. Von Osten drohten die Slaven, von Norden die Normannen; von Westen her wagten die Karolinger mit letzter Kraft einen Angriff auf Lothringen, und gegen die furchtbaren Schwärme der Ungarn mußte wiederholt mitten im Herzen Deutschlands die Entscheidungsschlacht geschlagen werden. Auch jener Vortheil, den Frankreich durch seine längern und ungestörtern Regierungen vor Deutschland voraus hatte, schien mehr denn aufgewogen zu werden durch die persönlichen Vorzüge der deutschen Herrscher, welchen die Capetinger in dem ganzen Zeitraum zwischen Hugo und

Ludwig VI. nicht entfernt etwas Gleiches entgegenzusetzen
hatten.

Denn während die nächsten Abkömmlinge Hugo's
bis auf Philipp I., und selbst diesen nicht ausgenommen,
durch geistige Mittelmäßigkeit, Mangel an Thatkraft und
leidende Hingebung an die Vormundschaft der Geistlich=
keit beinahe den spätern Karolingern glichen, durften von
den Konraden, Heinrichen und Ottonen Deutschlands
sich manche gar wohl den Pipins und Karl Martells,
einzelne fast einem Karl dem Großen nicht unebenbürtig
zur Seite stellen.   Dennoch arbeiteten diese so energischen,
so klugen und so patriotischen Fürsten vergeblich daran,
dem deutschen Staatswesen feste und dauernde Grund=
lagen innerer Einheit und äußerer Macht zu geben; für
die trägen und schwächlichen Capetinger dagegen über=
nahmen die Verhältnisse selbst diese Mühe, und ein ge=
ringes Maß rechtzeitig angewendeter Klugheit wucherte
ihnen mehr als den trefflichsten unserer Herrscher ein
noch so großes Aufgebot von Tapferkeit, Staatskunst
und Willensstärke.

Fürwahr, es muß in der ursprünglichen Anlage
des deutschen Staatswesens etwas sein, was das Werk
einer einheitlichen Organisation desselben unendlich er=
schwert! Auch dürfte es nicht schwer fallen, dieses
Etwas zu entdecken. In dem deutschen Charakter an
sich, wie er sich von früh an gezeigt, wie schon Tacitus
ihn erkannt und geschildert, lag wenig oder nichts von
jenen Eigenschaften, welche man staatenbildende nennen
könnte.   Die vorherrschende Neigung des Germanen war
das Einzelleben auf seinem Gut und in der Mitte seiner
Familie; höchstens daß er sich mit seinen Gutsnachbarn

zu einer Gemeinschaft zusammenschloß, daß mehrere solche
Gemeinden eine Art politischer Einheit, einen Gau bil=
deten, daß wiederum eine Anzahl von Gauen zu Stäm=
men, eine Anzahl von Stämmen zu Stammesbündnissen
sich einigte. Aeußere Gefahren oder der Drang gemein=
samer Unternehmungen hatten solche größere Einigungen
hervorgebracht; für die innern Verhältnisse des Gemein=
wesens blieben aber immerfort jene engern Kreise des
Zusammenlebens, der Gau und die Gemeinde, der Punkt,
von wo alles ausging, worauf alles zurückkam. Jene
Vorliebe für auszeichnende Theilnahme an einem größern,
hierarchisch gegliederten Ganzen, wie sie der Gallier
theils schon von Haus aus in weit höherm Grad besaß,
theils von den Römern durch lange Gewohnheit des
Zusammenlebens angenommen hatte, war dem Germanen
von Natur beinahe völlig fremd. Stolz auf seine Un=
abhängigkeit, mochte der Germane wol im Kreise seiner
Genossen Auszeichnung, Vorrang, selbst eine gewisse
Führerschaft andern einräumen oder selber ansprechen —
als Folge persönlicher Vorzüge, oder auch wol eines
gewissen erblichen Anrechts — aber nur in freier An=
erkennung und nicht als bleibendes, auf Zwang beruhendes
Verhältniß. Sogar die obrigkeitliche Gewalt verlieh bei
den Germanen weit mehr Pflichten als Rechte, und war
in ihrem Ursprung wie in ihrem Gebrauch fortwährend
an die Zustimmung der Gesammtheit gebunden.

In Gallien war der ursprüngliche Zusammenhang
der eingeborenen Bevölkerung durch die römische Eroberung
vielfach unterbrochen und zerstört worden. Mitten hinein
zwischen die gallischen Elemente hatten sich allerlei Ein=
wanderer aus andern Theilen des großen römischen Reichs

gedrängt, Beamte, von Rom aus dahin geschickt, Geistliche, von der gemeinsamen Kirche bestellt, auch mancherlei
freie Ansiedler aus andern Provinzen des ungeheuern
Reichs. Diese buntgemischte Bevölkerung ward durch
ein vielgegliedertes, planmäßig organisirtes Verwaltungs-
und Beherrschungssystem von einem Mittelpunkt aus um-
spannt und ebenso wohl im Zusammenhang unter sich
wie in gleichmäßiger Abhängigkeit von Rom erhalten.
So hatte sich dort an der Stelle der natürlichen, nationalen Einheit eine künstliche, an der Stelle des Gefühls
der Stammesverwandtschaft das Gefühl einer staatlichen
Zusammengehörigkeit gebildet, und dieser Zug staatlicher
oder sagen wir besser administrativer Einheit hat die
französische Nation seitdem niemals wieder verlassen, ist
vielmehr die bleibende Grundlage ihres Staatswesens
— trotz mannichfachen Wechsels der äußern Formen
desselben — durch alle Jahrhunderte hindurch gewesen,
und ist es noch.

Gerade dieser Zug staatlicher Einheit fehlte aber,
wie schon gesagt, dem eingeborenen Charakter der Germanen, und war ihm ebenso wenig durch den Einfluß
äußerer Verhältnisse beigebracht worden. Die organisa-
torischen Versuche Karl's des Großen hatten hier viel
weniger als in dem westlichen Theil seines Reichs bleibende Spuren hinterlassen. Und wenn in dem letztern
die früh angewöhnte Neigung der romanisirten Bevölkerung zur Uniformität und Centralisation stärker dann
wieder erwachte, als der stete Zufluß germanischer Elemente, welcher dieselbe nicht hatte aufkommen lassen, mit
der Lostrennung Deutschlands von Frankreich aufhörte,
so verschwand dagegen in Deutschland mit eben dieser

Trennung auch der letzte schwache Einfluß, welchen allen=
falls der Zusammenhang mit dem karolingischen Reich
und dessen romanischen Traditionen auf den germanischen
Geist hätte üben können.

Während also die französischen Könige der dritten
Dynastie an dem Sinn ihres Volks für staatliche Ein=
heit und Ordnung den wirksamsten Bundesgenossen ihrer
monarchischen Bestrebungen erhielten, hatten unsere säch=
sischen und fränkischen Könige den Mangel dieses Sinns
in der deutschen Nation schwer zu empfinden. In Frank=
reich mußten die lokalen Gewalten (die auch dort eine
Zeit lang die Herrschaft erlangt hatten) je länger je
mehr dem allgemeinen Zug des öffentlichen Geistes nach
Einfügung in ein einheitlich geordnetes Staatswesen
weichen; in Deutschland, wo die Neigung für das Lokale
überwog, war eine Richtung, welche dieser Neigung
schmeichelte, entschieden im Vortheil. Eine solche Rich=
tung aber war das Feudalsystem. Das Feudalsystem
war entstanden unter dem Einfluß einer eigenthümlichen
Mischung germanischer und romanischer Elemente, indem
die ursprüngliche Selbstregierung der Germanen in klei=
nen lokalen Kreisen durch das hinzutretende romanische
Princip des Regierens von oben herab in eine Vielheit
aristokratischer Sondergewalten, die aber in einer mo=
narchischen Spitze gipfelten, umgewandelt worden war.
Eben dieses romanische Princip führte nun in Frankreich,
wo es allmählich wieder in voller Stärke hervortrat,
dazu, die einzelnen Lokalgewalten mehr und mehr
einer oberstrichterlichen Gewalt unterzuordnen und
zuletzt darin so gut wie gänzlich aufgehen zu lassen.
In Deutschland dagegen gewann das ˙Feudalsystem,

nachdem es einmal hier Wurzel geschlagen, an dem, freilich eigentlich demokratischen, allmählich aber degene= rirten Lokalgeist des Volks eine breite Unterlage für seinen Widerstand gegen das monarchisch = einheitliche Princip. Und so erblicken wir den eigenthümlichsten Wechsel und Umschlag der Verhältnisse in diesen beiden Ländern. Das Feudalsystem, welches in Frankreich zu einer Zeit in Blüte stand, wo es in Deutschland noch durch den mächtigern Trieb des germanischen Charakters nach Freiheit und Selbstregierung theils in seiner Aus= breitung gehemmt, theils in seiner Praxis gemildert ward, erlangte später gerade in Deutschland eine größere Intensität und Dauer, indem es das alte Unabhängig= keitsgefühl im Volk erstickte, das Aufkommen einer starken monarchischen Gewalt aber — des einzigen Gegengewichts gegen seine Ausartungen — verhinderte, während in Frankreich die Zuspitzung des Staatswesens in eine allmächtige und absolute Centralgewalt sich mit wach= sender Schnelligkeit entwickelte, allerdings ebenfalls auf Kosten der individuellen Freiheit, aber wenigstens mit dem Vorzug einer kräftigen einheitlichen Organisation des Ganzen.

Die großen Schwierigkeiten der Lage, womit das entstehende Königthum in Deutschland zu kämpfen hatte, verrathen sich in der unsichern, wechselnden, herumtappen= den Politik beinahe sämmtlicher Herrscher aus den beiden ersten Dynastien. Heinrich I. begnügte sich noch damit, ein Volks= oder Stammeskönig im germanischen Sinn zu sein; er verschmähte die päpstliche Weihe und stützte sich nur auf die Anhänglichkeit seiner Sachsen und der mit diesen verbündeten Franken, welche beide ihn zum

König gewählt hatten; er zwang zwar die andern Stämme
zur Anerkennung seiner Oberhoheit, aber eigentlich mehr
nur zum Zweck einer gesicherten Heeresfolge gegen die
äußern Feinde, als in der Absicht einer tiefer greifenden
Umgestaltung auch der innern staatlichen Verhältnisse.
Sein Sohn Otto I. lenkte von dem rein germanischen
Standpunkt seines Vaters ab und in die Bahnen Karl's
des Großen zurück: er ließ sich vom Papst weihen und
proclamirte damit das deutsche Königthum als die Fort=
setzung und den Erben der christlich=germanischen Herr=
schaft des großen Kaisers. Er versuchte gleich ihm die
deutschen Herzogthümer zu bloßen Reichsämtern herab=
zudrücken, und vergab solche, um sie in fester Hand zu
halten, an Verwandte und Befreundete. Er vermehrte
das Ansehen und den Güterbesitz der hohen Geistlichkeit,
um an ihr ein Gegengewicht gegen die weltlichen Großen
zu gewinnen. Er wollte mit Einem Wort wirklich über
Deutschland regieren, wie seinerzeit Karl der Große
über sein ganzes weites Reich, nicht, wie sein Vater
Heinrich, blos ein Herzog oder Kriegsanführer der
vereinten deutschen Stämme sein.

Konrad II. nahm in einer Beziehung diese Politik
Otto's I. wieder auf, indem er die großen Reichsämter
in seine Familie zu bringen und so mit der Reichsgewalt
zu verschmelzen trachtete; aber er betrat auch noch einen
zweiten Weg zur Befestigung dieser letztern: er suchte
als Gegengewicht gegen den hohen Adel des Reichs den
niedern oder mittelbaren Adel zu stärken und zugleich
fester an das Kaiserthum zu knüpfen. Heinrich III. end=
lich, genöthigt, die von seinem Vater eingezogenen Reichs=
lehen wieder herauszugeben und zu verleihen, glaubte

die Macht der großen Lehnsträger für das Kaiserthum
unschädlich machen zu können, wenn er sie an solche
vergäbe, die von Haus aus weniger begütert wären,
und wenn er darüber wachte, daß nicht der Grundsatz
der Erblichkeit dieser Lehen Wurzel schlüge.

Alle diese Bestrebungen bekunden den festen Willen
und Wunsch der sächsischen und fränkischen Kaiser, namentlich der thatkräftigern unter ihnen, die königliche
Gewalt zu erweitern und zu befestigen (und was war
wol natürlicher als ein solches Bestreben?), aber sie bekunden auch den absoluten Mangel eines durch die Verhältnisse selbst ihnen vorgezeichneten sichern und leicht zu
findenden Wegs zur Erreichung dieses Ziels. Daher
kommt es, daß nicht einer dieser Herrscher mit allen
seinen Versuchen es dahin bringt, seinem Nachfolger
einen gesicherten Erfolg und einen festen Ausgangspunkt
für weitergehende Bestrebungen auf demselben Weg zu
hinterlassen, sondern daß jeder neue Inhaber der Krone
gleichsam wieder von frischem anfangen muß.

Ein Umstand war dabei von ganz besonderm Gewicht. Die Capetinger stützten sich, als sie daran gingen,
ihre Gewalt über ganz Frankreich auszudehnen, auf die
feste Grundlage eines zweifellosen eigenen Länderbesitzes,
eines Länderbesitzes, welcher zwar im Verhältniß zu dem
Ganzen, das sie mit Hülfe desselben sich unterwerfen
wollten, gering erscheinen mochte, im Verhältniß zu den
andern Territorien aber, mit deren Besitzern sie den
Kampf um die Oberherrschaft aufnahmen, immerhin bedeutend genug war. Mit diesen materiellen Machtmitteln
ausgerüstet, mochten sie um so erfolgreicher und mit
verdoppeltem Nachdruck die ideellen Waffen monarchischer

Tradition und lebendigen Rechtsbedürfnisses gegen ihre
Nachbarn und Rivalen in Bewegung setzen. Indem sie
sodann ihren ursprünglichen Besitz erweiterten — bald
durch Heirath, Kauf oder Eroberung, bald durch Ein=
ziehung verfallener Reichslehen — gelang es ihnen, alle
die verschiedenen Territorien, welche erst noch selbständig
neben dem ihrigen, wenn auch in einer gewissen Ab=
hängigkeit von ihrer Oberhoheit, fortexistirten, allmählich
eins nach dem andern ihrem eigenen Stammland der=
gestalt einzuverleiben und zu assimiliren, daß zuletzt alle
zusammen nicht mehr ein bloßes Reich, d. h. einen Com=
plex von Territorien mit einer obersten Centralregierung,
sondern einen wirklichen Staat bildeten, dessen Theile
nur noch die Bedeutung von Provinzen hatten und von
welchem sie nicht blos Beherrscher, sondern wirkliche Lan=
desherren und Territorialeigenthümer waren.

Ganz anders lag die Sache in Deutschland. Keiner
der deutschen Könige aus dem salischen oder sächsischen
Haus besaß eine Hausmacht in dem Sinn wie Hugo
Capet und seine Familie ihr Herzogthum Francien.
Oder wenn sie ja eine solche hatten, so war dieselbe
doch viel zu klein, um so mächtig widerstrebende Elemente,
wie die verschiedenen deutschen Stämme und ihre Herzöge,
damit zu bewältigen. Mit der bloßen Hülfe ihrer Lehns=
und Dienstmannen hätten weder die Konrade, noch selbst
Heinrich I. und sein großer Sohn die freiheitsstolzen
Baiern und Schwaben oder die vielen einzelnen wider=
spenstigen Großen zu unterwerfen vermocht. Die herzog=
liche Macht aber, die sie dazu befähigte, war immer nur
eine entlehnte, auf dem guten Willen und der Anhäng=
lichkeit des Volks und vor allem der Großen ruhende,

16 *

nicht eine Hausmacht im wahren Sinn des Worts. [7])
Auch das Königthum der Capetinger war anfänglich ein
Wahlkönigthum — aber es war dies doch eigentlich nur
der Form nach, und auch diese Form verschwand schon
in der fünften, sechsten Generation so gänzlich, daß Philipp August nicht mehr für nöthig fand, seinen Sohn
bei seinen Lebzeiten sich zum Nachfolger wählen zu lassen,
vielmehr der letztere nach des Vaters Tod kraft eigenen
Erbrechts den Thron bestieg. Dies kam so, weil es
so kommen mußte. Die materiellen Machtmittel der
Herzöge von Francien sicherten ihnen die Erblichkeit; das
Königthum ward gleichsam nur als ein Zubehör jenes
Territorialbesitzes betrachtet, es war auch anfangs, mit
diesem verglichen, nur ein nebensächliches, und als es
später eine selbsteigene, überraschend schnell wachsende
Bedeutung gewann, da war seine Unabtrennbarkeit von
dem Haus und dem Besitzthum, dem es früher angehängt
worden war, bereits eine vollendete Thatsache.

In Deutschland verewigte der Mangel eines eigenen
Machtbesitzes bei der regierenden Familie die Wahlform,
und verhinderte die Erblichkeit der Krone, und die man-
gelnde Erblichkeit der Reichsgewalt machte es wiederum
den Inhabern derselben unmöglich, sich eine starke Hausmacht, als materielle Unterlage zur Befestigung und Erweiterung ihrer Herrschaft, zu erwerben. Eifersüchtig wachten
die Großen des Reichs darüber, daß nicht der Oberherr
des Ganzen zugleich durch Territorialbesitz mächtig werde,
und duldeten daher nicht einmal, daß der erwählte Kaiser
ein oder gar mehrere Herzogthümer in seiner Hand be-
halte. Und ebenso eifersüchtig widerstrebten sie den Versuchen einer förmlichen Erblichmachung der Krone in

einem bestimmten Haus, wie sie namentlich Heinrich III. wiederholt unternahm — und gegen diesen Widerstand ließen sich derartige Versuche ohne den Rückhalt eines bedeutenden eigenen Länderbesitzes nicht durchführen. Später — von Rudolf von Habsburg an — bemerken wir allerdings ein beharrliches und auch vom Erfolg gekröntes Bemühen der herrschenden Dynastien, sich mit Hülfe der Reichsgewalt eine starke Hausmacht zu schaffen und mit Hülfe der letztern wiederum die Kaiserkrone in ihrem Haus bleibend zu machen. Aber wir bemerken auch bald, wie hier die Reichsgewalt aus einem Zweck zu einem bloßen Mittel geworden ist, und wie deren Inhaber viel weniger für das Reich als für das Interesse ihres Hauses arbeiten. Bedürfte es noch einer Bestätigung dieser traurigen Wahrheit, so wäre sie darin zu finden, daß die vordem gegen jede Bildung einer Hausmacht in den Händen des obersten Herrn über Deutschland so eifersüchtigen Fürsten ihren Widerstand und ihre Bedenken gegen derartige Bestrebungen von eben jener Zeit an mehr und mehr aufzugeben scheinen, ein Zeichen, daß sie die eigentliche Kraft und Bedeutung der Reichsgewalt bereits als so gut wie erloschen betrachten.

So mußte Deutschland zu jahrhundertelangem Schaden die verhängnißvolle Erfahrung für alle Zeiten machen, daß eine starke Centralgewalt nicht möglich ist ohne Erblichkeit der Krone, diese aber nicht ohne einen starken Rückhalt selbsteigenen Länderbesitzes in der Hand des Trägers derselben.

Einer der größten Vortheile, den die französischen Könige der dritten Dynastie aus dem Umstand zogen, daß sie erst große Landesherren kraft eigenen Rechts, und dann erst Könige geworden waren, bestand in der Einfachheit, Klarheit und, wenn wir so sagen dürfen, handgreiflichen Sicherheit der von ihnen verfolgten Politik. Ihr Herzogthum Francien war der feste Punkt, von wo sie bei allen ihren Operationen ausgingen und worauf sie jederzeit zurückkamen; ihre wandellose Parole hieß: allmähliche Verschluckung des ganzen übrigen Frankreich, Unterwerfung aller im Umfang des Reichs vorhandenen Gewalten unter ihre — und zwar unter ihre landesherrliche, territoriale, nicht blos ideale Gewalt. Auf diesen ganz bestimmten Zweck concentrirten sie all ihre Kraft, alle ihre Machtmittel, all ihren Ehrgeiz; was außerhalb dieses Wegs lag, war für sie nicht da, was denselben kreuzte, ward mit unerbittlicher Consequenz von ihnen entweder vernichtet oder auf die Seite geschoben.

Dem deutschen Königthum dagegen gab der Mangel einer derartigen bestimmten, durch die natürliche Lage der Verhältnisse selbst vorgezeichneten Politik von vornherein etwas Unsicheres, bald Ueberschweifendes, bald Zaghaftes, sowol in den Zwecken als in den Mitteln. Sie wußten nicht, wo und wie sie diesen vielgestaltigen Reichskörper fassen und festhalten, was sie mit dieser der Idee nach so erhabenen und so ungemessenen, in der Wirklichkeit so körperlosen und schattenhaften Reichsgewalt anfangen sollten. Durch die hohen Vorstellungen, die sich damit (eben weil es eine so vorwiegend ideale und so wenig greif= und meßbare Größe war) nur zu leicht verbanden, wurden die deutschen Könige zu weitausgreifenden Unternehmungen verführt, zu deren Durchsetzung ihnen dann gewöhnlich der Nachdruck versagte, wurden sie in Conflicte verwickelt, bei denen sie den kürzern zogen, und

das eine wie das andere untergrub vollends ihre Stellung, indem es ihr moralisches Ansehen — die einzige
Stütze ihrer Macht — verringerte.

Wir brauchen kaum zu sagen, daß wir hierbei vorzugsweise an die Kämpfe der deutschen Könige mit dem
Papstthum denken. Auch die Capetinger hatten solche
Kämpfe zu bestehen. Allein sie nahmen frühzeitig eine
feste und klare Position gegenüber der römischen Curie
ein, und die römische Curie respectirte diese Position,
eben weil sie klar und in den Verhältnissen selbst begründet war. Die Könige von Frankreich liehen der
Kirche ihren Arm zur Vertreibung oder Vertilgung der
Ketzer, zumal wenn sich ein politisches Interesse ihrer
Krone damit verbinden ließ. Wie seinerzeit Chlodwig
gegen die arianischen Gothen, so ließ sich Philipp August
zu einem Kreuzzug gegen die Albigenser und deren Beschützer, den mächtigen Grafen von Toulouse, gern bereit finden, und das Gelingen dieses Unternehmens
breitete die Herrschaft des orthodoxen Glaubens, aber
zugleich auch die des capetingischen Königthums, über
den Süden Frankreichs aus. Die Könige von Frankreich
mischten sich wenig oder gar nicht in die Angelegenheiten
des Papstthums in Italien, und hielten sich von dem
bedenklichen Wagniß fern, die Ansprüche der Karolinger
auf eine Schutzhoheit über die gesammte christliche Kirche
wieder aufzufrischen — dafür verlangten sie aber auch,
daß das Papstthum sich nicht in die Angelegenheiten
ihrer Länder mische, und sie hatten dabei fast immer
die Beistimmung der weltlichen Großen für sich, welche
die gleichen Prätensionen der Kirche in Bezug auf ihre
eigenen Territorien fürchten mußten. Mit ihrer Hülfe

setzte Ludwig IX. den Uebergriffen Roms die sogenannte
Pragmatische Sanction entgegen, und der Name des
„Heiligen", den man ihm beilegte, erschien mit diesem
festen Widerstand gegen die päpstlichen Anmaßungen ebenso
wenig unverträglich als später der Titel der „Allerchrist-
lichsten Monarchen", welchen die Könige von Frankreich
führten. Die französischen Bischöfe, wenn auch mit Gütern
und Einkünften freigebig ausgestattet, hatten sich doch niemals so wie die deutschen zu selbständigen Landesherren
und Ebenbürtigen der weltlichen Barone emporgeschwungen:
vielmehr waren sie von den letztern häufig bedrückt und
daher fort und fort genöthigt, bei dem Königthum Schutz
zu suchen, die von diesem geschaffene Rechtsordnung zu
begünstigen und sich selbst ihr einzuordnen. [8])

. So trug in Frankreich alles dazu bei, das Gebiet
des Staats gegen das der Kirche abzugrenzen und, ohne
das geziemende Ansehen der letztern zu schmälern, doch
Eingriffe der ausländischen Kirchengewalt in die innern
Angelegenheiten des Landes und in den Bereich landesherrlicher Autorität entschieden fern zu halten.

In Deutschland brachten die ganz anders gearteten
Verhältnisse auch eine wesentlich andere Stellung des
Königthums gegenüber Rom zuwege. Auf der einen
Seite hieß das Bedürfniß idealer Machtmittel, bei dem
Mangel ausreichender materieller Stützen ihrer Herrschaft,
die deutschen Könige nach dem moralischen Beistand trach-
ten, den eine engere Annäherung an Rom ihnen für die
Befestigung ihrer Gewalt im Reich zu bieten schien.
Auf der andern Seite verführte sie der ideale Nimbus, der
das erwählte Oberhaupt der mächtigen und gefürchteten
deutschen Nation umgab, zu der Selbsttäuschung, als

ob es ihnen zustehe und für sie eine nicht zu schwere
Aufgabe sei, die Idee eines christlichen Weltreichs, die
Erbschaft Karl's des Großen, wieder aufzunehmen. So
stürzten sie sich in ein Unternehmen, welches ganz dazu
angethan war, die deutsche Politik vollends von der
gerade ihr so nothwendigen Sammlung und Beschränkung
auf feste, einfache Ziele weit abzulenken, die Kräfte und
die Aufmerksamkeit der Reichsgewalt zu zersplittern, die
Inhaber derselben ihrem eigentlichen Beruf, der Befestigung und Erhaltung der Rechtsordnung in Deutschland, mehr oder minder abwendig zu machen, endlich
aber der Kirche fortwährenden Anlaß zu Einmischungen
in die innern Händel des Reichs, den widerspenstigen
Vasallen einen allezeit bereiten Rückhalt ihrer Unbotmäßigkeit in dem Bündniß mit Rom zu gewähren.
Welches Glück wäre es gewesen, wenn der große Sohn
Heinrich's I. jener Versuchung ebenso standhaft wie sein
darin weiserer Vater widerstanden hätte! Denn auch
die glänzendsten Erfolge Otto's I. in Italien wogen die
Nachtheile nicht auf, welche die Verstrickung seiner minder glücklichen Nachfolger in die italienischen Wirren für
diese selbst und für das deutsche Königthum herbeiführte,
und wenn Heinrich III. sich rühmen durfte, über die
päpstliche Tiara verfügt und an eine Reform der Römischen
Kirche Hand angelegt zu haben, so rächte sich das Papstthum dafür um so empfindlicher an seinem Sohn, und
schlug in dessen Person dem monarchischen Princip in
Deutschland unheilbare Wunden. Der Tag von Forch-
heim (13. März 1077), wo deutsche Fürsten im Beisein
eines päpstlichen Legaten und unter bekräftigender Zustimmung des Papstes⁹) beschlossen, „daß die königliche

16**

Gewalt über Deutschland hinfort keinem mehr durch
Erbrecht (wie bisher die Gewohnheit gewesen) zu-
fallen, sondern der Sohn des Königs, auch wenn er
völlig würdig der Nachfolge sei, doch nur durch freie
Wahl, nicht kraft einer Erbfolgeordnung, König werden
sollte; falls aber der Sohn des Königs nicht würdig
wäre, oder das Volk ihn nicht haben wollte, so
solle es dem Volk freistehen, zum König zu
wählen wen es wolle" — diese für Deutschland
so schmach- und verhängnißvollen Iden des März be-
siegelten die Niederlage der Monarchie und der National-
einheit, den Triumph des aristokratischen Sonderinteresses,
die Einmischung einer fremden Gewalt in deutsche Angelegenheiten!

So eigenthümlich verschieden waren die zusammen-
wirkenden Factoren der politischen Entwickelung Frankreichs und Deutschlands zu der Zeit, wo sich in beiden
Ländern ein eigentliches Staatswesen auszubilden begann!
Kann es wunder nehmen, wenn diese Entwickelung selbst
sich in den allermerkwürdigsten Gegensätzen bewegt, wenn
die Kluft, welche die öffentlichen Zustände Deutschlands
von denen Frankreichs scheidet, von Jahrhundert zu
Jahrhundert, ja beinahe von einer Regierung zur andern
in fast geometrischen Proportionen sich erweitert?

Es sei uns vergönnt, wenigstens einige der frappantesten Momente dieser Divergenz kurz zu markiren.

In Frankreich ist unter Philipp August, also um
den Wendepunkt des 12. und 13. Jahrhunderts, die
ideelle wie die materielle Grundlage der Königsgewalt
bereits dermaßen befestigt, daß dieser König nicht mehr
für nöthig findet, die bisher noch beobachtete leere Form

der Zustimmung der Vasallen bei einem Thronwechsel zu beobachten, vielmehr die Krone Frankreichs seinem Sohn kraft eigenen erblichen Rechts hinterläßt (1226)! Nahezu um dieselbe Zeit (1254) erlischt in Deutschland die letzte jener Dynastien, welche, als Vertreterinnen ganzer Stämme, dem Kaiserthum wenigstens das Gewicht dieser großen Volksgenossenschaften zugebracht hatten, und es beginnt — als endlich überhaupt wieder ein geordneter Zustand hergestellt ist — eine ganz neue Gestaltung der Verhältnisse, bei welcher die kaiserliche Gewalt nur noch als das Mittel für Schaffung einer vom Reich selbst möglichst unabhängigen Hausmacht der Kaiser erscheint!

Während Ludwig IX. in Frankreich die Rechtsordnung im Innern befestigt und dadurch ebenso sehr die Macht und das Ansehen des Königthums wie die Wohlfahrt des Volks und die allgemeine Sicherheit fördert, herrscht in Deutschland, infolge des traurigen Interregnums, beinahe ein Vierteljahrhundert lang eine fast vollkommene Auflösung aller Bande des Gesetzes und der Ordnung, ein Krieg aller gegen alle — das fessellose Faust- und Gewaltrecht des Stärkern über den Schwächern. Und während derselbe französische König durch die Pragmatische Sanction sowol den nationalen Klerus als die weltliche Macht gegen Uebergriffe Roms sicher stellt und damit den Grund zu jener scharfen Abgrenzung der beiderseitigen Rechtsgebiete legt, wie sie seitdem unter der Form der sogenannten Gallikanischen Kirche mehr und mehr in den Vordergrund tritt, wird in Deutschland die Oberherrlichkeit des Papstthums über das Kaiserthum, welche sich schon so verhängnißvoll bethätigt hatte, auch grundsätzlich anerkannt durch die Huldigungsbotschaft Rudolf's I., worin

dieser alle Verleihungen früherer Kaiser an die römische
Curie bestätigt und sich in allem als den gehorsamen
Sohn der Kirche bekennt!

Wieder zwei Regierungen später — und wir sehen
in Frankreich jene stolzen Barone, welche einst den König
selbst nur als den Ersten unter ihnen und sich als ihm
ebenbürtig — als seine Pairs — betrachtet hatten, wenig=
stens der Rechtsidee nach schon so weit unter die Hoheit
der Krone herabgedrückt, daß Philipp der Schöne wagen
darf, die Würde eines Pairs von Frankreich als eine
Gunst und Auszeichnung von seiten des Königthums zu
verschenken und mitten hinein unter die Besitzer großer
Herrschaften eine Titelpairie mit dem gleichen Rang zu
stellen. Und dies geschieht nur etwa ein halbes Jahr=
hundert früher, als in Deutschland Karl IV. in dem
berühmten Reichsgesetz der Goldenen Bulle die fast un=
beschränkte Selbstherrlichkeit der Kurfürsten, als der „Säu=
len des Reichs", förmlich anerkennt und die werthvollsten
Hoheitsrechte der Krone mit ihnen theilt!

Karl VII. von Frankreich konnte — um die Mitte
des 15. Jahrhunderts — das hier und da laut werdende
Verlangen nach Wiedereinberufung der seit lange außer
Uebung gekommenen allgemeinen Stände des Reichs mit
der Berufung auf die „Zufriedenheit des Volks" nieder=
schlagen — und in der That war durch eine wohl ein=
gerichtete administrative und militärische Organisation,
zu deren Unterhaltung der Staatsgewalt stets bereite
Geldmittel zu Gebote standen, für die innere wie für
die äußere Sicherheit des Landes ausreichend gesorgt.
In Deutschland dagegen trat um dieselbe Zeit unter der
langen kraftlosen Regierung Friedrich's III. ein solcher

Zustand der Rechtsunsicherheit im Innern und der Ohn=
macht nach außen ein, daß endlich sogar jene, welche
durch planmäßige Schwächung der kaiserlichen Gewalt
am meisten zu diesem Verfall der staatlichen Ordnung
im Reich beigetragen hatten, für nöthig fanden, auf
Abhülfe der maßlosen Misstände zu denken. Die Re=
formpläne, mit denen beinahe achtzig Jahre lang die deut=
schen Reichsstände bald einzeln bald im ganzen sich trugen
— von dem Kurfürstenverein von 1446 an bis zu dem
„Reichsregiment", dessen Begründung noch mitten in den
ersten Stürmen der Kirchenreformation betrieben ward —
sind ein redendes Zeugniß einerseits der schon damals so.
weit vorgeschrittenen Zerbröckelung des Reichs, anderer=
seits des durchaus particularistischen Geistes, welcher
selbst die bessern unter den Fürsten der Einzelstaaten
beherrschte. Denn das Höchste, wozu man sich in jenen
Planen erhob, war die Bildung einer föderativen Ge=
walt im Reich, innerhalb deren dem gesetzlichen Ober=
haupt des Reichs, dem Kaiser, eine nur formell leitende
oder vermittelnde Stellung eingeräumt werden sollte!

Und selbst diese Versuche scheiterten an dem Wider=
willen einzelner Stände, sich irgendeiner festen gemein=
samen Anordnung zu unterwerfen! Um wieviel mehr
natürlich jene, welche aus den breitern Schichten des
Volks, aus Ritter= und Bauernschaft, sich im Gefolge
der großen religiösen Bewegung des 16. Jahrhunderts
ans Licht hervorwagten![10])

Die Reformation selbst vollendete auf politischem
Gebiet die Schwächung des nationalen Einheitsbandes
und die Befestigung und Erweiterung der territorialen
Sonderbildungen. Und so rasch vollzog sich, namentlich

infolge des unseligen Dreißigjährigen Kriegs und des noch unseligern Westfälischen Friedens, diese Auflösung des Reichs, daß schon im Wendepunkt des 17. und 18. Jahrhunderts dasjenige factisch eingetreten war, was Friedrich der Große ein paar Jahrzehnde später in einem diplomatischen Actenstück in den Worten formulirte: „Deutschland eine Republik von Fürsten, mit einem gewählten Oberhaupt an der Spitze."

Das war ziemlich genau um dieselbe Zeit, wo in Frankreich Ludwig XIV. das vielberufene Wort sprach: „L'état, c'est moi!" und wo er dieses Wort zur Wahrheit machte durch einen Absolutismus ohne Beispiel und eine Concentrirung aller Macht, alles Glanzes, aller Initiative der Bewegung des Staatslebens in seiner Person und seinen Umgebungen, wie sie seit den Zeiten des römischen Imperatorenthums nicht erlebt worden war.

Interessant ist es zu beobachten, wie in Frankreich, wo ein fester Ausgangspunkt und Rückhalt für Ausbildung einer starken einheitlichen Staatsgewalt von vornherein gegeben war, alle Elemente des sich entwickelnden Volkslebens und alle Ereignisse der Geschichte wie mit unwiderstehlicher Gewalt in diese Richtung hineingezogen werden und dazu dienen müssen, dieselbe zu verstärken, in Deutschland dagegen, wo es an einem solchen sichern Halt und einem solchen natürlichen Zug fehlt, auch die scheinbar günstigsten Gelegenheiten zur Begründung einer bessern Ordnung der Dinge ungenutzt vorübergehen, sich wohl gar in ihr Gegentheil verkehren.

Der große und wohlarrondirte Privatbesitz der Capetinger sicherte denselben, wie wir gesehen, die Erblichkeit der von ihnen angenommenen königlichen Würde und machte die Wahl des jedesmaligen Thronfolgers zu einer bloßen Form, deren sie bald ganz entrathen konnten. Ein glücklicher Zufall wollte, daß, als der Hauptzweig der Capetinger mit Ludwig X. ausstarb, der nächstberechtigte Erbfolger in weiblicher Linie ein auswärtiger Regent, der König von England, war. Wäre es ein einheimischer Großer gewesen, so würden zweifelsohne Erbstreitigkeiten, vielleicht eine Theilung des Reichs die Folge gewesen sein. So aber erklärten die Großen selbst einmüthig den Bruder Ludwig's, Philipp von Valois, für den legitimen Nachfolger und schlossen durch ein förmliches Reichsgesetz (die Lex salica) die weibliche Linie für immer von der Thronfolge aus.

Dagegen blieb in den Familien der übrigen Großen die weibliche Erbfolge neben der männlichen in Geltung. Dieses Herkommen — nach unserm deutschen Lehnsrecht eine seltene Ausnahme, nach unserm Fürstenrecht eine völlige Anomalie — erklärt sich wol daraus, daß in dem neuen französischen Staat die ursprüngliche Bedeutung der Fürstenthümer, Grafschaften und Baronien — als Reichsämter, was sie im karolingischen Reich gewesen waren — sich mit dem Zerfallen dieses letztern verloren hatte und sie fast nur noch die Natur großer Gütercomplexe mit gewissen Herrschaftsrechten an sich trugen. Wäre der Charakter von Reichslehen streng festgehalten worden, so hätten die Könige zwar diese Herrschaften beim Erlöschen des Mannsstamms ihrer Besitzer einziehen können, hätten sie aber auch wieder im Weg der Belehnung weggeben müssen, wie dies die deutschen Kaiser rücksichtlich der Herzogthümer und Grafschaften mußten. Wie jetzt die Sache lag, waren freilich die eigentlichen Heim-

fälle bei diesen großen Herrschaften seltener; dagegen
fand die herrschende Dynastie vielfach Gelegenheit, durch
Heirath, Kauf, Einziehung wegen Felonie u. dgl. solche
an sich zu bringen, und, einmal dies geschehen, brauchte
sie dieselben nicht wieder herauszugeben, konnte sie viel=
mehr als vollen Allodialbesitz mit ihrem eigenen Kron=
oder Hausgut verschmelzen. Schon Ludwig VII. versuchte
auf solchem Weg die Erwerbung Aquitaniens, die ihm
aber fehl schlug, weil er die Erbtochter des letzten Be=
herrschers wieder verstieß, die nun einen Plantagenet
heirathete; einem Enkelsohn Philipp August's glückte dies
besser; auch Philipp der Schöne vermehrte durch Kauf
und Heirath seinen Länderbesitz, und Ludwig XI. erbte
von seiner Mutter die schöne Provence.

Eine reiche Quelle, wenn nicht materieller Machtver=
mehrung, doch der kaum weniger wichtigen Steigerung
des Ansehens und der Gewalt der Krone ward für die
französischen Könige das römische Recht mit seinen Grund=
sätzen absoluter Herrschaft und imperatorischer Würde.
Auch nach Deutschland fand dieses Recht seinen Weg,
aber erst zu einer Zeit, wo das monarchische Princip
bereits aus der Spitze des Ganzen, dem Kaiserthum,
heruntergerückt war in die aristokratische Mittelregion der.
Landeshoheiten, und seine wachsende Geltung hatte daher
hier nur den Erfolg, diese letztern in ihrem Machtgebrauch
zu kräftigen und den Keim des Absolutismus in die
einzelnen Landesverfassungen zu pflanzen. [11])

Die religiösen Kämpfe des 16. Jahrhunderts fanden
Frankreich bereits so fest monarchisch geeint, daß sie zwar
wohl politischen Parteien Anlaß oder Vorwand eines
Angriffs auf die herrschende Gewalt darbieten, nicht

aber die Einheit des Reichs und der Nation in Frage stellen konnten. Es mochte einen Augenblick zweifelhaft sein, ob der Katholicismus oder der Protestantismus die künftige Staatsreligion Frankreichs sein würde; daß aber Frankreich nur eine berechtigte Staatskirche, wie nur eine reelle Staatsgewalt haben und festhalten werde, war mit Sicherheit — trotz aller Wirren und Kämpfe des Augenblicks — vorauszusehen. In Deutschland traf der religiöse Aufschwung die Nation schon zerbröckelt, die Reichsgewalt so gut wie ohnmächtig — unter diesen Umständen war die kirchliche Absonderung die natürliche Folge der politischen, und die politische wiederum mußte mit jener zugleich sich erweitern.

So überwiegend war in Frankreich der nationale Einheitssinn des Volks vor allen, selbst den hinter Gewissensscrupeln sich verschanzenden politischen Absonderungstendenzen, daß, als die Guisen unter dem Vorwand der Sicherung des orthodoxen Glaubens Heinrich von Bourbon von der Thronfolge auszuschließen suchten und sich zu dem Ende mit dem echtkatholischen König von Spanien verbündeten, die Nation zu Heinrich stand, der zwar von Haus aus ein Ketzer seinem Glauben nach, aber der legitime und eingeborene Thronfolger war. Den deutschen Fürsten dagegen machte es keinen Scrupel, einen fremden Monarchen — den spanischen Karl — als Kaiser zu berufen, von dem sie doch wußten, daß er ebenso wenig die nationalen Interessen wie die Freiheit der Gewissen sonderlich achten werde.

Die Entwickelung des Städtewesens und des bürgerlichen Geistes erfolgte in Frankreich und in Deutschland unter wesentlich verschiedenen Umständen, aber ebenfalls

so, daß sie dort die monarchische Einheit stärken half,
hier dagegen eines solchen heilsamen Einflusses verlustig
ging. In Frankreich erhob sich das Städtewesen (zum
größern Theil schon aus der Römerzeit überkommen)
früher als in Deutschland zu einer allgemeinen und be=
langreichen Macht. Ebenso nahm dort von früh an die
communale Bewegung einen mehr demokratischen Charakter
an. Schon die ersten Capetinger benutzten diese Bewegung
im Interesse ihrer Macht gegen die widerspenstigen Ba=
rone. Auch im spätern Verlauf der französischen Ge=
schichte haben mehr als ein mal die Communen mit
ihrem wohlgeschulten Fußvolk dem Königthum die Ritter=
und Reisigenscharen des aufsässigen Adels niederwerfen
helfen; mehr als ein mal hat Paris in den Kämpfen
zwischen der monarchischen und der aristokratischen Gewalt
zu Gunsten der erstern den Ausschlag gegeben. Schon
das Vorhandensein einer einzigen großen Hauptstadt war
ein wichtiges Moment zur Bildung eines festen Schwer=
punkts für das ganze Staatswesen. In Deutschland,
wo die Dynastien wechselten und die Reichsgewalt an
kein bestimmtes Territorium geknüpft war, konnte eine
einzige Hauptstadt für das ganze Reich nicht aufkommen:
hier mußte der Verkehr seine Mittelpunkte theils in den
Freien Städten, theils in den Hauptstädten der einzelnen
Territorien suchen. Wien, Jahrhunderte lang der blei=
bende Sitz der deutschen Kaiser, war doch weit mehr die
Hauptstadt Oesterreichs als Deutschlands. Damit ging
abermals ein wichtiger Factor der Centralisation ver=
loren. Niemand wird wünschen, daß wir eine Hauptstadt
besäßen, die gleich Paris das ganze politische, gesell=
schaftliche, wissenschaftliche und literarische Leben der

Nation absorbirte und allen andern Orten nur die zweideutige Ehre der Bewunderung und Nachahmung dessen,
was dort gethan, gesagt, geschaffen oder geändert würde,
übrig ließe. Aber für die politische Einigung Deutschlands wäre das Vorhandensein einer großen tonangeben-
den Hauptstadt — unbeschadet der nöthigen Selbstständig-
keit der andern Landestheile und der andern Städte —
ein unschätzbarer Vortheil gewesen, und der Mangel
einer solchen ist als keine der geringsten Ursachen des
Scheiterns aller Versuche einer festern Einigung, in der
neuern wie in der ältern Zeit, zu betrachten. [12])

Aber auch die Vortheile, welche das monarchische
und einheitliche Princip in Deutschland von der Entwickelung
eines vielgestaltigen und über das ganze Reich vertheilten
Städtelebens hätte ziehen können, gingen demselben verloren, zum Theil durch die Ungunst der Verhältnisse,
zum größern Theil durch das Verschulden der natürlichen
Vertreter jenes Princips selbst, der Kaiser, — oder
sagen wir besser durch die falsche Stellung, worin diese
selbst sich nach dem ganzen Verlauf des deutschen Staatswesens befanden. Die ersten Aeußerungen eines kraftvoll
emporstrebenden und seine Bestimmung: mit dem Kaiserthum für die Einheit des Reichs gegen den Particularismus des hohen Adels zusammenzustehen, wohl erkennenden
Bürgerthums zeigen sich in Deutschland schon unter
Heinrich IV., hauptsächlich bei dessen Kämpfen mit seinem
eigenen, von Fürsten- und Papstthum gegen ihn aufgehetzten
Sohn Heinrich. Damals war der Kaiser entschlossen,
den von den großen Rheinstädten ihm angebotenen bewaffneten Beistand zu benutzen, und hatte schon, mit
Hülfe eines starken Aufgebots städtischer Truppen, das

Heer der Fürsten in die äußerste Bedrängniß versetzt,
als ihn unglücklicherweise ein allzu früher Tod ereilte. [13]
Die hohenstaufischen Kaiser waren dem rasch aufblühenden
Städtethum abhold gesinnt, weil sie in Italien mit den
freien lombardischen Städten schwere Kämpfe — für ihr
Privatinteresse, nicht für das Reich — zu bestehen hatten,
und Friedrich II. ging so weit, zu Gunsten der Fürsten
und Herren den Städten sowol die Einigungen unter
sich als die Aufnahme von Hintersassen des Adels als
Pfahlbürger in die städtischen Genossenschaften zu unter-
sagen. [14]   Das hohenstaufische Kaiserthum konnte überhaupt an der Ausbildung eines kraftvollen Städtewesens
keine Freude haben, denn ihm lag schon die Befestigung
der landesherrlichen Sondermacht des eigenen Hauses
mehr am Herzen als die Stärkung der einheitlichen Gewalt über Deutschland, die Städte aber strebten aus
jeder territorialen Abhängigkeit hinaus nach unmittelbarer
Unterordnung unter das Reich.

Noch weit weniger konnten dies natürlich die Habsburger und die Luxemburger, bei denen das Interesse
am Reich vor dem an der eigenen Hausmacht vollends
in den Hintergrund trat, und so sahen sich die Städte
gerade in der Zeit ihrer bedeutendsten Machtentfaltung
(vom 13. bis ins 15. Jahrhundert) von den berufenen
Vertretern der Reichseinheit völlig im Stich gelassen
und auf die eigenen Kräfte angewiesen.   Was Wunder,
wenn sie auch ihrerseits sich wenig oder nicht ums Reich
kümmerten und eine Sonderpolitik verfolgten, die zwar
den deutschen Namen weithin geehrt und gefürchtet machte,
dem deutschen Verkehr alle bekannten Länder und Meere
erschloß, aber doch, weil sie den Anschluß an ein großes

nationales Ganze verschmähte, weder diesem dauernde
Frucht brachte, noch auch sich selbst auf die Länge auf
ihrer Höhe zu erhalten vermochte. So hat Deutschland,
trotzdem daß die glorreichste Partie in der Geschichte
modernen Städtewesens ihm angehört, dennoch von die=
ser gewaltigen Bewegung viel weniger als andere Länder,
ja kaum irgendeinen erheblichen Nutzen für seine politische
Kräftigung und Consolidation im Ganzen gezogen! Die
endliche Einreihung der Städte als eines selbständig
berechtigten Elements in die deutsche Reichsverfassung
durch Zuziehung derselben zu den Reichstagen (seit 1487)
kam für eine kräftige einheitliche Ausbildung viel zu spät.

Dieses „Zu spät“ spielt überhaupt in der Geschichte
Deutschlands eine verhängnißvolle Rolle. Zum Beweis
dessen sei nur noch an ein Ereigniß erinnert, welches zu
anderer Zeit und unter andern Verhältnissen leicht der
ganzen politischen Entwickelung dieses Landes eine günsti=
gere Wendung hätte geben können. Woran vergeblich
zwei Kaiserdynastien ihre Kraft und ihre Staatskunst
erschöpft hatten, das gelang endlich der dritten: die Zer=
schlagung der großen Herzogthümer in kleine politische
Körper. Der Sturz des Welfen Heinrich's des Löwen
und die Zertheilung seines ungeheuern Länderbesitzes
unter eine Anzahl kleiner weltlicher und geistlicher Herren
war der erste Triumph einer neuen staatlichen Ordnung
über das alte System der großen Stammesgruppirungen.
Dieses System war, wie wir gesehen, seinerzeit ein
Haupthinderniß für die Einigung der ganzen Nation
und die Begründung einer starken Centralgewalt gewesen.
Jetzt war dieses Hinderniß gefallen, und was früher un=
möglich gewesen, schien nunmehr möglich geworden zu

sein. Aber es war zu spät. Die Ausbildung der landesfürstlichen Gewalt auf Kosten der Reichseinheit hatte
schon zu große Fortschritte sowol in den Verhältnissen
und Einrichtungen als in den Gesinnungen und Ideen
der Nation gemacht. In die Bresche, welche durch die
Zersplitterung der Herzogsmacht in dem Bollwerk der
Adelsherrschaft und des Particularismus entstand, traten
sofort eine ganze Reihe neuer aristokratischer Sonderbildungen hinein, die einer kraftvollen nationalen Reichs-
regierung nicht weniger im Weg waren als jene. Ja
sogar noch mehr, weil gleichzeitig mit dem Zerfall der
alten nationalen Volksabtheilungen auch ein anderes
Stück altgermanischen Lebens vollends unterging — die
freie Gemeinde- und Gauverfassung, und auf den Trümmern beider eine Feudalität sich ausbreitete, welche ebenso
der Freiheit nach unten wie der Einheit nach oben feindlich und hinderlich war.

Doch es wird Zeit, daß wir unsere Blicke endlich
von den Gegensätzen in der politischen Geschichte Frankreichs und Deutschlands hinwegwenden, um auch das dritte
Staatswesen, das englische, in den Kreis dieser vergleichenden Betrachtungen wieder hereinzuziehen.

Wir verließen England in den ersten Anfängen seiner
Ausbildung, im Stadium fast noch unvermischter germanischer Zustände. Diese Zustände erlitten auch dann noch
keine wesentliche Abänderung, als die ersten angelsächsischen Eroberer und Anbauer des englischen Bodens mit
einer neuen kriegerischen Einwanderung, ebenfalls von den
Küsten Germaniens her, den Dänen, wiederholte harte
Kämpfe zu bestehen hatten. Beide Völkerschaften verschmolzen zu einer, und die politische und gesellschaftliche

Verfassung des Mischvolks blieb nahezu dieselbe, wie sie zuvor bei den Angelsachsen gewesen war. Die Verhältnisse des Lehnssystems entwickelten sich jetzt wahrscheinlich in stärkerm Maß; doch behauptete sich immerfort neben ihnen das ursprüngliche Element altgermanischer Freiheit in unvertilgbarer Kraft und Lebensfähigkeit.

Um so schroffer contrastirte mit diesen Zuständen, wie sie von der Mitte des 5. bis nach der Mitte des 11. Jahrhunderts, also mehr als sechshundert Jahre lang, bestanden hatten, die neue Ordnung der Dinge, welche mit der normännischen Eroberung Englands (im Jahr 1066) an deren Stelle trat. Aehnlich wie einst die Franken unter Chlodwig nach Gallien, kamen die Normannen unter Wilhelm dem Eroberer nach England als eine festgeschlossene, streng militärisch organisirte Kriegerschar. Die Natur des Landes, das sie eroberten, und des Volks, welches sie erst zu besiegen und dann unter der ihm aufgedrungenen Herrschaft zu erhalten hatten, verlangte sogar eine noch straffere und noch andauerndere militärische Organisation, besonders aber eine unbedingte einheitliche Leitung des Ganzen. Man hatte es hier nicht, wie die Franken in Gallien, mit einer größtentheils entnervten und schon an Unterwürfigkeit gewöhnten Bevölkerung zu thun, welche nur ihren Herrn wechselte, sondern mit einem freiheitsstolzen kräftigen Volk von dem gleichen kernhaften Stamm wie die Eroberer selbst. Auch konnte man nicht, wie jene vorgeschobene Vorhut des großen fränkischen Stamms, im Nothfall so leicht auf Zuzug und Hülfe von den rückwärts wohnenden Stammesgenossen rechnen, denn die kleine normännische Colonie, welche England in Besitz nahm, war von ihrem Haupt-

stamm drüben auf dem Festland durch ein unwirthliches,
bei den damaligen Mitteln der Schiffahrt einen großen
Theil des Jahrs hindurch oft kaum befahrbares Meer
geschieden. Sie mußte daher die Bürgschaften der Er=
haltung ihrer Herrschaft hauptsächlich in sich selbst, in
ihrer kriegerischen Tapferkeit und in einer straff militärischen
Organisation finden.

Die Normannen hatten bei ihrem langen Aufenthalt
in dem nördlichen Frankreich (das sie erst erobert, dann
mit Bewilligung der letzten Könige aus dem karolingischen
Haus als deren Lehnsmänner in Besitz genommen) das
dort herrschende Lehnssystem kennen gelernt und bei sich
eingeführt. Die vorherrschend kriegerische, zu immer neuen
Heeres= und Abenteuererzügen geneigte Natur dieses
Stamms, vielleicht auch die Erfahrung, welche die Nor=
mannenherzöge in Frankreich in Betreff der Gefahren,
die ein zu großer Macht= und Länderbesitz der einzelnen
Vasallen dem obersten Landesherrn bereite, zu machen
Gelegenheit gehabt hatten, bewirkte, daß der Führer der
Normannenschar, welche sich in England festsetzte, bei
der Einrichtung seines neuen Staats auf eine streng=
monarchische Zuspitzung desselben und auf eine wirksame
Zügelung unbotmäßiger Vasallen weit planmäßiger Be=
dacht nahm, als dies bei der Gründung des fränkischen
Reichs nothwendig und wol auch möglich gewesen war.
Wilhelm sah das von ihm und seinen Mannen eroberte
Land als sein Eigenthum an, dessen Vertheilung ihm
kraft seiner oberstlehnsherrlichen Gewalt allein zustehe.
Er zertheilte dasselbe in eine große Anzahl (etwa 60000)
sogenannte Kriegslehen, d. h. Landstücke, deren jedes
eben ausreichte, einem Krieger die zu seiner Unterhaltung

und Ausrüstung erforderlichen Mittel zu liefern. Wenn
er einzelnen seiner Barone mehrere dergleichen Landstücke
zu geben für gut fand, so that er dies doch, soviel
möglich, in einer solchen Weise, daß daraus nicht so
leicht ähnliche geschlossene Gütercomplexe entstehen konnten
wie in Frankreich, welche der Centralgewalt hätten ge=
fährlich werden mögen. Für die Krone behielt er eine
ziemliche Anzahl von Ritterlehen als Domäne zurück,
eine andere sehr bedeutende verwendete er zur Ausstattung
der Kirche, sodaß diese beiden Arten von Grundbesitz
zusammen den der weltlichen Vasallen ungefähr aufwogen.

Die Handhabung des Rechts und die Verwaltung des
Gemeinwesens waren von den angelsächsischen Königen,
namentlich dem edelsten und weisesten derselben, Eduard
dem Bekenner, in einer Weise geordnet worden, daß die
Sicherung der Freiheit der einzelnen und der Gleichheit
aller vor dem Gesetz mit den Bedingungen einheitlicher
Ordnung und oberstherrlicher Gewalt der Krone möglichst
Hand in Hand ging und für die Ausbildung eines
Systems aristokratischer Bevorrechtungen und Bedrückungen
wenig Raum blieb. Wilhelm, die Vortheile dieser Ein=
richtung für die Zwecke der von ihm gegründeten Staats=
ordnung mit richtigem Blick erkennend, behielt dieselbe
im wesentlichen bei, nur daß deren Anwendung in der
Praxis jetzt mehr im Interesse monarchischer Einheits=
gewalt, wie früher mehr im Interesse der Volksfreiheit,
stattfand. Die Gerichtsbarkeit ward durch vom König
bestellte Sheriffs verwaltet, welche nicht zugleich Inhaber
großer Lehen, sondern wirkliche, bezahlte und leicht ab=
setzbare Beamte waren. Eben diese Sheriffs befehligten
die Landwehr der Grafschaft, die nur innerhalb der

Grenzen derselben verwendet ward, sodaß der Waf=
fendienst keine unerträgliche Last für den Gemein=
freien, wohl aber ein wichtiges Mittel allgemeiner Wehr=
haftigkeit und thatkräftiger Theilnahme aller am Gemein=
wesen ward. [16])

Durch solche und ähnliche Einrichtungen wurde das
Aufkommen ähnlicher Zustände verhindert, wie sie in
Frankreich ebenso wohl zum Nachtheil der Einheit des
Reichs und der Autorität der Krone wie der allgemeinen
Freiheit und Gleichheit sich entwickelt hatten; auf solchen
Grundlagen entstand in dem normannischen England
eine streng monarchische, in ihren Aeußerungen bisweilen
sogar despotische Staatsgewalt, welche die demokratischen
Formen, die sie vorgefunden, zu ihren Gunsten benutzte,
das aristokratische Element zwar insoweit bestehen ließ
und schützte, als es ein nothwendiges und nützliches
Glied des militärischen Lehnsstaats war, es aber auch
in dieser Umgrenzung mit sicherer Hand und unnachsich=
tiger Strenge festhielt.

Unter den ersten Nachfolgern Wilhelm's blieb dieser
Zustand der Dinge ziemlich unverändert. Allmählich
aber traten Verhältnisse ein, welche die Berechnungen,
worauf Wilhelm sein politisches System gebaut hatte,
zu Schanden machten.

Es ist allezeit ein fast unfehlbarer Anlaß zur
Schwächung der monarchischen Gewalt auf Kosten der
aristokratischen gewesen, wenn der Monarch durch Strei=
tigkeiten in seinem Privat= oder Familieninteresse ge=
nöthigt ward, die Hülfe seiner Vasallen in Anspruch zu
nehmen, wie es andererseits kein wirksameres Mittel für
die Stärkung der monarchischen Gewalt gibt, als einen

Kampf nach außen zur Abwehr von Gefahren, welche
der ganzen Nation drohen. Jener zuerst angedeutete
Fall trat ein bei den normännischen Königen Englands,
als sie mit ihren in der Normandie zurückgebliebenen
Stammesvettern in Erb = und Besitzstreitigkeiten geriethen.

Aehnliche Vorgänge hatten einst in Frankreich unter
den Nachkommen Karl's des Großen zu dem Empor=
kommen einer übermächtigen Vasallenschaft, zur Schwächung
der Monarchie, zugleich aber auch zur Unterdrückung der
Volksfreiheit geführt. In England war der Verlauf der
Dinge nicht ganz der gleiche. Zwar wurden auch die
englischen Könige zu manchen und wichtigen Zugeständ=
nissen genöthigt, und das ebenfalls zunächst von ihren
Baronen, als den einzigen, welche es wagen durften,
ihnen mit solchen Forderungen gegenüberzutreten. Aber,
während in Frankreich die Beschränkung der königlichen
Gewalt lediglich der Aristokratie zugute kam, und diese
nicht blos unabhängiger nach oben, sondern zugleich
despotischer nach unten machte, sehen wir in England
die größere Freiheit, welche die Aristokratie für sich,
ihre Personen und ihr Eigenthum dem Despotismus
der Könige abringt, zugleich den weitern Schichten des
Volks, den Aftervasallen der großen Barone und den
Freisassen zugute kommen.

Es verlohnt wohl, den Ursachen dieser eigenthümlichen
Erscheinung, welche dem ganzen englischen Staatswesen
sogleich von Haus aus eine von dem festländischen wesent=
lich abweichende Physiognomie aufprägt, etwas tiefer
nachzuspüren. Das Streben nach Freiheit und das Ge=
fühl für Gleichheit und Gerechtigkeit war durch eine
vielhundertjährige Uebung in dem angelsächsischen Stamm

(welcher, wenn auch unterdrückt, doch immer, als das zahlreichste Element der Bevölkerung, einen beachtens= werthen Factor des Staatswesens bildete) zu fest ge= wurzelt, als daß es durch die Eroberung so leicht hätte können gänzlich unterdrückt werden. Die beschränktern Besitzverhältnisse der großen Mehrzahl der normännischen Lehnsmannen stellten dieselben so ziemlich auf eine Stufe mit jenen einfachen Freisassen, welche den Kern der angelsächsischen Gesellschaft ausmachten. Die Einrichtung der Rechtsverwaltung, wie sie aus der angelsächsischen in die normännische Zeit hinübergenommen worden war, hatte das Aufkommen einer drückenden Guts = und Grund= herrlichkeit verhindert und dadurch der Aristokratie eine unbefangenere Stellung zu den übrigen Klassen des Volks bewahrt, eine Stellung, die einerseits dem Misbrauch, andererseits der Beargwöhnung und Anfeindung viel weniger ausgesetzt war als die ihrer Standesgenossen auf dem Festland.

So geschah es, daß die Aristokratie in England, unähnlich der französischen, nicht für sich allein und zum Nachtheil der übrigen Klassen, sondern zugleich in Vertretung dieser und zum gemeinsamen Vortheil des ganzen Volks die Königsmacht beschränkte, daß anderer= seits in den Fällen, wo jene etwa einmal anders zu handeln sich gelüsten ließ, das Königthum selbst darauf bedacht war, auch die übrigen Stände an den dem Abel gemachten Zugeständnissen mit zu betheiligen. Was in Frankreich höchstens als eine vereinzelte und ohne nach= haltige Folgen bleibende Erscheinung vorkommt, die Erstreckung der den großen Vasallen gewährten Rechte und Freiheiten auch auf deren Aftervasallen und Hinter=

faßen [16]), das wiederholt sich in England als eine fest=
stehende Regel. Der Freibrief Heinrich's II., die Oxforder
Artikel König Stephan's, die Bestätigung dieser Bewilli=
gungen durch Heinrich II., endlich die Magna charta
König Johann's, diese breiteste Grundlage des ganzen
englischen Verfassungswesens — alle diese und ähnliche
Acte einer freiwilligen oder erzwungenen Beschränkung
der königlichen Gewalt enthalten neben werthvollen
Sicherheiten für den Adel gegen Eingriffe des König=
thums in seine Rechte und in sein Eigenthum ebenso
werthvolle Bürgschaften für die persönliche Freiheit, das
Eigenthum, den Erwerb und Verkehr aller Klassen und
aller einzelnen im Volk. [17])

Dafür sehen wir aber auch in England das merk=
würdige Schauspiel, daß zur Erkämpfung solcher, allen
zugute kommender Zugeständnisse von dem Despotismus
der Herrscher, sowie zur Sicherung der schon erkämpften
(so oft sie durch die Treulosigkeit wortbrüchiger Fürsten
aufs neue in Frage gestellt sind) nicht blos der niedere
Adel mit dem hohen, die Grafschaftsritter mit den Ba=
ronen, sondern auch mit beiden die Geistlichkeit und die
größern Städte, namentlich das schon damals mächtige
London, sich zu einem Bund einigen, an welchem die
von dem Despotismus so gern gebrauchte Waffe des
Herrschens durch Theilen wirkungslos abprallt. Als die
Barone den König Johann um Zugeständnisse bedräng=
ten, rief dieser die Ritter gegen sie zu Hülfe. Aber die
Ritter machten gemeinschaftliche Sache mit den Baronen
und die Bürgerschaft Londons schloß sich ihnen an. Und
als der König, nachdem er bereits die Magna charta
gegeben, treuloserweise sich von dem Papst eine Los=

sprechung von seinem verpfändeten Wort zu verschaffen
wußte, da war die Geistlichkeit patriotisch genug, ihre
Pflichten als Engländer höher zu achten als den Gehorsam gegen ihren geistlichen Obern — sie versagte der
päpstlichen Bulle die Bekanntmachung!

Schon eine solche Gemeinsamkeit der Bestrebungen
aller Volksklassen für Herstellung eines gerechten und
gegen Willkür geschützten öffentlichen Rechtszustands
mußte die Erfolge dieser Bestrebungen wesentlich erleichtern und sicher stellen. Aber es traten auch noch
äußere Verhältnisse hinzu, welche die dadurch angebahnte
Entwickelung der politischen Verhältnisse Englands be-
schleunigten. Sonderbarerweise mußte es gerade das
Wechselverhältniß Englands und Frankreichs sein, was
für die Ausbildung und Befestigung der so ganz
entgegengesetzten politischen Richtungen der beiden Länder
die ausschlaggebende Entscheidung herbeiführte. Jener
Philipp August von Frankreich, den wir als den ersten
Begründer einer sowol innerlich befestigten als äußerlich
erweiterten Königsgewalt haben kennen lernen, verdankte
diese Vortheile hauptsächlich dem siegreichen Ausgang
seines Streits mit dem englischen König Johann. Und
der englische König Johann war darum genöthigt, den
Forderungen der Barone, Ritter und Bürger seines
Landes seinen starren Willen zu beugen, weil er zu dem
Kampf mit Philipp August ihres Beistands bedurfte.
König Johann hatte seinen Neffen, den Sohn seines
ältern Bruders, heimtückisch ermorden lassen. Als Herzöge der Normandie waren die Könige von England
Vasallen der Könige von Frankreich. In dieser Eigenschaft ward Johann von Philipp August vor ein Gericht

der Pairs oder der Großen des Reichs berufen und, da er sich nicht stellte, seiner sämmtlichen Lehen in Frankreich verlustig erklärt. Diese Lehen, weit größer als der ganze bisherige unmittelbare Länderbesitz der Könige von Frankreich, wuchsen jetzt diesem letztern zu und verliehen mit einem mal dem Königthum das zweifelloseste Uebergewicht einer nunmehr nicht blos einzelnen Vasallen, sondern allen zusammen überlegenen Hausmacht. Johann dagegen, des Rückhalts seiner französischen Länder beraubt und ganz auf die Unterstützung seiner englischen Unterthanen angewiesen, hatte dem einmüthigen Andrängen dieser auf Zugeständnisse nichts entgegenzusetzen als eine Verschlagenheit, die, je öfter sie ihr Wort brach, um so sicherer ihr Ziel verfehlte, und nur zu verschärften Forderungen und neuen erzwungenen Zugeständnissen Anlaß gab.

So ward ein und dasselbe Ereigniß für Frankreich das Signal zu dem Sieg des Absolutismus über die Aristokratie, eines Absolutismus, welcher aber in seiner weitern Entwickelung auch die Volksfreiheit verschlang, für England der Ausgangspunkt einer verfassungsmäßigen Gestaltung des Staatswesens, wobei Königthum, Adel und Bürgerthum ein jedes seine rechte Stelle und sein dem Ganzen zuträgliches Maß von Macht und Freiheit erhielt.

Noch eine andere wichtige Folge knüpfte sich für England an den Verlust der normännischen Besitzungen auf dem Festland — einen Verlust, welcher nicht sowol die Nation als die Dynastie betraf. Bis dahin hatten die Normannen sich immer noch mehr oder weniger als Fremdlinge, als Eroberer und Herren gegenüber der

angelsächsischen Bevölkerung gefühlt. Jetzt, abgeschnitten
für immer von ihren Stammesgenossen auf dem Festland,
lernten sie sich ausschließlich als Angehörige des Insel=
reichs· betrachten, und verschmolzen mit den früher von
ihnen unterdrückten und verachteten Angelsachsen zu einer
einzigen und unauflösbaren Gemeinschaft. Von jetzt
an gab es wirklich eine englische Nation. [18])

Das angelsächsische Element, der Zahl nach weit
überwiegend, erhielt nunmehr allmählich über das nor=
männische (welches nicht mehr durch äußern Zuzug·von
Frankreich her verstärkt wurde) wieder das Uebergewicht
— in ähnlicher Weise, wie seinerzeit in Frankreich das
gallo=romanische über das fränkische nach der Abtrennung
Deutschlands von Frankreich.

· Den letzten Ausschlag zu der so entschiedenen Diver=
genz in den politischen Einrichtungen und dem öffentlichen
Geist der beiden Länder gab der lange und blutige
Krieg, den die englischen Könige aus dem Haus Anjou
mit den französischen Königen aus dem Haus Valois
um die Krone Frankreichs führten. Dieser Krieg, von
jener Seite ebenfalls wieder im dynastischen Sinn unter=
nommen, vollendete die Abhängigkeit der englischen
Könige von dem guten Willen ihres Adels und ihrer
Bürgerschaften, welche beide schon seit der Mitte des
13. Jahrhunderts (bald nach der Regierung des Königs
Johann) eine gemeinsame, geregelte Vertretung in einem
Parlament erhalten hatten. Im Lauf dieses Kriegs
wurde das Parlament binnen funfzig Jahren siebzig mal
einberufen, wurde die Magna charta zwanzig mal neu=
beschworen! · Und weil ferner der Krieg jenseits des
Meeres meist mit Soldtruppen geführt wurde, erhielt

das Bürgerthum, als hauptsächlicher Inhaber und Re=
präsentant der Geldmacht, ein entschiedenes Uebergewicht
über den Vertreter des persönlichen Waffenwerks, den
Adel, daher noch nicht achtzig Jahre nach der erstmaligen
Berufung des Parlaments vergangen waren, als bereits
das Unterhaus, die Vertretung der Städte und Frei=
sassen, zum eigentlichen Schwerpunkt des Staatswesens
geworden war.

In Frankreich nahmen die Dinge einen gerade ent=
gegengesetzten Verlauf. Dort war der Krieg ein natio=
naler, von den Königen zur Aufrechthaltung der durch
ein Landesgesetz festgestellten Erbfolge, zur Vertheidigung
des von den Engländern besetzten Gebiets, zur Abwehr
und Vergeltung der Leiden, welche die fremde Eroberung
und Brandschatzung über das Land brachte, geführter.
Den französischen Königen ward es daher leicht, im
Namen des gefährdeten Nationalinteresses Zugeständnisse
und Opfer aller Art von den verschiedenen Ständen des
Volks zu fordern und zu erlangen. Alle Stände scharten
sich um das wiederhergestellte nationale Königthum und
halfen mit Gut und Blut das Land von den fremden
Eindringlingen säubern. Der Adel vergaß die Kränkung
seiner Vorrechte, die Städte die Vorenthaltung der von
ihnen geforderten Freiheiten, und selbst jene abtrünnigen
Großen, die, wie der Herzog von Burgund, aus Eifer=
sucht gegen die Valois sich dem Nationalfeind angeschlossen
hatten, wurden durch den allgemeinen Unwillen oder
durch eigene Scham zum Gehorsam gegen den ange=
stammten Monarchen zurückgebracht. Der Adel vergaß die Kränkung
Nichts bezeichnet besser diesen so ganz verschiedenen
Einfluß, welchen der englisch=französische Erbfolgekrieg

auf die öffentlichen Zustände des einen und des andern
der beiden Länder äußerte, als folgende Thatsache.
Der Krieg wurde von beiden Seiten zum größern Theil
mit Soldtruppen geführt. Die Kriegssteuer trat daher
jetzt an die Stelle der Kriegsdienste in Natur, welche
bisher der Lehnsadel den Königen geleistet hatte. Diese
durchgreifende Veränderung in den Militärsystemen beider
Länder führte in England zur Befestigung und Aus=
bildung der parlamentarischen Verfassung, in Frankreich
zur Vollendung der absoluten Königsmacht. Dort ging,
wie wir bereits gesehen, das politische Schwergewicht
dadurch allmählich auf das Unterhaus oder die Vertre=
tung der Mittelklassen über. In Frankreich dagegen
willigten die Stände darein, daß die Krone nicht nur
allein das Recht haben sollte, Truppen zu halten (da
sie bisher dieses Recht immer noch mit den großen Va=
sallen getheilt hatte), sondern daß ihr auch gestattet
sei, zu diesem Zweck eine allgemeine Auflage sowol
von den Unterthanen der Vasallen wie von ihren eigenen
zu erheben, eine Auflage, die keiner besondern Bewilli=
gung für den einzelnen Fall bedürfen sollte.

So hatte das Königthum ein stets bereites, nicht
von dem guten Willen der Stände abhängiges Mittel
des Gebrauchs und der Erweiterung seiner Macht erlangt.
Es konnte von jetzt an sich der Stände, zu denen die
frühern Könige bisweilen doch ihre Zuflucht hatten neh=
men müssen, gänzlich entledigen, und es that dies auch.
Karl VII. berief keine allgemeinen Stände mehr, und als
einzelne Stimmen daran zu erinnern wagten, brachte er
dieselben durch die nicht grundlose Erwiderung zum Schwei=
gen: „Das Volk sei zufrieden und verlange nicht danach.“

Auf ſolchen Grundlagen ward ſodann der Bau des Abſolutismus in Frankreich durch die ſchlaue Politik Ludwig's XI. ſo feſt gefügt, daß alle politiſchen Bewegungen der folgenden Jahrhunderte, ſtatt ihn zu erſchüttern, nur dazu dienten, ihn noch mehr zu befeſtigen. Aus den Kämpfen der Ligue wie aus denen der Fronde ging das abſolute Königthum nur immer ſtärker und unumſchränkter hervor, und wenn die gewaltige Staatsumwälzung des vorigen Jahrhunderts auf eine kurze Zeit den Träger der Macht veränderte, indem ſie die oberſte Gewalt im Staat von dem König auf das Volk übertrug, ſo verminderte ſie doch keineswegs, ſondern ſteigerte eher die Stärke dieſer Gewalt ſelbſt und den Charakter des Regiments, die Concentration aller Befugniſſe in einem einzigen Punkt, die Unterdrückung aller provinzialen und lokalen Freiheiten, die politiſche und geſellſchaftliche Nullität aller Theile des Landes außer dem einen Paris. Das erſte Kaiſerthum trat ſodann dieſe Erbſchaft der Revolution in ihrem vollen Umfang an und bildete dieſelbe noch weiter aus. Die folgenden Regierungen änderten daran wenig oder nichts, und die neueſte Wiederholung des Napoleoniſchen Syſtems iſt in der gleichen Richtung bis zu einem Punkt fortgegangen, wo eine Steigerung kaum noch denkbar ſcheint.

In dem Inſelreich jenſeits des Kanals ſehen wir inzwiſchen die gerade entgegengeſetzte Richtung des geſammten Staatsweſens, das parlamentariſch beſchränkte Königthum und eine ausgedehnte Selbſtregierung des Volks in lokalen und provinzialen Angelegenheiten, beinahe mit der gleichen Sicherheit und Stetigkeit ihre Bahn der Entwickelung verfolgen. Zwar ſcheint unter den

Tudors, nach dem Ende jener furchtbaren innern Kämpfe, welche den Adel decimirt hatten, das System des unumschränkten Königthums auch hier wieder Fuß fassen zu wollen. Heinrich VIII. und Elisabeth dürfen es wagen, Acte der Selbstherrlichkeit und sogar der Eigenmächtigkeit zu begehen, die man einem Johann und einem Eduard III. nicht hätte hingehen lassen. Aber diese Abweichungen von dem Weg constitutionellen Staatslebens waren weder größer noch von mehr dauernder Natur oder von nachhaltigerm Einfluß auf das Ganze als jene Empörungen des Adels oder jene Widersetzlichkeiten der Städte, welche in Frankreich noch von Zeit zu Zeit, mitten hinein zwischen streng despotische Regierungen, die Unumschränktheit des Königthums von neuem in Frage zu stellen schienen. Sogar noch dem vollendeten Absolutismus Ludwig's XIV. ging unmittelbar vorher eine der allgemeinsten und gefahrdrohendsten Verschwörungen des Adels, die Fronde, ähnlich wie in England dem letzten Abschluß der parlamentarischen Institutionen das auf völlige Vernichtung dieser Institutionen gerichtete Regiment der Stuarts.

Daß England diesen glücklichern Verlauf seiner Staatsentwickelung — im Vergleich zu Frankreich — zu einem nicht geringen Theil der Gunst seiner insularischen Lage verdankt, wollen wir so wenig in Abrede stellen, als daß der Absolutismus in Frankreich belangreiche Elemente seiner Stärke und Dauer aus den äußern Eroberungen gezogen hat, zu denen die continentale Lage des Landes Anreiz und Gelegenheit bot und durch die er den kriegerischen und ruhmdurstigen Geist des Volks bestach. Die Könige Frankreichs seit Franz I. verdankten ihre Erfolge im Innern wesentlich mit ihren

glücklichen Waffenthaten oder den Siegen ihrer Diplomatie nach außen, und die Stuarts hätten ungestraft
ihren despotischen Launen huldigen dürfen, wenn nicht
die insularische Lage des Landes ihren weichlichen
Neigungen Vorschub geleistet und sie verführt hätte,
einer ruhmlosen Schwäche gegenüber dem Ausland
zu · huldigen, wenn sie statt dessen durch unvermeidliche Reibungen mit Nachbarstaaten genöthigt oder
doch angereizt worden wären, eine Politik des Ehrgeizes und der Ruhmsucht anzunehmen und durch eine
imposante Machtstellung Englands die Nation für den
innern Druck schadlos zu halten. [19]) Indeß würden
doch ohne die vorausgegangenen tief greifenden Umgestaltungen sowol in den Sitten und Anschauungen als auch
in den politischen und socialen Einrichtungen der beiden
Nationen jene rein äußerlichen Momente eine so große
Wichtigkeit niemals erlangt haben.

Trotz seiner insularischen Lage, welche die Ausbildung
einer regelmäßigen starken Militärmacht; dieses gefährlichsten Werkzeugs in den Händen eines eigenmächtigen
und gewissenlosen Herrschers, dort nicht hatte aufkommen
lassen, befand sich England dennoch zwei mal im Lauf
des 17. Jahrhunderts in der höchsten Gefahr, seine
freien Institutionen der planmäßigen Ausbreitung und
Befestigung eines durchaus absolutistischen Systems unterliegen zu sehen, und ohne die altgewohnte Anhänglichkeit
des Volks · an diese Freiheiten und den tiefgewurzelten
Haß aller Klassen gegen das festländische, insbesondere
das französische Princip despotischer Regierungsallgewalt
hätten möglicherweise sowol Karl I. · als Jakob II. ihre
Absichten durchgesetzt. · Denn eben diese geschützte und

von den Kämpfen des Festlandes abgezogene Lage Eng=
lands hatte auch die Bevölkerung, frühzeitig zu den
Künsten und Gewerben des Friedens hingeführt und
einer Störung dieser Beschäftigungen durch Aufstand und
Bürgerkrieg abgeneigt gemacht. [20]   Andererseits war in
Frankreich nicht so sehr der Absolutismus von den durch
die Lage des Landes dargebotenen Anreizungen zum
Kriegführen und Erobern groß gezogen und gestärkt, als
er selbst vielmehr erst die Neigung, diesen Anreizungen
zu folgen, in dem Volk erweckte und immer von neuem
rege machte: — Zeuge dessen das deutsche Reich, welches
bei ganz ähnlichen geographischen Verhältnissen und trotz
der vielen Kriege, die es mit seinen Nachbarn noth=
gedrungen führen mußte, dennoch dadurch nicht einmal
zu einer monarchischen, geschweige denn zu einer absoluten
Regierungsform hingeführt ward.

Der wesentlichste Theil unserer Aufgabe ist gelöst,
sofern uns nämlich in dem Obigen gelungen ist nachzu=
weisen, durch welche geschichtliche Ursachen die so ab=
weichende Ausbildung des Staatswesens in den drei
Reichen Deutschland, England und Frankreich bedingt
war.   Noch bleibt uns aber eine zweite nicht minder
interessante Reihe von Betrachtungen übrig, indem wir
es unternehmen, in rascher Uebersicht wenigstens die
Hauptformen zu bezeichnen, in denen diese so verschieden=
artigen Staatsbildungen in den gedachten drei Ländern
sich ausprägten und gleichsam krystallisirten.

Und hier sei wieder an einen Satz erinnert, den wir
schon im Eingang dieser Abhandlung berührten, und der
als eine ebenso wichtige wie festbegründete Errungen=

schaft sowol der fortgeschrittenen Geschichtsforschung der
Neuzeit wie ihrer Erfahrungen auf praktisch-politischem
Gebiet angesehen werden darf: an den Satz, daß die
Eigenthümlichkeit und der Werth eines Staatswesens
nicht blos, ja nicht einmal vorwiegend in dem, was
man gemeinhin als die Verfassung des Staats betrachtet,
d. h. in den Formen der Regierung und der Vertretung,
vielmehr ebenso sehr, ja fast noch mehr in den Einrichtungen der Verwaltung, der Rechtspflege, genug überhaupt in der Art und Weise beruht, wie das Volksleben
nach seinen individuellen und lokalen Beziehungen von
den Mächten des Staats berührt und beeinflußt wird.

Von diesem Gesichtspunkt ausgehend erblicken wir in
dem Staatswesen jener drei großen Reiche schon früh
tiefe, grundsätzliche Verschiedenheiten, die, fort und fort
schroffer sich ausbildend, ihre Bedeutung und ihren Einfluß selbst dann nicht verlieren, wenn einmal, vorüber-
gehend oder auch länger andauernd, die äußern Verfassungsformen des einen Landes sich mit denen des andern
ins Gleichmaß zu setzen scheinen. Es wäre eine grobe
Täuschung, anzunehmen, das englische Staatsleben unter
den Stuarts sei dem französischen unter Ludwig XIV. gleich
oder auch nur ähnlich gewesen, obschon nicht zu leugnen
ist, daß eine Zeit lang eine gewisse Uebereinstimmung
nicht blos der Regierungsmaximen, sondern auch der
Regierungspraxis in beiden Ländern bestand. Und es
wäre nicht weniger unrichtig, wenn man aus der Einführung constitutioneller Formen 1815 in Frankreich und
bald darauf in Deutschland schließen wollte, damit seien
diese beiden Länder ihrem innersten Wesen nach dem englischen Vorbild angenähert worden.

Ein kurzer Einblick in das eigentliche Getriebe des Staatslebens der drei Länder, wie es sich infolge der eigenthümlichen politischen Entwickelung eines jeden derselben gestaltet hat, wird zeigen, wie tief gewurzelt die innersten Gegensätze derselben sind — viel zu tief, als daß sie mit einem bloßen Wechsel des Systems oder gar nur der äußern Formen in der Spitze des Staats ausgeglichen, ja nur wesentlich abgeschwächt werden könnten.

Wir beginnen mit demjenigen Land, wo die Ausprägung des politischen Grundgedankens der Regierung in den Formen der Verfassung und Verwaltung am planmäßigsten vor sich gegangen ist und darum am frappantesten hervortritt.

Das Princip monarchischer Centralisation, welches in Frankreich mindestens seit dem französisch-englischen Erbfolgekrieg (14. bis 15. Jahrhundert) das entschiedene Uebergewicht erlangt hatte, ging seit dieser Zeit immer systematischer darauf aus, in alle Zweige des Staatslebens einzubringen, alles mit seinem Geist zu erfüllen und mit seinen Organen zu umspannen. Natürlich gelang ihm dies nur nach und nach; auch gelang es bis zur Revolution von 1789 niemals so vollständig, daß nicht mitten unter den planmäßig ausgebildeten Formen einer centralisirten Verwaltung immer noch manche von ganz entgegengesetztem Charakter, Reste der ehemaligen feudalen oder provinzialen Selbständigkeit, fortbestanden hätten, oder daß nicht die scheinbar schrankenlose Allgewalt des persönlichen Regierens hier und dort auf einen Widerstand gestoßen wäre, welchen gänzlich unbeachtet zu lassen sie mit Recht Bedenken tragen mochte. Aber ebenso gewiß ist, daß, wie das Princip selbst, so auch die Formen seiner Verwirklichung schon in ziemlich früher Zeit entschieden hervortreten und zugleich mit jenem sich unaufhaltsam stetig ausbreiten, befestigen, mit allen Zuständen des Staats und der Gesellschaft verwachsen.'

Anfänglich zwar schien die Politik der französischen Könige nur auf das gemäßigte Ziel einer solchen politischen Einheit, wie der moderne Begriff des Staats und das Bedürfniß staatlicher Ordnung sie erheischt, gerichtet. Von diesem Standpunkt aus erstrebten sie namentlich die Gleichförmigkeit der Rechtspflege nach festen und gemeinsamen obersten Grundsätzen, sowie die Allgemeingültigkeit der von der Centralgewalt erlassenen Gesetze für sämmtliche Theile des Reichs. Jenes erste erreichten sie durch strenge Controle der Einzel= und Privatgerichte, durch beharrliche Geltendmachung des Grundsatzes, daß von jeder Gerichtsstelle im Reich an das oberste Gericht des Königs appellirt werden könne, endlich durch die allgemeine Einführung der römischen Rechtsprincipien, welche besonders für den formellen Gang der Rechtspflege von durchgreifendstem und den Absichten des Königthums förderlichstem Einfluß waren. Was das andere betrifft, nämlich die allgemeine Geltung der vom König ausgehenden Anordnungen, so schien es dafür kein besseres Mittel zu geben als die Zuziehung der Inhaber jener Theilstaaten, aus denen das Reich damals bestand, der großen Barone oder Seigneurs, bei allen wichtigen Acten der Gesetzgebung. Es lag nahe, daß, wer selbst bei dem Zustandekommen eines Gesetzes mitgewirkt hatte, sich auch demselben unterwerfen und dessen Gültigkeit im Bereich seiner Herrschaft anerkennen mußte. In der

Praxis erweiterte sich dann dieser Grundsatz bald dahin, daß auch die Nichterschienenen oder Nichtzustimmenden dennoch für verpflichtet gehalten wurden, einem vom König unter Beirath der Barone (der sogenannten Curia regis) beschlossenen Gesetz Gehorsam zu leisten.

Soweit war in den Bestrebungen der französischen Könige und in den von ihnen getroffenen Einrichtungen nichts, was über das Ziel nothwendiger Einheit des Staats und über die Machtstellung eines gemäßigten, constitutionellen Königthums hinausgegangen wäre. Ganz Aehnliches finden wir in England, in Deutschland, ja wol allerwärts. Allein der eigenthümliche, in den geschichtlichen Vorbedingungen, wie wir sie früher des weitern geschildert, begründete Zug des französischen Staatswesens auf äußerste Zuspitzung der monarchischen Gewalt und ihrer Regierungsbefugnisse blieb dabei nicht stehen. Nicht zufrieden, das wirklich Gemeinsame, was nothwendig Sache der Centralgewalt im Staat sein muß, dieser vindicirt zu haben, kam man je mehr und mehr dahin, auch dasjenige für dieselbe zu beanspruchen, was füglicher und natürlicher außerhalb des Bereichs ihres unmittelbaren Eingreifens hätte bleiben mögen. Daß man den Particularismus brach, der, in der Gestalt dynastischer und patrimonialer Eigenherrschaft, der nothwendigen und nützlichen Einheit des Ganzen widerstrebte, darin that man nur, was man thun mußte, und was in keinem wohlgeordneten Staat ungethan bleiben darf; daß man aber im weitern Fortgang auch jede Besonderheit und Selbständigkeit lokalen Lebens zu unterdrücken und über alle Theile des Staats eine Uniformität zu verbreiten suchte, durch welche allmählich Paris der

alleinige Lebenspunkt des Reichs, alles übrige nur eine
todte Maschine ward, die lediglich von dort aus Anstoß
und Leitung empfing, das ist eine Eigenthümlichkeit des
französischen Staatswesens, die sich nirgends sonst in
Europa in so ausgeprägter und consequenter Weise wie-
derfindet. Gegen die Willkür und Gewaltthätigkeit,
welche unter dem Einfluß fast souveräner Machtvoll-
kommenheit in kleinen und großen feudalen Herrschaften
geübt ward, machten die ersten Könige aus dem capetingischen Haus mit Recht die allgemeinen und ewigen
Gesetze der Gerechtigkeit und der Unterordnung unter
die Einheit eines größern Gemeinwesens geltend; allein
die spätern, zu starkem und gesichertem Machtbesitz gelangt, fühlten durch eben diese allgemeinen und gleich-
bleibenden Normen ihr eigenes souveränes Belieben be-
engt, und gingen nun ihrerseits darauf aus, diese Schranken
erst hier und da zu lockern und zu durchbrechen, zuletzt
gänzlich niederzureißen, sodaß am Ende nichts übrig
blieb als die unumschränkte, durch keine äußere Fessel
gebundene Allmacht des obersten Willens, das unbedingte
„Tel est notre plaisir!" des Monarchen.

Es verlohnt der Mühe zu beobachten, wie das Königthum in Frankreich eine Schranke seiner Macht nach
der andern beseitigte, bis es endlich bei diesem letzten
Ziel einer absoluten Schrankenlosigkeit anlangte. [21])

Wie leicht es mit dem ständischen Widerstand fertig
wurde, haben wir schon in dem frühern Theil unserer
Betrachtungen gesehen. Die Bedeutung der allgemeinen
Stände hörte auf, seitdem das Königthum in der taille
oder Kriegssteuer, die ihm ein für allemal bewilligt
worden war, ein Mittel erlangt hatte, die zur Führung

der Regierung nöthigen Gelder ohne neue ständische Bewilligungen zu beschaffen. Die Staatskunst der Könige wußte diese Finanzquelle immer ergiebiger zu machen, ihr immer neue Zuflüsse zu verschaffen, indem der einmal zur Geltung gekommene Grundsatz der Erhebung von Steuern im bloßen Verordnungsweg seine analoge Anwendung leicht auch auf andere und wieder andere Steuerobjecte fand. Man beobachtete dabei die Vorsicht, möglichst immer solche neue Lasten zu erdenken, welche nicht die obern Stände, Adel und Geistlichkeit, sondern nur den dritten Stand trafen, und war dann sicher, auf keinen Widerstand von Gewicht zu stoßen.

Zwar bestanden in mehreren Provinzen noch Provinzialstände fort, allein ihr Einfluß konnte, gegenüber der das ganze Reich vertretenden Centralgewalt, der Natur der Sache nach kein entscheidender sein.

Länger und schwieriger war der Kampf des nach Unumschränktheit strebenden Königthums mit der Unabhängigkeit der richterlichen Gewalten.

Der alte Rath des Königs, die Curia regis, der aus den angesehensten Baronen und den höchsten Hof- und Staatsbeamten zusammengesetzt war und zugleich als oberster Gerichtshof des Reichs und als höchstes Organ der allgemeinen Gesetzgebung fungirte, spaltete sich im Lauf der Zeiten in zwei voneinander verschiedene Körperschaften. Das eigentlich gouvernementale Element — die Besorgung der laufenden Staatsgeschäfte im Weg der Gesetzgebung und der Verwaltung — zog sich in den sogenannten Staatsrath des Königs (Conseil du roi) zurück, der aus Hof- und Staatsbeamten oder andern vom König ausdrücklich dazu berufenen Personen

bestand. Der andere, seiner Zusammensetzung nach mehr
selbständige Theil — die Versammlung weltlicher und
geistlicher Großen — beschäftigte sich von da an nur
noch mit richterlichen Functionen. Ihm verblieb der alte
Name des Parlaments, womit man ehemals das
Ganze, die berathende Versammlung um den König,
bezeichnet hatte. Da die meisten der Landesherren, über
welche die Könige erst nach und nach die volle Souveränetät erlangten, ebenfalls ihre großen Rathsversam-
lungen (Curia ducis) hatten, so gab es nach Auflösung
dieser kleinern Herrschaften in dem Königreich eine Menge
Provinzialparlamente. Doch behauptete natürlich das
Parlament von Paris eine hervorragende Stellung als
oberster Gerichtshof des ganzen Reichs. In der Zusammensetzung dieser Parlamente trat allmählich eine
weitere Aenderung ein, als mit dem allgemeinen Aufkommen des römischen Rechts die nicht rechtsgelehrten Bei-
sitzer entweder ganz ausschieden oder doch in den Hintergrund traten, dagegen die Zuziehung rechtskundiger Männer sich nöthig machte, die nicht immer durch Geburt
und Besitz den ursprünglichen Parlamentsmitgliedern
ebenbürtig waren.

Immerhin blieben die Parlamente als Depositäre des
Rechts in seiner Allgemeingültigkeit und seiner der königlichen Gewalt Schranken setzenden Autorität gewichtige,
nicht so leicht auf die Seite zu schiebende Körperschaften.
Sie sprachen zugleich die wichtige Befugniß an, die vom
König allein oder mit bloßer Zustimmung seines Staatsraths erlassenen allgemeinen Anordnungen ihrer Prüfung
zu unterwerfen und denselben nöthigenfalls durch Nicht-
einregistrirung die verbindende Kraft von Gesetzen zu

versagen, also gewissermaßen in die Stelle der außer Thätigkeit gesetzten allgemeinen Stände einzutreten.

Bis auf die Revolution herab ist es den Königen Frankreichs, selbst einem Ludwig XIV., nicht gelungen, diese Schranke ihrer Macht gänzlich zu beseitigen; sie mußten sich damit begnügen, dieselbe im einzelnen Fall wirkungslos zu machen. Das bekannte Mittel, dessen man sich zu diesem Zweck bediente, waren die Lits de justice, feierliche Sitzungen, bei denen der König selbst mit einem gewissen Pomp im Parlament erschien und die Einregistrirung der von der Versammlung zurückgewiesenen Gesetze förmlich anbefahl. Es war das der Staatsstreich oder die Octroyirung zu einem regelmäßigen Expediens des Regierens erhoben — gewiß ein bezeichnender Zug für das französische Staatswesen! Schon seit der Mitte des 16. Jahrhunderts kommen solche Lits de justice vor, nicht selten verbunden mit allerhand Gewaltthätigkeiten gegen die Parlamente in corpore oder deren einzelne Mitglieder, wenn diese Körperschaften in ihrem Widerstand gegen den souveränen Willen zu beharren wagten.

Ein anderes, minder directes, aber noch wirksameres Mittel zur Untergrabung der Unabhängigkeit der Gerichte (wirksamer schon deshalb, weil es mit weniger Eclat, stiller und zugleich stetiger seinen Einfluß äußerte) bestand in der allmählichen Uebertragung der wichtigsten Entscheidungen von den Parlamenten und den sonstigen Gerichtshöfen auf solche Behörden, welche unmittelbar von der Staatsgewalt eingesetzt waren und nach deren Anweisungen verführen. Dahin gehörten die außerordentlichen Gerichtscommissionen oder Prevotalhöfe, die Specialgerichte

für besondere Angelegenheiten (Handelsgerichte, Steuer=
behörden mit eigener Gerichtsbarkeit u. dgl.), vor allem
aber die immer weiter ausgedehnte Anwendung des
sogenannten Evocationsrechts, d. h. des Rechts, kraft
dessen der König jede Rechtssache dem Tribunal, vor
dem sie anhängig war, entziehen und seiner eigenen
Entscheidung im Staatsrath unterstellen konnte. Dieses
Recht ward namentlich seit dem 17. Jahrhundert von
den Königen und ihren Ministern auf das Entschiedenste
behauptet. In dem Jahrhundert, welches der Revolution
unmittelbar voranging, findet sich fast in allen Verord=
nungen, welche irgendeine neue Regierungsmaßregel an=
kündigen, der ausdrückliche Zusatz, daß alle Streitigkeiten,
welche in Bezug auf die Ausführung einer solchen Maß=
regel entstehen, und alle Widersprüche, welche dagegen
erhoben werden könnten, lediglich vor die königlichen
Intendanten (Verwaltungsbeamten) und in letzter Instanz
vor den Staatsrath zu bringen seien, und daß kein Ge=
richtshof sich unterfangen solle, eine solche Sache vor
sein Forum zu ziehen.

Auf diese Weise bildete sich allmählich im französischen
Staatsleben die feststehende Praxis aus, daß, wo immer
in einer Rechtssache ein öffentliches Interesse mit in
Frage komme oder es sich um Auslegung oder Be=
urtheilung eines Acts der Verwaltung handle, nicht die
gewöhnlichen Gerichte, sondern der Staatsrath allein
zu entscheiden habe, mit andern Worten, es entstand das
seinem Ursprung und seinem Charakter nach durch und
durch französische Institut der Administrativjustiz.

Man kann sich denken, welche ungeheuern Macht=
befugnisse durch dieses alles in dem Staatsrath, als dem

oberſten Organ der auf den Trümmern aller andern
Gewalten im Staat errichteten Regierungsallgewalt,
concentrirt wurden. Der Staatsrath war zugleich höchſter
Gerichtshof, denn er hatte das Recht, die Entſcheidungen
aller ordentlichen Gerichtshöſe zu caſſiren, und höchſtes
Verwaltungstribunal, denn von ihm reſſortirten alle
Specialgerichte. Er übte unter der Autorität des Königs
die ganze geſetzgebende Gewalt, denn er berieth die Ge=
ſetze, regelte und vertheilte die Abgaben. Er entwarf
die allgemeinen Verwaltungsnormen, nach denen ſich alle
Regierungsbehörden zu richten hatten, entſchied alle wich=
tigern Angelegenheiten ſelbſt, und überwachte ſämmtliche
Verwaltungsſtellen im ganzen Reich. Von ihm ging
alles aus und zu ihm kam alles zurück, denn er hatte
in allen Dingen entweder die Initiative zu ergreifen
oder das letzte entſcheidende Wort zu ſprechen.

Und doch war dieſer ſo allmächtige Staatsrath nur
das willenloſe Echo der königlichen Selbſt= und Allein=
herrlichkeit, nur ein devoter Rathgeber, der ſeine Mei=
nung ſagte, ſich aber in ſtillſchweigender Unterthänigkeit
beſchied, ſo oft es dem Gebieter geſiel, von dieſer Mei=
nung keinen Gebrauch zu machen und nach höchſteigenem
Gutbefinden anders zu entſcheiden!   .

Von dem Staatsrath ging der Impuls durch eine
Anzahl von Intendanten auf die einzelnen Provinzen
über, und verzweigte ſich dort in eine Maſſe von Unter=
behörden, welche letztern in den meiſten Fällen ihrer
Thätigkeit an die Einholung von Inſtructionen entweder
ſeitens der Intendanten oder gar direct von Paris ge=
bunden waren. Kaum irgendetwas im ganzen Bereich
des Volks= und Staatslebens blieb von der kunſtmäßig

gegliederten Bewegung dieſer Verwaltungsmaſchine aus=
geſchloſſen, oder konnte von ſtatten gehen, ohne von
Regierungs wegen anbefohlen, geregelt oder genehm
gehalten zu ſein. Alle öffentlichen Auflagen, nicht blos
die unmittelbaren des Staats, ſondern auch die lokalen
und communalen, wurden vom Staatsrath feſtgeſetzt
und von einem Heer höherer und niederer Beamten,
an ihrer Spitze der Generalcontroleur, vertheilt, ein=
geſammelt und dem Staatsſchatz zugeführt.

Die Aushebung von Mannſchaften für die Miliz
(das Vorſpiel der Conſcription) ging den nämlichen Weg.
Der Staatsrath ſetzte die Anzahl der Auszuhebenden und
den Antheil, den jede Provinz dazu liefern ſollte, feſt;
der Intendant vertheilte dieſes Contingent auf die ein=
zelnen Gemeinden, und ſeine Unterbeamten vollzogen das
Geſchäft der Aushebung, beſtimmten die Fälle gänzlicher
Befreiung oder zeitweiliger Beurlaubung, und lieferten
die wirklich eingezogenen Mannſchaften an die Militär=
behörde ab.

Die öffentlichen Arbeiten, wie Chauſſee= und andere
Bauten, ſelbſt ein Theil der Vicinalwege wurden vom
Staat aus gebaut nach einem vom Staatsrath feſtge=
ſtellten Plan, durch Ingenieure des Staats, unter der
Oberaufſicht einer beſondern Behörde, des Corps: des
ponts et chaussées, und unter der unmittelbaren Leitung
des Intendanten.

Zwar gab es dafür, wie für das Milizweſen, wie
für die Erhebung und Vertheilung der Abgaben, von
alters her ſelbſtändige lokale Behörden; allein ihre Wirk=
ſamkeit war längſt durch die überall hin verzweigten
Organe der allmächtigen Bureaukratie lahm gelegt wor=

ben, und sie bestanden höchstens dem Namen nach fort. Es gab auch in vielen Provinzen noch Gouverneure, Männer von Rang und Besitz, gewöhnlich Mitglieder alter Dynastengeschlechter, dem Namen nach Stellvertreter des Königs, allein ohne reelle Macht, denn diese lag in den Händen des Intendanten.

Der Intendant war auch der Chef der Landespolizei, die durch eine wohlorganisirte Gensdarmerie versehen ward. Zwar konnten die Lokalgerichte für ihren Bereich Polizeigesetze erlassen; allein der Staatsrath, eifersüchtig auf sein Princip der Uniformität, pflegte sehr häufig solche zu cassiren und an ihrer Stelle andere von sich aus zu erlassen.

Sogar das Armenwesen, das in den meisten Staaten von früh an und bis auf die neueste Zeit ganz oder wenigstens zum größern Theil der lokalen und communalen Verwaltung überlassen worden ist, war in Frankreich schon im vorigen Jahrhundert in den Händen des Staats centralisirt. Was uns heute als eine Eigenthümlichkeit des französischen Staatswesens auffällt, daß nämlich der größte Theil der für die Unterstützung der Armen bestimmten Auflagen den Umweg durch die Generalkasse des Staats zurück in die Departements und von da in die einzelnen Gemeinden macht, das finden wir schon damals im wesentlichen auf dem gleichen Fuß eingerichtet. Der Staatsrath bestimmte jährlich, welche Summen aus der Staatskasse an die einzelnen Provinzen für ihr Armenwesen vertheilt werden sollten.

Aber nicht blos in den äußern Formen, auch in dem Geist und in den Sitten der Regierenden wie der Regierten findet sich bereits in dem alten vorrevolutionären

Frankreich jener Zug nach einer möglichst absoluten Centralisation ausgeprägt, den man fälschlicherweise bisweilen
für eine Ausgeburt der Revolution oder der aus ihr
hervorgegangenen Staatsordnungen gehalten hat. Schon
damals bemerken wir auf seiten der Regierenden dieselbe
sich in alles mischende Vielgeschäftigkeit, denselben Drang,
alles, auch das Kleinste und Fernste, von Paris aus zu
kennen, zu beaufsichtigen, zu dirigiren, dieselbe Prätention,
nach allen Seiten hin die allwissende und allweise Vorsehung zu spielen — bei den Regierten aber dieselbe
blinde Unterwürfigkeit unter die Anordnungen der Centralgewalt, dieselbe Unselbständigkeit im Anrufen der
Staatshülfe bei allen möglichen Angelegenheiten des
öffentlichen und selbst des Privatlebens wie heutzutage!

Die eigentliche Lokalverwaltung, welche zugleich die
Rechtspflege und die Polizei in sich schloß, war anfänglich in Frankreich wie in allen Feudalstaaten des Mittelalters auf dem Lande in den Händen der großen Grundbesitzer, in den Städten in den Händen von Obrigkeiten
gewesen, die entweder nach Wahl und im Auftrag der
Gemeinden, oder kraft eigenen Rechts und durch Selbst-
ergänzung regierten. Was die Theilnahme der übrigen
Gemeindegenossen betrifft, so scheint diese in Frankreich
meist früher als anderwärts verloren gegangen zu sein,
wenn nicht schon vor, doch mit der überhandnehmenden
Herrschaft des römischen Rechts. Einen entscheidenden
politischen Einfluß (wie etwa in England) hat dieselbe
dort nie geäußert.

Von den erwähnten beiden Arten lokaler Verwaltung
und Rechtspflege nun scheint die der Städte zuerst —
wenigstens in vielen Theilen des Landes — der centra-

18*

lifirenden Tendenz des Königthums unterlegen zu haben.
Schon Ludwig XI. begann die Unterbrückung der Muni=
cipalfreiheiten, weil der demokratische Geist, der sich darin
kundthat, ihm Furcht einflößte. Im 16. Jahrhundert
wurde vielen Städten mit Hülfe der Grundsätze des
römischen und kanonischen Rechts die Gerichtsbarkeit
planmäßig entzogen. Die baillis und sénéchaux, könig=
liche Beamte, erhielten die Aufsicht über die Wahlen
und über die Amtsführung der städtischen Behörden.
Eine Verordnung von 1566 nahm den Magistraten die
Civilgerichtsbarkeit, eine von 1579 die Criminalgerichts=
barkeit. Auch die Polizei ging allmählich an die könig=
lichen Beamten über, zuletzt sogar die Finanzverwaltung.
Eine Reihe von Ordonnanzen, sämmtlich aus dem 16.
oder dem Anfang des 17. Jahrhunderts, übertrug die
Prüfung und Revision der städtischen Rechnungen den
königlichen Behörden, untersagte den Städten das Aus=
schreiben von Umlagen ohne besondere königliche Bewilli=
gung, beschränkte ihr selbständiges Verfügungsrecht in
Verwendung der städtischen Einkünfte, ja betraute endlich
sogar besondere Beamte mit der Vertheilung der städtischen
Lasten.

Inzwischen hatten doch manche Städte, besonders die
größern, noch immer ein gewisses Recht der Selbstver=
waltung, wenigstens was die eigene Wahl ihrer Magi=
strate betraf, sich zu erhalten gewußt. Unter Ludwig XIV.
ging auch dieses Recht fast ohne Ausnahme verloren.
Dieser König errichtete 1692 neben den gewöhnlichen
Magistraten eine Menge anderer städtischer Aemter, deren
Inhaber für Geld das lebenslängliche Recht erkauften,
ihre Mitbürger zu regieren. Es war das weniger eine

politische als eine Finanzmaßregel, wie daraus erhellt, daß man den Städten das Recht der eigenen Wahl ihrer Beamten, wenn sie es wollten, für Geld zurückgab, nach gemachtem Geschäft aber es ihnen von neuem nahm, und die Stellen wieder an Privatpersonen verkaufte. Sieben mal binnen achtzig Jahren wurde auf solche Weise den Städten das Wahlrecht genommen, wiedergegeben und abermals genommen — immer zum Vortheil des Fiscus — eine empörende Frivolität, welche aber beweist, wohin es bereits damals mit den Rechten und Freiheiten der Städte gekommen war.

Die Verwaltung des Rechts und der Polizei auf dem Lande blieb der Form nach den großen Grundherren bis zur Revolution von 1789 erhalten, in ihrer Handhabung (was nur zu billigen) durch die Controle königlicher Beamten wesentlich eingeengt. Im übrigen hatten diese Patrimonialgerichtsherren schon im 18. Jahrhundert mit den Angelegenheiten der Gemeinden, welche ihrer Gutsherrlichkeit unterlagen, gar nichts zu thun. Weder die Verwaltung des Gemeindevermögens noch die Erhaltung der Kirchen und Schulen, noch die Eintreibung der Abgaben ging sie etwas an oder wurde von ihren Beamten und in ihrem Auftrag besorgt. Für alles dies gab es besondere Behörden, welche theils der königliche Intendant bestellte, theils die Gemeinde selbst wählte, welche aber sämmtlich unter Aufsicht und Leitung der Centralgewalt handelten.

Der Einfluß dieser Ertödtung aller und jeder lokalen Selbstverwaltung auf den Nationalgeist äußerte sich neben jener schon berührten Unselbständigkeit der einzelnen hauptsächlich in zweierlei Erscheinungen, welche beide für die

politische Entwickelung Frankreichs von den verhängniß-
vollsten Folgen gewesen sind. Auf dem Lande entstand
dadurch eine Trennung der großen Grundbesitzer von den
kleinen, welche den Adel dem Volk entfremdete, die
Bauern aber in Roheit und Stumpfsinn versinken ließ.
Der Adel, seines natürlichen Einflusses auf seine Hintersassen durch die Dazwischenkunft der Staatsbehörden
beraubt, zog sich entweder gänzlich von seinen Besitzungen
zurück und ging, wenn er konnte, an den Hof, oder,
wenn er auf seinen Schlössern blieb, kümmerte er sich
doch wenig um seine Umwohner und betrachtete sein
Verhältniß zu denselben nur aus dem finanziellen Gesichtspunkt der Vortheile, welche er von ihnen zog. Die
einzige Person von etwas höherer Bildung, die noch als
ein zu ihnen gehöriger mit den Bauern verkehrte und
sich so weit möglich ihrer annahm, war der Geistliche —
was Wunder, wenn der klerikale Einfluß auf dem Lande
in Frankreich ein so mächtiger ward und bis heute blieb!
    In den Städten fand eine ähnliche Sonderung der
Klassen statt. Wer immer konnte, strebte zu einer exclusiven,
privilegirten Stellung hinan, wozu namentlich die vielen
für Geld käuflichen unmittelbaren und mittelbaren Staatsbedienungen zahlreiche Gelegenheiten boten. [22]) Die
Leidenschaft, sich über die andern emporzuschwingen und
an dem Machtbesitz, den Ehrenauszeichnungen oder auch
nur den materiellen Vortheilen der Staatsbeamtenschaft
theilzunehmen, ward zu einer wahren Nationalkrankheit
der Franzosen. [23])
    Welche Hebel dadurch der Despotismus gewann, um
auf die Gemüther der Menschen zu wirken, wie vielfache
Veranlassungen andererseits den von jener privilegirten

Hierarchie ausgeſchloſſenen Klaſſen durch dieſe Ausſchlie-
ßung zum Haß gegen alles, was an einer ſolchen Be-
vorzugung theilhatte oder theilzuhaben ſchien — alſo
zunächſt gegen den Adel, dann aber auch gegen die
ſogenannte „Bourgeoiſie" — gegeben wurde, darüber
bedarf es angeſichts der verhängnißvollen Erfahrungen,
welche in beiderlei Hinſicht Frankreich in den letzten
ſechzig Jahren gemacht hat, keiner weitern Ausführung.

Wenden wir uns zu England. Hier hatte die politiſche Entwickelung, wie wir geſehen, den der franzöſiſchen
gerade entgegengeſetzten Gang genommen, und folgeweiſe
mußte die Geſtalt des Staatslebens, die daraus hervor-
ging, eine von jenem weſentlich verſchiedene ſein. Die
Form der Verwaltung und Rechtspflege (was im Anfang
immer in Eins zuſammenfällt) war in England unmittelbar nach der normanniſchen Eroberung eine überwiegend
monarchiſche, einheitliche, aber mit einem ſtarken
demokratiſchen Zuſatz.[24] Ein königlicher Beamter, der
Sheriff, auf Widerruf ernannt, fortwährend in ſcharfer
Controle gehalten, nicht mit Grundbeſitz als Lehn aus-
geſtattet, ſondern auf die Gerichtsſporteln angewieſen,
zugleich Finanzbeamter des Königs, leitete in dem Grafſchaftsgericht die lokale Verwaltung und Rechtspflege;
ihm zur Seite aber ſtanden die freien Grundbeſitzer
des Bezirks als Rechtsfinder, als Geſchworene. Dieſelben
freien Männer führte der Sheriff, wenn es nöthig war,
als Miliz oder Landwehr ins Feld.

Der große Grundbeſitzer ſelbſt mußte in allen gewöhnlichen Streitſachen vor dem Grafſchaftsgericht Recht
nehmen und geben, ſich dem Spruch der Geſchworenen
und der Execution des königlichen Richters unterwerfen.

Der Grundsatz, daß alle Justiz vom König ausgehe, war in dem normännischen England vom Anbeginn an in unbestrittener Geltung und blieb es bis auf den heutigen Tag: aber vom Anbeginn an galt auch daneben als zweiter ebenso unbestrittener Grundsatz die Theilnahme der Volksgenossen an der Uebung dieser Justiz (mittels der Jury): wie das Institut der Patrimonialgerichtsbarkeit, so blieb auch das der Cabinetsjustiz eine dem englischen Staatswesen fremdartige, jedesmal, so oft sie sich zeigte, mit dem allgemeinsten Unwillen gebrandmarkte und von allen Ständen einmüthig bekämpfte Erscheinung. [25])

Als dann unter Johann ohne Land und seinen Nachfolgern die Königsgewalt mannichfache Einschränkungen sich hatte müssen gefallen lassen, — nicht von der Aristokratie allein, sondern von einer Coalition aristokratisch-demokratischer Elemente — traten auch in dem System der Rechtspflege und der Verwaltung mehrere wichtige Umgestaltungen ein. Was die Rechtspflege betrifft, so hatten diese Umgestaltungen lediglich den Zweck, die bestehenden Einrichtungen zu reinigen und gegen Misbräuche zu sichern. An eine Herstellung ständischer Vorrechte (etwa der Patrimonialgerichtsbarkeit) dachte niemand; das gemeinsame Streben ging vielmehr dahin, jede Willkür in Handhabung des Rechts möglichst auszuschließen, ohne doch die Einheit der Rechtspflege zu beeinträchtigen. Die Rechtspflege ward sogar noch mehr als bisher centralisirt, indem an die Stelle der Sheriffs für die Leitung der Grafschaftsgerichte reisende Richter, Mitglieder des obersten Gerichtshofs, traten; allein dieses centralisirende Element erhielt ein starkes Gegengewicht in der bessern Einrichtung des Geschworenen=Instituts und außerdem in der wachsamen Controle des ungefähr gleichzeitig ins Leben tretenden und rasch an Einfluß zunehmenden Parlaments.

Dagegen wurde die eigentliche Verwaltung — und zwar im weitesten Umfang — den Händen der königlichen Behörden entnommen, auf das allervollständigste decentralisirt und lokalisirt. Wenn bis dahin die Beamten des Königs oftmals als die Beschützer des kleinen Besitzers gegen Vergewaltigung und Uebervortheilung durch den großen gegolten, und daher eine gewisse Popularität genossen hatten, so kehrte sich dieses Vertrauensverhältniß jetzt um, nachdem die Aristokratie als Vorkämpferin der allgemeinen Volksrechte aufgetreten, das Königthum hingegen vielfach in Despotismus ausgeartet war. Das Volk sah die ihm nächsten und wichtigsten Angelegenheiten des Gemeinwesens in kleinern Kreisen lieber in den Händen großer Grundbesitzer, Eingesessener des Bezirks, die ohnehin fortwährend mit und unter ihm verkehrten, die keine drückenden Vorrechte hatten noch beanspruchten, vielmehr die allgemeinen Lasten des Staats wie die besondern des Kreises mit den übrigen Klassen theilten und selbst die ihnen anvertrauten obrigkeitlichen Aemter mehr wie eine Ehrenpflicht denn wie eine ihnen Vortheil bringende Gewalt betrachteten — als in den Händen bezahlter königlicher Beamten, die ihm fremd und durch kein solches natürliches Band mit ihm verknüpft waren. Zweckmäßigkeitsgründe sprachen dafür, Anordnungen, welche zu ihrer richtigen Bemessung eine genaue Kenntniß der örtlichen Verhältnisse, zu ihrer wirksamen Durchführung eine stets gegenwärtige Controle erfordern, nicht ben nur zeitweilig anwesenden reisenden Richtern, sondern Männern an Ort und Stelle zu übergeben. Und endlich fanden die größern Grundbesitzer in der Uebertragung der Polizeigewalt an sie als eines Ehrenamts eine Entschädigung für die durch die neue Einrichtung der Justiz ihnen vollends entzogene Gutsgerichtsbarkeit.

So entstand das wichtige Institut der Friedens= richter, das im wesentlichen — einige neuere Modificatio= nen abgerechnet[26]) — noch heute den gleichen Charakter zeigt wie damals, wo es (vor mehr als fünfhundert Jahren, 1327) ins Leben trat, ein Institut, auf welchem un= zweifelhaft zum allergrößten Theil — mehr vielleicht noch als selbst auf seiner so durchgebildeten und fest gegründeten parlamentarischen Verfassung — die eigen= thümliche Vortrefflichkeit des englischen Staatslebens beruht. -

Die Geschäfte, welche diese Friedensrichter theils einzeln, theils in gemeinsamen Sitzungen besorgen, sind ebenso zahlreiche als wichtige. Sie haben die Vorunter= suchungen bei allen Verbrechen und Vergehen zu leiten. Sie üben die Polizeistrafgewalt in ziemlich weitem Um= fang (über Vagabunden, Trunkenbolde, Wilddiebe, Steuer= defraudanten und andere Frevler gegen die öffentliche Ordnung, Ruhe und Sicherheit), ja sogar eine förmliche criminalrichterliche Cognition über wirkliche Verbrechen innerhalb eines gewissen Strafmaßes unter Zuziehung einer Jury. Sie entscheiden Gesinde= und Gewerbe= streitigkeiten, sowie alle, welche sonstwie aus Lohn= und Arbeitsverhältnissen herrühren. Sie ertheilen Concessionen für Schankstätten, öffentliche Vergnügungen u. s. w. Sie bestimmen die Richtung der öffentlichen Wege. Sie

haben die Mitaufsicht über Untersuchungs= und Straf=
gefängnisse. Sie führen die Oberaufsicht über die Ge=
meinde= oder Kirchspielsverwaltungen, über das Armen=
und Heimatswesen. Sie treiben die Grafschaftssteuern
ein, welche sie auch selbst in ihren gemeinsamen Quartal=
sitzungen ausschreiben, und aus denen die Kosten für die
Verwaltung der Grafschaftsinteressen — die Erhaltung
der Brücken, der Gefängnisse, der Irrenhäuser, die Be=
soldung der nöthigen Unterbeamten u. s. w. — bestritten
werden.

Und diesen ganzen so bedeutenden Kreis von Inter=
essen verwalten die Friedensrichter — theils persönlich,
theils mit Hülfe eines Personals von Unterbeamten, das
sie ernennen — vollkommen selbständig, ohne irgend=
welche Controle, Leitung oder Einrede seitens einer
höhern Aufsichtsbehörde! Weder ein Staatsrath noch
ein Minister des Innern, noch sonst irgendwer kümmert
sich um das, was die Friedensrichter thun und beschließen,
oder läßt es sich beikommen, denselben Instructionen in
Bezug auf die Verwaltung ihres Amts zu ertheilen.
Die einzige Schranke gegen einen möglichen Misbrauch
ihrer Gewalt besteht, außer der wirksamen Controle der
öffentlichen Meinung, in der Beobachtung bestimmter,
den richterlichen ähnlicher Formen bei der Ausübung
ihrer Functionen, und dem Recht der Beschwerde vor den
Reichsgerichten oder der Klage vor den gewöhnlichen
Gerichten, welches jeder Privatmann gegen sie hat, der
sich durch ihre Entscheidungen verletzt glaubt, worauf
aber auch die Centralgewalt beschränkt ist, wenn sie
findet, daß die Friedensrichter oder die Gemeindebehörden
ihre Pflicht gegen den Staat und die Gesetze nicht thun.

So erblicken wir hier in allem das directe Gegentheil
von dem, was wir in Frankreich wahrnahmen. Dort
das Streben nach staatlicher Einheit weit über das rechte
Maß und Zie hinausgeschritten und bis zu einer alles
verschlingenden Centralisation gesteigert; hier zwar in
allem Nothwendigen die Einheit streng aufrecht erhalten,
im übrigen aber die Bewegung des Volkslebens völlig
freigegeben und die Verwaltung der gemeinsamen Interessen, die Wahrung der gesellschaftlichen Ordnung in den
einzelnen Kreisen diesen selbst durch Organe aus ihrer
eigenen Mitte überlassen, ohne eine andere Mitwirkung
des Staats als die der Ernennung dieser Organe. In
Frankreich jede selbständige Regung des Lokalgeistes er-
stickt durch ein über das ganze Land geworfenes Netz
administrativ-bureaukratischer Drähte, an denen auch das
einzelnste von dem gemeinsamen Mittelpunkt aus nach
dem gleichen Schema geleitet wird: in England eine so
große Unabhängigkeit der Lokalverwaltung in den Graf-
schafts- und Kreisverbänden, daß die Centralregierung
nicht einmal Kenntniß davon hat oder nimmt, was in
jedem Theil des Reichs vorgeht, geschweige daß sie versuchen sollte oder auch nur könnte, darauf bestimmend
einzuwirken. In Frankreich das Armenwesen, die Besteuerung, die öffentlichen Arbeiten, die Conscription,
sogar die Municipalverwaltung beinahe ausschließlich in
den Händen der Regierung und als Staatssache behandelt: in England der größte Theil der Steuern als
lokale Auflage erhoben und zur Abhülfe lokaler Bedürfnisse verwendet, ohne daß der Staat sich darein mischt;
die öffentlichen Arbeiten, ausgenommen die ganz direct
für den eigentlichen Dienst des Staats nothwendigen (wie

Hafenbauten u. s. w.) theils den Grafschaften, theils der Privatindustrie überlassen; die Militärpflicht nur in lokalem Sinn für den Dienst der Miliz oder Landwehr in Anspruch genommen; das Armenwesen zwar durch allgemeine Gesetze geregelt, aber seiner Verwaltung, sowie der Aufbringung der dazu nöthigen Geldmittel nach ebenfalls Kreisverbänden anvertraut; die Selbstregierung der Gemeinden durch kein Aufsichts= oder Bestätigungs= recht der Regierung, sondern höchstens durch die Ein= ordnung der Gemeinden in den Grafschaftsverband (also nur in einen weitern Kreis der Selbstregierung) beschränkt.

Was den Zusammenhang und die Wechselwirkung dieser beiden so verschiedenen Systeme der Verwaltung mit dem eigentlichen Verfassungsleben, d. h. mit dem Organismus der Regierung und der Vertretung in der obersten Spitze des Staats betrifft, so glauben wir we= nigstens auf einige wichtige Unterschiede auch darin auf= merksam machen zu müssen.

Die Verwaltung der engern Kreise des Staatslebens durch unabhängige Männer aus dem Volk selbst, wie sie in England besteht, hat sich dort als eine vortreffliche Schule erwiesen, um eine sogenannte regierende Klasse oder eine politische Aristokratie (im besten Sinn des Worts) zu bilden, einen Stamm von Capacitäten und Charakteren, welcher befähigt ist, auch die großen Inter= essen der Nation im Parlament und im Rath der Krone zu vertreten. In Frankreich fehlt es an einer solchen Vorbildung so gut wie gänzlich, denn die Antheilnahme an den Berathungen der Generalräthe in den Departe= ments ist dafür ein völlig ungenügender Ersatz, und daher ermangelt sowol die innere als die auswärtige

Politik Frankreichs jenes Charakters der Stetigkeit, Weit=
sichtigkeit, mit Einem Wort jenes großen Stils, den
wir an der englischen Politik bewundern müssen, daher
hat in Frankreich fast immer, auch unter der parlamen=
tarischen Verfassung, der persönliche Wille des Monarchen
ein so großes Uebergewicht behauptet, daher endlich hat
es daselbst weit öfter politische Coterien oder Cliquen als
eigentliche große, nach Grundsätzen abgegrenzte politische
Parteien gegeben. Ein zweiter Vortheil des englischen
Verwaltungssystems ist vielleicht noch wichtiger. Durch
dasselbe wird der ganzen breiten Basis des Volkslebens
eine Stabilität, eine Ruhe, eine Sicherheit des Bestehens
und Beharrens verliehen, welche macht, daß selbst die
stärksten politischen Stürme oben auf der Höhe des
Staats, die heftigsten Parteikämpfe im Parlament, bei
den Wahlen, in Volksversammlungen — Bewegungen,
von denen es bisweilen scheinen möchte, als müßten sie
das Volk bis in seine innersten Tiefen aufwühlen und
den Staat in seinen Grundfesten erschüttern — rasch
und unschädlich verlaufen, wogegen in Frankreich jede
Zuckung in der Spitze wie durch ein Netz elektrischer
Drähte den ganzen Mechanismus der Staatsmaschine
und folglich tausendfältige direct oder indirect damit
verknüpfte Interessen in Schwingung und Unruhe versetzt.
Wenn in England eine Parteiregierung der andern
weicht, so ändert sich dadurch in den meisten und wich=
tigsten Theilen des Volkslebens nicht das Geringste, denn
entweder sind diese letztern der völlig freien Privatthä=
tigkeit überlassen, also dem Regierungseinfluß über=
haupt entzogen, oder sie stehen unter Lokalverwaltungen,
welche unter jeder Regierung dieselben bleiben. In

Frankreich zog bekanntlich jeder Ministerwechsel zur Zeit des constitutionellen Königthums eine Menge Absetzungen von Präfecten, Unterpräfecten und andern Beamten nach sich, und selbst unter der streng persönlichen Regierung Napoleon's III. haben Veränderungen in dem System der innern Politik (wie wir deren schon einige erlebt) fast regelmäßig auch Veränderungen in dem Personal der Bureaukratie, als den ausführenden Werkzeugen des gebietenden Willens, zur Folge. Endlich liegt in dem französischen System des Allesregierens von oben herab eine große und gefährliche Versuchung für die ehrgeizigen Köpfe, sich um jeden Preis eines Platzes an der Spitze oder in der Nähe dieser allmächtigen Regierungsmaschine zu bemächtigen, während in England ein solcher Reiz jedenfalls in ungleich geringerm Maß vorhanden ist. In Frankreich hat daher auch bisher jede Partei, sobald sie zur Herrschaft gelangte, die vorgefundenen Formen gouvernementaler Allmacht, statt sie auf ein natürlicheres und dem Allgemeinen zuträglicheres Maß zurückzuführen, vielmehr eifrigst zu ihrem eigenen Vortheil benutzt und deshalb womöglich noch mehr verschärft[27]); in England wird die Absicht einzelner Staatsmänner (wenn eine solche wirklich vorhanden ist), eine größere Centralisation in das Staatsleben einzuführen, jederzeit — wie noch neuerlich bei dem Versuch der Einrichtung einer allgemeinen Landespolizei sich zeigte — an der tiefgewurzelten Vorliebe des Volks für seine alten und bewährten Institutionen scheitern.

Werfen wir endlich noch einen vergleichenden Blick auf die Folgen, welche ein jedes dieser beiden Systeme für das Verhältniß der Stände des Volks zueinander

gehabt hat, so bemerken wir in Frankreich — wie wir
früher schon andeuteten — von jeher und bis auf den
heutigen Tag, trotz der durch die Revolution geschaffenen
und seitdem gesetzlich fortbestehenden äußern Gleichheit
aller, dennoch ein durch die ganze Nation gehendes
Streben der Absonderung, der Ausschließung und des
Monopols. So trieb es seinerzeit der Adel, der,
nachdem er alle politischen Rechte als Körperschaft ver=
loren hatte, um so zäher an den persönlichen Privilegien,
Befreiungen und Ehrenauszeichnungen seiner einzelnen
Mitglieder festhielt; so das Bürgerthum, welches sich
unter der alten Monarchie an die Staatsverwaltung
drängte, um durch sie einträgliche Stellen, Exemtionen
oder Monopole irgendwelcher Art zu erlangen; so wieder
unter dem Julikönigthum die privilegirte Klasse der Wähler
und Wählbaren (das sogenannte pays légal), indem sie
dieses ihr Vorrecht misbrauchten, um durch Zoll= und
Steuergesetze und auf allerlei sonstige Weise sich und
ihren Standesgenossen, den Besitzenden, immermehr
Vortheile auf Kosten der besitzlosen Klassen zuzuwenden.
Andererseits ahmten auch diese letztern das von den obern
Ständen ihnen gegebene Beispiel nach und suchten, so
oft sie, sei es durch das Gewicht ihrer Masse (wie 1848),
sei es durch die Zahl ihrer Stimmen (wie unter dem
jetzigen, auf dem System allgemeiner Wahlen ruhenden
Regiment), einen physischen oder moralischen Einfluß
auf die Staatsgewalt gewannen, diesen in der Weise
auszubeuten, daß sie von derselben und mit den Mitteln
des Staats, also auf Kosten der übrigen Klassen, eine
Verbesserung ihrer Lage verlangten.

Es geht dies immer und überall so, wenn die

Staatsgewalt über alles verfügt: jeder sucht da der nächste an der Quelle zu sein, welche alle speist oder doch speisen will, und sucht die andern davon wegzudrängen.

In England, wo von früh an die gemeinsamen Anstrengungen aller Klassen des Volks darauf gerichtet waren, nicht sowol die Staatsgewalt selbst in Besitz zu nehmen, als vielmehr dieselbe so weit zu beschränken, daß sie nicht in die Freiheit und das Eigenthum der einzelnen eingriffe, also dieser Freiheit — des Erwerbens und des Gebahrens mit dem Erworbenen—möglichst weite und sichere Bahnen zu öffnen, ward ein solcher Zug der Exclusivität und der Monopolsucht wenigstens durch den Gang der politischen Entwickelung nicht gefördert, sondern viel eher zurückgedämmt.   Weil es dort wenig oder keine Gelegenheiten gab, durch Begünstigungen und Privilegien seitens der Staatsgewalt sich zu bereichern und Vortheile über andere zu gewinnen, mußte jeder streben, durch eigene Kraft, Fleiß, Sparsamkeit und Aufbietung seines Scharfsinns vorwärts zu kommen.   „Freies Feld und keine Gunst!" ward von früh an das Losungswort des englischen Volks.   Dieser Trieb der Gleichheit und Freiheit in Bezug auf Erwerb und Besitz zeigt sich dort schon in den ersten Anfängen des erwachenden politischen Lebens. Die Gewerbfreiheit und die Gleichstellung von Stadt und Land in Bezug auf den Gewerbebetrieb ist in England von ältestem Datum, während in Frankreich erst die Revolution von 1789 das System der Gewerbsmonopole, der Zwangs- und Bannrechte, der Regierungsconcessionen und Privilegien brach.   Ebenso war dort von jeher weder die Ritterwürde, noch der Besitz eines

Ritterlehns an einen Vorzug der Geburt gebunden — wie ja schon in der angelsächsischen Zeit der Erwerb eines großen Grundbesitzes oder eine gewisse industrielle Thätigkeit den gemeinen Freien zu dem Rang eines Thane erhob! Der englische Adel ist nie eine geschlossene Kaste gewesen wie der festländische; er hat bürgerliche Verdienste in seine Reihen aufgenommen und hat seiner= seits durch Heirathen wie durch die gesellschaftliche Stel- lung seiner jüngern Söhne sich in das Bürgerthum herab verzweigt. Die Gesetzgebung selbst ist in England consequent den Weg gegangen, daß, nachdem sie erst die individuellen Freiheitsrechte im allgemeinen festgestellt und gesichert, sie dann, zwar langsam, aber stetig, auf die Beseitigung jeder Art von Monopolen, erst der religiösen, dann der volkswirthschaftlichen, auf die Herbeiziehung immer größerer Kreise von Staatsgenossen zu den Vor- theilen der allgemeinen geistigen und materiellen Ent- wickelung hingearbeitet hat. Der Charakter des englischen Volks ist in eben dem Maß durch den Trieb nach Un= abhängigkeit, den Widerwillen gegen jede unnöthige Bevormundung und jede willkürliche Freiheitsbeschränkung, aber auch durch einen Sinn strenger Gesetzlichkeit gekenn= zeichnet, wie der des französischen durch die Leichtigkeit, womit sich dort die große Mehrzahl jeder Regierung und jeder Staatsordnung unterwirft, aber auch zu anderer Zeit wieder jede entweder preisgibt oder selbst beseitigen hilft, durch den Mangel jener wahren Freiheit, die auf strenger Pflichterfüllung, Gesetzesachtung und Hingebung an das Allgemeine beruht, durch die Neigung zur Willkür sowol von oben wie von unten, durch die Unfähigkeit, sich selbst zu regieren, durch die Bereitschaft nicht blos,

sondern das Verlangen, polizeilich und administrativ dis-
ciplinirt und gegängelt zu werden — Eigenthümlichkeiten,
welche bei allen sonstigen glänzenden Eigenschaften des
französischen Charakters dennoch in Bezug auf die ruhige
und gedeihliche Entwickelung des innern Staatslebens
nur zu sehr die Befürchtungen rechtfertigen, welche die
eigenen. Wortführer dieser Nation, Schriftsteller von
Ansehen, Unbefangenheit und aufrichtiger Vaterlands-
liebe, rücksichtlich der Zukunft Frankreichs wiederholt und
mit überraschender Einmüthigkeit ausgesprochen haben.[28])

Wir könnten diese Gegensätze der Nationalcharaktere,
wie sie aus der Verschiedenheit der geschichtlichen Entwickelung und der politischen Institutionen beider Völker
entspringen, auch auf das Gebiet der äußern Politik,
des volkswirthschaftlichen Lebens, der Literatur, der Religion, der Moral verfolgen, und überall würden uns
interessante und frappante Contraste entgegentreten. Doch
müssen wir solche weiter gehende Vergleichungen uns an
dieser Stelle versagen. Begnügen wir uns also damit,
hier vielmehr schließlich einen Punkt hervorzuheben, worin
beide Völker, das englische und das französische, ebenso
sehr einander gleichen und mit einander wetteifern, wie
leider das deutsche gerade in diesem Punkt von beiden
verschieden und isolirt dasteht. Wir meinen das lebhafte
und berechtigte Gefühl der Nationalität.

Wie und wodurch die thatsächliche Grundlage dieses
Gefühls, die innere Einheit und die darauf ruhende
Machtstellung nach außen, dem deutschen Volk verloren
gegangen, hat der oben vorausgeschickte, wenn auch kurze
Ueberblick der politischen Entwickelung Deutschlands ge-
zeigt. Wir können diese politische Entwickelung unmöglich

für eine normale halten, solange sie nicht, wenn auch auf Umwegen, sich jenem Ziel, zu welchem andere Nationen durch ein günstigeres Geschick direct hingeführt worden sind, wenigstens wieder annähert. Die Zusammenfassung der isolirten Lebensäußerungen eines Volks zu dem Ausdruck und dem Gefühl einer Gesammtthätigkeit ist für dasselbe eben das, was für den einzelnen das Bewußtsein seiner Persönlichkeit, seines Ich, und ein Volk hat denselben berechtigten Drang, eine bestimmte, gesicherte Stellung unter den übrigen Völkern einzunehmen, wie der einzelne Mensch in seinen Beziehungen zur Gesellschaft. Jede mit rechtem Sinn unternommene Betrachtung der politischen Schicksale Deutschlands wird deshalb darauf hinauskommen müssen, den Punkt aufzusuchen, wo das deutsche Staatsleben sich in Bildungen verirrte, die dessen Einheit erst schwächten, endlich zerstörten, und die Frage aufzuwerfen: ob wol und auf welche Weise diese Verbildungen rückgängig zu machen und die leider nur zu früh verlassenen Bahnen der Einigung wiederzugewinnen seien. In der englischen Geschichte kommt dieser Punkt der Einheit so gut wie gar nicht, in der französischen nur in den ersten Anfängen derselben in Betracht, denn dort ist die Einheit des Reichs seit der normännischen Eroberung gleich von vornherein durch Wilhelm's Maßregeln und durch die Lage der Dinge selbst fest und unerschütterlich begründet, und auch in Frankreich erscheint mindestens die Bildung eines gemeinsamen Nationalgefühls als eine der frühesten Errungenschaften der staatlichen Entwickelung, die materielle Zusammenschließung aller Theilstaaten aber zu einem compacten Ganzen als eine sich zwar nur allmählich,

aber unaufhaltsam vollziehende Thatsache. In Deutsch=
land ist der nationale Bildungs= oder, wie wir vielmehr
leider sagen müssen, Zersetzungsproceß das wichtigste
Moment für die Charakterisirung unserer politischen
Zustände, und zwar um so mehr, als die Ausbildung
der Formen des innern Staatslebens in den einzelnen
Territorien damit in unverkennbarer Wechselwirkung
steht. Denn das muß hier sogleich als der typische Zug
des deutschen Staatswesens ausgesprochen werden: daß
die Zurückdrängung der einheitlichen Reichsgewalt in
immer engere Grenzen und auf ein immer kleineres
Gebiet des Handelns nicht etwa, wie in England, der
allgemeinen Freiheit, der Selbstregierung des Volks
zugute kam, sondern der dynastischen und patrimonialen
Selbst= und Sonderherrlichkeit, und daß, als der Kreislauf
des Herausstrebens aristokratischer Sonderbildungen aus
dem Band nationaler Gemeinsamkeit, welches vergeblich
sie zu umschließen versuchte, vollendet war, (also im An=
fang des vorigen Jahrhunderts) Deutschland nicht blos
in Bezug auf territoriale Zersplitterung, sondern auch
in Bezug auf die Rechts= und Schutzlosigkeit der Unter=
thanen und die ungemessene Ausdehnung landesherrlicher
Eigenmacht und Willkür in der Mehrzahl der fürstlichen
Gebiete nahezu auf einer ähnlichen Stufe sich befand
wie Frankreich zu den Zeiten Hugo Capet's oder Lud=
wig's des Dicken. [29])

Wenige Andeutungen werden genügen, um dies zu
veranschaulichen. Eins der wichtigsten Attribute der
Sonderherrlichkeit, wonach die hohe Aristokratie im deut=
schen Reich strebte und welches sie durch die Goldene Bulle
(1356) beinahe vollständig erreichte, war das Jus de

non evocando oder appellando, d. h. das Recht, daß
von ihren Gerichten nicht an die kaiserlichen oder Reichs=
gerichte appellirt werden dürfe. Dieses Recht (welches
den französischen Großen schon früh die Könige entzogen
und welches die englischen nie besessen hatten) beeinträch=
tigte offenbar in ganz gleichem Maß das Ansehen und
die Macht der Reichsgewalt wie die Rechtssicherheit der
Unterthanen. Eine andere Gewähr des gleichen Rechts=
schutzes für alle im Volk, der Urtheilsspruch durch die
Genossen, war in Deutschland schon viel früher verloren
gegangen, indem die ständische Sonderung die Bildung
eines für alle gleichen Rechts (wie das common law
in England ist) verhinderte, und die Entstehung exclusiver
Standesgerichte (Hofgerichte u. s. w.), sowie die um sich
greifende Patrimonialgerichtsbarkeit den Wirkungskreis der
Genossenschafts= (Schöffen=)Gerichte verengte und ihre
Geltung herabbrückte, noch ehe sie durch das eindringende
römische Recht vollends verdrängt wurden.[30]) Der Ueber=
gang der Zölle und anderer Regalien aus der Hand des
Kaisers in die der Fürsten verhinderte nicht blos eine
einheitliche nationale Gewerbs= und Handelspolitik, und
entzog damit dem Reich eine der stärksten Grundlagen
äußerer Machtstellung, sondern untergrub auch den innern
Wohlstand und hemmte die kräftige Entwickelung des
Volkslebens durch die zahllosen Schranken, womit sonder=
herrliche Eigensucht den Verkehr allerwärts umgab. Die
Verwandlung der unmittelbaren Heeresfolge, welche alle
Glieder der Nation direct an das Oberhaupt derselben
geknüpft hatte, in einen von den einzelnen Landesherren
dem Kaiser zu leistenden Lehnsdienst machte den Oberherrn
des Reichs von dem guten Willen seiner Vasallen, den

einzelnen Volksgenossen aber von der Schutzherrlichkeit
des ihn vertretenden Landesherrn abhängig, und befestigte
auch nach dieser Seite hin vollends das eigentliche
Unterthanenverhältniß in den einzelnen Territorien.
Sie gab zugleich Veranlassung zur Einführung einer
regelmäßigen ständigen Abgabe in den landesherrlichen
Gebieten (der Bede) und legte so den Grund zu einer
Besteuerung, welche sich mehr oder weniger dem ständischen Bewilligungsrecht (auch wo ein solches im übrigen
bestand) zu entziehen vermochte.   Die veränderten Vorstellungen endlich von der Landesherrschaft als einem
wirklichen, eigenthümlichen Besitz (statt, was sie ursprünglich war, einem Lehn vom Reich) brachte es mit sich,
daß man in den meisten Einzelterritorien (die Kurfürsten-
thümer ausgenommen) mit Land und Leuten wie mit
einem Privateigenthum des Gebieters schaltete, solche
willkürlich theilte, verpfändete und verkaufte, nicht minder
zum Nachtheil des Ganzen, welches dadurch immer bunt-
scheckiger ward, als auf Kosten der Wohlfahrt und der
staatsbürgerlichen, ja der menschlichen Würde der Bevölkerungen, die so (wie auch schon manche Schriftsteller
jener Zeiten ausdrücklich anmerken) fast zu bloßen Vieh-
heerden herabgesetzt wurden.

Zwar entstanden in den meisten Territorien ständische Vertretungen zur Beschränkung der landesherrlichen Gewalt. Allein der aristokratische und particularistische
Zug, der durch das ganze deutsche Staatsleben des
Mittelalters geht, verhinderte auch diese landständischen
Verfassungen, Vollwerke wahrer Volksfreiheit zu werden,
ließ sie vielmehr fast überall in Werkzeuge ausschließlicher,
engherziger Standesinteressen ausarten und auf die nicht-

privilegirten Klaffen oftmals viel härter brücken als die auch noch so unumschränkte fürstliche Gewalt, führte aber auch daburch von selbst ihren allmählichen Sturz herbei.

So wiederholte sich hier in den einzelnen Ländern, was in Frankreich im großen geschehen war: eine allmäch- tige und alleinherrschende Staatsgewalt unterbrückte oder lähmte wenigstens die meisten jener aristokratischen Son- berbilbungen, zerstörte aber freilich auch beinahe bis auf bie letzte Spur, was baneben von Selbständigkeit und Eigenbewegung des Volkslebens noch übrig gewesen war. Eine Centralisation nach dem Muster Ludwig's XIV. griff fast in allen beutschen Ländern platz. Wo etwa bennoch bas germanische Element bagegen Widerstand leistete, ba war es gewöhnlich nicht der Trieb wahrer Freiheit, sonbern eben jener Zug aristokratischer Absonderung und Bevorrechtung, welcher einen solchen Widerstand hervor- rief und ermuthigte. Denn jene wenigen glücklichern Landschaften, wo entweber der alte germanische Geist der Gemeinfreiheit allezeit lebendig geblieben war, ober wo eine echte Aristokratie sich an der Spitze des Volks er- halten hatte als bessen Führerin und Vorkämpferin, bie Schweiz und bie Nieberlanbe, hatten sich eben barum von bem in Siechthum und Uneinigkeit bahinsterbenben Reichskörper frühzeitig getrennt. Wenn baher kräftige und wohlbenkende Fürsten im Inter- esse des Gemeinwohls sich gebrungen fanben, bas Regi- ment der „Junker" zu brechen und „bie Souveränetät wie einen Rocher von Bronze zu stabiliren", so war bies ben gegebenen Umständen nach immer noch das Wün- schenswerthere; wenn bagegen ein selbstherrlicher Magistrat, wie der von Leipzig ober Zittau, ber Staatsgewalt das

Privilegium abbrang, nicht einmal ihr, geschweige seinen
Bürgern Rechnung über die Verwaltung des Stadtver-
mögens abzulegen, so konnte man darin schwerlich einen
Sieg bürgerlicher Freiheit erblicken, wie sehr man auch
ein anderes mal wieder beklagen mochte, daß die alte
Selbständigkeit des Gemeinbelebens durch maßlose Ausdehnung des landesfürstlichen Aufsichts= und Bevormun-
dungsrechts mehr und mehr vernichtet ward.

Noch heute leben wir großentheils mitten in diesem
Kampf zweier Elemente befangen, deren keins, wenn es siegreich und alleinherrschend daraus hervorginge, uns zu einer
wahrhaft gedeihlichen gesunden Bildung unsers Staatswesens zu verhelfen vermöchte, deren gegenseitige Spannung
alle politische Entwickelung hemmt, deren widernatürliche
Verbindung aber uns vollends mit den unheilvollsten und
unhaltbarsten Zuständen bedrohen würde. Das fran-
zösisch=bureaukratische Wesen, zuerst durch die Nachahmer Ludwig's XIV. bei uns eingeführt, dann durch
edlere Fürsten in bester Meinung ausgebildet, als das
einzige Mittel, welches sie kannten und besaßen, um
ihre Ideen von Volksbeglückung und Aufklärung zu verwirklichen, endlich in der Rheinbundperiode wiederum
nach fremdem Vorbild als Hebel zur Ausbeutung und
Befestigung der neugewonnenen völligen „Souveränetät"
benutzt, ist tief in alle Fugen unsers Staats= und Volkslebens eingedrungen und wird nur langsam und widerstrebend einer andern Richtung dieses letztern weichen.
Das aristokratisch=feudale Element aber, wie es sich
in Deutschland — vermöge der eigenthümlichen Entwickelung unsers Staatswesens im Mittelalter — ausgebildet und befestigt hat, strebt in unklarem, zum Theil

wol auch unaufrichtigem Verlangen nach einer Doppel-
stellung, die unmöglich ist, weil sie Unvereinbares in sich
schließen müßte: nach ausgedehnten politischen Rechten
ohne Uebernahme der entsprechenden Pflichten und ohne
Verzichtleistung auf andere, privatrechtliche, gesellschaftliche
und materielle Bevorzugungen. Die parlamentarischen
Verfassungsformen, die man halb von England halb von
Frankreich entlehnt, halb nach eigenem Zuschnitt oder
aus Resten des ältern deutschen Ständewesens gefertigt
hat, dienen zur Zeit noch hauptsächlich nur jenen beiden
Elementen abwechselnd zur Handhabe ihrer beiderseitigen
exclusiven Tendenzen. Inzwischen hat sich doch, namentlich in der neuesten Zeit, mehr und mehr eine dritte
Richtung herauszubilden begonnen, welche, der franzö-
sisch-bureaukratischen ebenso entschieden abgeneigt, wie
der feudal-mittelalterlichen nach Wiederbelebung eines
gesunden und kräftigen Staatslebens auf wahrhaft
naturgemäßen und wahrhaft germanischen Grundlagen hinstrebt. Diese Richtung sucht vor allem für den
neuzubegründenden Staatsbau jene breite und feste Basis
demokratischer Institutionen wiederzugewinnen, auf
denen in ältester Zeit unser germanisches Gemeinwesen
ruhte und dasjenige unserer englischen Stammesvettern
noch heute ruht: möglichst unbeschränkte Selbstverwaltung
der Gemeinden und der sonstigen engern Kreise des Volkslebens, möglichste Freiheit für die Entwickelung der Pri-
vatthätigkeit in Handel und Verkehr, im Schaffen und
Werben jeglicher Art, im einzelnen oder in freien Ver-
einigungen, überhaupt möglichst unbehinderte Bewegung
der geistigen wie der körperlichen Kräfte aller Individuen
innerhalb streng bemessener, durch keine Verwaltungs-

willkür zu verschiebender Grenzen des Rechts und des
Gesetzes.

Dem aristokratischen Element würde sie gern eine
wirksame und einflußreiche Theilnahme an der Leitung
des Staatswesens, besonders in den so wichtigen Be=
ziehungen der lokalen und provinzialen Verwaltung, ein=
räumen, sobald nur zu hoffen stände, daß dasselbe sich
geneigt und befähigt erwiese, die dazu erforderlichen
politischen, gesellschaftlichen und materiellen Bedingungen
zu erfüllen, namentlich durch entsprechende persönliche
und dingliche Leistungen für das Gemeinwesen sich das
Anrecht auf eine solche hervorragende Stellung zu er=
werben, auf alle andern Vorzüge aber, außer den rein
politischen, freiwillig zu verzichten.

Was das monarchische Element betrifft, so wünscht
jene Richtung dasselbe einestheils in seiner vollen Reinheit
und Hoheit dargestellt, durch keinerlei fremdartige Zusätze
getrübt, seien diese nun bureaukratischer oder feudaler Art,
anderntheils durch seine äußere Machtstellung in den Stand
gesetzt, seine hohe und wohlthätige Aufgabe ganz und voll=
ständig, im großen nationalen Maßstabe, zu erfüllen.

Nur wenn es gelingt, jene drei Grundelemente alles
Staatswesens aus der krankhaften Verbildung, in welche
sie durch eine unglückliche Wendung der deutschen Geschicke
von früh an verfallen sind, der Atrophie des volksthüm=
lichen, und des nationalen oder einheitlichen, der Hyper=
trophie des aristokratisch=particularistischen, heraus= und in
das richtige naturgemäße Verhältniß der Ueber= und
Unterordnung zueinander zu bringen, dürfen wir hoffen,
daß unsere staatliche Zukunft eine günstigere sein werde,
als leider unsere Vergangenheit gewesen ist.

Anmerkungen.

---

1) Charakteristisch in dieser Beziehung ist die bekannte Anek=
dote, wonach, als es sich bei der Vertheilung der römischen Kriegs=
beute um ein kostbares Gefäß handelte, welches Chlodwig für sich
selbst zu nehmen wünschte, ein gemeiner Franke trotzig ihm wider=
sprochen und auf die alte Sitte der gleichen Theilung unter alle
freien Mannen gedrungen haben soll. Chlodwig, heißt es, gab
für den Augenblick nach, benutzte aber die erste Gelegenheit, sich
an dem unbotmäßigen Freien zu rächen und ihn zu tödten.

2) Die Frage nach der Entstehungs= und Ausbildungsweise
der einzelnen Formen des Lehnswesens, nach dem Verhältniß der
eigentlichen Kriegslehen zu den sogenannten Beneficien, nach ihrem
Hervorgehen aus dem altgermanischen Gefolgwesen, diese und
andere Fragen sind hier, wo es nur darauf ankommt, die allge=
meinen geschichtlichen Bedingungen und die politischen Wirkungen
des Lehnswesens aufzuzeigen, von untergeordneter Bedeutung, und
können unerörtert bleiben. Für unsere Betrachtung wesentlich ist
allein dieses, daß die bis dahin unter den germanischen Völker=
schaften in Kraft gewesene demokratische Einrichtung des Gemein=
wesens, wonach der Schwerpunkt desselben in der Gleichberechti=
gung und der gleichen Theilnahme aller freien Männer an den
öffentlichen Angelegenheiten lag — unbeschadet der auszeichnenden
Stellung, welche der Volkskönig oder Herzog und gewöhnlich neben
ihm eine Anzahl hervorragender Geschlechter (Adel) genossen —

jetzt in eine aristokratisch-hierarchische Organisation umgewandelt wurde, nach welcher der ganze Impuls politischen Lebens von nun an von oben nach unten ging und jeder nur so viel galt und vermochte, als ihm seine Stellung innerhalb jener Hierarchie zu sein und zu gelten verstattete. Im übrigen hat jedenfalls Guizot recht, wenn er annimmt, daß sich das Lehnswesen nicht auf ein mal und gleichsam systematisch, sondern allmählig und stück- oder stufenweise ausgebildet habe, Sismondi aber entschieden unrecht, wenn er in der ganzen merovingischen Periode noch gar kein eigentliches feudales Element finden will.

3) Kemble, The Saxons in England (London 1851), II, 19. Die Vereinigung aller angelsächsischen Reiche unter einer höchsten Gewalt und mit einer gemeinsamen Vertretung stellt Kemble in Abrede, während andere dieselbe annehmen. Die Ausbildung großer und ziemlich unabhängiger Vasallenthümer und ihre Unbotmäßigkeit gegen das eigentliche Staatsoberhaupt leistete bekanntlich dem Angriff Wilhelm's des Eroberers auf England wesentlich Vorschub.

4) Neben Hume's und Lappenberg's Geschichte Englands siehe insbesondere Kemble, a. a. O., II, 33 fg., 126 fg.; Gneist, Das heutige englische Verfassungs- und Verwaltungsrecht (Berlin 1857), II, 26.

5) Wir citiren als Gewährsmänner für diese Ansicht Pertz, Geschichte der merovingischen Hausmeier (Hannover 1819); Klüpfel, Die deutschen Einheitsbestrebungen (Leipzig 1852); Ranke, Französische Geschichte, vornehmlich im 16. und 17. Jahrhundert (Stuttgart 1852 fg.), I, 14.

6) Dies und das folgende hauptsächlich nach Guizot, Histoire de la civilisation en France; Thierry, Histoire des Gaulois, und Lettres sur l'histoire de France; Ranke, a. a. O.

7) Wenn manche deutsche Geschichtschreiber, wie z. B. Pfaff, Deutsche Geschichte (Braunschweig 1852 fg.), Bd. II, von einer „Hausmacht" der salischen oder sächsischen Dynastie sprechen und darunter diejenige Gewalt verstehen, welche jene Stammesfürsten als solche besaßen, so scheint uns das nicht ganz richtig. Mindestens ist eine solche Macht wesentlich verschieden von einer auf selbsteigenem Territorialbesitz ruhenden, dergleichen die der Grafen

von Paris war. Jene, die herzogliche Macht, war so wenig dazu angethan, mit dem Königthum gleichsam zu verwachsen, um ihm als Körper zu dienen, daß sogar nach dem strengen Herkommen im deutschen Reich ein Herzog, wenn er zum deutschen Kaiser gewählt ward, sein Herzogthum abgeben mußte.

8) Guizot, a. a. O., IV, 364 fg.; Ranke, a. a. O., I, 32.

9) „Consensu communi comprobatum pontificis Maximi auctoritate corroboratum" (Bruno, De bello Saxonico).

10) Ueber diese Reformplane sehe man besonders Klüpfel, a. a. O., S. 101 fg.

11) Das römische Recht gewann Einfluß in Deutschland um den Anfang des 13. Jahrhunderts. Eichhorn, Deutsche Staats- und Rechtsgeschichte, Bd. 2.

12) Diesen Mangel einer gemeinsamen Hauptstadt in Deutschland beklagte schon Leibniz in einem Aufsatz „Ueber die Ursachen, warum Cannstadt zur Hauptstadt Württembergs gemacht werden sollte", welcher neuerdings von Dr. Rößler in Göttingen als Handschrift auf der Bibliothek zu Hannover aufgefunden worden ist; vgl. mein Deutschland im 18. Jahrhundert (Leipzig 1858), Bd. 2, Abth. 1, S. 218.

13) Floto, Kaiser Heinrich IV. (Stuttgart 1853).

14) Rücksichtlich des Verhältnisses der Städte zu der damaligen Kaiser- und Fürstenpolitik vgl. Klüpfel, Die deutschen Städte und Städtebündnisse, in der „Germania", II, 161 fg.

15) Das Nähere über diese normannische Staatsorganisation s. bei Hallam, View of the states of Europe during the middle age (London 1818) und bei Gneist, a. a. O. Daß „die unterscheidenden Merkmale der Gesetze und Einrichtungen Englands ihre Wurzeln in der frühesten Geschichte dieses Landes haben" und „daß es die Absicht Wilhelm's des Eroberers war, seinen englischen Unterthanen die Rechte zu erhalten, welche das Erbe jedes freien Angelsachsen waren", bestätigte u. a. noch neuerlichst ein Artikel der Edinburgh Review, April 1858, S. 500, indem er zugleich als Gewährsmann dafür Forsyth, History of trial by jury, S. 95, citirte.

16) Dieses merkwürdige Gesetz, welches Waitz (Deutsche Ver-

faffungsgeschichte, Bd. 2) „die erste Magna Charta eines deutschen Königs" nennt, enthält u. a. folgende Bestimmungen: Art. 7. Es. soll niemand ungehört, außer auf frischer That, verurtheilt werden; 8. Der Berurtheilte soll auch die gerechte Strafe erleiden; 10. In allen Gauen sollen Richter gewählt werden, die mit ihrem Vermögen gegen Ueberschätzungen ihrer Gewalt haften; 12. Königliche Urkunden sollen nicht den Gesetzen entgegentreten; 14. Neue, ungerechte Steuern sollen abgeschafft werden. Daneben freilich stehen die Bewilligungen an den Lehnsadel und besonders an die Kirche im Vordergrund.

17) Für die gemeine Freiheit hochwichtig sind unter andern folgende Bestimmungen der Magna Charta: Der Stadt London und allen andern Städten, Burgen und Flecken werden alle ihre Freiheiten und freien Gewohnheitsrechte verbürgt. Nicht blos die Geldbeihülfen, die der König (ohne besondern ständischen Rath des Reichs), sondern auch die, welche andere „von ihren freien Mannen" einfordern dürfen, werden genau bestimmt. Die regelmäßige Abhaltung der Assisen wird verbürgt. Kein freier Mann soll für ein Vergehen anders gestraft werden als nach der Größe desselben, und zwar der Vasall unbeschadet seiner Lehnsbesitzung (ohne Confiscation), der Kaufmann ohne Beeinträchtigung seines Handels, der Bauer unbeschadet seines Ackergeräths. Alle willkürlichen Lasten und Leistungen werden abgeschafft und verpönt. „Kein Baillif soll jemand vor Gericht führen auf seine einfache Anklage, ohne daß dazu treue Zeugen mit vorgeführt werden." „Kein freier Mann soll ergriffen, oder ins Gefängniß gesetzt, oder aus seinem Besitzthum vertrieben, oder außerhalb des Gesetzes verbannt, oder auf irgendeine Weise beschädigt werden, außer nach dem gesetzmäßigen Urtheilsspruch seiner Standesgenossen, oder nach dem Gesetz des Landes." — Freies Auswanderungsrecht, freier Verkehr u. s. w. u. s. w.

18) Macaulay, History of England, Cap. I.

19) Ebend.

20) Ebend.

21) Der folgenden Darstellung der französischen Staatszustände liegen hauptsächlich zu Grunde: Tocqueville, L'ancien régime et

la révolution; Ranke, a. a. D.; Warnkönig und Stein, Französische Rechts= und Staatsgeschichte; Schäffner, Geschichte der
Rechtsverfassung Frankreichs.

22) Nach Tocqueville, a. a. D., S. 142, wurden nur allein
zwischen 1693 und 1707 40000 dergleichen Staatsbedienungen
geschaffen, fast sämmtlich für das kleine Bürgerthum. Ranke
dagegen (III, 263) spricht von 45000 Aemtern, welche nach der
unter Ludwig XIV. vorgenommenen Reduction dieser verkäuflichen
Stellen noch immer übrig geblieben wären und einen Kaufpreis
von 400 Millionen Francs repräsentirt hätten. Sollte dies vielleicht eine Verwechselung sein? Das eine scheint mit dem andern
kaum vereinbar.

23) Nicht ganz unerwähnt lassen dürfen wir an dieser Stelle
eine Bemerkung, die wir in einer neuern Brochüre über französische Staatszustände gefunden haben, und welche das bestätigen
würde, was wir im ersten Theil dieser Betrachtungen über den
besonders der gallo=romanischen Bevölkerung eigenthümlichen
gouvernementalen Sinn gesagt haben. Das 1852 erschienene
Schriftchen: Les limites de la Belgique (eine Erwiderung auf
Masson's Limites de la France) behauptet, daß die Bevölkerung
der nördlichen Departements (welche vorzugsweise mit germanischen
Elementen durchwachsen ist) weit mehr Sinn für Unabhängigkeit und für Erwerb durch eigene Arbeit, die des Südens
dagegen (überwiegend celto= oder ibero=romanisch) weit mehr
Neigung für den Staatsdienst habe, theils als Mittel zur
Befriedigung des Ehrgeizes, theils zur Gewinnung einer leichten,
mühelosen Existenz. Es sei eine bekannte Thatsache, daß auf
zehn Bittsteller bei den Ministern allemal neun aus dem Süden
kämen (?). Während der Norden die Hälfte des Budgets auf-
bringe, verzehre der Süden drei Viertel desselben. Die zweiund-
dreißig nördlichen Departements entrichteten fast 16 Mill. Francs Patentsteuer, 128 Millionen Grundsteuer (der Verfasser beruft sich
hier auf Ch. Dupin, Forces productives et commerciales de
la France), die vierundfunfzig des Südens nur 9 Millionen
Francs Patentsteuer, 125 Millionen Grundsteuer u. s. w.

24) Das Folgende hauptsächlich nach dem schon erwähnten

vortrefflichen Werke Gneist's, zur Zeit jedenfalls der vollständig=
sten Quelle über diesen Gegenstand.

25) Schon die Magna charta enthält die entschiedensten Ver=
wahrungen gegen das willkürliche Eingreifen des Souveräns in
den unabhängigen Gang der Rechtspflege; unter den Stuarts
war kaum eine Klage so laut und allgemein als die über die
Ausnahmegerichtshöfe, daher auch einer der ersten Sätze des be=
rühmten Act declaring the rights and liberties of the subjects,
von 1689, gegen diesen Punkt gerichtet ist.

26) Diese Modificationen des englischen Verwaltungswesens,
welche fast sämmtlich dem 19. Jahrhundert angehören und im
wesentlichen darauf hinauskommen, einzelne Zweige der Verwal=
tung mehr zu centralisiren (wie die Armenpflege), andere mehr zu
lokalisiren (wie die Besorgung des Gemeindewesens in den Städten)
finden sich sehr sorgfältig specialisirt bei Gneist, I, 633 fg.

27) Ist es nicht sonderbar, wenn Guizot in seinen unlängst
erschienenen Mémoires in die Klage über zu große Centralisation
einstimmt, nachdem er bei seinen wiederholten Amtsführungen als
Minister und namentlich in seiner fast achtjährigen einflußreichen
Stellung als Seele des Cabinets (1840—48), in einer ruhigen,
also zu derartigen Reformen geeigneten Zeit auch gar nichts
für eine Beseitigung oder Minderung dieses Uebels gethan hat?

28) Um nur einige der neuesten Aussprüche dieser Art zu
citiren, so sagt Tocqueville in dem mehrerwähnten Werk über die
Revolution S. 321 von dem französischen Volk, es sei: „indocile
par tempérament et s'accommodant mieux toutefois de
l'empire arbitraire et même violent d'un prince que du
gouvernement régulier et libre des principaux citoyens;
aujourd'hui l'ennemi déclaré de toute obéissance, demain
mettant à servir une sorte de passion que les nations les
mieux douées pour la servitude ne peuvent atteindre; con-
duit par un fil tant que personne ne résiste, ingouvernable
dès que l'exemple de la résistance est donné quelque part;
trompant ainsi toujours ses maîtres, qui le craignent ou
trop ou trop peu; jamais si libre qu'il faille désespérer de
l'asservir, ni si asservi qu'il ne puisse encore briser le joug,

— adorateur du hasard, de la force, du succès, de l'éclat
et du bruit, plus que de la vraie gloire, plus capable
d'héroïsme que de vertu, de génie que de bon sens, ꝛc."
Raudot, Ueber die mögliche Größe Frankreichs (übersetzt von
Bergius), erklärt S. 7: „Frankreich kann nur dann die Ruhe
und die regelmäßige Entwickelung seiner Fähigkeiten und seiner
Größe haben, wenn es den Principien und den Institutionen
entsagt, welche es unfähig machen weder die Knechtschaft noch die
Freiheit zu ertragen, wenn es Principien und Institutionen
adoptirt, welche fähig sind ihm das regelmäßige, ruhige, kräf=
tige Leben anstatt des Fiebers und der Altersschwäche zu geben."
In der Histoire des causes de la grandeur de l'Angleterre
von Gouraud finden sich folgende unzweideutige Anspielungen:
„Quand on parle à d'autres peuples (es ist vorher von dem
englischen Volk die Rede gewesen) de liberté, ils n'entendent
par ce mot que la bienheureuse permission de vivre dans
le désordre, et d'abord ils pensent qu'il s'agit de commen-
cer par bouleverser jusqu'aux fondements de l'État; — ces
peuples sont en même temps fort peu désireux dans le
fond de faire leurs affaires eux-mêmes; au contraire, il
semble que si quelqu'un s'en charge, il leur rend le plus
grand service et les délivre du plus pesant fardeau imagi-
nable; qu'on leur donne seulement des parades, des illu-
minations, des marionnettes, des feux d'artifice, et les voilà
contents!.... Le peuple qui est à Londres, est bien diffé-
rent. La liberté pour lui consiste dans le droit de faire
ses lois et dans le devoir de les respecter.... Il ne sau-
rait entrer dans l'esprit d'un tel peuple que, quoique ce
soit sous le soleil, excepté lui-même, dispose de sa fortune et de ses destinées. Aussi, tandis que chez d'autres
nations rien ne marcherait et tout ce semble serait en péril,
si chaque individu n'était comme encadré dans une ligne
de fonctionnaires que, de la religion à la police, lui trace
au cordeau la route qu'il doit suivre, l'Anglais, en toute
chose, ne reconnait d'autre maître que lui-même: il mène
également les affaires de son usine, de sa patrie, de sa

conscience; c'est un peuple majeur qui se croirait déshonoré de reconnaître d'autres lois que celles qu'il se donne."
— Michel Chevalier in seinen Lettres sur l'Amérique du Nord (Paris 1836) sagt, indem er von dem Mangel der Franzosen an Colonisationstalent und von der Ueberlegenheit der englischen Rasse hierin spricht (II, 126): „En toute chose le Français a besoin de sentir légèrement le coude du voisin, comme dans une ligne de bataille. Sur une terre à coloniser on peut jeter des Américains isolés : ils y formeront une multitude de petits centres qui, s'élargissant chacun de son côté, finiront par embrasser un cercle. S'il s'agit de Français, on doit porter avec eux sur la terre nouvelle un ordre social tout fait, des liens sociaux tout établis, ou, au moins, un cadre régulier d'ordre social et des points d'attache pour les liens sociaux, c'est-à-dire qu'il leur faut, dès l'abord, le grand cercle avec son centre unique bien apparent." Endlich noch eine Aeußerung von Cuvillier Fleury im Journal des Débats, bei Gelegenheit einer Besprechung über Lamartine's Histoire de la Restauration: „Das erste Bedürfniß Frankreichs", heißt es dort, „ist: regiert zu werden. Aber, sobald dieses erste Bedürfniß befriedigt ist, empfindet Frankreich auch schon das andere: die Regierung, die es hat, zu bekämpfen und zu schwächen."

29) Vgl. mein Deutschland im 18. Jahrhundert, I, 34. 69; II, 63.

30) Es ist nicht zufällig, daß die ersten stärkern Spuren einer Zerbröckelung der Gauverfassung (in welcher die volksthümliche Rechtspflege und überhaupt die Gemeinfreiheit ihre natürliche Grundlage hatte) um dieselbe Zeit sichtbar werden, wo die Unmöglichkeit einer festen Begründung der einheitlichen Reichsgewalt so gut wie erwiesen ist und die abwärts gehende particularisirende Bewegung entschieden beginnt, nämlich unter Heinrich IV. Vgl. Eichhorn, a. a. O.

Das vierte Stadium oder das jüngste Jahrhundert und die Zukunft der orientalischen Frage.

Von

Johann Wilhelm Zinkeisen.

Der Umschwung der europäisch-orientalischen Politik während des 18. Jahrhunderts.

Es gab in der That wol keinen einzigen, selbst sehr erleuchteten und in die Verwickelungen der orientalischen Politik tiefer eingeweihten europäischen Staatsmann, welcher in der ersten Bestürzung über den Frieden von Kutschuk-Kainardschi nicht des festen Glaubens gelebt hätte, daß es nun wirklich um das Dasein des Osmanischen Reichs geschehen sei, daß jeden Augenblick seine letzte Stunde schlagen könne.

Während daher — und das wird sehr begreiflich — die Kaiserin Katharina II. an dem Tag, wo ihr der Sohn des sieggekrönten Marschalls Rumänzow die erste Nachricht von der Unterzeichnung des Friedens überbrachte (am 3. Aug. 1774), an ihrem Spieltisch in Peterhof ihre Freude nur mit fröhlichen Gesichtern theilen wollte [1]), mag es dagegen in manchem europäischen Cabinetsrath, an manchem Ministertisch sehr verdrießliche Mienen, sehr lange und ernste Gesichter gegeben haben. Auch dürfte es manchem braven und ehrlichen Diplomaten ziemlich schwer geworden sein, der Kaiserin bei der zu diesem Zweck am 9. Aug. in Oranienbaum veranstalteten großen Cour die Glückwünsche seines Hofs über den hergestellten Frieden nicht mit verbissenen Lippen, sondern mit jenem holdseligen Lächeln zu Füßen zu legen, welches diese Herren in so peinlichen Lagen mit dem glücklichsten Erfolg zur bequemen Maske ihres innern Misbehagens zu gebrauchen verstehen.[2])

Denn es ging über dieses verhängnißvolle Ereigniß gleichsam ein politischer Angstschrei durch alle europäische Höfe und Cabinete, den man nur möglichst zu unter= drücken suchte, um sich wegen des Friedens nicht noch mehr Blößen zu geben, als man sich schon durch seine übel berechnete Unthätigkeit während des Kriegs gegeben hatte. Wir wollen nur daran erinnern, wie ein her= vorragender Diplomat damaliger Zeit, welchem gewiß niemand gereifte Erfahrung und tiefe Einsicht in die Lage der Pforte und die orientalische Politik Europas absprechen wird, wie der kaiserliche Internuntius zu Konstantinopel, Baron von Thugut, diese Dinge auf= faßte und beurtheilte.

Schon im August, noch ehe er von dem Abschluß des Friedens sichere Kunde hatte, äußerte er sich in seinen Depeschen an den Staatskanzler Fürsten von Kaunitz=Rietberg dahin, daß bei der „Schwäche und Blödigkeit des Sultans, welche alle Ausdrücke übertreffe und bereits so weit gediehen sei, daß sich sein sonstiger Stolz auf einmal in die größte Kleinmüthigkeit und Nie= derträchtigkeit verändert habe“, und „bei der Unsinnig= keit, womit die so sehr verdorbene eigene Verwaltung der Pforte die Zerstörung dieses morgenländischen Reichs zu ihrer vollkommenen Reife zu bringen beflissen sei“, alles zu erwarten, alles zu befürchten stehe. Wäre aber auch niemals eine Nation bei ihrem Untergang weniger als die türkische einiges Beileids würdig, so sei die Sache doch um so mehr zu beklagen, „da dabei unglücklicherweise der Umstand vorwalte, daß die dermaligen hierortigen Ereignisse für die Zukunft auf den Zusammenhang der übrigen Dinge der Welt den entscheidendsten Einfluß haben und binnen kurzem die häufigsten Uebel von der erheblichsten Wichtigkeit nach sich ziehen müssen". [3])

Und als der Friede nun wirklich geschlossen war, hielt derselbe Herr von Thugut schon alles für fast gänzlich verloren. Mit dem noch bestehenden Offensiv- und Defensivbündniß zwischen Oesterreich und der Pforte (dem geheimen Subsidienvertrag vom 6. Juli 1771) sei unter den eingetretenen Umständen gar nichts mehr auszurichten; wenn die Pforte überhaupt noch zu retten möglich sein könnte, dürften dazu andere, ganz neue Maßnehmungen erforderlich sein. Rußland könne sich ja, im Besitz von Jenikale, des vortrefflichen Hafens von Kertsch, von Kinburn, Assow und Taganrog, mit leichter Mühe und geringen Kosten in kurzem nicht nur eine Flotte von 12—15 Kriegsschiffen, sondern auch einer Menge anderer Schiffe und Fahrzeuge zu jedwedem großen Transport verschaffen. Auch werde es ihm ein Leichtes sein, mittels Herabziehung der zur Bewachung der Linien der Ukraine gebrauchten Milizen oder durch andere Einrichtungen in Zukunft in seinen neuen Besitzungen immer ein schlagfertiges Truppencorps von 30—40000 Mann zu unterhalten. Wer könne folglich Rußland hindern, so oft man es in Petersburg für gut befinde, in sechsunddreißig oder höchstens zweimal vierundzwanzig Stunden von

Kertsch her 20000 Mann bis unter die Mauern von Konstantinopel zu bringen? Dann werden sich, zufolge des „mit den Oberhäuptern der schismatischen Religion zum voraus wohl verabredeten Verschwörungsplans", ohne weiteres die griechischen Christen erheben. Dem Großherrn bleibe unter diesen Umständen, sowie überhaupt, nichts anderes übrig, als bei der ersten Nachricht von der erfolgten Landung der Russen seinen Palast zu räumen, und sich tief nach Asien hinein zu flüchten, um den Thron des morgenländischen Kaiserthums geschicktern Besitzern zu überlassen. Es sei gar kein Zweifel, daß sich dann, wenn einmal die Hauptstadt erobert sei, aus bloßem Schrecken oder mittels der getreuen Beihülfe des schismatischen Anhangs, gar bald auch der ganze Archipel, die asiatischen Küsten und ganz Griechenland bis zu dem Adriatischen Meerbusen dem russischen Scepter unterworfen würden. Rußland müsse dann, im Besitz aller dieser von Natur so gesegneten Länder, mit denen keine andere Gegend der Welt an Fruchtbarkeit und Reichthum verglichen werden könne, zu einem Grad der Uebermacht gelangen, welcher alles übertreffen werde, „was in den Geschichten von der Größe der Monarchien älterer Zeiten öfters fabelhaft geschienen hat".

Doch schmeichelte sich der erschrockene Diplomat mit der Hoffnung, daß bei dieser gänzlichen Vernichtung des Osmanischen Reichs in Europa für seinen Hof, als eine geringe Schadloshaltung, wenigstens Bosnien, Serbien und die übrigen nördlichen Grenzländer abfallen werden, ohne daß das Cabinet von St.-Petersburg, im Besitz des „neuen russisch-orientalischen Kaiserthums", dagegen irgend erhebliche Einsprache zu thun gesonnen sein könne.

Bei dieser Lage der Dinge sei noch das Bedenklichste, daß die Aufrechterhaltung der Pforte in Zukunft nicht einmal mehr, wie bisher, mit von dem „allfälligen Gutbefinden" anderer Mächte, sondern von Rußland allein abhängen werde. Denn es könne sich jederzeit durch einen plötzlichen Ueberfall in den Besitz der osmanischen Hauptstadt setzen, ehe nur die Nachricht von einer Unternehmung dieser Art die Grenzen der Christenheit erreicht haben würde. Die unzähligen Unheile, welche der unglückliche Tag der Unterzeichnung des dermaligen Friedens für jetzt und für die Zukunft mit sich gebracht habe, wolle er hier nicht weiter berühren. Was davon bekannt geworden, berechtige hinlänglich zu dem Schluß, daß der ganze Zusammenhang der Bestimmungen desselben „ein rares Beispiel der russischen Geschicklichkeit und des türkischen Blödsinns" sei. Denn das osmanische Reich sei schon von jetzt an in den Zustand einer Art russischer Provinz verfallen. Der petersburger Hof werde es nach seinem Gutdünken allerdings wol noch einige Jahre im Namen des Großherrn regieren, dann aber, wenn es ihm angemessen erscheine, die förmliche Besitznahme desselben ohne weiteres vornehmen.⁴)

Fürst von Kaunitz selbst wußte seinen Unmuth über diese fatale Wendung der orientalischen Dinge, welche ihm sein Gesandter in der ersten Aufwallung des Zorns allerdings wol etwas zu schroff und mit zu grellen Farben schilderte, nicht besser Luft zu machen, als daß er in demselben Ton die armen Türken mit bittern Vorwürfen überhäufte und sie gleichfalls ohne Umstände aus

Europa hinausjagte. „Die Türken", äußerte er um dieselbe Zeit gegen den britischen Botschafter zu Wien, „haben reichlich das Schicksal verdient, das sie trifft, theils durch ihre schwache und thörichte Kriegführung, theils durch ihren Mangel an Vertrauen zu einigen Mächten, welche geneigt waren, sie aus ihren Verlegenheiten herauszureißen. Warum forderten sie nicht die Vermittelung Oesterreichs, Englands und Hollands? Jede dieser Mächte hätte ihnen zu bessern Bedingungen verholfen, und wir wären alle zufrieden gewesen. Aber dies Volk ist zum Untergang bestimmt, und ein kleines, aber gutes Heer dürfte zu jeder Zeit die Türken aus Europa heraustreiben."[5]

Seit der Zeit, wo man so sprach und schrieb, bis zu dem Tag, wo wir diese Zeilen zu Papiere bringen, sind fast vierundachtzig Jahre vergangen: und noch ist der Großherr aus seinem Palast nicht nach dem Innern Asiens entflohen, sein Thron steht noch aufrecht im Serai am Bosporus; noch prangt der Halbmond auf den Kuppeln der Hagia=Sophia; noch hat Rußland seine Flotten nicht von Kertsch aus bis unter die Mauern von Konstantinopel geschickt, und noch haben sich seine Heerscharen nicht innerhalb derselben blicken lassen.

Herr von Thugut, gewiß ein vortrefflicher Diplomat, war sicherlich kein glücklicher Prophet. Sein politischer Seherblick reichte nicht sehr weit in die Zukunft. Er täuschte sich auch darin, daß er Sein oder Nichtsein des Osmanischen Reichs ferner allein von dem Willen und der Macht Rußlands abhängig, und die übrigen Großmächte zu thatenlosen und ohnmächtigen Zuschauern der unvermeidlichen Katastrophe machen wollte. Eben weil

man im Gegentheil die Wichtigkeit des Friedens von
Kutschuk-Kainardschi für die gefürchtete Uebermacht Rußlands nach allen Seiten hin wohl zu würdigen wußte,
und sogleich schwer genug empfand, ist er gewissermaßen
die nächste Veranlaßung zu dem bedeutenden Umschwung
der europäisch-orientalischen Politik geworden, welcher
sie in andere Bahnen hineintrieb und somit der großen
orientalischen Frage einen andern Charakter verlieh,
und von da an ihre selbst jetzt noch nicht vollendete Lösung bedingte.

Insofern hat man nicht ganz unrecht, wenn man
den Anfang ihrer modernen Entwickelung, wie es häufig
zu geschehen pflegt, nur bis auf diesen weltgeschichtlichen
Frieden von Kutschuk-Kainardschi zurückführen will. Für
uns, die wir auch hier die Resultate der Gegenwart im
Verhältniß zu deren in der Vergangenheit liegenden Ursachen auffaßen und zum Verständniß bringen möchten,
kann derselbe nur ein bedeutungsvolles Glied in der
Kette von Ereignissen sein, welche die bisher von uns
durchlaufenen Stadien der orientalischen Frage mit
diesem vierten und letzten zu einem pragmatisch zusam-
menhängenden Ganzen verknüpfen.[6]) Der wechselvolle
Kampf gegen Rußlands Uebergewicht im europäischen
Orient und um das Dasein des Osmanischen Reichs im
Feld und im Rath der europäischen Großmächte tritt
uns da als das charakteristische Merkmal dieser inhaltreichen Epoche entgegen.

Welches war nun ihre Stellung zu dem Osmanischen
Reich und zu den orientalischen Dingen überhaupt zur
Zeit des Friedens von Kutschuk-Kainardschi? Das ist
die Frage, bei deren Beantwortung wir zuvörderst noch

etwas verweilen müssen, um den Umschwung der euro=
päisch=orientalischen Politik während des 18. Jahrhun=
derts verständlich zu machen.

Sie führt uns natürlich auf die Zeiten zurück, welche
noch jenseits dieses Friedens liegen. Hier sehen wir die
Wagschale des politischen Einflusses für die einen nur
zu leicht emporsteigen, während sie zu Gunsten der an=
dern desto gewichtiger niedersinkt. Jene verschwinden
nach und nach von dem Schauplatz ihrer politischen Wirk=
samkeit, während diese an ihrer Stelle als thätige Facto=
ren hervortreten und entscheidend in diese bedeutenden
Weltverhältnisse eingreifen. Es sei uns vergönnt, da
zuerst noch einen Blick auf diejenige Macht zu werfen,
deren politische Größe dereinst durch ihre bedeutende
Stellung im europäischen Orient und ihre einflußreichen
Beziehungen zum Osmanischen Reich vorzugsweise be=
gründet und bedingt worden war, und die nun, im
Lauf des 18. Jahrhunderts, auch in dieser Beziehung
zu gänzlicher Ohnmacht und Nichtigkeit herabsank, —
die Republik Benedig.

Es scheint, daß die Signorie jetzt die Folgen ihres
Systems bewaffneter Neutralität, welches, wie wir früher
gesehen haben, seit zwei Jahrhunderten eigentlich den
Grundzug ihrer orientalischen Politik gebildet hatte, nur
zu schwer büßen mußte. Denn es war leider nun in
der That schon so weit gekommen, daß jede Abweichung
von demselben immer mit den größten Opfern, mit den
empfindlichsten Verlusten bezahlt werden mußte. Selbst
mit den äußersten Anstrengungen konnte jetzt das nicht
wiedergewonnen werden, was man früher durch jenes
falsche System zu leicht verschmerzt hatte: die Erhaltung

der schönsten Besitzung im Orient, die Früchte des blü=
hendsten und ausgedehntesten Levantehandels, und die
mächtige Stimme in den europäisch=orientalischen Ange=
legenheiten, welche selbst im Divan zu Konstantinopel
immer ihren einflußreichen Widerhall gefunden hatte.

Venedig konnte sich schon von der Erschöpfung her, in
welche es der fünfundzwanzigjährige candiotische Krieg ver=
setzt hatte, nie wieder ganz erholen. Der Schlag, welcher
die Republik am Ende desselben (1669) durch den Ver=
lust der Insel Candia getroffen hatte, war zu hart. Es
war eine arge Täuschung, wenn sich die Signorie funf=
zehn Jahre später, im Jahr 1684, mit dem Kaiser
Leopold I. und dem König von Polen, Johann Sobieski,
vorzüglich deshalb auf den Heiligen Bund gegen die
Pforte einließ, weil sie sich mit der Hoffnung schmei=
chelte, daß es ihr gelingen werde, auf diese Weise ihre
verloren gegangenen Colonien im Orient wiederzugewin=
nen, und durch die Wiederherstellung ihrer Macht und
ihrer Herrschaft in der Levante ihre früher so bedeu=
tende Stellung und das verscherzte hohe Ansehn in der
politischen Welt Europas nochmals zu erlangen und auf
die Dauer zu befestigen.[7] Ein abermaliger funfzehn=
jähriger, mit wechselndem Glück geführter Krieg über=
stieg die Kräfte der Republik. Selbst der noch in spä=
tere Zeiten weit hinein strahlende Waffenruhm eines
Francesco Morosini, des Helden des Jahrhunderts,
wie ihn Kaiser Leopold gern zu nennen pflegte, des
„Letzten Venetianers" wofür man ihn, was Heldensinn
und großartige, sich aufopfernde Thätigkeit im Dienst
des Vaterlandes betrifft, lange nachher noch gehalten
hat[8]), und der am Ende des Kriegs durch den Frieden

von Carlowicz ihr nochmals zufallende Besitz der Halbinsel Morea, konnte für die schweren Opfer, welche sie
ihr gekostet hatten, keinen Ersatz gewähren. Der letztere
wurde ja für die Signorie nur eine Last mehr, während
die Pforte den Verlust derselben, welcher ihr, wie Diedo
sagt, wie ein scharfer Dorn im Fleisch saß, niemals
verschmerzen konnte. [9])

Wir wollen hier nicht auf die unsäglichen Anstrengungen zurückkommen, welche Venedig machte, um sich
in Morea nur einigermaßen wieder heimisch einzurichten.
Weder die freilich schon etwas verkommene Staatsweis-
heit der Signorie, noch die umsichtigste Thätigkeit ihrer
ausgezeichnetsten Staatsmänner, welche sie als General-
und Außerordentliche Proveditoren dahin schickte, konnten
die Schwierigkeiten überwinden, welche dort der Befestigung ihrer Herrschaft entgegenstanden. Sie verstanden
es namentlich nicht, — und das war die Hauptsache —
die Herzen und den guten Willen der Eingeborenen so
weit für sich zu gewinnen, daß sie sich auf sie hätten
verlassen, in der Stunde der Gefahr auf ihren Beistand
hätten rechnen können. Das gestrenge Regiment des
Löwen von San-Marco, die ewige, überall eingreifende,
zwar oft recht gut gemeinte und gewiß heilsame, aber
auch nicht selten nur zu lästige und gehässige Regiererei
der venetianischen Proveditoren, Rettoren, Camerlinghi,
Sindici, Casticatoren, Inquisitoren, und die Polizei-
wirthschaft jener Blutsauger des Landes, die man „capi-
tani contra fures" nannte, sagten den an Selbstverwaltung gewöhnten Moreoten weit weniger zu, als die wenn
auch despotische, aber doch schlaffe Regierung des Halb-
mondes. [10])

Es gab vom ersten Augenblick an eine starke Partei in der Halbinsel, welche sich nach diesem zurücksehnte; und der fanatische Religionshaß der Griechen gegen diese Latiner ging sogar so weit, daß es der Patriarch von Konstantinopel wagen konnte, alle Moreoten, welche im Dienst der Republik die Waffen ergreifen würden, ganz offen mit dem Bannfluch zu bedrohen.[11]) „Die Venetianer", hörte man die Griechen wol sagen, „leben ganz nach Willkür in unsern Häusern und in unsern Gärten. Sie nehmen dort ohne Umstände alles, was ihnen zusagt, und mishandeln uns, wenn wir uns beklagen. Die Soldaten werden bei uns ins Quartier gelegt. Die Offiziere verführen und entführen unsere Frauen und Töchter. Ihre Priester sprechen uns immer gegen unsere Religion, bringen mit Ungestüm ohne Unterlaß in uns, die ihrige anzunehmen, was den Türken zu thun niemals in den Sinn kömmt. Diese lassen uns im Gegentheil alle Freiheit, welche wir wünschen können und welche wir täglich sowol in dieser wie auch in andern Beziehungen zurückwünschen."[12])

Man kannte diese Stimmungen in Konstantinopel nur zu gut, als daß man sie nicht im entscheidenden Moment hätte benutzen sollen. Sie waren eins der Hauptargumente, worauf sich der Großvezier, Damad-Ali-Pascha, an der Spitze der Kriegspartei stützte, als er im Jahr 1714 im Divan darauf bestand, mit Venedig zu brechen, um Morea wiederzugewinnen, dessen Verlust schon zwei Sultane, Mohammed IV. und Ahmed III., mit dem bittersten Schmerz erfüllt habe. Solle man etwa nicht wagen, es mit dieser Republik Venedig aufzunehmen, welche im Vergleich mit der osmanischen Macht kaum noch für eine Hand voll Leute gelten könne? Man dürfe sich ja um so mehr die glücklichsten Erfolge versprechen, da die Griechen, die neuen Unterthanen der Signorie, nichts sehnlicher wünschen, als wieder unter die Botmäßigkeit ihres alten Herrn, des Sultans, zurückzukehren. [13])

Nichts zeugt aber gewiß mehr für die Schwäche und Ohnmacht des venetianischen Regiments in Morea, als die Art, wie dort in dem darauf erfolgten Krieg Schlag auf Schlag sogleich im ersten Jahr (1715) nacheinander alles wieder verloren ging, was man mit den äußersten Anstrengungen noch zu retten und zu erhalten bemüht gewesen war: Korinth, Napoli di Romania, Modon, das Castell von Morea, das für uneinnehmbar gehaltene Malvasia, genug die ganze Halbinsel. Die Insel Tine war schon vorher aufgegeben worden, und auch die letzten schwachen Stützpunkte der Herrschaft der Signorie in der Levante, Suba und Spinalonga auf Candia, konnten nicht länger gehalten werden.

Weder das hierauf im April 1716 mit dem Kaiser abgeschlossene Waffenbündniß, noch die heldenmüthige Vertheidigung von Korfu, welche den Namen des Feldmarschalls von der Schulenburg verewigt hat, und die geringen, aber theuer genug erkauften Vortheile der venetianischen Waffen in Dalmatien konnten der Signorie nun noch wesentlichen Gewinn bringen. Es fehlten ihr jetzt schon die Mittel, den Krieg mit Nachdruck fortzuführen. Die vortrefflichen Plane, welche Schulenburg mit echt militärischem Scharfblick entworfen hatte, konnten nur zum kleinsten Theil zur Ausführung gelangen. Die letzten Kräfte wurden nutzlos bei einem verunglück-

ten Angriff auf Dulcigno vergeudet. Man mußte nothgedrungen zum Frieden eilen, welcher im Juli 1718
zu Passarowicz zu Stande kam.

Die Signorie wurde in demselben eben nicht glimpf-
lich behandelt. Ihre Ansprüche auf eine angemessene
Entschädigung für den Verlust von Morea durch die
Abtretung einiger wichtigen Küstenfestungen in Albanien,
namentlich Dulcigno und Antivari, wollte die Pforte
um so weniger als begründet anerkennen, da sie auch
von seiten des Kaisers nur lau unterstützt wurden.
Die osmanischen Bevollmächtigten glaubten schon mehr
als zuviel gethan zu haben, wenn sie der Signorie die
unbedeutenden Inseln Cerigo und Cerigotto überließen,
und ihre Ein- und Ausfuhrzölle von fünf auf drei Procent herabsetzten. Das Letztere sollte ihr angeblich einen
jährlichen Gewinn von 3—400000 Gulden abwerfen.
Allein bei den schon überhaupt sehr gesunkenen venetianischen Levantehandel mußte ein solcher Vortheil im besten
Fall mindestens sehr problematisch bleiben.

Jedenfalls fielen aber bei diesem Frieden, eigentlich
dem letzten, welchen die Republik mit der Pforte schloß
— im Jahr 1733 wurde er nur noch einmal, und
zwar unverändert auf alle Zeiten erneuert — die mo-
ralisch-politischen Nachtheile noch weit schwerer in die
Wagschale als die materiellen Verluste. Wie schwer
wurde es nicht der Signorie, seitdem wenigstens die
Mittel aufzubringen, welche nöthig gewesen wären, um
in dem schwachen Rest ihrer levantinischen Besitzungen
eine noch einigermaßen Achtung gebietende Stellung zu
behaupten! An guten Rathschlägen, an vortrefflichen
Planen dazu fehlte es, namentlich solange Schulenburg

20*

an der Spitze des venetianischen Militärwesens blieb
(bis zu seinem im Jahr 1747 erfolgten Tod) freilich
nicht; aber desto mehr an Truppen und Geld zu ihrer
Ausführung.

Das kleine stehende Heer von 20000 Mann Fuß=
volk und 2000 Mann Reiterei, welches Schulenburg von
der Signorie verlangt hatte, nur „um ihrer Neutralität
Achtung zu verschaffen", konnte nie auf diese Normal=
stärke gebracht werden; und das Misverhältniß zwischen
Einnahmen und Ausgaben in der Verwaltung von Dal=
matien, Albanien und den levantinischen Inseln stieg im
Lauf des achtzehnten Jahrhunderts in erschreckender
Progression zu unerschwinglicher Höhe. Im Jahr 1768
belief sich das jährliche Deficit schon bis auf 1,082625
Dukaten, ohne daß man Mittel und Wege gehabt hätte,
es zu decken. Die Nothwendigkeit, das Fehlende wo=
möglich durch übermäßige Besteuerung der Colonien selbst
aufzubringen, mußte sie aber geradezu dem unvermeibli=
chen Ruin zuführen. [14])

Daß unter diesen Umständen jetzt jede einigermaßen
ernstliche Berührung mit der Pforte für die Signorie
nur eine Demüthigung mehr werden mußte, wird be=
greiflich. Es galt ihr ja nur noch, ihren Frieden und
ihre Neutralität um jeden Preis zu erhalten. Im Jahr
1721 mußte sie eine elende Häkelei mit den Piraten von
Dulcigno, um nur einen Bruch mit der Pforte zu ver=
meiden, mit der Freilassung von 200 türkischen Sklaven
und einer Entschädigung von 12000 Piastern büßen [15]);
und zwanzig Jahre später, im Jahr 1741, kosteten ihr
einige unbedeutende Reibungen mit dem Pascha in den
Grenzprovinzen von Dalmatien 160000 Zechinen. Der

Pascha war schon im Begriff, mit 25000 Mann in das venetianische Gebiet einzufallen, und verlangte 800000 Zechinen Schadenersatz, als die Signorie es mit Mühe und Noth dahin brachte, daß sich die Pforte mit jener geringern Summe zufrieden stellen ließ. [16])

Zum Glück hielt nun doch auch die Furcht vor Oesterreich und Rußland, und die Nothwendigkeit, gegen die Perser hin auf ihrer Hut zu sein, die Pforte ab, dem letzten Rest der Herrschaft Venedigs im Orient durch die Besitznahme von Dalmatien und Albanien vollends ein Ende zu machen.   Höchst unglücklich für die Republik waren dagegen die Händel, in welche sie kurz vor ihrem Fall noch mit den Barbaresken verwickelt wurde. Was die Signorie bis dahin versäumt hatte, ihrer Schifffahrt und ihrem Handel durch Verträge mit den Raubstaaten einigermaßen Sicherheit zu verschaffen, das wollte sie jetzt, nur zu spät, nachholen.

Im Jahr 1753, und dann in den Jahren 1764 und 1765 schloß sie mit Tunis, Tripolis und Algier die ersten Capitulationen ab, welche, allen dergleichen Verträgen anderer Nationen ähnlich, für sie ebenso erniedrigend und lästig als nutzlos und illusorisch waren. Denn obgleich sie erst von der Pforte die Erlaubniß erkaufen mußte, diese Korsaren feindlich verfolgen zu dürfen, und dann z. B. dem Dei von Algier für die Sicherheit ihrer Flagge ein Jahrgeld von 28000 Dukaten zahlte, so hatten doch die Reibungen mit den Barbaresken und die übertriebenen Anforderungen ihrer Regentschaften nie ein Ende.

Schon im Jahr 1766 kam es darüber mit Algier zum förmlichen Bruch, welcher der Signorie, ohne zu

einem erträglichern Zustand zu führen, schwere Summen
kostete. Acht Jahre später, im Jahr 1774, brach dann
jene dreijährige Fehde mit Tunis aus, in welcher die
venetianische Seemacht, unter der Führung des Angelo
Emo, der Susa, Biserta und La Goletta bombardirte
zwar noch ein mal durch einen letzten Abglanz ihres
alten Ruhms hervorleuchtete, die aber auch mehr als
sieben Millionen Dukaten verschlang, ohne daß ein blei=
bender Gewinn erkämpft worden wäre. [17])

Von einem tiefern Eingreifen der Signorie in die
europäisch=orientalische Politik konnte nun freilich schon
keine Rede mehr sein. Es wurde ihr allerdings im
Divan noch ziemlich hoch angerechnet, daß sie im Jahr
1745 auf den sonderbaren Plan der Pforte, zwischen
den damals miteinander in Krieg verwickelten Mächten
Europas den Frieden vermitteln zu wollen, mit fast
übereilter Bereitwilligkeit einging. [18]). Irgendeinen be=
deutendern Einfluß besaß sie aber dort gar nicht mehr.
Welcher Abstand war nicht zwischen den Zeiten, wo das
„negoziare con dignità e non con timidità e bassezza"
noch als die stehende goldene Regel der Signorie bei
ihrem Verkehr mit der Pforte galt, und ihr Bailo zu
Konstantinopel, wie z. B. noch bei Gelegenheit des Re=
gierungsantritts Ahmed's I. (1603), mit bedecktem Haupt
vor dem Thron des Sultans erscheinen durfte [19], —
und jetzt, wo derselbe Bailo fast nur noch als der
Schutzherr des Diebesgesindels betrachtet wurde, welches
sich, meistens aus Slavoniern bestehend, angeblich als
Unterthanen der Signorie scharenweise in Konstantinopel
umhertrieb. [20]) Auch wollte es die Pforte gar nicht
mehr dulden, daß sich Rajahs, um dem Karatsch zu

entgehen, unter den Schutz des venetianischen Bailo
stellten. Im August 1777 mußte derselbe mit einem
mal mehrere hundert solcher Schutzbriefe (Barats) ohne
weiteres zurücknehmen.[21])

Wie hätte sich aber vollends eine europäische Groß=
macht bei ihren etwaigen Planen gegen die Pforte noch
ernstlich mit der Republik einlassen sollen? Als ihr
im Jahr 1774 die verdächtigen Truppenbewegungen
Oesterreichs an den Grenzen der Moldau und Walachei
einige Besorgnisse verursachten, glaubte sie z. B. Ruß=
land dadurch für ihr Schicksal interessiren zu können,
daß sie ihm einen vortheilhaften Handelsvertrag bot,
und sich dagegen bei dieser Gelegenheit einige Begünsti=
gungen für ihre Schiffahrt im Schwarzen Meer ausbe=
dingen wollte. Man hielt es aber in St.=Petersburg
gar nicht einmal der Mühe werth, dergleichen Anerbie=
tungen in ernstliche Erwägung zu ziehen.[22])

Als ferner im Jahr 1779 der Kapudan=Pascha
Hassan in Morea erschien, um die seit dem Jahr 1774
dort hausenden Arnauten zu Paaren zu treiben, hielt es
die Signorie zwar für gerathen, zum Schutz ihrer be=
nachbarten Besitzungen gegen plötzliche Ueberfälle einige
Schiffe in Bereitschaft zu setzen, sie beeilte sich aber auch
zugleich, der Pforte durch ihren Gesandten in Konstan=
tinopel die heilige Versicherung zu geben, daß es ihr gar
nicht in den Sinn komme, gegen das Osmanische Reich
irgend feindliche Absichten zu hegen.[23])

Ein letzter, wie es scheint, auch sehr ernstlich ge=
meinter Versuch, die Signorie zu einem Waffenbündniß
gegen die Pforte zu vermögen, wurde endlich noch beim
Ausbruch des russisch=türkischen Kriegs im Jahr 1788

gemacht. Die betreffenden Regierungen von Oesterreich
und Rußland, beide noch keine Seemächte, hielten die
venetianische Flotte doch noch nicht für so herabgekommen,
daß sie nicht geglaubt hätten, sich ihrer noch mit Vortheil zu ihren Zwecken bedienen zu können. Man ging,
um den Widerstand der Signorie, welche für solche Unternehmungen gar nicht mehr gemacht war, zu überwinden, selbst so weit, daß man ihr als Preis des etwa
mit ihrer Hülfe errungenen Siegs nochmals den Besitz
von Morea und der Insel Candia in Aussicht stellte.
Allein die Erfahrungen, welche man dort unter weit
glücklichern Verhältnissen schon gemacht hatte, waren
sicherlich nicht derart, daß jetzt, bei dem gänzlichen
Mangel an Mitteln, solche Eroberungen auf die Dauer
zu behaupten, ein zweiter Versuch, sich da festzusetzen,
besondern Reiz hätte haben können.

Auch war sich die Signorie ihrer Schwäche schon zu
wohl bewußt, als daß sie nicht hätte fühlen sollen, was
sie im günstigsten Fall mit der Zeit von so gefährlichen
Nachbarn, wie die Türken waren, und von so mächtigen
Bundesgenossen, wie Rußland und Oesterreich, zu erwarten gehabt haben dürfte. Sie erhielt sich daher ihren
Frieden mit der Pforte, und wollte von dem Bund mit
den beiden Kaiserhöfen nichts mehr hören, zum großen
Aergerniß namentlich des Kaisers Joseph II. Er konnte
sich nicht enthalten, seinem Unmuth darüber gegen die
venetianischen Gesandten, welche ihn um diese Zeit bei
seiner Reise nach dem Lager an der Donau im Namen
der Signorie in Triest begrüßten, auf sehr bezeichnende
und empfindliche Weise Luft zu machen.[24]

Venedig ließ nun freilich lieber seine Schiffe vollends

in den Lagunen verfaulen, als daß es gewagt hätte,
seine vor Zeiten so stolze Flagge noch einmal bei dem
Kampf gegen den Erbfeind des christlichen Namens zu
erheben und auf das Spiel zu setzen. Als zehn Jahre
später der hohle Knochenbau dieses morschen Staatsge=
bäudes ohne Saft, Lebenskraft und schaffenden Geist bei
dem ersten rauhen Windstoß von Westen her in sich zu=
sammenstürzte, fand man außer acht bis zehn Kriegs=
schiffen, einigen Fregatten und vier Galeren, welche
kaum seehaltig waren, auf den Werften 13 Linienschiffe
und sieben Fregatten, welche seit 1753, 1743 und selbst
seit 1732, also seit 65 Jahren, im Bau begriffen waren.
Man hatte nie mehr die Mittel gehabt, sie zu vollenden.
Und noch erbärmlicher war der Zustand der Landmacht.
Sie bestand aus 12—14000 Mann zusammengelaufe=
nen Gesindels aus aller Herren Ländern, welches, schlecht
bezahlt, weder die Waffen zu führen wußte, noch an
Disciplin gewöhnt war. Reiterei besaß man in Friedens=
zeiten eigentlich so gut wie gar nicht mehr. Denn es
fehlte an Geld, die Pferde zu unterhalten. Die Repu=
blik wäre freilich, so hieß es wenigstens, im Stande
gewesen im Nothfall noch 100000 Mann Milizen auf=
zubringen. Allein auch in dieser Beziehung war längst
alles so in Verfall gerathen, daß darauf so gut wie
gar nicht mehr zu rechnen war.[25]

Der Friede von Campo=Formio vom 17. Oct.
1797, welcher Venedig endlich aus der peinlichen Lage
eines Kranken befreite, der schon seit Jahren weder leben
noch sterben konnte, setzte auch den kläglichen Ueberresten
seiner Herrschaft im Orient ein heilsames Ziel. Der
fünfte Artikel dieses Friedens machte die letzten Besitzun=

20 * *

gen der Signorie in der Levante, die Jonischen Inseln
und die paar Küstenfestungen in Dalmatien und Albanien
mit Gebiet zum Eigenthum der Französischen Republik.
So hauchte der im Orient einst so mächtige und so ge=
fürchtete Löwe von San=Marco seine letzten Lebens=
geister aus, während der Halbmond, dem er in frühern
Jahrhunderten muthvoll und mit Glück die Spitze ge=
boten hatte, gleichfalls schon in sinkender Bewegung seinem
Niedergang zuzueilen schien.

Sollen wir nun mit einigen Worten daran erinnern,
wie nächst Venedig auch jene nordische Macht, welche
bereinst gleichfalls mit zu den Vorkämpfern gegen die
hereinbrechende Gewalt des Islam gerechnet wurde,
wie Polen im Lauf des 18. Jahrhunderts vollends zu
der Nichtigkeit herabsank, welche es, anstatt daß es auf
die orientalischen Angelegenheiten noch irgendeinen Ein=
fluß hätte gewinnen können, nöthigte, sich am Ende zum
Schutz gegen seine übermächtigen Feinde verzweiflungs=
voll in die Arme der Pforte zu werfen?

Schon mit Sobieski's Tod (1696) eilte, wie wir
bereits gesehen haben, Polens Kriegsruhm auch nach
dieser Seite hin seinem Untergang zu. Wir wollen hier
nicht darauf zurückkommen, wie Polen durch die elende
Haltung seiner Könige und die Zwietracht seiner in po=
litischer Parteisucht und Religionshaß unter sich zerfalle=
nen Magnaten auf eine Weise in die Kriege zwischen
Peter dem Großen und König Karl XII. von Schweden
verwickelt wurde, welche es, nach Erschlaffung seiner
besten Kräfte, zum Spielball der Launen und endlich
zur leichten Beute seiner mächtigen Nachbarn machen
mußte.

Vergeblich bemühte sich Kaiser Karl VI. noch im Jahr 1737, beim Ausbruch seines Kriegs gegen die Pforte, den schwachen König August III. in eine Art Quadrupel= allianz hineinzuziehen, wie sie schon einmal zu Sobieski's Zeiten zwischen Oesterreich, Polen, Venedig und Ruß= land mit so glücklichem Erfolg bestanden hatte. König August lag weit mehr daran, sich durch sein ruhiges Verhalten die Gunst der Pforte so weit zu erwerben und zu sichern, daß sie ihm die bis dahin verweigerte Anerkennung nicht weiter versage. Sie erfolgte auch wirklich noch in demselben Jahr, und aus Dankbarkeit räumte dann der König den kriegführenden Mächten mit der größten Bereitwilligkeit sein neutrales Gebiet zum Friedenscongreß zu Nimirow ein.

Später, zu Anfang des Jahrs 1738, wollte gleich= wol die Pforte weder auf die ihr von König August gebotene Friedensvermittelung, noch auf das ihr von den polnischen Conföderirten angetragene Schutz= und Trutz= bündniß gegen den Kaiser und Rußland einzugehen, ob= gleich die letztern sich anheischig machten, ein Hülfscorps von 200000 Mann in Bereitschaft zu halten. Sie be= saßen jedoch beide weder Achtung noch Vertrauen mehr im Divan. Er scheint die großsprecherischen Verheißun= gen der Conföderirten für nicht viel mehr gehalten zu haben, als eine politische Schwindelei.[26])

Wie hätte sich nun vollends die Pforte für das kraft= und haltungslose polnische Conföderationswesen begeistern sollen, welches gleich nach dem Tod König August's III. (1763) das unglückliche Land in den heillosesten Zustand von Anarchie und Ohnmacht versetzte? Der Divan nahm gleich anfangs die dringenden Bitten der Patrioten um

Hülfe und Beistand gegen die Uebergriffe Rußlands in ihre Rechte und Freiheiten zwar wohlwollend, aber doch ziemlich lau auf. Mit seinen gut gemeinten Ermahnungen zur Einigkeit und der wohlfeilen Drohung, daß die polnische Republik bei solchen Zuständen nur zu schnell ihrem Ruin entgegengehen und überdies noch zum Gelächter ihrer Feinde (risée de ses ennemis) werden würde, konnte den bedrängten Conföderirten sicherlich nur sehr wenig gedient sein. Helft euch selbst, ihr Polen und begnügt euch mit der Versicherung der wohlwollenden, aufrichtigen und theilnehmenden Gesinnungen, welche wir für euch hegen: das ungefähr war der Sinn der untröstlichen Antwort, welche die Pforte den Conföderirten auf ihre Vorstellungen schon im April 1764 ertheilte. Eine weiter gehende Theilnahme an den polnischen Händeln erklärte dieselbe in einer gleichzeitigen Note an den französischen Gesandten, Herrn von Vergennes, welcher sich ihrer Sache besonders annahm, aber um so mehr für unzulässig, da sie sich dadurch der Gefahr einer unbefugten Einmischung aussetzen dürfte, welche leicht als ein Angriff auf die Rechte und Freiheiten der ihr befreundeten Republik und folglich als eine Verletzung des Friedens von Carlowicz angesehen werden könnte, welchen sie streng aufrecht zu erhalten verpflichtet und entschlossen sei. [27])

Selbst als vier Jahre später, im Jahr 1768, ein förmlicher Bruch mit Rußland schon nicht mehr zweifelhaft war, und nun die Conföderirten von Bar ihren Hülferuf in Konstantinopel lauter wie je ertönen ließen, gab der Reis=Efendi dem russischen Residenten, Herrn von Obreskow, anfangs noch die Versicherung, daß die

Pforte es unter ihrer Würde halte, sich mit diesen Friedensstörern, diesen Rebellen einzulassen und ihnen Hülfe zu leisten. Erst nachdem die Zerstörung von Balta an der Grenze von Bessarabien, auf osmanischem Gebiet, durch zaporogische Kosacken und russische Truppen im Juni 1768 der Pforte keine Wahl mehr ließ, wurde auch wenigstens ihre Sprache gegen die Conföderirten von Bar etwas ermuthigender und zuversichtlicher.

Sie sollen sich, schrieb ihnen der Großvezier, für den bevorstehenden Kampf nur mit Einigkeit, Muth und Ausdauer rüsten. Die Vertreibung der Russen aus Polen und die Wiederherstellung der alten Kraft und des alten Glanzes ihres Vaterlands durch die einmüthige Wahl eines neuen Königs werde dann der Preis des Sieges sein. Sie sollen nur ferner den wohlgemeinten Rathschlägen der Pforte Gehör geben, sich vorerst mit dem Fürsten der Moldau und dem Khan der Tataren, sowie mit den osmanischen Statthaltern von Bender und Choczim in Verbindung setzen, und dann der weitern Schritte der Pforte gewärtig sein. Sie werde bei dem im nächsten Frühjahr zu beginnenden Krieg auch ihre Interessen, gemäß den friedlichen und wohlwollenden Gesinnungen, welche sie für sie hege, gehörig wahrzunehmen nicht verabsäumen.[28])

Der Verlauf des darauf erfolgten fünfjährigen Kriegs war aber leider gar nicht dazu gemacht, die an solche Verheißungen geknüpften Hoffnungen der Polen nur einigermaßen in Erfüllung zu bringen. Ihre Interessen wurden durch den Gang der Ereignisse nur zu bald in den Hintergrund gedrängt, und während die Pforte genug damit zu thun hatte, sich selbst zu retten, ließ sie es ruhig geschehen, — und was hätte sie dagegen thun sollen? — daß Polens Kraft durch die im Jahr 1772 vollzogene erste Theilung vollends gebrochen wurde.

Seitdem drangen namentlich auch die Vertreter Preußens und Oesterreichs in Konstantinopel, Herr von Zegelin und Baron von Thugut, im Divan darauf, daß sich die Pforte mit den barer Conföderirten nicht mehr einlasse. Denn ihre Agenten würden vorzüglich von Frankreich zu bequemen Werkzeugen der Aufhetzereien gegen die Herstellung des Friedens mit Rußland gebraucht. Die Pforte ließ sie darauf auch gänzlich fallen, und gestattete ihren Fürsprechern, den Radziwill, Pulawsky und Kosawsky, nicht einmal mehr den Aufenthalt in der osmanischen Hauptstadt.[29]) Im Frieden von Kutschuk-Kainardschi wurden dann ihre Interessen natürlich ganz mit Stillschweigen übergangen.

Polen zählte seitdem nur noch insofern in den orientalischen Angelegenheiten, als die Zwecke, welche die europäischen Großmächte dort verfolgten, theilweise auch die Haltung bedingten, welche sie infolge jenes Friedens in ihren Beziehungen zu dem Osmanischen Reich beobachten zu müssen glaubten. Der französische Gesandte zu Konstantinopel machte auch ferner noch den Sachwalter der Conföderirten bei der Pforte, während Rußland bei derselben das Interesse des Königs vertrat.[30]) Der Gesandte des letztern wurde auch endlich im Jahr 1777 in Konstantinopel zugelassen, ohne daß er indeß dort je irgendeinen bedeutenden Einfluß mehr gewonnen hätte. Er wurde, nachdem er einige schon seit dem Frieden von Carlowicz schwebende Differenzen zwischen der Krone Polen und der Pforte glücklich ausgeglichen hatte, im nächsten Jahr in allen Ehren wieder entlassen, worauf eine weitere Vertretung Polens bei der Pforte gar nicht mehr für nöthig erachtet wurde.[31]) Kurz darauf erfüllten sich die traurigen Geschicke des unglücklichen Polen. Die Losung, welche man einem seiner letzten sinkenden Helden, Thaddäus Kosciuszko, in den Mund gelegt hat: Finis Poloniae! wurde auch in dieser Beziehung damals bereits zur Wahrheit.

Daß die Vereinigten Staaten der Niederlande und die kleinern Seemächte des Mittelmeers, Malta, Toscana, Neapel und selbst das vor Zeiten im Divan so sehr gefürchtete Spanien in den orientalischen Angelegenheiten weder mehr thatsächlichen Einfluß besaßen, noch ein gewichtiges Wort mitsprechen konnten, bedarf kaum des Beweises.

Holland hatte sich durch die ausnehmende diplomatische Gewandtheit des langjährigen Vertreters der Generalstaaten in Konstantinopel, Jakob Colyer (1688—1725), bei der Vermittelung der beiden wichtigen Friedensschlüsse zu Carlowicz (1699) und Passarowicz (1718) sowie durch dessen umsichtige Thätigkeit in den Händeln zwischen Peter dem Großen und der Pforte, im Divan allerdings eine einflußreiche Stellung errungen.[32]) Allein infolge des allmähligen Verfalls seiner Seemacht und seines Levantehandels, vorzüglich seit dem Frieden zu Passarowicz, war es nicht mehr im Stande gewesen, dieselbe zu behaupten. Es wurde ihm schon schwer, die wenigen Schiffe zu unterhalten, welche nöthig waren, um seiner Handelsflagge die gehörige Achtung bei den Barbaresken zu sichern, und oft genug mußte da, was nicht mehr mit den Waffen zu er-

reichen war, durch erniedrigende Geldgeschenke erzwungen werden. [33])

Wie hätten also die Vertreter der Generalstaaten ihre
frühere bedeutende Stellung in Konstantinopel durch thä-
tiges Eingreifen in das Getreibe der europäisch-orientalischen Politik, welches der Umschwung der Verhältnisse
immermehr und ausschließlich zur Sache der Großmächte
gemacht hatte, wiedererlangen und auf die Dauer befestigen sollen!

Malta und Toscana waren der Pforte von jeher
nur durch das glückliche Korsarenwesen ihrer Ritter vom
Orden des heiligen Johannes und des heiligen Stepha-
nus unbequem und gefährlich gewesen. Auch dieses hatte
sich indeß nun doch nachgerade überlebt. Denn daß mit
einem solchen Kampf gegen die Feinde des christlichen
Namens, welcher nur zu oft in eine gemeine, selbst
christlichen Flaggen nicht selten lästige Räuberei ausartete,
zu einer Zeit nichts mehr gefördert werden konnte, wo
die Großmächte gute Gründe hatten, je nach Umständen
um die Freundschaft dieser Feinde der Christenheit zu
buhlen, und überhaupt auch ganz andere Motive die
orientalische Politik Europas bedingten, das hatte man
nun doch wol eingesehen. Man ließ die Malteser fast
nur noch als ein Gegengift gegen den Unfug der Barbaresken gewähren, mit denen sie sich um diese Zeit
vorzüglich an der syrischen Küste herumschlugen, wo ihnen
der von der Pforte abgefallene mächtige Beduinenfürst
Scheich Tahir in seiner Hafenstadt Acca (St.-Jean-
d'Acre) für ihre Prisen eine sichere Zuflucht und für
den Absatz ihres Raubes einen vortheilhaften Markt
eröffnet hatte. [34])

Toscana hatte sich an dieser Freibeuterei längst schon wenig mehr betheiligt, und es vorgezogen, den schwachen Rest seines vor Zeiten allerdings einmal sehr blühenden Levantehandels durch Verträge mit den Barbaresken= staaten zu sichern, welche schon in den Jahren 1748 und 1749 durch Vermittelung des kaiserlichen Internun= tius zu Konstantinopel zu Stande kamen.

Große Mühe und schwere Summen kostete es auch Neapel, sich mit der Pforte endlich auf einen freund= lichen Fuß zu versetzen und durch ihre Vermittelung für seinen Handel Sicherheit gegen die Eingriffe der Bar= baresken zu erlangen. Der Freundschaftsvertrag, welchen Neapel nach langer Verhandlung im Jahr 1740 mit der Pforte abschloß, soll mit mehr als 100000 Piastern erkauft worden sein. Und dennoch hielt man noch zehn Jahre später eine Summe von $\frac{1}{2}$ Mill. Piastern für nicht zu hoch, welche Graf Ludolf, der neapolitanische Gesandte in Konstantinopel, daranzusetzen ermächtigt wurde, wenn es ihm gelingen würde, der neapolitani= schen Flagge durch Verträge mit den Barbaresken auf nachhaltige Weise Achtung und Sicherheit zu verschaffen. Dies konnte er aber, wie es scheint, doch nicht durch= setzen. Noch im Jahr 1755 wurden sogar zwei Ga= leren des Königs von Neapel von diesen Korsaren ohne weiteres als gute Prise nach dem Hafen von Algier entführt. Im Divan zu Konstantinopel konnte sich unter diesen Umständen Neapel niemals bedeutenden Einfluß erringen. Graf Ludolf verschwendete z. B. dort nutzlos seine Mühe und schweres Geld, um zwischen Spanien und der Pforte endlich noch einen Freundschaftsvertrag zu vermitteln. [35])

Auch die Zeiten, wo man, wie uns Busbek erzählt, im Diwan noch fragte: „Quem ultra, victo Hispano, superesse hostem, qui timeri posset?" [36] waren nun freilich längst vorüber. Im Gegentheil, die Furcht vor der einst so gewaltigen spanischen Armada war dort so geschwunden, daß man es schon zu Anfang des 18. Jahrhunderts, im Jahr 1707, wagte, mit einem kleinen osmanischen Geschwader Majorca zu überfallen, dort ein Kloster und ein Küstenschloß auszuplündern, und dreihundert Gefangene hinwegzuschleppen. Spanien hatte aber damals, durch den Erbfolgekrieg zerrissen und erschöpft, nicht eine Barke, welche es den Räubern hätte nachschicken können.

Das wußte auch der Dei von Algier sehr wohl, welcher in demselben Jahr das den Spaniern gehörige Oran angriff, und nach einem verzweifelten Widerstand der schwachen Besatzung im nächsten Jahr zur Capitulation zwang. Die Schlüssel der Festung schickte er als Siegeszeichen nicht ohne Pomp nach Konstantinopel, wo sie als Unterpfand neu begründeter osmanischer Herrschaft in diesen fernen Gegenden von dem Großherrn mit besonderm Wohlgefallen entgegengenommen wurden. [37]

Man möchte es fast für bittere Ironie des Schicksals halten, daß erst 24 Jahre später (1732) König Philipp V. in einem pomphaften Manifest der christlichen Welt verkündete, daß ihm das geheiligte Interesse der Ausbreitung der katholischen Religion die Pflicht auferlege, Oran den Ungläubigen wieder zu entreißen. [38] Es wäre eine Lächerlichkeit gewesen, wenn man mit den bedeutenden Mitteln, welche um dieser Kleinigkeit willen

in Bewegung gesetzt wurden, nicht zum Ziele gelangt
wäre, und sich selbst hätte Lügen strafen müssen.

Als wenn es die Eroberung des ganzen Osmanischen
Reichs gegolten hätte, sah man damals ein prächtiges
Geschwader von zwölf Linienschiffen, zwei Fregatten und
vierzehn kleinern bewaffneten Fahrzeugen und 500 Trans-
portschiffen, welche 25000 Mann tüchtiger Truppen an
Bord trugen, aus dem Hafen von Alicante auslaufen,
und nach einer Ueberfahrt von zehn Tagen am 25. Juni
vor Oran Anker werfen. Zu einem Kampf kam es
eigentlich gar nicht. Das ungewohnte Erscheinen spanischer Schiffe an den Küsten erfüllte die schwache arabische
Besatzung so mit Schrecken, daß sie bereits in der Nacht
des 30. Juni den Platz freiwillig räumte.

Große Freude hatte Spanien an dieser leichten Eroberung aber niemals. Ihre Erhaltung kostete ihm
schwere Summen, und hatte weder Zweck noch Nutzen.
Denn es wurde dadurch nur immer in neue und kostspielige Händel mit Algier verwickelt. Noch im Juli
1775 versuchte man sich, nicht zum Vortheil des spanischen Kriegsruhms, gegen Algier. Die spanische Flotte
mußte sich, nachdem sie 8000 Mann ans Land gesetzt
hatte, nach dreizehnstündigem Kampf mit dem Verlust von
800 Todten und 2000 Verwundeten wieder zurückziehen.
Der Unmuth des Volks in Madrid darüber, namentlich
gegen die beiden Befehlshaber der Expeditionsarmee, den
Grafen Orolly und den Marquis von Grimaldi, war
so groß, daß der König einen zweiten Versuch für jetzt
nicht wagen konnte.[39] Erst im Jahr 1783 wurde er
mit nicht glücklicherm Erfolg erneuert.

Unter diesen Umständen betrachtete man es als eine

wahre Wohlthat, daß man sich, infolge des großen
Erdbebens, welches im Jahr 1790 Oran fast ganz in
einen Trümmerhaufen verwandelte, auch dieser lästigen
Besitzung wieder entledigen konnte. Von dem Bei von
Mascara, Mohammed-el-Kbir, hart bedrängt, hielt sich
zwar die spanische Besatzung unter den Ruinen des Platzes
noch einige Zeit. Allein am Ende fand man es doch
für klüger, denselben, infolge des damals mit der
Regentschaft Algier abgeschlossenen Friedens- und Handelsvertrags, durch eine ehrenvolle Capitulation lieber
wieder ganz aufzugeben. Die Besatzung und die christlichen Einwohner erhielten mit ihrem Geschütz freien Ab-
zug nach Cartagena, und zu Anfang März 1792 besetzte der Bei von Mascara Oran im Namen des Dei
von Algier, des Vasallen der Pforte.[40])

Die letztere hatte daher begreiflicherweise auch weder
Grund noch Lust, auf die von Zeit zu Zeit durch die
dritte Hand erneuerten Anträge wegen eines Freundschafts-
bündnisses mit Spanien sogleich ohne weiteres einzugehen.
Ueberdies arbeitete namentlich auch England aus allen
Kräften dagegen, daß Spanien in Konstantinopel je
wieder festen Fuß fasse. Denn es befürchtete davon die
empfindlichsten Nachtheile für seine Handelsinteressen,
vorzüglich insofern die Spanier ihm eine gefährliche Concurrenz für die Ausfuhr von Gold und Silber nach dem
Osmanischen Reich machen würden.[41])

Der Friedens- und Handelsvertrag, welcher dennoch
endlich im Jahr 1782 zwischen beiden Mächten abgeschlossen wurde, kam aber zu spät, als daß er noch
seinem Zweck hätte entsprechen können. Denn der spanische Levantehandel war, activ wie passiv, an sich schon

zu unbedeutend, als daß die Vortheile, welche ihm dadurch, gleich dem der übrigen am meisten begünstigten
Nationen, eingeräumt wurden, noch von besonderm
Nutzen hätten sein können. Er bekam nur dadurch eine
augenblickliche politische Wichtigkeit, daß sich Spanien
angeblich durch einen geheimen Artikel verpflichtet haben
sollte, jeder Kriegsflotte die Durchfahrt nach dem Mittelmeer zu verwehren. Denn da diese Verpflichtung vorzugsweise gegen Rußland gemünzt gewesen wäre, so
mußte sie natürlich namentlich in St.-Petersburg sehr
böses Blut gegen den Hof von Madrid machen. Die
Existenz eines solchen geheimen Artikels ist indeß mit
Recht bestritten worden. Er hätte aber auch schwerlich
bei der Schwäche der spanischen Regierung je praktische
Wichtigkeit erlangt.

Merkwürdig bleibt daher dieser Vertrag vorzüglich
nur deshalb, weil er der letzte bedeutende Act ist, durch
welchen Spanien sich wieder in ein fruchtbringenderes
Verhältniß zur Pforte versetzen wollte, und dadurch indirect noch einmal gewissen Einfluß in der orientalischen
Politik Europas zu erlangen suchte, den es aber niemals
mehr erreichte. [42])

Selbst der Versuch, welcher noch im Jahr 1788 bei
Gelegenheit des Ausbruchs des russisch-türkischen Kriegs
von Rußland und Frankreich gemacht wurde, das Cabinet von Madrid im Verein mit Oesterreich in eine
Quadrupelallianz hineinzuziehen, welche vorzüglich mit
darauf berechnet war, dem überwiegenden Einfluß Englands und Preußens im Divan zu Konstantinopel entgegenzutreten, scheiterte an dem Wahnsinn des spanischen Gesandten zu St.-Petersburg und der Zaghaftig-

seit des Königs Karl IV. und des Grafen von Floriba-
Blanca. Die Kaiserin Katharina legte gleichwol noch
so bedeutendes Gewicht auf die Mitwirkung Spaniens,
daß sie dem Prinzen von Nassau, welchen sie zu diesem
Zweck mit einer Mission an den Hof von Madrid betraute, geradezu erklärte: „Ich sehe wohl, daß die große
Frage, von welcher vielleicht das Schicksal des Hauses
Bourbon in Europa abhängt, in Madrid zur Entscheidung kommen wird." Zu so hohen Dingen hielt man
sich aber damals am Hof Karl's IV. nicht mehr für berufen und befähigt. Nur insofern hatte die Kaiserin
nicht ganz unrecht, als die Weigerung Spaniens auch
von Ludwig XVI. mit als Grund angeführt wurde,
warum sich Frankreich für jetzt nicht mehr in eine solche
Quadrupelallianz einlassen könne.[43]) Seitdem war Spanien bei der Lösung der orientalischen Frage weder direct
noch indirect mehr betheiligt.

Ein ähnliches Schicksal theilten mit ihm in dieser
Beziehung auch die beiden kleinern nordischen Staaten,
welchen gleichfalls ihre Handelsinteressen die Erhaltung
friedlicher Beziehungen zur Pforte wünschenswerth machten: — Schweden und Dänemark.

So unangenehm auch die Erfahrungen gewesen waren, welche die Pforte bei ihren ersten abenteuerlichen
Verbindungen mit König Karl XII. von Schweden gemacht hatte, so empfindlich auch auf der anderen Seite
dem Cabinet von Stockholm die Nachwehen der schweren,
noch nicht getilgten Schuld sein mußten, welche der
König in Konstantinopel zurückgelassen hatte, so machten
doch gegenseitiges politisches Interesse die Fortdauer eines
innigern Verhältnisses beiden Mächten allerdings auf

gleiche Weise zum Bedürfniß. In Konstantinopel glaubte
man Schweden noch immer als ein nicht zu verachtendes
Gegengewicht gegen die wachsende Uebermacht Rußlands
nach Süden hin im Norden mit Erfolg gebrauchen zu
können; und in Stockholm lebte man der trügerischen
Hoffnung, daß es am Ende doch noch gelingen werde,
sich mit Hülfe der Pforte wieder in den Besitz der an
Rußland verlorenen Ostseeprovinzen zu setzen. Daher
die ungemeine Thätigkeit der schwedischen Agenten zu
Konstantinopel, welche fortwährend auch von Frankreich
auf das Nachdrücklichste unterstützt wurde.

Ein im Jahr 1736 zwischen beiden Mächten abge-
schlossener vortheilhafter Handelsvertrag war die erste
Frucht derselben. Dann suchte Schweden, nachdem es
auf diese Weise einmal in Konstantinopel wieder festern
Fuß gefaßt hatte, im Divan vorzüglich dadurch noch weiter
Terrain zu gewinnen, daß es im nächsten Jahr seine
Vermittelung in dem Streit zwischen Rußland und der
Pforte anbot. Auch gaben sich gleichzeitig die polnischen
Conföderirten große Mühe, dasselbe mit in die Bundes-
genossenschaft hineinzuziehen, welche damals, wie wir
oben angedeutet haben, der Pforte von denselben gegen
Rußland in Vorschlag gebracht wurde.

Die Schweden, welche zu der Sache der Polen ebenso
wenig Zutrauen gehabt zu haben scheinen wie die Pforte,
wollten aber lieber ihren eigenen Weg gehen, und drangen,
daher auf den Abschluß eines förmlichen und selbständigen Schutz- und Trutzbündnisses mit dem Sultan gegen
Rußland. Da sie aber sofort eine Subsidienzahlung
von vier Millionen Piaster und die Zusage, daß die
Pforte nicht eher mit Rußland Frieden schließen wolle,

als bis Schweden Livland wieder erlangt haben würde,
als Grundbedingungen desselben aufstellten, so zeigte die
Pforte, obgleich der einflußreiche Renegat Graf von
Bonneval im Divan laut seine Stimme dafür erhob,
doch wenig Lust, ohne weiteres darauf einzugehen. [44])

Erst nach dem Frieden von Belgrad verstand sie sich
dazu, vorzüglich auf Zureden des französischen Gesandten,
Marquis von Villeneuve, ein einfaches Defensivbündniß
mit Schweden abzuschließen, welches, um Rußland keinen
Anstoß zu geben, so lange wie möglich geheim gehalten
werden sollte. Das war aber gerade gar nicht im Sinn
der Schweden, welche, um das Cabinet von St.=Peters=
burg einzuschüchtern, über diese ihre innige Freundschaft
mit der Pforte nur zu gern sogleich an die große Glocke
geschlagen hätten. Und allerdings nahm man die Sache
in St.=Petersburg auch gar nicht leicht.

Der russische Resident zu Konstantinopel, Herr von
Wischniakoff, erhielt, sobald man dort nur davon unter=
richtet war, sofort Befehl, alles in Bewegung zu setzen,
um das schwedische Bündniß noch vor der Ratification
zu hintertreiben. Vergeblich bot er aber zu diesem Zweck
dem bestechlichen Reis=Efendi 400 Beutel, ja alles, was
er nur wolle (même tout ce qu'il voudrait). Er mußte
bei dieser Gelegenheit erfahren, was schon die Venetianer
so gut wußten, daß sich bei der Pforte zwar sehr vieles,
aber doch nicht alles mit Geld erreichen lasse. Der Reis=
Efendi erklärte ihm ganz offen, daß es in diesem Fall
gar nicht in seiner Macht stehe, den Wünschen des Cabinets von St.=Petersburg zu entsprechen. Denn die
Pforte halte es für angemessen, sich ebenso durch Bünd=
'nisse mit andern Mächten für die Zukunft sicher zu

stellen, wie Rußland und Oesterreich, ihrer ausdrücklichen
Erklärung zufolge, es für gut befunden hätten, ihre
Bundesgenossenschaft auch nach hergestelltem Frieden auf-
recht zu erhalten. [45])

Der bereits im Januar 1740 unterzeichnete Bundesvertrag wurde darauf am 19. Juli desselben Jahrs
wirklich ratificirt. Er sollte aber, wie gesagt, nur de-
fensiver Natur sein, und namentlich gegen Rußland erst
dann in Kraft treten, wenn der eine oder der andere
der contrahirenden Theile von demselben angegriffen
werden würde. Der früher abgeschlossene Handelsvertrag
und die zwischen Schweden und den Barbaresken bestehenden Capitulationen wurden dadurch einfach bestätigt,
sowie den schwedischen Unterthanen im Osmanischen Reich
überhaupt alle die Rechte und Freiheiten· eingeräumt,
welche bereits auch denen anderer befreundeter Mächte
zugestanden waren. [46])

Wäre Schweden nur auch im Stande gewesen, die
bedeutende Stellung, die es sich auf diese Weise in
Konstantinopel verschafft hatte, auf die Dauer zu behaupten und in den europäisch-orientalischen Angelegenheiten zu seinem eigenen Vortheil geltend zu machen!
Bei zunehmender Zerrüttung im Innern fehlten ihm
aber auch die materiellen Mittel, seinen Einfluß nach
außen auf ersprießliche und nachhaltige Weise aufrecht
zu erhalten. Es mußte seine politische Existenz in dieser
Beziehung seitdem fast immer mit französischen und osmanischen Subsidiengeldern zu fristen suchen. Diese
wurden aber namentlich der Pforte, welche von dergleichen überhaupt kein Freund war, um so lästiger, da sie
davon gar nicht einmal einen entsprechenden Nutzen sah.

Zu Anfang des Jahrs 1776 verweigerte sie daher auch, ungeachtet der dringendsten Zureden des französischen Gesandten, jede weitere Zahlung dieser Art an den schwedischen Hof. [47])

Erst als im Jahr 1787 der bevorstehende Bruch zwischen Rußland und der Pforte den aufstrebenden König Gustav III. auf den kühnen Gedanken brachte, sich wieder in den Besitz der seit Karl's XII. Zeiten verlorenen Ostseeländer zu setzen, verstand sich auch die Pforte, auf Grund des noch bestehenden Defensivbündnisses, durch einen unter Vermittelung Englands und Preußens im September des genannten Jahrs abgeschlossenen Vertrag nochmals zu einer Subsidienzahlung von 14 Millionen Piaster, und zwar in der Weise, daß vier Million zur ersten Ausrüstung der gegen Rußland bestimmten schwedischen Land= und Seemacht, und auf zehn Jahre je eine Million zu deren Unterhalt bewilligt werden sollten. [48])

Wäre der König freilich in der Lage gewesen, das, was er dagegen einsetzte, auch wirklich zur Wahrheit zu machen, so würde die Pforte seinen Beistand selbst für diese schwere Summe nicht zu theuer zu erkaufen geglaubt haben. Denn während in der Note, welche er dem Cabinet von St.=Petersburg im Juli 1787 gleichsam als Kriegserklärung zustellen ließ, für sich Finnland und Karelien mit Stadt und Bezirk von Kexholm verlangte, nahm er für die Pforte als Preis des Rußland zu bewilligenden Friedens die ganze Krim und die Wiederherstellung des Besitzstandes, wie er vor dem Ausbruch des Kriegs im Jahr 1768 gewesen, in Anspruch. [49])

Diese vermessene Herausforderung setzte die ganze Welt, und gewiß auch die Pforte in nicht geringes Er=

staunen. Denn der Defensivvertrag mit derselben vom Jahr 1739, worauf sich Gustav III. in seiner Kriegserklärung stützte, war ja überdies schon durch den ersten Artikel des zwischen Schweden und Rußland im Jahr 1743 vereinbarten Friedens zu Åbo für null und nichtig erklärt worden, wie der Pforte auch, zufolge der damals an sie darüber ergangenen officiellen Mittheilung, nicht unbekannt sein konnte.[50]) Der Großherr selbst, meint Ségur, würde schwerlich eine solche Sprache gegen einen schwachen Hospodar der Moldau geführt haben. Die Zuversicht, die Anmaßung des Schwedenkönigs ging aber schon so weit, daß er alles Ernstes die Damen von Stockholm für einen im voraus bestimmten Tag zum Ball nach Peterhof und zum Tedeum in der Kathedrale von St.=Petersburg eingeladen haben soll, wodurch er seine unzweifelhaften Siege und seinen Einzug in der russischen Hauptstadt verherrlichen wollte.[51])

Es ist aber sattsam bekannt, wie auch hier der weitere Verlauf der Dinge die Erwartungen täuschte, wie er manche Hoffnung zu Schanden machte, aber auch schnell manche Befürchtungen zerstreute. Die Bestürzung war in St.=Petersburg allerdings nicht gering, als im Juni 1788 plötzlich 30000 Schweden in Russisch=Finnland einfielen und ohne weiteres diese Hauptstadt bedrohten, während die schwedische Flotte an den Küsten von Livland erschien und dort jeden Augenblick ein allgemeiner Aufstand erwartet wurde. Ein glücklicher Handstreich hätte König Gustav leicht dahin bringen können, daß er der Kaiserin, wie es dereinst Peter dem Großen Karl XII. im Kreml zu Moskau zugedacht hatte, so jetzt in ihrem Palast zu Peterhof den Frieden hätte vorschreiben mögen.

So wenig war man zu einem erfolgreichen Widerstand gerüstet, so war alles, mit Ausnahme der Kaiserin, die weder Muth noch Fassung verlor, schon im Begriff, die Flucht zu ergreifen.

Nur zu spät mußte nun aber König Gustav einsehen, daß er weit besser gethan hätte, wenn er dem weisen Rath gefolgt wäre, den ihm Friedrich der Große bei seinem Regierungsantritt gegeben hatte, daß nämlich der König von Schweden zu einer Zeit, wo zwei oder drei Großmächte existiren, von denen jede 3—400000 Mann auf die Beine bringen könne, nicht mehr auf den Ruhm der Siege und der Eroberungen Anspruch machen dürfe.[52]) König Gustav hatte sich schon gerühmt, daß er seinen Namen in den Felsen eingraben werde, auf dem sich die Reiterstatue Peter's des Großen erhebt. Gleichwol mußte er, völlig entmuthigt, nach einem dreijährigen mit sehr zweifelhaftem Glück geführten Krieg, obgleich er sich in seinem Subsidienvertrag mit der Pforte verpflichtet hatte, nicht eher die Waffen niederzulegen, als bis dieselbe vollkommen Genugthuung erhalten haben würde, bereits am 14. Aug. 1790 mit der Kaiserin zu Werelä seinen Frieden schließen, in welchem er doch wenigstens für sich noch den Status quo und die schwedische Verfassung rettete.

Die Pforte aber, welche dazu eine sehr böse Miene machte, suchte er hinterher durch eine ihr von seinem Gesandten zu Konstantinopel überreichte Denkschrift zu beschwichtigen, worin er sich damit entschuldigte, daß er zwar wiederholt bei der Kaiserin darauf gedrungen habe, sie solle den Frieden mit Schweden und der Pforte nur zu gleicher Zeit schließen, und die Krim ohne allen Vor=

behalt (purement et simplement) an die letztere zurück-
stellen, daß er aber, da dieselbe diese Bedingungen stets
verworfen habe, um so mehr genöthigt gewesen sei, für
sich allein Frieden zu schließen, weil ihm der Krieg bereits
eine außerordentliche Ausgabe von 70 Millionen Piaster
verursacht habe, und alle seine Hülfsmittel, ihn noch
länger fortzuführen, erschöpft seien. Er wolle indessen
auch noch ferner allen seinen Einfluß dazu anwenden,
auch der Pforte einen glücklichen Frieden mit der Kaiserin zu sichern. [53])

Damit war aber weder der Pforte noch der Kaiserin
Katharina gedient. Man ließ Schweden nun gänzlich
fallen; und während die Kaiserin im nächsten Jahr ihren
Frieden mit der Pforte allein und ohne jede Vermittelung
schloß, sah sich die letztere auch gar nicht mehr gemüßigt,
ihr Geld nutzlos in Stockholm zu verschwenden. Schwedens Einfluß auf den Gang der orientalischen Politik
Europas hatte somit sein Ende erreicht.

Jedenfalls noch unbedeutender und erfolgloser waren
die Beziehungen Dänemarks zur Pforte. Sie reichten
auch der Zeit nach nicht sehr weit zurück. Handelsinteressen waren dabei die bedingenden Motive. Nachdem es
sich schon einige Jahre früher durch förmliche Capitulationen mit den Barbaresken auf einen glimpflichen Fuß
gesetzt hatte, ging sein erster, im Jahr 1756 nicht ohne
Mühe und Noth abgeschlossener Freundschafts- und Handelsvertrag mit der Pforte zunächst nur darauf hinaus,
sich auf ersprießliche Weise an dem Levantehandel zu betheiligen. Herr von Gähler, der Stallmeister König
Christian's VII., welcher ihn zu Stande gebracht hatte,
wurde darauf zwar als erster außerordentlicher Gesandter

und bevollmächtigter Minister Dänemarks bei der Pforte
beglaubigt; allein zu einer einflußreichern Thätigkeit ge=
langte er in Konstantinopel, wo er in der angegebenen
Eigenschaft nach dieser Zeit noch zehn Jahre verweilte,
niemals.

Auch später blieb die Wahrnehmung seiner Handels=
interessen das Hauptziel der orientalischen Politik Däne=
marks. In diesem Sinn erneuerte es z. B. noch im
Mai 1772 seine Capitulationen mit Algier, wobei es die
andern Nationen, namentlich den Engländern, Franzosen
und Holländern längst zugestandene Ermäßigung seiner
Einfuhrzölle von zehn auf fünf Procent erlangte. [54])
Der Versuch, welchen es zwanzig Jahre später, im März
1791, auf Grund seiner Theilnahme an dem Krieg zwi=
schen Schweden und Rußland machte, sich durch Ver=
mittelung des Friedens zwischen der Kaiserin Katharina
und der Pforte in den orientalischen Angelegenheiten
noch einiges Gewicht zu verschaffen, scheiterte an der
Hartnäckigkeit, womit die Kaiserin die Selbständigkeit
ihrer auswärtigen Politik durch consequente Verweigerung
jeder solchen Einmischung einer dritten Macht wahren zu
müssen glaubte. [55])

Genug, man darf es wol als den bedeutendsten und
bezeichnendsten Umschwung in der orientalisch=europäischen
Politik während des 18. Jahrhunderts betrachten,
daß sich die bestimmende und bedingende Thätigkeit in
Betreff derselben, freilich in sehr verschiedenen und aus=
einandergehenden Richtungen, immermehr auf die vier
Großmächte Frankreich, England, Oesterreich und Ruß=
land concentrirte, mit denen nun auch eine fünfte, Preußen,
sogleich auf folgereiche Weise in die Schranken trat.

Der Friede von Kutschuk=Kainardschi mag auch dafür als ein entscheidender Moment bezeichnet werden. Denn mit und durch ihn stand die welthistorische Thatsache fest, daß die Wendungen der orientalischen Politik und mithin die Geschicke des osmanischen Reichs in den Händen dieser fünf Mächte liegen, und daß von nun an der Kampf um das Dasein des letztern und das politische Uebergewicht im Orient, welcher in unsern Tagen noch fortdauert, zwischen ihnen allein durchgefochten werden müsse. Das richtigere Verständniß ihrer respectiven Betheiligung an demselben macht noch einen Rückblick auf ihre Beziehungen zur Pforte vor jenem Frieden erforderlich.

Frankreichs Einfluß im Divan war in den ersten vier Jahrzehnden des 18. Jahrhunderts keineswegs in steigender Bewegung gewesen. Es hatte sich im Gegentheil dort seine Stellung, welche, wie wir seinerzeit berührt haben, schon durch frühere Händel und die Ungeschicklichkeit seiner Gesandten empfindlich genug beeinträchtigt worden war, vollends dadurch verdorben, daß es bis zum letzten Augenblick mit ebenso wenig Takt als Erfolg den Frieden zwischen der Pforte und den Mächten des Heiligen Bundes zu hintertreiben gesucht hatte, welcher am Ende zu Carlovicz zu Stande kam. Herr von Châteauneuf, damals französischer Gesandter zu Konstantinopel, wurde, als er beim Divan die Nichtanerkennung des Königs Wilhelm III. von Großbritannien durchsetzen wollte, ohne weiteres mit der spitzigen Bemerkung abgewiesen, daß die Pforte gewohnt sei, immer den als König zu betrachten, welcher in England wirklich als solcher anerkannt werde.

Dann verdarb Herr von Fériol, welcher Frankreich
seit Anfang des Jahrs 1700 vertrat, viel durch sein
herrisches Wesen, — die fatale Geschichte mit dem Degen,
welchen er, der osmanischen Etikette zuwider, bei seiner
Antrittsaudienz durchaus nicht ablegen wollte, machte in
der ganzen diplomatischen Welt den peinlichsten Eindruck,
— ferner durch seine ungeschickte Einmischung in die An=
gelegenheiten des nach Nikomedien verbannten Tököly und
die fatalen Händel zwischen den Jesuiten, Griechen und
Armeniern, und endlich durch seinen unglücklichen Wahn=
witz. Die schlaffe Politik der Regentschaft und Ludwig's XV.
war aber überhaupt wenig dazu gemacht, das Terrain,
welches man auf diese Weise in Konstantinopel verloren
hatte, sogleich wiederzugewinnen. Es bedurfte erst eines
mächtigern Anstoßes, ehe Frankreich wieder zu einem
folgereichern Eingreifen in die orientalische Politik gleich=
sam getrieben und gezwungen wurde.

Einen solchen gab die Nothwendigkeit, in welche sich
die Pforte im Verfolg des russisch=österreichischen Kriegs
vom Jahr 1737, namentlich nach dem mislichen Verlauf
des Congresses zu Nimirow, versetzt sah, die Hülfe eines
gewichtigen Vermittlers in Anspruch zu nehmen, wozu
sie Frankreich ausersah. Das Cabinet von Versailles
glaubte aber auch damals, unter dem Einfluß des be=
dächtigen Cardinals Fleury, diese ihm gebotene Gelegen=
heit, sich in Konstantinopel wieder eine bedeutendere
Stellung zu erringen, keineswegs mit übereilter Hast
ergreifen zu müssen. Erst nach wiederholten Aufforde=
rungen der Pforte bequemte es sich dazu, und ertheilte
seinem bei ihr beglaubigten Gesandten, Marquis von
Villeneuve, die nöthige Vollmacht.[56]

Marquis von Villeneuve, gewiß ein gewandter Di=
plomat, welcher der schwierigen Aufgabe wohl gewachsen
war, hatte dabei gleichwol einen nichts weniger als
leichten Stand. Denn außer der schwankenden und zwei=
deutigen Haltung der Pforte selbst hatte er auch — und
das war fast das Schwierigere — den Widerstand und
die Bedenklichkeiten der betheiligten christlichen Mächte
zu überwinden. Nahm der Kaiserhof die Vermittelung
ohne weitere Schwierigkeiten an, so erschwerte dagegen
das Cabinet von St.=Petersburg die Sache sogleich
dadurch, daß es dieselbe Frankreich nicht allein zugeste=
hen, sondern dabei auch die Seemächte betheiligt wissen
wollte. Einmal mochte es überhaupt den überwiegenden
Einfluß Frankreichs in Konstantinopel fürchten, und zwei=
tens hatte es dasselbe wegen zu großer Parteilichkeit für
den Kaiser in Verdacht.

Die Verwickelungen, welche sich aus dieser Stellung
der Parteien ergaben, und die das Friedensgeschäft so
sehr in die Länge zogen, wollen wir hier nicht im ein=
zelnen verfolgen. Wie immer, waren von allen Seiten
die Forderungen und Ansprüche viel zu hoch gestellt, als
daß der Vermittler im Stande gewesen wäre, leicht eine
Ausgleichung der streitigen Interessen herbeizuführen.
Marquis von Villeneuve kam dadurch in eine höchst
peinliche Lage, und verdiente sich am Ende wenig Dank.
Es kostete ihm bei den ewigen Aufhetzereien, namentlich
von seiten der Vertreter der Seemächte, welchen das
wachsende Uebergewicht Frankreichs im Divan kein gerin=
ges Aergerniß war, gewiß große Mühe, zuletzt doch als
einziger Vermittler des Friedens das Feld zu behaupten.
Man suchte die Pforte vorzüglich wieder dadurch von

Frankreich abwendig zu machen, daß man ihr einreden wollte, das Cabinet von Versailles meine es gar nicht redlich und aufrichtig mit dem Frieden; es wolle im Gegentheil den Krieg so lange wie möglich in die Länge ziehen; es werde mithin auch gar nichts zu erreichen sein, solange man die Sache in seinen Händen belasse; man würde viel schneller zum Ziel gelangen, wenn man das Friedensgeschäft, wie in frühern Zeiten zu Carlovicz und Passarowitz, den Seemächten anvertrauen wolle u. s. w. Selbst Rußland überwand aber am Ende doch so weit das gegen Frankreich gehegte Mistrauen, daß es den Marquis von Villeneuve nicht nur für die Vermittelung, sondern auch für die Garantie des Friedens mit den nöthigen Vollmachten versah. [57]) Der weitere Verlauf der Verhandlungen und der endliche Abschluß dieses Friedens von Belgrad ist bekannt.

Man hat freilich hinterher noch Frankreich und seinem Vertreter die bittersten Vorwürfe darüber gemacht, daß er, nachdem die Ungeschicklichkeit und die Zwietracht der kaiserlichen Generale und die Rathlosigkeit des Cabinets von Wien die Sachen in eine fast rettungslose Lage hineingetrieben hatten, Belgrad preisgegeben habe. Aber hatte er etwa so unrecht, wenn er, als ihm Graf Neipperg, der kaiserliche Unterhändler im Lager des siegreichen Großveziers, das Schimpfliche einer solchen Bedingung deutlich zu machen suchte, die Dinge sogleich durch die verzweifelte Frage auf die Spitze trieb: wer denn dafür stehe, daß, wenn man sich nicht zu diesem außerordentlichen Zugeständniß bequemen wolle, der Großvezier mit seiner ganzen Macht nicht ohne weiteres über die Donau gehe und unaufhaltsam bis vor Wien rücke?

Und wer hätte dann für seine Rettung einstehen sollen? Es gab keinen Eugen und auch keinen Sobieski mehr, und das wußte man in Konstantinopel und im Lager des Großveziers ebenso gut wie in Wien. Belgrad also konnte nicht mehr gerettet werden. [58])

Vielleicht feierte hierauf Frankreich im stillen keinen geringen Triumph, daß Marquis von Villeneuve beim Abschluß des Friedens mit Rußland auch noch die Schleifung von Assow und das Verbot durchsetzte, demzufolge es Rußland nicht gestattet sein sollte, in den dortigen Gewässern und überhaupt im Schwarzen Meer Schiffe zu bauen und eine Flotte zu unterhalten. Es sollte ihm sogar dort der Handel nur mittels türkischer Fahrzeuge erlaubt sein. [59])

Die Entrüstung über diesen Ausgang des Kriegs, wovon man Wunderdinge erwartet hatte, war freilich allgemein, und mußte vorzüglich Frankreich und Marquis von Villeneuve treffen. Man erinnere sich nur an jene giftige Scene, wo der päpstliche Nuntius zu Wien, Signor Merlini Paolucci, in Gegenwart des Kaisers, während der französische Gesandte daselbst, Marquis von Mirepoix, seinen Collegen zu Konstantinopel gegen die üble Nachrede wegen seiner Haltung bei den Friedensverhandlungen zu rechtfertigen bemüht war, seinem Unmuth gegen Villeneuve in den maßlosesten und beleidigendsten Ausfällen gegen das Cabinet von Versailles Luft machte. Er ging so weit, ihn geradezu zu beschuldigen, er habe bei diesem Frieden dem Sultan und seinem Herrn, dem König von Frankreich, die Interessen der ganzen Christenheit und des Heiligen römischen Reichs deutscher Nation, ja die Ehre des Kaisers selbst zum Opfer gebracht. [60])

Man machte sich aber, wie es scheint, jetzt in Ver=
sailles über dergleichen Vorwürfe weit weniger Sorge,
als man auf die Mittel bedacht war, sich die in Kon=
stantinopel einmal wiedererrungene günstige und einfluß=
reiche Stellung auch auf die Dauer zu erhalten. Des=
halb stand der Marquis von Villeneuve, was ihm na=
türlich nicht minder als Verrath an der christlichen Sache
ausgelegt wurde, bei den nachträglichen Verhandlungen,
welche die zwischen Rußland und der Pforte noch strei=
tigen Punkte betrafen, wieder ganz auf der Seite der
letztern. Er hatte wol damals schon recht gut durch=
schaut, was dabei für die Zukunft des Osmanischen Reichs
und die wachsende Macht Rußlands im europäischen
Orient auf dem Spiel stehe. Er gab daher dem Divan
unter der Hand den weisen Rath, sich nur nicht etwa
durch die drohende Haltung des Cabinets von St.=Pe=
tersburg nach dieser Seite hin zu zu großer Nachgiebig=
keit einschüchtern zu lassen. Assow müsse geschleift wer=
den, den von Rußland verlangten Kaisertitel brauche die
Pforte gar nicht zuzugestehen, und auch in den übrigen
noch schwebenden Punkten solle sie ihre Fügsamkeit auf
möglichst enge Grenzen beschränken.

Das war auch der Geist, in welchem, unter Ver=
mittelung des Nachfolgers des Marquis von Villeneuve,
der Konstantinopel im Mai 1741 verließ, des Grafen
von Castellane, der Vertrag vom 7. Sept. dieses Jahrs
zu Stande kam, welcher die damaligen Beziehungen der
Pforte zu Rußland definitiv regeln sollte. Assow
blieb geschleift, die Pforte erkannte aber dagegen den
Kaisertitel an, und machte Rußland einige scheinbar
unbedeutende Zugeständnisse in Betreff der Erweite=

rung seines Gebiets in der Ukraine und nach der Krim hin.[61])

So hatte Frankreich zum Verdruß der übrigen Großmächte durch seine Vermittelung des Friedens zu Belgrad in Konstantinopel jetzt sicherlich bedeutendes Gewicht und eine sehr günstige Stellung gewonnen. In den nächsten Jahren glaubte es nun dieselben vorzüglich dazu benutzen zu müssen, die Pforte bei den damaligen, infolge des Oesterreichischen Erbfolgekriegs eingetretenen Verwickelungen zu einer Diversion gegen das Kaiserhaus nach Ungarn hin zu bewegen. Bonneval war aus eingefleischtem Haß gegen Oesterreich der unverwüstliche Fürsprecher dieser Politik des Cabinets von Versailles im Divan. Man ging darin allerdings schon sehr weit.

Gemäß eines vom Grafen von Castellane in Vorschlag gebrachten geheimen Bundesvertrags zwischen Frankreich und der Pforte sollte sich die letztere verpflichten, den Krieg gegen Oesterreich sofort wieder aufzunehmen und die Waffen nicht eher niederzulegen, als bis der Großherzog von Toscana der Kaiserkrone entsagt haben würde. Das Cabinet von Versailles wollte sich dagegen dazu verstehen, die Hälfte der Kriegskosten zu tragen, sobald die Pforte wirklich die Waffen ergriffen haben würde. Allein alle Bemühungen und Machinationen dieser Art scheiterten an der damaligen unerschütterlichen Friedenspolitik des Divans. Bonneval war darüber in Verzweiflung; es war ein Nagel zu seinem Sarge. „Der Sultan und seine Minister", schrieb er noch im Herbst 1746 an den Staatssecretär für die auswärtigen Angelegenheiten Ludwig's XV., Marquis d'Argenson, „sind fest entschlossen, die Königin von Ungarn in keiner Weise zu

beunruhigen und sich in nichts von den letzten Verträgen
zu entfernen, vorzüglich weil die Angelegenheiten in der
Christenheit eine für das Osmanische Reich günstige Wendung genommen haben, und der Krieg gegen die Perser die
ganze Aufmerksamkeit der Pforte in Anspruch nimmt." [62])

Freilich war die Pforte auch ihrerseits klug genug,
sich nicht so ohne weiteres abermals in einen Krieg hin-
einzustürzen, den sie am Ende vielleicht zu ihrem größten Nachtheil allein auszufechten gehabt haben würde.
Sie verlangte daher, daß Frankreich auch seinerseits die
Verpflichtung übernehme, sich in jedem Fall so lange thätig an dem Krieg zu betheiligen, bis die Pforte einen
ehrenvollen Frieden erlangt haben würde. Einer solchen
Verpflichtung suchte aber das Cabinet von Versailles
immer wohlweislich auszuweichen. [63])

Seitdem erschlafften die Freundschaftsbande zwischen
Frankreich und der Pforte wieder auf sehr empfindliche
Weise. Graf Castellane, dessen Lauheit man nun die
Schuld des Mislingens des beabsichtigten Bundesvertrags
vorzüglich beimessen wollte, wurde im Herbst 1747 abberufen und durch den Grafen Desalleurs ersetzt. Diesem
wurde die schwierige Aufgabe gestellt, den verlorenen
Credit. Frankreichs in Konstantinopel wiederherzustellen,
sich dort namentlich Schwedens und Polens anzunehmen,
und dann womöglich die Pforte mit diesen beiden Mächten und Preußen zu einer Quadrupelallianz gegen die
Uebergriffe Rußlands nach Norden und Süden hin zu
bewegen, welcher sich das Cabinet von Versailles eventuell auch selbst anschließen wollte. [64])

So vorsichtig man aber auch dabei zu Werke ging,
und so große Gewandtheit Desalleurs dabei entwickelte,

man konnte doch nicht zum Ziel gelangen. Selbst die
Versicherung, daß man gar nicht gesonnen sei, der Pforte
sofort irgendeine Verpflichtung aufzuerlegen, sondern
jenen Bund in aller Stille nur für den Fall vorbereiten
wolle, daß Rußland die Unabhängigkeit Polens gefährde,
blieb ohne Wirkung auf die einmal angenommene Friedenspolitik der Pforte. Sie wollte sich jetzt eben unter
keiner Bedingung mehr mit Oesterreich und Rußland
wieder in ein feindliches Verhältniß versetzen.

„Die Dinge", schrieb im April 1749 Graf Desalleurs an den Marquis von Puissieux, den Minister
der auswärtigen Angelegenheiten Ludwigs XV., „haben
sich hier seit dem Frieden von Belgrad sehr verändert.
Die angebliche Verweigerung der Vermittelung der Pforte
von seiten Frankreichs, der Abschluß eines Ewigen Friedens mit dem Hof von Wien und mit Rußland, die
durch den Krieg mit Persien verursachte Erschöpfung,
endlich das besondere Interesse des Großherrn oder die
Unterwürfigkeit seines Ministeriums unter das Serai,
und die üble Stimmung im Innern des ganzen Reichs
haben die Annahme eines durchaus friedlichen Systems
als das einzige Mittel, den Großherrn auf dem Thron
zu erhalten und einer allgemeinen Revolution vorzubeugen, zur Folge gehabt." [66] Und was Desalleurs,
welcher im Jahr 1754 in Konstantinopel starb, nicht
gelungen war, das konnte sein nicht minder gewandter
und thätiger Nachfolger, Graf von Vergennes, um so
weniger durchsetzen, da kurz darauf das wunderliche
Defensivbündniß zwischen Frankreich und Oesterreich vom
1. Mai 1756 auch die Pforte auf die unangenehmste
Weise berührte, und das Mistrauen des Divans

gegen bie weitern Absichten Frankreichs aufs äußerste
trieb.

Man kümmerte sich ba in ber That sehr wenig barum,
welche gewichtigern Motive bas Cabinet von Versailles
nach andern Seiten hin zu einer solchen Umwandlung
seines politischen Systems bewogen haben mochten. Man
faßte im Gegentheil mit ber ben osmanischen Politikern
in solchen Dingen eigenthümlichen Schärfe und Klarheit
bas Wesen und die Folgen ber Sache nur in ihren unmittelbaren und schlagenden Beziehungen zu ben eigenen
und besondern Interessen ber Pforte auf. Man wollte
durchaus nicht begreifen, baß eine so enge Vereinigung
zwischen zwei Mächten, welche man seit Jahrhunderten
nur als bie ärgsten Feinde gekannt, und von benen bie
eine bie Pforte unablässig bekämpft hatte, nicht auch ber
letztern zum größten Nachtheil gereichen solle.[66] Man
erfuhr ja hinterher noch, baß bieselbe in bem Bundesvertrag nicht einmal von bem „casus foederis" ausgenommen sei, und baß mithin Frankreich leicht in ben
Fall kommen könne, bem Kaiser bie versprochene Hülfe
auch gegen bas Osmanische Reich gewähren zu müssen.
Und biese Eventualität erschien natürlich in einem um so
grellern und gefährlichern Licht, nachbem sich Frankreich
bei ber zu Enbe bes Jahrs 1758 erfolgten Erneuerung
bes Vertrags unter anberm anheischig gemacht hatte, nicht
nur an ben Kaiser mehr als brei Millionen Gulden
jährliche Subsidien zu zahlen, sondern auch 100000 Mann
Hülfsvölker zu seiner Disposition in Bereitschaft zu
halten.[67]

Das machte sehr böses Blut in Konstantinopel und
erregte auch in Frankreich nicht geringe Besorgnisse,

namentlich im Betreff der materiellen Interessen, welche dabei auf dem Spiel stehen. Wer könne es denn hindern, meinte man, wenn die Pforte nun sogleich dadurch Repressalien ergreifen wolle, daß sie die Schiffe und die Waaren der französischen Kaufleute in den Häfen und Handelsplätzen des Osmanischen Reichs mit Beschlag belege, ihre Factoreien und Comptoire schließe, sie selbst vielleicht ihrer Freiheit, ja ihres Lebens beraube, die französischen Consuln in Fesseln schlage und selbst den Gesandten in Konstantinopel davonjage? Der gänzliche Ruin des französischen Levantehandels werde davon die unvermeidliche Folge sein. [68])

So schwer es aber auch Graf Vergennes anfangs wurde, den Divan durch die Versicherung zu beschwichtigen, daß Frankreich mit den Verträgen vom 1. Mai 1756 und 30. Dec. 1758 nicht die geringste feindliche Absicht gegen die Pforte verbunden habe, und nach wie vor mit ihr in Frieden und Freundschaft zu leben fest entschlossen sei, so gelang es ihm doch, dieses Aeußerste abzuwenden und das gerechte Mistrauen der Pforte nach und nach wieder zu milderen und freundlichern Ansichten umzustimmen. Man scheint im Rath des Sultans wol eingesehen zu haben, daß man Frankreichs Stimme namentlich bei den immer ernster und drohender werdenden Verwickelungen im Norden doch nicht ganz überhören dürfe. Man könne gelegentlich auch noch in die Lage kommen, seines Beistands zu bedürfen, welchen das Cabinet von Versailles der Pforte jetzt schon indirect dadurch zu Theil werden ließ, daß man tüchtigen französischen Offizieren die Erlaubniß ertheilte, dieselbe bei der Verbesserung ihres Heerwesens mit Rath und That zu

unterstützen. „Obgleich die Umstände die Stellung des
Herrn von Bergennes", so schildert er selbst seine Lage,
„delicat und kritisch machten, so verlor er doch zu keiner
Zeit die Gegenstände, welche seinem Eifer anvertraut
waren, aus den Augen. Er ließ die Angelegenheiten
Polens niemals außer Acht, und es kam in jener Zeit
zwischen der Republik und der Pforte nichts vor, wobei
er nicht die leitende Hand im Spiel gehabt und sich des
vorzüglichsten Einflusses versichert hätte."[69])

Wir ersehen daraus, daß seitdem die Angelegenheiten
Polens wieder als bedingende Motive der orientalischen
Politik des Cabinets von Versailles in den Vordergrund
traten. In dieser Beziehung war ihm nicht nur Ruß=
lands Uebermacht in Polen, sondern vorzüglich auch die
durch Friedrich den Großen damals ins Werk gesetzte
engere Verbindung zwischen Preußen und der Pforte ein
Dorn im Auge. Denn es erblickte darin nur eine neue
Gefahr für Polen und mittelbar für die Pforte und
Frankreich selbst. Neben dem kaiserlichen Internuntius
Schwachheim war daher auch niemand ein eifrigerer
Gegner des ersten durch die unermüdliche Gewandtheit
des Herrn von Rexin im März 1761 zu Stande ge=
brachten Freundschafts= und Handelsvertrags zwischen
Preußen und der Pforte, als Graf von Bergennes. Und
je empfindlicher es ihm sein mochte, in dieser Beziehung
von einem Neuling auf diesem schwierigen Terrain, wie
der genannte preußische Diplomat war, übervortheilt
worden zu sein, desto mehr setzte er nun Himmel und
Erde in Bewegung, um das Zustandekommen des Schutz=
und Trutzbündnisses mit der Pforte zu hintertreiben, auf
welches Friedrich der Große ganz besondern Werth legte.

In einer im geheimen Auftrag seines Hofs verfaßten und der Pforte überreichten Denkschrift setzte er die Nachtheile und die Gefahren des preußischen Bündnisses, namentlich für Polen, auf so eindringliche und nachdrückliche Weise auseinander, daß der Großherr selbst, die Majorität des Divans und die Ulema sich auf das Entschiedenste gegen dasselbe erklärten, obgleich der aufgeklärte und weiter blickende Großvezier Raghib Mohammed-Pascha demselben durchaus günstig war. Man verwarf also das preußische Bündniß. [70])

Es war dies gleichsam einer der letzten Triumphe der damaligen orientalischen Politik des Cabinets von Versailles. Denn in seinen weitern Bemühungen im Interesse der polnischen Conföderirten war Graf Vergennes nicht eben glücklich. Seine gleichfalls in mehreren Denkschriften mit Schärfe und Feuer entwickelten Vorstellungen gegen die in Polen verübten Gewaltthätigkeiten Rußlands und namentlich gegen den Einmarsch russischer Truppen daselbst, welchen er geradezu als einen Friedensbruch, als Casus belli betrachtet wissen wollte, wurden vom Divan doch nur kalt aufgenommen. „Das Gemälde der Thrannei Rußlands", berichtet er selbst darüber, „ist der Pforte regelmäßig und getreu vor Augen geführt worden. Wenn es nicht ganz den Eindruck gemacht hat, den man natürlich davon hätte erwarten sollen, so lag es nicht daran, daß man etwa versäumt hätte, es schlagend und energisch zu machen; aber die Verblendung der Pforte war vorsätzlich. Es bedürfte mächtigerer Triebfedern, als die des Raisonnements sind, um darüber zu triumphiren." [71])

Die Pforte, bedeutete man Vergennes, sehe sich um

so weniger veranlaßt, gegen Rußland wegen des Ein=
marsches seiner Truppen in Polen mit den Waffen ein=
zuschreiten, da die Republik selbst wiederholt dergleichen
fremde Truppen aus freiem Antrieb herbeigezogen und
gastfreundlich (de plein gré à titre d'hospitalité) bei
sich aufgenommen habe. Vorerst habe die Kaiserin doch
keine andere Absicht, als den gefährlichen Folgen der in
Polen herrschenden Zwietracht vorzubeugen. Sollte die=
selbe noch etwa weitere Schritte thun, so sei es immer
noch Zeit, dort dem überwiegenden Einfluß Rußlands
gebührende Grenzen zu setzen, sobald es wirklich darauf
ausgehen würde, die Eroberung Polens zu versuchen.[72])

Ueberdies schien die Pforte im geheimen noch immer
zu befürchten, daß ein durch Wiederherstellung von Ord=
nung und Ruhe nochmals zu Kraft und Selbständigkeit
gediehenes Polen dem Osmanischen Reich leicht wieder
gefährlich werden könne, während Vergennes auf der
andern Seite mit Recht ganz besonders die Behauptung
betonte, daß die Festsetzung einer Macht wie Rußland
in Polen der Pforte sicherlich weit größere Gefahr brin=
gen werde. Aber, so meint schließlich Vergennes, es
sei eben das Verhängniß der Pforte, daß sie sich der
bessern Einsicht in klar vorliegende Thatsachen verschließe,
um lieber den zweideutigen Versicherungen ihrer eigent=
lichsten und gefährlichsten Feinde Gehör zu geben. Man
müsse es als eine wahre Fügung der Vorsehung betrach=
ten, daß sie doch am Ende als rächende Macht gegen
Rußlands Tyrannei in Polen aufgetreten sei.[73])

Frankreichs Einfluß im Divan war nun allerdings
wieder so gesunken, daß der Großherr, nachdem es im
Jahr 1768 wirklich zum Bruch mit Rußland gekommen

war, auch nichts mehr von der Vermittelung hören wollte, welche ihr Ludwig XV. durch den Nachfolger des Grafen von Vergennes, Guignaut Grafen von St.=Priest, anbieten ließ. Es war fast ein Schritt der Verzweiflung, daß der Herzog von Choiseul im Jahr 1770 dem Cabinet Ludwig's XV. in einer stark motivirten Denkschrift die Nothwendigkeit einzureden suchte, man müsse die damals auf dem Weg nach dem Mittelmeer begriffene russische Flotte in den Grund bohren, bevor sie die Meerenge von Gibraltar passiren würde. Das sei das sicherste Mittel, den gesunkenen Einfluß Frankreichs bei der Pforte und in Europa wieder zu heben. Zu solchen energischen Maßregeln waren aber damals weder der König noch die Majorität seiner Räthe gemacht. Auch hatte ja England schon gedroht, daß es jeden Versuch, der russischen Flotte die Einfahrt in das Mittelmeer zu wehren, als eine gegen sich selbst gerichtete Feindseligkeit betrachten würde.[74]

Nur zu spät bot Frankreich, erst im Jahr 1771, der Pforte eine Hülfsflotte von 12—15 Kriegsschiffen an, wenn sie sich dagegen zu einer jährlichen Subsidienzahlung von drei bis vier Millionen Piastern verstehen wolle. Für diesen Preis schien indeß dem Divan eine solche verspätete Hülfe doch zu theuer erkauft. Er zog es vor, den Krieg mit Rußland vollends allein auszufechten, während es die aufgeklärtesten französischen Politiker hinterher noch als einen der größten Fehler des Cabinets von Versailles beklagten, daß es auf diese Weise den Ruin des Osmanischen Reichs beschleunigt habe.[75]

Auch bei dem Abschluß des Friedens von Kutschuk-

Kainarbschi blieb Frankreich nun natürlich thatenloser
Zuschauer; und wir werden sehen, wie schwer es ihm
wurde, sich nach demselben den Einfluß in der orientalischen Politik wieder zu verschaffen, welcher eine der
wesentlichsten Bedingungen seiner Machtstellung in Europa
überhaupt war.

Auch England hatte um diese Zeit die Höhe seines
Einflusses im Divan noch nicht ganz wiedererlangt, welche
es zu Anfang des Jahrhunderts durch seine glückliche
Vermittelung der beiden Friedensschlüsse von Carlovicz
und Passarowitz errungen hatte. „Die Engländer",
redete Sultan Mustapha II. den britischen Botschafter
Robert Sutton bei seiner Antrittsaudienz im März 1702
persönlich an, „sind unsere alten und guten Freunde, und
wir werden ihnen bei jeder Gelegenheit Beweise davon
geben, daß wir bei derselben Gesinnung beharren. Wir
werden nicht ermangeln, vorzüglich dem König unsere Er-
kenntlichkeit für die guten Dienste, die er uns geleistet
hat, an den Tag zu legen, und das Vertrauen, welches
wir in seine Freundschaft setzen, thatsächlich zu bewähren. [76])

Ganz im Geist britischer commerzieller Politik suchte
nun England diese günstige Stellung im europäischen
Orient zunächst vorzüglich wieder zur Hebung seines Levantehandels zu benutzen. Die englische Levantecompag-
nie machte damals, ungeachtet ihrer fehlerhaften Organisation, die glänzendsten Geschäfte. In den meisten
Artikeln beherrschte sie den Markt der Hauptstationen,
und auch durch die um diese Zeit auf vortheilhafte
Weise erfolgte Erneuerung der Verträge mit den
Barbareskenstaaten wußte man der englischen Flagge

in den Meeren der Levante Schutz und Achtung zu
verschaffen. [77])

Indeß war aber bereits seit dem Frieden von Passarowitz (1718) eine merkliche Umwandlung dieser Verhältnisse nicht zu Gunsten der commerziellen und politischen Interessen Englands eingetreten. Die Levantecom-
pagnie fing an zu kränkeln. Sie versank nach und nach
in eine sehr gedrückte Lage, konnte kaum mehr ihren
Verpflichtungen nachkommen und ihre Schulden bezahlen,
und mußte, um sich nur zu halten, die Hülfe der Regierung in Anspruch nehmen. Sie konnte namentlich
mit ihren schweren und kostbaren Tüchern, bis dahin
ein Hauptartikel ihres Absatzes auf den Märkten der
Levante, die Concurrenz mit den leichten und wohlfeilen,
aber gefälligen Fabrikaten der Franzosen aus Languedoc
und der Provence nicht mehr aushalten.

Denn diese französischen Fabriken hatten sich vorzüglich seit Colbert's Zeiten ungemein gehoben, und, da sie
sich auch dem Geschmack der Orientalen mehr anzupassen
wußten, bei den Türken bald einen sehr umfangreichen
Vertrieb gefunden. Tausende von Stücken der englischen
Tücher blieben unverkauft liegen, während die Franzosen
mit ihren Languedocs kaum der Nachfrage genügen konnten. Viele englische Handelshäuser in der Levante sahen
sich daher genöthigt, ihre Waare mit Verlust zu ver-
schleudern und dann ihre Comptoire gänzlich zu schließen.
In Aleppo z. B., wo man deren früher vierzig zählte, gab
es am Ende nur noch ein einziges, und ebenso kam in
den osmanischen Hafenplätzen auf zehn französische Schiffe
kaum noch ein englisches. [78]) Die geringe Unterstützung,
welche die Regierung der Compagnie endlich einmal zu

Theil werden ließ — ein Jahrgeld von 5000 Pfund
Sterling — konnte sie nicht aus ihrer bedrängten Lage
herausreißen.

Leider ging aber — so standen hier beide Interessen
in beständiger Wechselwirkung — gleichzeitig auch der
Verfall des britischen Levantehandels mit dem Sinken
des politischen Einflusses Englands im Divan immer
Hand in Hand. Die Art, wie es bei der Vermittelung
des Friedens zu Belgrad (1739) auf die Seite geschoben und von Frankreich überflügelt wurde, war für das
Cabinet von London sicherlich empfindlich genug. Ob
aber dann sein engeres Anschließen an Rußland, wovon
es sich für seinen Handel in Persien, und die Betheiligung an der Schiffahrt im Schwarzen Meer bedeutende
Vortheile versprach, der rechte Weg war, das verlorene
Terrain wiederzugewinnen, steht freilich sehr dahin.
Der Erfolg wenigstens spricht nicht dafür. Nicht ohne
beißenden Spott bezeichnete man seitdem den britischen
Gesandten zu Konstantinopel gleichsam als den Geschäftsträger Rußlands. [79])

Daß aber England Rußlands orientalische Politik
noch auf weit wirksamere Weise zu unterstützen bereit
war, beweist am besten der Eifer, womit es ihm beim
Ausbruch des Kriegs im Jahr 1768 in der Ausrüstung
seiner Flotte behülflich war, sie ohne Anstand in seine
Häfen aufnahm; und ihr, wie wir bereits gesehen haben,
für die Durchfahrt durch die Meerenge von Gibraltar
im Nothfall selbst den Schutz seiner Waffen zusagte.
Wie hätte man sich aber durch solche Dinge im Divan
beliebt machen sollen?

Vergeblich zog England im zweiten Jahr des **Kriegs**

seine Offiziere und Matrosen von der russischen Flotte
zurück, vergeblich untersagte es derselben fernerhin die
Rekrutirung in seinen Staaten, vergeblich endlich ließ
sich der britische Botschafter zu Konstantinopel, John
Murray, zu den lächerlichsten Schmeicheleien gegen den
Reis=Efendi und den kleinlichsten Intriguen herab, um
die Absichten der beiden von der Pforte bereits zur
Vermittelung zugelassenen Mächte Preußen und Oester=
reich zu verdächtigen, und dieselben seinem Hof zuzuwen=
den. Der Reis=Efendi ließ sich dadurch nicht bethören.
Von einer Vermittelung, Englands wollte er durchaus
nichts mehr hören. Er finde es, erklärte er dem Ge=
sandten geradezu, höchst sonderbar und außerordentlich,
daß England, während sich seine Schiffe bei der russi=
schen Flotte befänden, seine Vermittelung anbieten wolle;
es könne es damit unmöglich redlich meinen, es sei dies
wol nur ein Vorwand, desto besser seine feindlichen Ab=
sichten zu verbergen; es möge sich nur erst einmal offen
erklären, damit man wisse, woran man mit ihm sei. [80])
England kam dadurch nur in die üble Lage, daß es
seinen Credit nach beiden Seiten hin verlor. Denn
während man in Konstantinopel nichts mehr von ihm
wissen wollte, fing man auch in St.=Petersburg, Wien
und Berlin an, gegen seine zweideutige Politik gerechtes
Mistrauen zu hegen. Noch im April 1774 bot Herr
Murray dem Divan die Vermittelung seines Hofs mit
der lockenden Verheißung an, daß er ihm den Frieden
unter viel günstigern Bedingungen verschaffen wolle, als
alle übrigen Mächte. Er mußte aber seinen Kurier
unverrichteter Sache nach London zurückschicken; und ehe
darauf das Cabinet von St.=James noch weitere Schritte

in seinem Interesse thun konnte, war der Friede in der
bekannten Weise schon ohne den directen Antheil irgendeiner vermittelnden Macht zum Abschluß gekommen. [81]
England wurde also durch denselben gleichfalls in die
Nothwendigkeit hineingedrängt, sich erst durch kluge Be-
nutzung der nach demselben eintretenden verwickelten Verhältnisse den Einfluß auf den weitern Gang der orientalischen Politik wiederzuverschaffen, den es für] jetzt
verscherzt hatte. Wir werden sehen, wie und mit welchem
Erfolg ihm dies gelang.

Von allen Zwischenfällen, welche für die Haltung
der verschiedenen Großmächte während des jüngsten
russisch-türkischen Kriegs charakteristisch waren, erregte
wol keiner größeres Aufsehen, zum Theil auch gerechtere
Entrüstung in der christlich-europäischen Welt, als der
am 6. Juli 1771 zwischen Oesterreich und der Pforte
abgeschlossene geheime Subsidienvertrag. Er war in
der That ein würdiges Seitenstück zu dem Freundschafts-
und Defensivbündniß zwischen dem wiener Hof und dem
Cabinet von Versailles vom 1. Mai 1756 und, wie
dieses, ein diplomatisches Meisterstück der rücksichtslosen
Verschlagenheit des Fürsten von Kaunitz.

Dergleichen hatte man allerdings noch nicht erlebt.
Auf diese Weise war selbst der politischen Moral, der
traditionellen politischen Sitte noch niemals Hohn gesprochen worden. Nicht nur daß eine Macht, welche es
sich von jeher zum Ruhm angerechnet hatte, für den
Vorkämpfer gegen die Erbfeinde des christlichen Namens
zu gelten, jetzt denselben den Beistand ihrer Waffen und
ihres politischen Einflusses im vollsten Maß zusagte,
entblödete sie sich auch nicht, die Bedrängniß der Pforte

so weit zu ihren Zwecken zu benutzen, daß sie ihre ge=
schwächte Armee mit osmanischem Geld wieder auf einen
schlagfertigen Fuß bringen wollte.   Der Kaiser verlangte
vom Großherrn nichts Geringeres als 20000 Beutel
oder zehn Millionen Piaster als Beitrag zu den Aus=
rüstungskosten seines Heeres (pour frais de préparatifs
de guerre), wovon 4000 Beutel sofort, der Rest in
kurzen Fristen eingezahlt werden sollten.   Und damit
noch nicht zufrieden, bedang er sich nicht nur noch 2—
3000 Beutel für etwaige geheime Zwecke (à la réussité
de certaines vues secrètes) aus, sondern verlangte auch
als Preis der Dankbarkeit „für sein edles Verfahren"
(procédés généreux!) einen Theil der Walachei und
alle nur möglichen Vortheile für seinen Handel im Os=
manischen Reich.

Nichts zeugt wol besser für die bedrängte Lage der
Pforte, als daß sie, welche in frühern Zeiten namentlich
mit ihren Geldbewilligungen, z. B. gegen die Könige
von Frankreich, so karg und zurückhaltend war, jetzt
ihrem Erbfeind alles zugestand, und zwar gegen die kaum
ernstlich gemeinte und schwer zu erfüllende Gegenbedingung,
daß der Kaiserhof ihr alle von Rußland während des
Kriegs gemachten Eroberungen, sei es durch Unterhand=
lung oder mit den Waffen, wiederverschaffen und über=
haupt zur Erlangung eines vortheilhaften Friedens auf
jede Weise behülflich sein wolle. [82])

Die Entrüstung über diese Treulosigkeit des Cabinets
von Wien war aber vorzüglich in St.=Petersburg und
Berlin, wo man, ungeachtet aller Sorgfalt des Fürsten
Kaunitz, den Vertrag geheim zu halten, von dem Inhalt
desselben sofort Kunde erhalten hatte, um so größer, weil

der Kaiserhof gleichzeitig nicht müde geworden war, auch
dem Cabinet von St.=Petersburg seine Vermittelung
anzubieten. Vor allem konnte Friedrich der Große kaum
Worte genug finden, dieses hinterlistige Verfahren des
Fürsten Kaunitz und die verworfenen Manöver (infames
manoeuvres) seines Internuntius zu Konstantinopel, des
Herrn von Thugut, gehörig zu brandmarken. [83])

Die orientalische Politik Oesterreichs hatte jetzt offen=
bar die sichere und selbständige Haltung verloren. Sie
war schon seit dem Frieden von Passarovicz wenigstens
keine glückliche mehr gewesen. Was in diesem Frieden
noch durch Eugen's Siege und weise Rathschläge ge=
wonnen worden war, ging in dem nächsten Krieg durch
die falsche Politik des wiener Hofs und die Ungeschick=
lichkeit der kaiserlichen Generale wieder verloren. Auch
hätte man denselben gar zu gern vermieden. Oesterreich
wurde aber fast wider Willen in denselben hineingedrängt.
Es konnte den Verpflichtungen nicht mehr entgehen, welche
es durch das bereits im August 1726 abgeschlossene
Schutz= und Trutzbündniß mit Rußland übernommen
hatte, und wodurch seine sonst freundlichen Beziehungen
zur Pforte schon wieder einen sehr gespannten Charakter
bekommen hatten.

Denn man hatte sich durch dasselbe anheischig gemacht,
sich im Fall eines Kriegs gegenseitig mit einem Hülfs=
corps von 20000 Mann Fußvolk und 10000 Mann
Reiterei zu unterstützen. Da nun aber Rußland schon
im Jahr 1735 zu der kaiserlichen Armee am Rhein
10000 Mann hatte stoßen lassen, so konnte der Kaiser
auf Andringen des Cabinets von St.=Petersburg nicht
umhin; seiner Bundespflicht wenigstens dadurch nachzu=

kommen, daß er im Jahr 1736 ein Observationscorps von 30000 Mann nach Ungarn vorrücken ließ. Noch war es aber auch damit von seiten des kaiserlichen Cabinets weit mehr darauf abgesehen, der Vermittelung des Friedens zwischen Rußland und der Pforte thatsäch= lichen Nachdruck zu geben, als sich sogleich thätig an dem Krieg selbst zu betheiligen. Die Pforte wollte jedoch von einer solchen Vermittelung nichts mehr wissen, son= dern erklärte geradezu, daß sie den Kaiser fortan nur noch als den Bundesgenossen Rußlands und folglich ihren Feind betrachten könne. [84])

Seitdem war der Krieg freilich nicht mehr zu ver= meiden, zumal da die Pforte gegen den Hof von Wien einen sehr hohen Ton anstimmte. Zum Unglück verlor Oesterreich in diesem kritischen Moment durch den am 21. April 1737 erfolgten Tod des Prinzen Eugen seine kräftigste Stütze im Rath und im Feld. Man war bis zum letzten Augenblick im Kriegsrath des Kaisers noch in Zweifel darüber, ob man blos das, dem bereits im Januar dieses Jahrs mit dem Cabinet von St.=Peters= burg erneuerten Bundesvertrag zufolge bis auf 50000 Mann zu verstärkende Hülfscorps nach Rußland schicken, oder aber den Krieg mit allen disponibeln Streitkräften lieber sogleich selbständig führen solle? Die energischere Partei im Kriegsrath, an ihrer Spitze der Prinz von Hildburghausen und der Graf von Schmettau, und am Ende auch die Geheime Staatskanzlei entschieden sich für das letztere, und zwar diese vorzüglich aus dem Grund, weil die gegen Rußland eingegangenen Verpflichtungen einen andern Ausweg nicht mehr gestatteten. [85])

Die hierauf, nachdem auch die letzte Hoffnung, auf

dem in Aussicht gestellten Congreß zu Nimirow noch
eine friedliche Ausgleichung herbeizuführen, gänzlich ge=
schwunden war, am 6. Juni 1737 in Form eines Ma=
nifests erlassene Kriegserklärung des kaiserlichen Cabinets
an die Pforte ist für die damalige orientalische Politik
Oesterreichs und die dadurch bedingte Auffassung der
Stellung Rußlands zu dem Osmanischen Reich zu charak=
teristisch, als daß wir auch hier nicht besonders darauf
hinweisen sollten.

„Die Vereinigung beider Reiche", heißt es darin
unter anderm über die Bundesgenossenschaft der Kaiser=
höfe, „welche in der Zeit, wo man genöthigt war, eine
Heilige Ligue zu bilden, um sie den siegreichen Waffen
des ungeheuern und so furchtbaren Osmanischen Reichs,
das die ganze Christenheit wie ein reißender Strom zu
überschwemmen drohte, entgegenzusetzen, für so nützlich
galt, muß jetzt, bei dem blühenden Zustand, in welchem
sich Rußland befindet, noch viel vortheilhafter erscheinen.
Es ist der sicherste Damm, welchen man der Wuth
jenes Stroms entgegensetzen kann. Die Mühe, welche
sich die Ungläubigen gegeben haben, und die List, die
sie angewendet, um ihn zu durchbrechen, sind ebenso viel
Beweise seiner Nützlichkeit für die Mächte der Christen=
heit. Solange diese beiden angesehenen Reiche eng ver=
bunden bleiben werden, wie es ihr gegenseitiges Interesse
verlangt, werden die Grenzländer des Osmanischen Reichs
von der Pforte nichts zu befürchten haben, während sie
früher jedesmal, wenn in Europa Unruhen entstanden,
Gefahr liefen, von ihr unterjocht zu werden. Die Un=
gläubigen würden sicherlich ihren Zweck erreichen, wenn
die Verbündeten, in der Erwartung eines ungewissen

Friedens, zu einer Zeit unthätig bleiben wollten, welche geeignet ist, sich denselben mit Gewalt der Waffen zu sichern. Demnach wird man sich leicht davon überzeugen, daß der Kaiser sich in die Nothwendigkeit versetzt sieht, die Partei zu ergreifen, wozu er sich jetzt entschließt. Aber obgleich er sich nicht mehr davon lossagen kann, so beharrt er doch noch bei den friedlichen Gesinnungen, wovon er bei jeder Gelegenheit so schlagende Beweise gegeben hat. Gezwungen, den Krieg zu beginnen, ist er stets bereit, ihn zu beendigen, sobald die Pforte sich zu gerechten und billigen Friedensbedingungen verstehen will. Er hat keine ins Weite gehende Gedanken. Es ist nicht seine Absicht, die osmanische Macht zu Boden zu werfen." [86])

Um die Mittel, mit welchen der Kaiser diesen Krieg siegreich durchfechten zu können hoffte, stand es nun aber noch sehr mislich. Die Armee, noch von den letzten Kriegen in Deutschland und Italien her sehr geschwächt, war um so schwerer wieder auf einen achtbaren Fuß zu bringen, da es dazu vorzüglich auch an den nöthigen Geldmitteln fehlte. Man mußte dafür die Steuerkraft der Erbstaaten, die Reichshülfe und den guten Willen des Auslandes in außerordentlichem Maaß in Anspruch nehmen. Manches wurde dadurch allerdings erreicht, aber bei weitem nicht genug. Die deutschen Reichsstände bewilligten nur die Hälfte der Summe, die ihnen der Kaiser zugemuthet hatte. Papst Clemens XII. versprach zwar 600000 Scudi Subsidien, ließ es aber vorerst nur bei einer Abschlagszahlung von 150000 Scudi bewenden; und von Polen, Venedig und Spanien, welche der Kaiser gern förmlich mit in die Bundesgenossenschaft

hineingezogen hätte, war gar nichts zu erlangen. Auch
befand sich die Kriegskaffe beständig in bedrängten Um=
ständen. Nicht einmal die 600000 Gulden, welche ihr
monatlich zugesagt worden waren, konnten regelmäßig
ausgezahlt werden, und wurden sofort um 50000 Gulden
geschmälert.

Rechnet man dazu noch die Zwietracht und die Eifer=
sucht unter den kaiserlichen Generalen, welche sie gar
nicht einmal zu einem klar durchdachten Operationsplan
gelangen ließen, die schlechte Verpflegung der Truppen
und den gänzlichen Mangel einer geschickten obern Leitung
des Kriegs, so wird man sich wahrhaftig nicht wundern,
daß die Resultate desselben, auf die wir hier nicht im
einzelnen eingehen wollen, so trübselig ausfielen. Es
war von jeher ein sehr beliebtes, aber grundschlechtes
System bei der Führung dieser österreichischen Türken=
kriege, daß man, wenn die Dinge eben nicht gingen wie
sie hätten gehen sollen, hinterher seinen eigenen Generalen
die Köpfe abschlug oder sie auf die Festung schickte. So
auch jetzt. General Doxat verlor gleich im ersten Jahr
des Kriegs den Kopf, weil er das schwach vertheidigte
und schlecht verproviantirte Niffa der Uebermacht der
Osmanen preisgegeben hatte; und Feldmarschall Graf
von Seckendorf, der Oberfeldherr, mußte den schlechten
Ausgang des Feldzugs mit dreijähriger Haft als Staats=
gefangener in der Festung Graz büßen, ohne daß man
es gewagt hätte, den gegen ihn eingeleiteten Proceß
durch einen Richterspruch zu schlichten, der seine Schuld
oder Unschuld vor den Augen der Welt in ein klares
Licht versetzt hätte. Ein Gnadenact der Kaiserin Maria
Theresia verschaffte ihm erst nach dem Tod des erzürnten

Kaisers Karl's VI. im November 1740 die Freiheit
wieder. Die noch nicht geschlossenen Acten seines Processes ruhen bis zur Stunde· im Dunkel der wiener
Staatsarchive. [87])

Leider nur machte das so strenge Verfahren gegen diese
unglücklichen Generale die Kriegführung in den nächsten
Jahren um kein Haar besser. Im Jahr 1738 blieben
die Kaiserlichen in dem kleinen Krieg an der Donau fast
durchgängig im Nachtheil; und im nächsten Jahr entschied die unglückliche Schlacht bei Krozka (23. Juli 1739)
den Verlust der Festung Belgrad und den schimpflichen
Frieden, welcher wie ein Brandmal ihren Namen trägt.
Was half es nun, daß man auch da hinterher den
Marschall Wallis und den Grafen Neipperg wegen
schlechter Haltung im Feld und ungeschickter Führung
der Friedensverhandlungen ins Gefängniß warf, und
ihnen dann den Proceß machte, welcher gleichfalls nie
zum förmlichen Spruch gedieh!

Die schlimmen Nachwehen dieses unheilvollen Friedens
mußte man auch noch insofern empfinden, als die Pforte
bei der nachträglichen Grenzregulirung peinlicher und
unfügsamer war als je zuvor, und dem kaiserlichen
Großbotschafter, Grafen Ahlefeld, welcher die streitigen
Punkte vollends in Ordnung bringen sollte, nichts weniger als freundlich entgegenkam.

· Wie schwer wurde es ihm nicht, den Divan wenigstens indirect zur Anerkennung der Pragmatischen Sanction
zu bewegen, und wie leicht hätten die unermüdlichen
Aufhetzereien Bonneval's den sofortigen Wiederausbruch
des Kriegs mit dem Kaiser herbeiführen können. Er
wußte ja damals der Pforte den Einfluß, den sie sich

auf die Angelegenheiten des Deutschen Reichs zu ver=
schaffen und zu erhalten suchen müsse, in dem glänzend=
sten Licht darzustellen. Er wollte seinen Kopf zum Pfand
einsetzen, daß die Pragmatische Sanction niemals an=
erkannt werden und mithin in kurzem ganz Deutschland
in Feuer und Flammen stehen würde. Welch köstliche
Gelegenheit, dann dem Halbmond vielleicht selbst durch
die .Eroberung von ganz Ungarn nochmals zu seinem
alten Glanz zu verhelfen! 88)

Kein Wunder also, daß sich die Ausgleichung des
Grenzstreits noch bis zum Jahr 1744 hinschleppte, wo
ihn endlich der kaiserliche Internuntius Penkler durch
eine am 18. Jan. unterzeichnete Uebereinkunft schlichtete.
Dabei konnte es die Pforte aber doch nie ganz ver=
schmerzen, daß der Kaiser, einer beim Abschluß des
Friedens zu Belgrad abgegebenen Erklärung zufolge,
sein Bündniß mit Rußland· auch für die Zukunft als
unauflöslich und dauernd (ferme et durable) betrachtet
wissen wollte. 89) Das Defensivbündniß mit Schweden
war, wie wir gesehen haben, eine erste ernstliche De=
monstration der Pforte dagegen, und wenn es dann dem
Kaiserhof, ungeachtet der unvermeidlichen Bemühungen
Frankreichs im entgegengesetzten Sinn, im Jahr 1747
dennoch gelang, seinen Frieden mit der Pforte in einen
„ewigen" zu verwandeln, so war dies eben nur der
ausbauernden Geschicklichkeit des Internuntius Penkler
und der damals unverwüstlichen Friedenspolitik der Pforte
zu verdanken.

Daß dann Penkler und sein Nachfolger Schwachheim,
im Einverständniß mit den Vertretern Frankreichs und
selbst Rußlands, vorzüglich darauf hinarbeiteten, jede

Festsetzung Preußens in Konstantinopel zu verhindern, wird man um so natürlicher finden, da es dem wiener Hof kein Geheimniß sein konnte, daß die orientalische Politik Friedrich's des Großen vom Anfang an darauf gerichtet war, sich selbst die gesunkene Macht der Pforte doch noch so viel wie möglich für seine Zwecke gegen das Haus Oesterreich nutzbar zu machen.

Die Neutralität, wodurch sich ferner Oesterreich beim Ausbruch des russisch=türkischen Kriegs nach beiden Seiten hin decken wollte, war indessen in keinem Fall auf die Dauer haltbar. Um der nach Westen und Süden hin immer drohender werdenden Macht Rußlands einen wirksamen Damm entgegenzusetzen, schloß es sich hierauf zunächst enger an Preußen an. Unter dem Deckmantel gemeinschaftlicher Vermittelung suchte es dann aber doch desto bequemer seinen eigenen Weg einzuschlagen, welcher es bereits im Jahre 1771 zu jener zweideutigen Politik führte, welche wir oben charakterisirt haben. Sie brachte ihm jedoch, zunächst wenigstens, keinen Gewinn.

Denn während es damit das Vertrauen der christ= lichen Mächte verscherzte, wollte es ihm auf der andern Seite nicht einmal gelingen, den Verdacht gänzlich zu zerstreuen, welchen die Pforte nun doch in seine seltsame Zuvorkommenheit und seine weitern Absichten bei der Friedensvermittelung setzte. Der preußische Gesandte, Herr von Zegelin, führte schon zu Anfang des Jahrs 1773 bittere Klagen darüber, daß Herr von Thugut, der kaiserliche Internuntius, seine Bemühungen wegen Herstellung des Friedens gar nicht gehörig unterstütze. Es scheine im Gegentheil, daß sein Hof „gewisse inter= essirte Absichten" habe, das Friedensgeschäft zu hinter=

treiben. Er stehe mit dem französischen Gesandten, Herrn von St.-Priest, dem Hauptgegner des Friedens, auf dem vertraulichsten Fuß, und reize unter der Hand die Pforte nur immer zum Widerstand auf, unter anderm auch dadurch, daß er ihr glauben machen wolle, er, Zegelin, lege eine viel zu große Parteilichkeit für Rußland an den Tag. [90])

Und auf der andern Seite wollte doch auch wieder die Pforte sich nicht viel mehr mit ihm zu schaffen machen. Als er ihr wiederholt die guten Dienste (les bons offices) seines Hofs, selbst mit einer gewissen drohenden Haltung, aufdringen wollte, ließ ihn der Reis-Esendi ziemlich unsanft an. Eine solche Sprache hätte er ja längst führen können; bisjetzt habe man aber von den freundlichen Gesinnungen seines Hofs gegen die Pforte noch wenig bemerkt; mit blos mündlichen Zusagen und schönen Redensarten sei ihr nicht gebient. Er solle nur erst einmal die wirklichen Absichten seines Hofs schriftlich darlegen u. s. w. Dazu wollte sich aber Herr von Thugut nicht verstehen; und als er dann abermals dem Großvezier durch seine drohende Sprache imponiren zu können glaubte, hätte wenig gefehlt, daß derselbe in Wien auf seiner Abberufung bestanden hätte. [91])

Genug, das Resultat der zweideutigen Politik des wiener Hofs in dieser Krisis war am Ende nur die Litanei des Herrn von Thugut über das grenzenlose Unheil, welches der Friede von Kutschuk-Kainardschi über die christliche Welt bringen werde, die wir oben kennen gelernt haben. Wir werden bald weiter sehen, wie sich Oesterreich für seine diplomatische Niederlage vor dem Frieden durch die Sicherung reellerer Vortheile nach demselben schadlos zu halten suchte.

Und nun Rußland? Hat es durch diesen Frieden wirklich schon die erschreckende Höhe seiner Machtentwickelung nach Süden hin erreicht, welche, wie Herr von Thugut meinte, das Dasein und die Zukunft des Osmanischen Reichs fernerhin ganz von seiner Willkür abhängig machte und in seine Hand legte, wonach es seit Peter's des Großen Zeiten mit ebenso viel Geschick als Ausdauer gestrebt hatte?

Es wäre ein großer Irrthum, wenn man glauben wollte, daß Rußland bei diesem seinem Streben eine vollkommen ebene Bahn gefunden, und nicht viel mehr sehr bedeutende Schwierigkeiten zu überwinden gehabt hätte. Selbst Peter der Große sah sich am Ende seiner Tage noch weit von dem Ziel entfernt, welches ihm immer klar und deutlich vor der Seele geschwebt hatte. Nur nach und nach, und zwar zunächst auf friedlichem Weg, suchte er das Terrain wiederzugewinnen, welches er durch die Capitulation am Pruth, wo nicht für immer, doch auf lange Zeiten verloren zu haben schien.

Er ging dabei mit großer Vorsicht zu Werk. Denn er hatte in Konstantinopel nicht blos die Misgunst der Pforte, sondern auch die Eifersucht der übrigen Mächte zu bekämpfen. Es kostete ihm noch mehrere Jahre der peinlichsten Unterhandlungen, ehe er in dem im November 1720 erneuerten „Ewigen" Frieden nur erst einmal das Recht erlangte, in Konstantinopel einen Gesandten oder Residenten mit den den Vertretern anderer befreundeten Nationen zugestandenen Privilegien und Freiheiten zu unterhalten. Gerade darauf scheint aber Peter um

so mehr Gewicht gelegt zu haben, je eifriger andere
Mächte, namentlich England, bemüht waren, eine solche
Festsetzung Rußlands in der osmanischen Hauptstadt zu
vereiteln.

Außerdem waren die Aufhebung des bisher noch von
Rußland an die Tatarenkhane der Krim entrichteten
Jahrgeldes und die beiden contrahirenden Mächten mit
gleicher Berechtigung zuerkannte Garantie für die Aufrechterhaltung der Rechte und Freiheiten Polens und
seines Wahlkönigthums noch zwei der wesentlichsten Bestimmungen dieses Friedens zu Gunsten Rußlands. [92])

Sie wurden aber zugleich auch der Grund und Vorwand zu den ewigen versteckten Häkeleien und offenen
Feindseligkeiten, welche von Zeit zu Zeit immer wieder
zum Durchbruch kamen und die Dinge am Ende zum
Entscheidungskampf führen mußten. Der Zusammenstoß
Rußlands mit der Pforte an den Gestaden des Kaspischen Meers und der dadurch herbeigeführte bereits im
Jahr 1723 entworfene Theilungsvertrag, welcher die
kaukasischen Provinzen des Perserreichs zur Beute der
contrahirenden Mächte machte, aber erst nach Peter's
des Großen Tod (8. Febr. 1725), zu Ende des Jahrs
1727, eine vollendete Thatsache wurde, konnte nur als
eine Diversion gelten, wodurch die Ausführung der von
diesem Monarchen vorbereiteten Eroberungsplane nach der
europäischen Seite hin etwas verzögert wurden. [93])

An einer nähern Veranlassung zum Bruch fehlte es
bei den gespannten Verhältnissen in den Grenzländern
sowol am Kaspischen wie am Schwarzen Meer ohnehin
niemals. Machte schon der im Januar 1732 zwischen
Rußland und Persien zu Raetsche abgeschlossene Offensiv-

und Defensivvertrag, wodurch jenes einen Theil seiner persischen Provinzen aufgab, um desto freiere Hand nach Westen hin zu behalten, in Konstantinopel sehr böses Blut, so war ein förmlicher Bruch kaum mehr abzuwenden, als die Pforte im nächsten Jahr den Durchzug der nach Persien aufgebotenen Tataren der Krim durch das noch von den Russen besetzte Dagestan mit Gewalt erzwingen wollte. Wie wäre sie aber überhaupt im Stande gewesen, den Uebergriffen und Räubereien dieser Tataren auf russischem Gebiet Einhalt zu thun! Während sie dieselben allerdings offen misbilligte und durch wiederholte strenge Befehle scheinbar zu hindern suchte, begünstigte sie im Gegentheil dieselben unter der Hand wol immer als ein bequemes Mittel, Rußland Verlegenheiten zu bereiten.

Dazu kamen nun aber noch die mislichen Verhältnisse in Polen, wo Rußland, nach dem im Februar 1733 erfolgten Tod des Königs August II. die Sache des von der sächsischen Partei zu seinem Nachfolger erwählten August III. zu der seinigen gemacht hatte. Es schickte zu seinem Schutz 50000 Mann nach Lithauen und nahm nach hartnäckigem Widerstand Danzig hinweg. Seitdem blieb Polen bis zu seinem gänzlichen Untergang ein beständiges Element des Habers und der Feindschaft zwischen Rußland und der Pforte. Die letztere wollte jenes Eindringen russischer Truppen auf polnisches Gebiet sogleich durchaus als eine Verletzung der bestehenden Verträge betrachtet wissen. Wer sollte jetzt hier als Rächer des verachteten „Liberum Veto" auftreten, ob Rußland oder die Pforte? Das war es, worum sich nun da zunächst die Lösung der „orientalischen Frage" drehte.

Man hatte aber in Konstantinopel weder den Muth noch die Mittel, die Dinge sogleich aufs äußerste zu treiben. Wurde Frankreich nicht müde, den Divan im Interesse seines Schützlings, des Gegenkönigs Stanislaus Leszczynski, zum Krieg gegen Rußland zu reizen, so verschloß sich der vorsichtige Großvezier Ali-Pascha auf der andern Seite doch auch nicht den Vorstellungen der Seemächte, welche ihm die Gefahren eines solchen Kriegs um so eindringlicher schilderten, weil sie von der Schwächung der Pforte, welche sie davon befürchteten, eine wesentliche Beeinträchtigung ihre Levantehandels als unvermeibliche Folge betrachteten.

In St.-Petersburg dagegen war der Krieg gegen die Pforte schon zu Ende des Jahrs 1732 so gut wie beschlossen worden. Assow und die Krim sollten nun das nächste Ziel der siegreichen russischen Waffen sein. Die polnischen Händel verzögerten nur die Ausführung des Plans noch bis ins Jahr 1735. Ein abermaliger Versuch der Pforte, den Durchzug der Tataren durch russisches Gebiet nach Persien zu erzwingen, gab dem Cabinet von St.-Petersburg jetzt eine willkommene Gelegenheit die Maske vollends abzuwerfen.

Da die Pforte noch in den Krieg mit Persien verwickelt war, so schien ein schneller Handstreich nach der von Vertheidigern entblößten Krim hin den günstigsten Erfolg zu versprechen. Er wurde noch im Spätherbst desselben Jahrs gewagt. Aber ohne gehörige Umsicht ins Werk gesetzt, mislang er gänzlich. Den schlimmsten Feinden Rußlands bei diesen Krimfeldzügen, dem bösen Wetter und der Trostlosigkeit der Steppenländer, mußte es damals schon seinen Tribut zahlen. Man hatte noch lange nicht die ersehnten Linien von Perekop erreicht, als man durch die unerbittliche Strenge des hereinbrechenden Winters gezwungen wurde, mit schweren Verlusten an Menschen und Vieh den Rückzug anzutreten.

Nur das unüberwindliche Selbstvertrauen des Feldmarschalls Münnich ließ sich dadurch nicht entmuthigen. Der Friedenspartei im Rath der Kaiserin Anna zum Trotz, bewies er in einer sehr gründlichen Denkschrift, daß nicht nur die Eroberung von Assow und der Krim als völlig gesichert gelten könne, sondern daß dann davon auch die Ausbreitung der Herrschaft Rußlands über die benachbarten Landschaften nach Osten und Westen hin, über den Kuban, die Kabardei, die Moldau, die Walachei und Bessarabien die natürliche Folge sein werde.[94]

Man ersieht schon daraus, daß es mit dem russischen Kriegsmanifest vom 12. April 1736 nicht mehr reblich und ernst gemeint sein konnte. Denn nachdem darin alle seit dem Frieden von Pruth gegen die Pforte aufgelaufenen Beschwerden zusammengestellt waren, wurde schließlich nochmals die Hand zum Frieden geboten, und zwar unter Bedingungen, welche geeignet wären, „die Ruhe und Sicherheit beider Reiche, wie sie vordem bestanden, auch für die Zukunft auf die haltbarste Weise zu verbürgen". Dagegen wurden darin alle die Punkte, worüber die Pforte sich ihrerseits zu beklagen wohl Grund genug gehabt hätte, wie namentlich das Bündniß mit Persien und der Einmarsch der Russen in Polen, mit wohlberechnetem Stillschweigen übergangen. Allein ehe dieses Manifest in Konstantinopel eintraf, standen die russischen Truppen schon vor Assow, während Münnich selbst mit seiner Hauptarmee gegen die Krim im Anzug war. Die einzig mögliche Antwort darauf war daher die osmanische Kriegserklärung vom 2. Mai. [95])

Man kann nicht leugnen, daß der hierauf sofort eröffnete Feldzug in gewisser Beziehung glänzend war. In seinen Resultaten täuschte er aber doch die gehegten Erwartungen auf sehr empfindliche Weise. Die Erstür= mung der für uneinnehmbar gehaltenen und von 100000 Tataren gedeckten Linien von Perekop (20. Mai 1736) trug freilich nicht wenig dazu bei, den Kriegsruhm Münnich's zu vermehren; und auch die gleich darauf erfolg= ten blutlosen Einnahmen von Koslow und Baktschi=Serai wurden als Waffenthaten von außerordentlicher Wichtig= keit weit und breit verherrlicht. Allein die Hauptsache war, daß Münnich auch nicht einen Stein von diesen seinen Eroberungen behaupten konnte. Selbst die Festungs= werke an den Linien von Perekop mußten in die Luft gesprengt werden, und nicht ohne Noth erreichte die bis unter die Hälfte zusammengeschmolzene Armee ihre Win= terquartiere in der Ukraine wieder.

Der Feldzug wäre daher gänzlich resultatlos geblie= ben, wenn nicht Assow nach einer langwierigen Belage= gerung am 1. Juli capitulirt und der Kalmückenfürst Donduc=Ombo noch vor Ausgang des Jahrs die Ta= tarenstämme des Kuban der Botmäßigkeit der Kaiserin unterworfen hätte.

Die Enttäuschung war nun freilich bitter genug. Denn in St.=Petersburg hatte schon kein Mensch mehr daran gezweifelt, daß die Krim eine russische Provinz werden würde. Die Devise um den nach Europa und Asien blickenden Doppelabler auf der Denkmünze, womit

man etwas zu voreilig die Einnahme von Perekop ver-
ewigen zu können gemeint hatte: „OCCIDENTEM RESPICIT
ET ORIENTEM; PACE EUROPÆA PROMOTA TARTARIS VI-
CTIS, TANAI LIBERATO. AO. 1736" wurde durch den
Ausgang des Feldzugs nur zu sehr Lügen gestraft.

An den Frieden dachte man nun freilich von keiner
Seite ernstlich, weder in Konstantinopel noch in St.-
Petersburg. Rußlands Ruhm und Münnich's Waffen-
ehre verlangten die Fortsetzung des Kriegs. Man nahm
ihn mit desto größerer Zuversicht wieder auf, weil
sich auch der Kaiser seiner Bundespflicht zufolge endlich
zur Theilnahme an demselben entschlossen hatte. Mit
ungeheuern Mitteln wurde aber auch in den nächsten
Jahren im Grunde wenig erreicht.

Ein zweiter Einbruch in die Krim unter General
Lascy im Sommer 1737 war nicht viel mehr als ein
eitler Verheerungszug; und bei einem dritten im nächsten
Jahr wurden zwar die Linien von Perekop ein zweites
mal genommen, sie konnten aber auch jetzt ebenso wenig
gehalten werden wie im Jahr 1736. Oczakow und
Kinburn, welche Münnich im Jahr 1737 genommen
und General Stoffeln mit beispiellosem Heldenmuth
gegen die Osmanen vertheidigt hatte, mußten gleichfalls
im nächsten Jahr wieder geräumt werden, nachdem man
dort 20000 Russen begraben hatte. Endlich schien das
Jahr 1739 den Krieg mit erwünschtem Erfolg krönen
zu müssen. Lascy versuchte sich zwar zum vierten mal
vergeblich gegen die Krim; Münnich aber nahm nach
der siegreichen Schlacht bei Nawutschane (28. Aug. 1739)
die starke Grenzfestung Choczim; und war bereits Meister
der ganzen Moldau, als der ohne seinen Willen und

sein Wissen gleichfalls zu Belgrab abgeschlossene Friede den weitern Fortschritten seiner Waffen ein Ziel setzte.

Dieser russische Friede war zwar nicht so schimpflich wie der des Kaisers; was durch ihn aber gewonnen wurde, stand doch weit unter dem Niveau der Erwartungen, womit der Krieg begonnen worden war. Assow blieb geschleift, und sein wüst gelegtes Gebiet sollte fernerhin als Schieds- und Schutzmauer (barrière) zwischen beiden Reichen bienen. Auch Taganrog burfte nicht wieder aufgebaut werden; und Rußland ist es untersagt, auf dem Meer von Assow und in dem Schwarzen Meer Schiffe zu bauen und eine Flotte zu unterhalten. Selbst der Handel in diesen Gewässern sollte den Russen nur auf türkischen Schiffen gestattet sein. Dagegen wurde es der Zarin zugestanden, ihre Vertreter bei der Pforte mit dem Charakter bekleidet zu unterhalten, welchen sie ihnen beizulegen für angemessen erachten würde (avec le caractère que Sa dite Majesté jugera convenable). Ueber den derselben zu bewilligenden Kaisertitel wurde indessen auch jetzt noch eine weitere Uebereinkunft vorbehalten. [96])

Von der Krim war natürlich in dem Friedensvertrag gar keine Rede. Man kam darin nur überein, daß die Streifereien und Uebergriffe der Tataren fernerhin nicht mehr gebulbet und streng geahndet werden sollten. Die gänzliche Räumung der Molbau kostete namentlich Münnich große Ueberwindung. Er machte seinem Unwillen über diesen trostlosen Ausgang des Kriegs schon im September in einem Schreiben voller Bitterkeiten an den bie kaiserlichen Truppen in Siebenbürgen befehligenden Fürsten von Lobkowitz Luft.

„Was ist denn nun", heißt es darin, „aus der Heiligen Allianz geworden, welche zwischen den beiden Höfen bestehen sollte? Auf seiten der Russen nimmt man Festungen, auf seiten der Kaiserlichen läßt man sie schleifen und übergibt sie den Feinden. Die Russen erobern Fürstenthümer, die Kaiserlichen treten den Türken ganze Königreiche ab. Die Russen bringen den Feind bis aufs äußerste, die Kaiserlichen gewähren ihm alles, was er will, und seinem Stolz schmeicheln und ihn vermehren kann. Auf seiten der Russen setzt man den Krieg fort, auf seiten der Kaiserlichen macht man Waffenstillstand und schließt den Frieden ab. Was wird also aus diesem unauflöslichen Bündniß?"

Dieses Bündniß sollte freilich auch nach einer von seiten Rußlands dem Divan überreichten förmlichen Erklärung fortbestehen, ungeachtet der Misstimmung, welche der Friede zwischen den beiden Kaiserhöfen allerdings hervorgebracht hatte. An nachträglichen Händeln mit der Pforte, welche sich dagegen durch das Bündniß mit Schweden zu decken gesucht hatte, konnte es natürlich auch dieses mal nicht fehlen. Sie wurden erst nach dem im October 1740 erfolgten Tod der Kaiserin Anna durch die definitive Convention geschlichtet, welche am 7. Sept. 1741 unter Frankreichs Vermittelung zu Konstantinopel unterzeichnet wurde. Die endliche Anerkennung des Kaisertitels von seiten der Pforte und die Grenzregulirung, welche Rußland in der Ukraine eine nicht unansehnliche Erweiterung seines Gebiets nach der Krim hin verschaffte, waren danach eigentlich der wesentlichste Gewinn des vierjährigen Kriegs, welcher Rußland so schwere Opfer gekostet hatte. [97])

Ungeachtet der auch nach dieser Zeit fortdauernden Zwistigkeiten an den Grenzen lag es jedoch im Interesse beider Mächte, zunächst in gutem Einvernehmen zu verbleiben. Der ewige Friede zwischen ihnen wurde noch im April 1747 ohne weitern Anstand erneuert. Erst mit der Thronbesteigung der Kaiserin Katharina II. (Juli 1762) beginnt die neue Aera in der orientalischen Politik Rußlands, welche der Pforte so verhängnißvoll geworden ist. Sie mochte wol ahnen, was bei den weitgehenden Planen dieser herrschsüchtigen Fürstin für ihre Zukunft auf dem Spiel stehe, wenn es jetzt zum Bruch kommen sollte. Daher suchte sie ihn auch ungeachtet der Aufreizungen Frankreichs und des Drängens der polnischen Conföderirten noch so lange wie möglich zu vermeiden, während auf der andern Seite auch die Kaiserin den Divan mit verstellten Friedensversicherungen so weit hinzuhalten bemüht war, bis sie sich in Polen auf eine Weise festgesetzt haben würde, die ihre Herrschaft dort womöglich für alle Zeiten gesichert hätte.

An der für ihr Geld keineswegs unempfindlichen Friedenspartei in Konstantinopel selbst hatte sie in dieser Hinsicht eine kräftige Stütze. Als sich aber nach dem Ereigniß von Balta diese Friedenspartei nicht länger halten konnte, fügte man sich freilich von beiden Seiten in die unvermeidliche Nothwendigkeit. Zu Anfang October 1768 erklärte die Pforte nach einem heftigen Wortwechsel zwischen dem Großvezier und dem russischen Gesandten Obreskow, worin jener die maßlosen Eingriffe der Kaiserin in die Rechte und Freiheiten Polens als Hauptgrund des Bruchs in den Vordergrund stellte, Rußland förmlich den Krieg. Zugleich suchte sie wie

immer ihr Verfahren durch ein ausführliches an die befreundeten Mächte gerichtetes Manifest vor den Augen
der Welt zu rechtfertigen. [98]　Die Kaiserin zögerte nicht
diese Herausforderung in einem Gegenmanifest anzunehmen, worin sie ihr Verhalten gegen Polen durch den
den Dissidenten vertragsmäßig zu gewährenden Schutz
rechtfertigen wollte, der Pforte dagegen vorwarf, daß
sie jetzt blos deshalb für die Conföderirten von Bar
einstehe, weil ihr von denselben die Oberherrschaft über
Podolien und die polnische Ukraine in Aussicht gestellt
worden sei. [99]

　Wir wollen hier nicht nochmals auf eine kritische,
am Ende doch für die thatsächliche Auffassung dieser
wichtigen Verhältnisse wenig fruchtbringende Untersuchung
darüber eingehen, ob die Kaiserin Katharina damals
gleich beim Beginn dieses Kriegs schon den Gedanken
der gänzlichen Vernichtung des Osmanischen Reichs in
Europa und der Wiederherstellung eines griechischen Kaiserthums auf seinen Trümmern vollständig ausgebildet
in ihrer Seele trug, ob sie an die Möglichkeit seiner
Verwirklichung glaubte, und über Art und Mittel, wie
und wodurch dieselbe zu erreichen sei, völlig im Klaren
war? Man dürfte wol berechtigt sein, daran zu
zweifeln. Von dem politischen Phantasienspiel, worin sich
weibliche Eitelkeit und unbegrenzte Ruhmsucht gefallen
mochten, bis zu einem scharf durchdachten und in seiner
Ausführung durch ruhige Erwägung der dazu nöthigen
Mittel und Wege einigermaßen gesicherten Plane, wie
ihn gereifte politische Einsicht hätte fassen müssen, war
sicherlich noch ein sehr großer Abstand. Was Katharina
in dieser Hinsicht wirklich in ihrem Geist verschloß, bekam

jedenfalls erst unter dem mächtigen Einfluß der nachfolgenden Ereignisse bestimmtere Gestalt und unterlag dem durch
diese bedingten Wandel der Zeiten und der Verhältnisse.

Es ist bekannt, wie vorzüglich der greise Feldmarschall von Münnich, welcher sich nach zwanzigjähriger
Verbannung der besondern Gunst der Kaiserin zu erfreuen
hatte, dieselbe für eine Idee zu begeistern wußte, welche
schon Peter den Großen lebhaft beschäftigt, und deren
Verwirklichung er selbst bei Gelegenheit des letzten Türkenkriegs für möglich gehalten hatte. [100]) Dann gefiel
sich vor allen Voltaire darin, mit seinen classischen Erinnerungen und seinen philosophischen Philhellenismus
der Eitelkeit der Kaiserin zu schmeicheln, und sie zu entschlossener und ruhmvoller That in dieser Richtung anzufeuern. [101]) „Dieser Krieg", meinte er unter anderm,
„muß nicht durch einen Frieden gewöhnlicher Art geendet
werden. Es ist nicht genug, die Türken zu bemüthigen,
nein, ihr Reich in Europa muß vernichtet und sie müssen
auf ewig nach Asien verbannt werden."

Die Kaiserin, nun vorzüglich auch durch den Ehrgeiz
ihres Günstlings Orlow aufgestachelt, ging allerdings
auf diese politischen Phantasien ein. Schon seit dem
Jahr 1765 hatte sie durch ihre Emissäre unter der
griechischen und slawischen Bevölkerung in Rumelien,
Thessalien, Albanien, Montenegro, Griechenland, Morea
und auf den Inseln des Archipel bis nach Candia hin
einflußreiche Verbindungen angeknüpft. Es wurden diesen christlichen Unterthanen der Pforte vielverheißende
Versprechungen gemacht, und überall zeigte sich infolge
derselben unter ihnen eine hoffnungsreiche Bewegung zu
Gunsten Rußlands.

Darauf hin entschloß sich die Kaiserin endlich, ob=
gleich sich in ihrem Rath gewichtige Stimmen dagegen
erklärt hatten, nachdem im Jahre 1769 schon die Moldau
und Walachei in ihre Gewalt gefallen waren, auch ihre
Flotten nach dem Mittelmeer zu schicken. Es scheint
jedoch, daß sie es nicht ohne ein gewisses Zagen und
mit lebhaften Besorgnissen für den Ausgang des gewag=
ten Unternehmens that. Die ruhige und kältere Ueber=
legung gewann in ihrem bewegten Geist nach und nach
wieder die Oberhand. „Man muß abwarten, was nun
weiter geschehen wird", schrieb sie zu Anfang November
1769 an Voltaire, „diese Flotte im Mittelmeer ist ein
neues Schauspiel; das weise Europa wird es nach dem
Erfolg beurtheilen."

Seitdem schwankte sie zwischen übertriebenen Hoff=
nungen und trostloser Entmuthigung hin und her. Stei=
gerten die glänzenden Berichte Orlow's über die ersten
Erfolge ihrer Waffen in Morea und den Tag bei Tschesme
ihre Erwartungen aufs höchste, so fühlte sie sich durch
das endliche Mislingen der versuchten Befreiung Grie=
chenlands in ihrem Ehrgeiz um so schmerzlicher verletzt.
Denn noch in dem an die christlichen Unterthanen der
Pforte gerichteten Manifest hatte sie sich mit der größten
Zuversicht über das Gelingen des bereits von Peter dem
Großen und der Kaiserin Anna entworfenen Plans der
Vertreibung der Türken aus Europa und der Wieder=
aufrichtung des byzantinischen Kaiserthrons in Konstan=
tinopel ausgesprochen. [102])

Ihren Unmuth über das Mislingen desselben ließ sie
nun zunächst den armen Griechen entgelten. „Diese
Griechen, diese Spartiaten", schrieb sie im October 1770

an Voltaire, „sind sehr entartet, sie lieben ihr Räuber-
leben mehr als die Freiheit." Und dann im August
des nächsten Jahrs: „Wenn Ihr theures Griechenland,
welches nicht über bloße Wünsche hinauskommen kann,
mit ebenso viel Kraft handelte, als der Herr der Pyra-
miden (der Mamlukenchef Ali-Beg), so würde das Thea-
ter von Athen bald aufhören, ein Gemüsegarten zu sein
und das Lyceum nicht mehr lange als Pferdestall gebraucht werden."

Auch Voltaire's Begeisterung für die Befreiung Griechenlands stieg und fiel mit den Ereignissen. Es war
freilich nur ein schlechter Trost, den er am Ende der
Kaiserin zu geben vermochte, daß in einem Unternehmen
dieser Art selbst das Mislingen den Ruhm der Unsterblichkeit sichere. „Hannibal", schrieb er ihr im August
1770, „ward freilich von Italien zurückgeschlagen, allein
ist deshalb sein Ruhm etwa geringer gewesen?" Und
dann stimmt er auch darin mit der Kaiserin überein,
daß die Griechen der Wohlthaten gar nicht würdig seien,
die sie ihnen zugedacht habe. Seine letzte Hoffnung,
selbst nach dem Frieden von Kutschuk-Kainardschi, blieb
gleichwol, daß bessere Zeiten kommen würden, und daß,
was jetzt nicht erreicht worden sei, in einem zweiten
Krieg sicherlich zum erwünschten Ziel geführt werden
würde.

Die der Kaiserin war in dieser Beziehung nun aber
doch schon sehr herabgestimmt. Der Feldzug vom Jahr
1770 war auch dafür und für den weitern Verlauf und
den Ausgang des ganzen Kriegs eigentlich der entscheidende. Denn nachdem selbst die Katastrophe bei Tschesme
ein ihren Folgn den Erwartungen ganz und gar nicht

entsprochen hatte, gab man Griechenland und Konstantinopel auf, um vorerst nur in der Krim und an der
Donau einigermaßen festen Fuß zu fassen. Darauf
waren sowol die Feldzüge der drei nächsten Jahre, als
auch die Verhandlungen wegen Herstellung des Friedens
gerichtet.

Man wußte von beiden Seiten, und zumal in Konstantinopel, recht gut, was dabei auf dem Spiel stehe.
Daher die Hartnäckigkeit, womit man zu Fokschan und
Bukarest fruchtlos um die Anerkennung der Unabhängigkeit der Tataren stritt; daher bis zum letzten Augenblick das unendliche Geschrei der Ulema gegen die Abtretung der beiden elenden Festungen Kertsch und Jenikale an Rußland. Davon hänge ja, meinten sie, das
ganze Dasein des Osmanischen Reichs ab. Um die Tataren im Zaum zu halten, brauche Rußland, wie es
behaupten wolle, diese Städte gar nicht. Es verbinde
mit ihrem Besitz ganz andere Zwecke. Es wolle sich
dort eine Flotte schaffen, um bei erster bester Gelegenheit Konstantinopel zu überrumpeln. Und ob dies jetzt
oder in dreißig Jahren geschehe, sei gleichviel. Deshalb
dürfe man in diesem Punkt niemals nachgeben. Man
ersieht daraus, daß die osmanischen Staatsmänner wenigstens ebenso tief und ebenso weit in die Zukunft
blickten, wie der kaiserliche Internuntius Herr von Thugut. [103])

Man war ja selbst bereit, die bedeutende Summe
von 40—50000 Beuteln daranzusetzen, wenn Rußland auf die Unabhängigkeit der Tataren, den Besitz
von Kertsch und Jenikale und die Schiffahrt auf dem
Schwarzen Meer hälte Verzicht leisten wollen. Man

hätte also in keinem Fall nachgegeben, wenn nicht am Ende doch die russischen Waffen, und vielleicht noch mehr russisches Geld den Sieg davongetragen hätten. Denn daß Bestechungen, Bestechungen der osmanischen Unterhändler und der einflußreichsten Persönlichkeiten des Divan in großem Maßstab dabei im Spiel waren, ist eine nicht mehr zu bezweifelnde Thatsache. [104])

Für die Kaiserin war es aber, abgesehen von den höhern Staatsinteressen, eine Sache der Ehre und des Ruhms geworden, nicht nachzugeben, und wenigstens auf einer Demüthigung der Pforte zu bestehen, so sehr auch sonst die Schwierigkeiten der Kriegführung und die bedenklichen Zustände im Innern des Reichs den Frieden wünschenswerth machen mochten. [105]) Bereits im April 1773 ließ sie dem Divan auf seine Geldanerbietungen durch ihren Bevollmächtigten erklären, daß sie um alle Schätze der Welt von den obenberührten Punkten nicht abgehen werde. [106]) Und wenn dann auch der friebliebende Graf Panin, welcher die Lage des Reichs und die auswärtigen Verwickelungen gegen Ende des Kriegs mit sichererm Blick überschaute, noch einigermaßen zur Nachgiebigkeit geneigt war, so fand er doch immer noch unübersteigliche Schwierigkeiten, als es sich darum handelte, die Kaiserin für seine Ideen empfänglich zu machen, und ihr die Nothwendigkeit des Friedens einzureden. [107])

Man begreift daher wol, daß es für beide eine freudige Ueberraschung sein mochte, wenn zu einer Zeit, wo, wie Graf Solms sich ausdrückt, ein bedeutender Schlag dem Reich sehr gefährlich hätte werden können, und in dem Augenblick, wo namentlich in der Krim wirklich schon ein bedenklicher Zusammenstoß zwischen Russen und Osmanen stattgefunden hatte, beim endlichen Ab= schluß des Friedens doch fast mehr erreicht wurde, als man unter diesen Umständen erwarten und wünschen konnte: die Unabhängigkeit der Tataren, der Besitz von Kertsch, Jenikale und Kinburn, die Schiffahrt auf dem Schwarzen Meer, das politische Patronat über die Donaufürstenthümer, die religiöse Schutzherrschaft über die griechisch=christlichen Unterthanen der Pforte zu Pera, eine ehrenvolle und gesicherte diplomatische Stellung in Konstantinopel und obenein 15000 Beutel (7½ Millionen Piaster oder 4½ Millionen Rubel) als Entschädigung für die Kriegskosten.

Die Freude in Peterhof war aber um so größer, da in dem letzten Stadium der Verhandlungen jede directe Einwirkung der vermittelnden Mächte fern geblieben war, und man mithin auch in dieser Beziehung eine sehr gün= stige unabhängige Stellung gewonnen hatte, welche, wie wir gesehen haben, namentlich den österreichischen Staats= männern so drohend, so gefährlich erschien. Es ist auch deshalb vom schlagendsten Interesse, hier noch anzudeu= ten, wie sich die Macht, welche sich durch den gewaltigen Geist ihres Trägers erst seit kurzem auf die Staffel einer europäischen Großmacht erhoben hatte, und durch ihre ganze Staatsentwickelung darauf angewiesen war, auch bei ihrer orientalischen Politik andere und entgegen= gesetzte Richtungen zu verfolgen, als das Kaiserhaus der Habsburger, wie sich Preußen zu diesen folgereichen Verhältnissen stellte.

Auch der Eintritt Preußens in die orientalische Po= litik Europas war das Werk Friedrich's des Großen.

Vor seiner Zeit waren die Beziehungen der preußischen Monarchen zur Pforte und zum Osmanischen Reich noch sehr vereinzelt und ohne belangreichere Folgen geblieben. Ein erster von der Pforte ausgehender Versuch, mit Preußen in ein näheres Verhältniß zu treten, welcher im Jahr 1718, unter Vermittelung des gegen das Haus Oesterreich aufgehetzten, vom Divan zum König von Ungarn ernannten Franz Rakoczy gemacht wurde, fand bei König Friedrich Wilhelm I. selbst sehr wenig An= klang. Kaum daß er die freundliche Stimmung der Pforte einmal dazu benutzte, in den Staaten des Groß= herrn Pferde für seine Remonte aufzukaufen oder Re= kruten für die lange Potsdamer Garde anzuwerben.

Auch Friedrich II. übereilte sich nicht gerade, dauern= dere und wirksamere Verbindungen mit der Pforte an= zuknüpfen, obgleich er gewiß vom Anfang seiner Regie= rung an die Wichtigkeit derselben zu würdigen wußte und über ihr Ziel mit sich völlig im klaren war. Er wußte sehr wohl, daß selbst die gesunkene Macht der Pforte, geschickt benutzt, noch ein bequemes Werkzeug zur Erreichung seiner Zwecke gegen das Haus Oesterreich werden könne. Er ging aber dabei mit um so größerer Vorsicht zu Werke, weil — auch das entging ihm nicht — sich auf diesem schwierigen Terrain jeder Fehltritt leicht auf um so empfindlichere Weise rächen konnte, daer als Neuling auch den Widerstand der dort bereits eingebür= gerten Großmächte Europas zu bekämpfen haben würde.

„Eine Kriegserklärung der Türken an Oesterreich", schrieb er an den Minister Podewils, welcher sich, auf Bonnevals Betrieb, zum Fürsprecher eines Waffenbünd= nisses Preußens mit der Pforte gegen Oesterreich machen wollte, noch im November 1746, „könnte mir wol nicht misfallen, aber ich bin überzeugt, daß es damit nicht eher etwas werden wird, als bis der Waffenstillstand zwischen den Türken und Oesterreichern abgelaufen ist, was erst im Jahr 1748 der Fall sein wird". Oester- reich kam jedoch dieser Eventualität durch die im Mai 1747 auf alle Zeiten erfolgte Erneuerung seines Frie- dens mit der Pforte zuvor.

Dann scheiterte einige Jahre später (1750 und 1753) ein vorzüglich von Frankreich aus wiederholt mit großem Eifer betriebener Versuch, Preußen in eine Bundesge- nossenschaft zwischen Polen, Schweden und der Pforte gegen Rußland hineinzuziehen, wie es scheint, vorzüglich an den erfolgreichen Gegenbestrebungen des kaiserlichen Internuntius Penkler. Hatte die Pforte dafür wenig Sinn, so mochte auch König Friedrich II. ein solcher Waffenbund vorerst noch zu abenteuerlich erscheinen. Ueberhaupt wollte er sich in dieser Richtung niemals auf politische Phantastereien einlassen. Er fühlte sich nicht berufen, wie er es später selbst einmal nannte, „den Don-Quixote der Türken zu machen".

Auch hatte ihn die Geschichte älterer und neuerer Zeiten genugsam darüber belehrt, was dabei herauskomme, wenn man etwa in der Levante kostspielige Erwerbungen machen wolle. Weder das große fruchtbare Eiland Negroponte, welches der Cardinal Alberoni schon seinem Vorgänger zugedacht hatte, noch der Piräus, den Voltaire gern zu einem preußischen Hafen gemacht hätte, waren sonderlich im Geschmack Friedrich's des Großen. Für ihn hatte der Hafen von Danzig eine weit größere Wichtigkeit, und das mußte ihm am Ende selbst Voltaire zugeben.

Bei aller Achtung vor altclassischer Bildung und Wissenschaft war dieser weitblickende Monarch doch der allerschlechteste Philhellene. Seiner Meinung nach waren die Griechen viel zu sehr gesunken, als daß sie die Freiheit verdient hätten; und auch der ihm gleichfalls von Voltaire als ein würdiger Schluß seines glänzenden Lebenslaufs warm empfohlene Plan, sich mit Rußland und Oesterreich zur Theilung des Osmanischen Reichs zu vereinigen, hatte für ihn sehr wenig Reiz. [108])

Friedrich der Große verband mit seiner orientalischen Politik sogleich reellere Zwecke, die er auch wirklich für erreichbar hielt. Erst seit dem Jahr 1755, als er sich von allen Seiten von mächtigen Feinden bedroht sah, dachte er ernstlich daran, sich in der Pforte einen gewichtigen Bundesgenossen, namentlich gegen Oesterreich, zu sichern. Der von dem Frieden von Belgrad her als russischer Agent in die orientalischen Verhältnisse vortrefflich eingeweihte Carlo de Cagnoni war dabei sein Rathgeber. Welche Schwierigkeiten hatte er aber nicht noch zu überwinden, ehe er es nur durch, seinen sehr gewandten und umsichtigen Unterhändler, den Geheimen Commerzienrath von Rexin, einen seit längerer Zeit in Konstantinopel ansässigen breslauer Kaufmann, dahinbrachte, durch den Abschluß eines förmlichen Freundschafts- und Handelsvertrags mit der Pforte in dauernde und geregelte Beziehungen zu treten.

Es hatten sich natürlich im Divan sogleich zwei Parteien für und gegen die Verbindung mit Preußen gebildet, welche von den Gegnern des Königs, namentlich dem kaiserlichen Internuntius Schwachheim und dem französischen Gesandten Herrn von Bergennes, aus allen

Kräften bearbeitet wurden. Es kostete unendliche Mühe und schweres Geld — unter anderm wurden Rexin einmal 80000 Piaster zu diesem Zweck zur Verfügung gestellt —, ehe die Unterzeichnung jenes ersten Handelsvertrags zwischen Preußen und der Pforte durchgesetzt wurde, welcher die eigentliche Grundlage der weitern politischen Beziehungen zwischen beiden Mächten und des Einflusses Preußens auf die orientalischen Angelegenheiten bis auf unsere Tage geblieben ist. Sie erfolgte endlich am 22. März a. St. (2. April n. St.) 1761.

Obgleich es aber, wie gesagt, nur ein Handelsvertrag sein sollte, in der Weise, wie er längst schon andern befreundeten und begünstigten Nationen zugestanden worden war, so bekam Preußen doch dadurch sogleich eine bedeutende und mit den übrigen Mächten sozusagen ebenbürtige politische Stellung bei der Pforte. Der wichtigste Punkt desselben in dieser Beziehung war, daß ihm das Recht eingeräumt wurde, in Konstantinopel seine Vertreter und in den Handelsplätzen der Levante seine Agenten, Consuln, Viceconsuln und Dolmetscher mit denselben Privilegien zu unterhalten, wie die übrigen Mächte, und daß dann auch sogleich die Verhältnisse der preußischen Unterthanen im Osmanischen Reich nach dem Princip gegenseitiger Gleichheit geordnet wurden.[109]

Das war es auch, was die Gegner Preußens ganz besonders darüber in den Harnisch brachte. Schwachheim und der russische Resident, Herr von Obreskow, sollen 100000 Dukaten für eine nicht zu hohe Summe gehalten haben, wenn man damit noch die Ratification des preußischen Vertrags hintertreiben könne. Das sollte ihnen jedoch nicht gelingen. Denn die Ratification war bereits erfolgt, ehe ihre Bemühungen ihren Zweck erreicht hatten.

Auf der andern Seite gingen aber freilich auch die großen Erwartungen, welche Friedrich II. an das Zustandekommen dieses Vertrags geknüpft hatte, nicht in Erfüllung. Auf die ihm in demselben ausdrücklich offen gelassene Freiheit, noch weitere Vorschläge zu machen, gestützt, glaubte er ihn sofort bis zu einem förmlichen Schutz= und Trutzbündniß gegen Oesterreich erweitern zu können. Auch wurden ihm wirklich schon, namentlich von dem für die Sache sehr eingenommenen Großvezier, Raghib=Mohammed in diesem Sinn die tröstlichsten Zusagen ertheilt. Er schmeichelte sich, infolge derselben, einige Zeit lang alles Ernstes mit der Hoffnung, daß die Pforte zu Anfang des Jahrs 1762 zu seinen Gunsten 100000 Tataren und ebenso viel von ihren eigenen Truppen gegen Oesterreich ins Feld schicken werde. Die Pforte dachte aber daran niemals ernstlich. Auch ohne die fortgesetzten Aufhetzereien, namentlich des Herrn von Bergennes, von denen wir schon gesprochen haben, würde es dazu schwerlich je gekommen sein.

Der zwischen dem König und Kaiser Peter III. von Rußland am 5. Mai 1762 abgeschlossene Friedensvertrag war ja nur ein willkommener Vorwand für die antipreußische Partei im Divan, die Verhandlungen über das beabsichtigte Bündniß gänzlich abzubrechen. Im October wurde es definitiv verworfen, und dann war natürlich von der Mobilmachung osmanischer Truppen zu Gunsten Preußens gar keine Rede mehr.[110] Bei Gelegenheit der im nächsten Jahr 1763 aus diplomatischer Höflichkeit nach Berlin geschickten osmanischen Gesandtschaft, welche dem gelehrten Resmi-Ahmed-Efendi anvertraut war, sprach der König zwar selbst seinem Bündniß mit der Pforte nochmals mit vieler Wärme und sehr einleuchtenden Gründen das Wort; er richtete aber damit, obgleich Sultan Mustapha III. selbst dem eminenten Verstand des Königs seine Bewunderung nicht versagen konnte, ebenso wenig etwas aus, wie sein Vertreter in Konstantinopel mit einem kurz darauf erneuerten Versuch, die Pforte zur Annahme eines modificirten Bundesvertrags zu bewegen. [111])

Man wird es nur natürlich finden, wenn dann auch der am 11. April 1764 zwischen Preußen und Rußland abgeschlossene Allianzvertrag nicht ohne Einfluß auf die damalige Stimmung der Pforte blieb und ihr gegen die fernern Absichten des Königs gewisses Mistrauen einflößte. Gleichwol war das Verhältniß zwischen beiden Mächten seitdem fortwährend ein freundliches, und die hohe politische Bedeutung, welche es einmal für Preußen gewonnen hatte, wuchs mit den Ereignissen, welche ihm ein thätigeres Eingreifen in die orientalischen Angelegenheiten Europas fortan zur Pflicht und zur nothwendigen Bedingung seines erweiterten Einflusses und seiner gesteigerten Ansprüche machten.

Friedrich II. wußte beim Ausbruch des russisch-türkischen Kriegs im Jahr 1768 sicherlich sehr wohl, welchen Weg er in dieser Richtung einzuschlagen und was er zur Wahrung seiner eignen Interessen zu thun habe. Das Osmanische Reich, so wenig Lebensfähigkeit er ihm auch sonst zugestehen mochte, konnte und wollte er nicht der gänzlichen Vernichtung preis geben, weil er es noch immer als ein Gegengewicht gegen die Uebermacht Ruß-

lands und Oesterreichs betrachtete; und auf der andern
Seite durfte er mit dem Cabinet von St.=Petersburg
nicht gänzlich brechen, weil er dadurch seine Stellung im
Norden gefährdet sah und es dort für seine Zwecke
brauchte. Er zahlte also der Kaiserin die vertragsmä=
ßigen Subsidien fort, nahm aber zugleich die vermittelnde
Haltung an, welche ihm seine besondern Interessen und
die allgemeinern politischen Weltverhältnisse zum Gesetz
machten. [112])

Dabei mochte es ihm freilich einige Ueberwindung
kosten, daß er sich anfangs noch an Oesterreich anschlie=
ßen mußte, um mit ihm gemeinschaftlich die Vermitte=
lung zu übernehmen, welche, nach einigem Zögern, auch
schon zu Ende des Jahrs 1770 von den beiden krieg=
führenden Mächten angenommen wurde. Nöthigten ihn
dazu auf der einen Seite die übertriebenen Forderungen
Rußlands, so wandte er sich dann auf der andern doch
wieder um so entschiedener der nordischen Macht zu, als
sich die zweischneidige Politik des wiener Hofs durch den
Subsidenvertrag mit der Pforte vom 6. Juli 1771 nur
zu sehr offenbarte. Er trug kein Bedenken, der Kaiserin
Katharina nun auch noch den Beistand seiner ganzen
bewaffneten Macht für den Fall zuzusagen, daß Oester=
reich im Verein mit der Pforte wirklich gegen sie die
Waffen ergreifen würde. [113])

Seitdem lag das Vermittelungsgeschäft fast aus=
schließlich in den Händen Preußens. Denn während
die Pforte ihm, als der bei der Sache am wenigsten
unmittelbar interessirten Macht, das meiste Vertrauen
schenkte und bis zum letzten Augenblick in den König
drang, seinen Einfluß in St.=Petersburg zur Erlangung

möglichst billiger Friedensbedingungen zu ihren Gunsten geltend zu machen, war auch das Cabinet von St.=Petersburg am Ende doch nicht abgeneigt, den gemäßigten Vorschlägen des Königs Gehör zu geben. [114]) Der Gang der Ereignisse überflügelte indeß die Bemühungen und die Voraussicht des Königs. Auch Preußen blieb von der unmittelbaren Einwirkung auf den endlichen Abschluß des Friedens ausgeschlossen, und der Hauptgewinn, welchen es für sich aus dieser Krisis mit hinwegnahm, bestand eben darin, daß es auch nach demselben diejenige Macht war, von deren einsichtsvoller Vermittelung die Pforte vor allem eine Milderung der schweren Bedingungen erwartete, zu denen sie sich nothgedrungen hatte verstehen müssen.

Das bedingte damals die bedeutende Stellung Preußens in den orientalischen Angelegenheiten, welche Friedrich der Große auch nach andern Richtungen hin in seinem Interesse und zu seinem Vortheil wohl zu benutzen wußte und bemüht war.

II.

Die nördliche und westliche Politik in der orientalischen Frage während der Revolutionszeit.

Soll der Friede von Kutschuk=Kainardschi, so wie er abgeschlossen worden ist, in seinem nackten Wortlaut, in seinem ganzen Umfang und mit allen seinen Consequenzen, nun auch wirklich zur Ausführung kommen? Soll das Verhängniß, welches durch ihn über das Osmanische Reich hereingebrochen ist, eine unabwendbare

Wahrheit werden? Wird man ruhig zusehen, wie Rußland, wo nicht augenblicklich, doch nach und nach und in kurzem sich nur um so sicherer vollends in den Besitz der leichten Beute (Thomas Roe nannte sie ja schon vor 150 Jahren „a prostituted prey") setzen, und zum Herrn des europäischen Orients machen wird, um von da aus dann der Welt Gesetze vorzuschreiben und in Zukunft ihre politischen Geschicke zu leiten? —

Das waren die Punkte, auf welche sich jetzt die große orientalische Frage concentrirte, um die sich ihre Lösung drehte, und welche, indem sie die dabei ins Spiel kommenden Interessen der Großmächte bedingten, ihre Thätigkeit nach allen Seiten hin in Bewegung setzten.

Die Pforte, welche sich durch den ihr in einer unseligen Stunde aufgedrungenen Frieden schon am Rande des Abgrunds sah, verneinte natürlich jene Fragen, und bot, angesichts ihrer trostlosen Zukunft, offen und im geheimen alles auf, um, wo nicht den ganzen Frieden wieder rückgängig zu machen, doch wenigstens eine Milderung seiner schwersten Bedingungen zu erreichen.

Um so hartnäckiger bestand dagegen gerade Rußland auf seinem theuer genug erkämpften Recht, die ungeschmälerte Erfüllung des Friedens zu verlangen. Das Cabinet von St.=Petersburg wollte durchaus nichts von einer Milderung, nichts von einer Deutung der Bestimmungen desselben wissen, und lieh allen darauf abzielenden Einsprachen der vermittelnden Mächte, zumal anfangs, ein sehr ungeneigtes Ohr.

Preußen nahm unter diesen, wie gesagt, die erste Stelle ein. Während die Pforte, einem in solchen Fällen bei ihr von jeher sehr beliebten Manöver zufolge, vor

allem durch absichtliche Verzögerung der Ratification des
Friedens Zeit zu gewinnen suchte, und sich mit der eiteln
Hoffnung hinhielt, daß irgendeine ihr günstige Wendung
und Verwickelung der europäischen Verhältnisse Rußland
zur Nachgiebigkeit nöthigen werde, drang sie sogleich mit
aller Macht in König Friedrich II., daß er in diesem
Sinn seinen gewichtigen Einfluß in St.-Petersburg zu
ihren Gunsten geltend machen möge.

„Die Pforte hofft noch", schrieb Herr von Zegelin
bereits unter dem 3. Sept. an den König, „daß durch
die guten officia, so Ew. Majestät bei dem russischen
Hof anwenden würden, die Friedensbedingungen in einigen Stücken gemildert werden können. Sie schmeichelt
sich, Ew. Majestät werden ihr diese Freundschaft nicht
abschlagen, sondern sich die Sache mit allem Eifer angelegen sein lassen. Sie begreift zwar wohl, daß nicht
alles redressirt werden kann; sie überläßt also lediglich
Ew. königl. Majestät, was nach der Billigkeit von Rußland zu erhalten sein möchte, und welches alles dann
durch die ordentlichen Ambassadeurs, die beide Mächte
sich einander schicken werden, in Ordnung gebracht werden
könnte." [115])

Es waren aber vorzüglich fünf Punkte, welche der
Pforte ganz besonders am Herzen lagen, und welche sie,
infolge des immer drohender werdenden Geschreis der
Ulema darüber, unter allen Umständen abgeändert wissen
wollte. Sie verlangte erstens: daß, unbeschadet der Unabhängigkeit der Tataren der Krim, dem Sultan dennoch
dort die Hoheitsrechte in ihrem ganzen Umfang verbleiben, wie namentlich das Gebet für ihn in den Moscheen,
das Münzrecht, die Einsetzung der Richter durch die

Patente des Kabiaster, unb bie Inveſtitur jebes neuge=
wählten Khans burch großherrliche Diplome; zweitens:
Beſchränkung ber Schiffahrt Rußlands aus bem Schwar=
zen nach bem Weißen Meer auf Schiffe von höchſtens
vier bis fünf Kanonen; brittens: Aufhebung ber ber
Molbau, ber Walachei unb ben Inſeln bes Archipels
zugeſtanbenen zweijährigen Steuerfreiheit, welche ſowol
ben Souveränetätsrechten ber Pforte wie ber Billigkeit
zuwider ſei (contre l'usage des souverains et contre
l'équité); viertens: Zurückgabe von Kertſch unb Jenikale,
welche ber König ſelbſt ſchon früher einmal gegen Ab=
tretung von Kinburn in Vorſchlag gebracht habe; unb
enblich fünftens: Erlaß ber Kriegskoſten, auf welche
Rußland ſelbſt früher bereits Verzicht geleiſtet habe; wie
viel mehr ſollte es bies nicht jetzt thun, wo ihm auch noch
bie Freiheit ber Tataren zugeſtanden ſei. Nur wenn ſich
Rußland zu biesen Mobiſicationen verſtehen wolle, könne
es auf einen bauerhaften Frieden mit ber Pforte rech=
nen. [116]

Dann erklärte ſich ber Divan noch ganz beſonders
gegen bie Art unb Weiſe, wie Rußland ſeine Schutz=
herrſchaft über bie Molbau unb Walachei geltenb machen
wollte. Graf Rumänzow hatte ſofort bie Anſtellung ber
Hospobare auf Lebenszeit verlangt, während bie Pforte
nur eine brei= bis vierjährige Dauer ihrer Fürſtenwürde
zugeſtehen, unb auch von einer weitern Steuererleichte=
rung für bie Fürſtenthümer nichts wiſſen wollte. Jeboch
verſtand ſie ſich zu ber von Rußland verlangten unb
von bem preußiſchen Geſandten ſehr warm unterſtützten
Ernennung bes Gregor Ghika zum Hospobar ber Molbau,
weil ſie, wie ſich Herr von Zegelin in ber betreffenben

Depesche an den König ausdrückt, „einem so wahren Freund der Pforte, wie Ew. königl. Majestät wären, nichts refusiren könne". In gleicher Weise nahm sie endlich auch noch die Zurückstellung von Taman in Anspruch.[117]

. In keinem Fall wollte sich aber nun die Pforte zur Ratification des Friedens verstehen, bevor sie nicht darüber · unterrichtet sei, „ob der König wegen Milderung der Friedensbedingungen etwas Gutes ausgerichtet habe".[118] Deshalb machte man auch dem russischen Geschäftsträger, Obersten von Peterson, welcher bereits am 6. Oct. in Konstantinopel eintraf, um die Ratification durchzusetzen, die unsäglichsten Schwierigkeiten. Obgleich Herr von Zegelin sich seiner mit großem Eifer annahm, so war doch nicht durchzubringen. Denn was heute etwa zugestanden worden war, wurde morgen in der Hoffnung einer günstigern Wendung der Dinge schon wieder zurückgenommen. Kaum daß man sich dazu bequemte, die noch in den Sieben Thürmen gefangen gehaltenen russischen Offiziere frei zu geben, und den Befehl ertheilte, die hier und da noch verborgenen russischen Sklaven aufzusuchen.[119] Genug, das Jahr verging, ohne daß man einen · Schritt weiter gekommen wäre, denn es hing eben alles davon ab, wie man die Sache in St.=Petersburg auffassen, oder wie weit man dort auf die Vorstellungen des Königs von Preußen zu Gunsten der Pforte eingehen werde.

Friedrich II. hatte allerdings keinen Anstand genommen, dem Cabinet von St.=Petersburg die Wünsche der Pforte zur Berücksichtigung zu empfehlen, und mochte um so eher wenigstens auf einigen Erfolg rechnen, da er bei den noch immer ziemlich mislichen Zuständen im

Innern des russischen Reichs, welche ihm kein Geheimniß waren, auf seiten der Kaiserin und ihrer Minister wol einige Nachgiebigkeit erwarten durfte. In diesem Punkt täuschte er sich indeß. Die betreffende Note der Pforte, welche der König durch seinen Gesandten in St.=Petersburg, den Grafen von Solms, gegen Ende October dem Grafen Panin überreichen ließ, wurde zwar aus Rücksicht auf den König nicht ohne Wohlwollen aufgenommen, und verfehlte auch nicht, einige Sensation zu machen (elle n'a pas laissé que d'alarmer la Cour d'ici, sagt Solms); in der Hauptsache aber verfehlte sie ihren Zweck.

Man war allerdings bereit, auf eine Vermittelung des Königs einzugehen, und ersuchte ihn selbst sehr angelegentlich (très-humblement) darum, aber nur in dem Sinn, daß er den bedeutenden Einfluß (le grand crédit), welchen er bei der Pforte genieße, dazu anwenden möge, ihr begreiflich zu machen, daß der Friede für sie durchaus nicht so vernichtend und unglücklich (accablante et malheureuse) sei, als man ihr glauben machen wolle.

Was habe sie denn dadurch verloren? Die Tataren könne sie freilich nicht mehr bei ihren Kriegen mit ihren Nachbarn gebrauchen. Aber das sei ja eher ein Vortheil, als ein Nachtheil für sie. Denn da ihre Einfälle meistens die Hauptursache der Kriege zwischen Rußland und der Pforte gewesen seien, so sei ihnen durch die ihnen zugestandene Unabhängigkeit der fernere Schutz der Pforte, und somit auch zugleich das Mittel benommen, ihre Räubereien fortzusetzen und das gute Einvernehmen (la bonne harmonie) zwischen beiden Reichen zu stören. Im übrigen sei für die Kaiserin nur die absolute Unabhängigkeit und die unbeschränkte Freiheit

der Tataren in bürgerlicher und politischer Hinsicht das
Wesentliche in der Sache; die religiöse Oberhoheit des
Sultans, als Haupt des Islam, über dieselben berühre
sie gar nicht.

Ebenso gereiche ja auch die Rußland zugestandene
Schiffahrt auf dem Schwarzen Meer beiden Nationen
auf gleiche Weise nur zum Nutzen, und sei daher ein
Mittel mehr, einen festen und dauernden Frieden zu unterhalten (à l'entretien d'une paix constante et durable).
Daß ferner Rußland die Interessen der Donaufürstenthümer und der Inselgriechen, welche durch den Krieg
so viel gelitten hätten, in Schutz nehmen wolle, dazu
sei es um so mehr berechtigt, da es dort ohnehin freiwillig auf sein Eroberungsrecht Verzicht geleistet habe.
Die Souveränetät der Pforte über dieselben werde dadurch in keiner Weise beeinträchtigt.

Kinburn, Kertsch und Jenikale habe Rußland nur in
der Absicht verlangt, um seinem Handel eine größere
Ausdehnung geben zu können, und sich auf diese Weise
einigermaßen für zwei Jahre Krieg zu entschädigen, wozu
der Eigensinn und die Hartnäckigkeit der Pforte es gezwungen habe. Endlich seien auch die Kriegskosten nichts
weiter als eine billige Entschädigung, zumal da dabei
der Feldzug des letzten Jahrs noch nicht einmal mit in
Anschlag gebracht worden sei, und unter allen Umständen müsse es doch der Kaiserin überlassen bleiben, in
dieser Beziehung ihrer edlen Freigebigkeit (générosité)
selbst die geeigneten Grenzen zu setzen.

Das war im wesentlichen die Antwort, welche die
Kaiserin auf die obigen fünf Punkte zu Anfang November nicht der Pforte unmittelbar, sondern dem König von

Preußen mittheilen ließ. Sie legte es ihm dabei noch ganz besonders ans Herz, daß er dies als ihre eigene, persönliche Meinung (comme son sentiment propre), als eine vertrauliche Mittheilung betrachten möge, welche sie ihm, ihrem Freund und Bundesgenossen, in der Absicht mache, daß er sie, gemäß der Feundschaft, welche er für sie und ihr Reich hege, in seinem Namen auf die wirksamste Weise dazu gebrauche, der Pforte ihre leichtfertige Denkungsart über die Möglichkeit und die Nothwendigkeit der Erfüllung der Friedensbedingungen zu benehmen (pour ôter à la Porte sa façon de penser trop légère sur la possibilité et les obligations d'observer les conditions de cette paix). Er solle nur der Pforte den Nutzen dieses Friedens für beide Reiche deutlich zu machen suchen, und ihr beweisen, daß er ihr weder gefährlich noch lästig werden könne.

Ganz im Sinn der Kaiserin fügte dann Graf Panin überdies noch hinzu, er schmeichle sich, daß, da Rußland von dem Frieden keine bedeutenden Vortheile habe, der König die Mäßigung desselben anerkennen, und sich seiner Sache aus voller Ueberzeugung von ihrer Vortrefflichkeit (par la conviction de sa bonté) annehmen werde. Er bitte ihn, zu der Pforte nur mit Festigkeit und mit dem Ton eines in der Kunst der Politik vollendeten Fürsten zu reden (d'un prince consommé dans l'art de politique), welcher aus eigener Erfahrung die Interessen aller Mächte kenne, und durch seine Redlichkeit, seine Aufrichtigkeit, und vorzüglich seine Uneigennützigkeit in dieser Sache vor allen würdig sei, für seine Rathschläge das Vertrauen der Pforte in Anspruch zu nehmen.

Mit Einem Wort, die Kaiserin werde nie dulden,

daß an dem Friedensvertrag oder irgendeinem Punkt desselben die geringste Aenderung gemacht werde (qu'il soit fait la moindre altération au traité du paix et sur quelque point que ce puisse être). Zugleich werde aber auch der König dieselbe ganz besonders verpflichten, wenn er der Pforte als seine eigene vollkommene Ueberzeugung eröffnen wolle, daß der Kaiserin nichts mehr am Herzen liege, als zwischen beiden Reichen Frieden und die innigste Einigkeit (l'union la plus étroite) zu erhalten; daß sich dieselbe von ihrer Seite nur der Wirkungen der aufrichtigsten Versöhnlichkeit, einer unbegrenzten Zuneigung und des ausgezeichnetsten Wohlwollens zu versehen habe, und daß sie ihr völlig freie Hand lassen werde, für ihre Vertheidigung gegen Rußland hin ganz nach Gutdünken Sorge zu tragen.

Dagegen könne die Kaiserin ganz und gar nicht auf den von der Pforte gehegten Gedanken eingehen, daß der König mit England in Gemeinschaft die Garantie des Friedens übernehmen solle. Sie sei überzeugt, daß weder er noch England sich dazu hergeben wolle. Er werde vielmehr der Pforte begreiflich machen, daß, da sie mit Rußland allein und ohne den Beistand und die Vermittelung irgendeiner andern Macht Krieg geführt und den Frieden abgeschlossen habe, es für beide Theile weit rühmlicher und vortheilhafter sein werde, den Frieden ihren eigenen Interessen gemäß zu erhalten, als die kleinen Streitigkeiten, welche etwa noch vorkommen könnten, dem Urtheil dritter zu unterwerfen, und ihnen dadurch nur Gelegenheit zu geben, sich auf unbefugte Weise in ihre Angelegenheiten zu mischen und zwischen ihnen Hader und Zwietracht zu säen.

Der Hof von St.-Petersburg wolle überhaupt nicht mehr das Spielwerk der Intriguen und Kabalen Fremder sein, um sich von ihnen Gesetze vorschreiben zu lassen. Er habe sich durch die Manöver des wiener Hofs schon die Abtretung der Moldau und Walachei abbringen lassen. Wenn er also noch ferner seinen Willen unter den anderer beugen wolle, so könnte man von ihm am Ende leicht verlangen, daß er alle die Vortheile zum Opfer bringe, welche er durch einen fünfjährigen schweren Krieg theuer genug erkauft habe. Es sei dem König nicht unbekannt, mit welcher schonenden Vorsicht (délicatesse) sich die Kaiserin gegen England benommen habe, um es von der Theilnahme an der Vermittelung des Friedens fern zu halten, vorzüglich weil sie habe verhindern wollen, daß auch Frankreich Himmel und Erde zu diesem Zweck in Bewegung setze. Dieselben Beweggründe bestehen noch in ihrer ganzen Kraft hinsichtlich der Verweigerung der von England nachträglich und ohne vorhergängige Verständigung mit den Betheiligten angebotenen Garantie des Friedens. Es habe dabei wahrscheinlich seine sehr bestimmten, nur auf den ersten Blick nicht sogleich erkennbaren Absichten. Auch sei der Widerstand der Pforte jedenfalls nur eine Folge französischer Intriguen, gegen welche man alle nur mögliche Vorsichtsmaßregeln ergreifen müsse. Denn die Pforte sei an sich viel zu schwach, als daß sie ernstlich daran denken sollte, sogleich wieder irgendetwas gegen Rußland zu unternehmen. [120])

König Friedrich II., welchem damals vor allem daran lag, wegen der Grenzregulirung in Polen und seiner Absichten auf Danzig, wozu er den guten Willen der

Kaiserin brauchte, mit Rußland auf freundlichem Fuß zu bleiben, beeilte sich, seinen Gesandten zu Konstantinopel sofort in dem Sinn der obigen Weisungen mit den gemessensten Instructionen zu versehen. „Die sehr ins einzelne gehenden Befehle, welche deshalb an meinen Minister zu Konstantinopel erlassen worden sind", schrieb er bereits unterm 26. Nov. an den Grafen Solms, „sind derart, daß ich nicht zweifle, der Graf Panin werde sich überzeugen, daß ich alles erschöpft habe, was er nur wünschen konnte, um in dieser Sache den Absichten seines Hofs Genüge zu thun." [121]

Herr von Zegelin versäumte natürlich nicht, den Befehlen des Königs nachzukommen, obgleich ihn Graf Panin hinterher einer gewissen Lauheit beschuldigen wollte, welche ihren Grund darin habe, daß er den Vorstellungen der Pforte größeres Gewicht beilege, als sie in Wahrheit verdienen. [122] Der Pforte einreden zu wollen, daß der Friede für sie nicht so nachtheilig sei, wie man ihn ihr vorstelle, war freilich keine leichte Aufgabe. Es war schon viel, daß es Zegelin durchsetzte, daß von dem kleinen russischen Geschwader, welches unter den Befehlen des Brigadiers Borissow zu Ende November im Hafen von Konstantinopel vor Anker gegangen war, ein mit zwanzig Kanonen bewaffnetes Transportschiff nach Kertsch und Jenikale auslaufen durfte. „Es hat dieser Umstand", schrieb er darüber, „ziemliche Schwierigkeiten verursacht, ehe die Pforte habe darein consentiren wollen, daß ein zum Krieg ausgerüstetes Schiff zum ersten mal diesen Weg nehmen könne". [123]

Die entschiedene Haltung des Hofs von St.-Petersburg machte nun aber doch die Pforte etwas nachgiebi-

ger. Während sie noch immer in Herrn von Zegelin
brang, daß er eine Milderung des Friedens bewirken
möge, fertigte sie doch bereits unter dem 2. Nov. die
Ratificationsurkunde aus, und ertheilte auch Befehl,
Kinburn zu räumen. Denn Graf Panin hatte seinerseits
erklärt, daß die Russen auch Choczim und Bender nicht
eher verlaffen würden, als bis man über die von dem
Sultan vollzogne Ratification völlige Gewißheit habe.[124]
Man hielt nun aber bennoch die Ratification noch so
lange wie möglich zurück. Auch die Ernennung des Gesandten, welcher sie nach St.-Petersburg bringen sollte,
wurde dazu zum Vorwand gebraucht. Denn es wollte
sich zu dieser nichts weniger als angenehmen Mission
niemand gern verstehen, aus Furcht, daß man dem osmanischen Botschafter in Petersburg „für dieses mal
etwas verächtlich begegnen werbe“.[125]

Endlich schlugen aber doch die unausgesetzten Bemü-
hungen des preußischen Gesandten und die feste Sprache
des Obersten Peterson, im Verein mit der bedenklichen
Haltung Oesterreichs an den Grenzen der Moldau, durch.
„Die Pforte solle sich nur“, lautete das Ultimatum des
Herrn von Zegelin, „nicht durch frembe insinuationes
hinter das Licht führen laffen, sondern einmal ihr wahres
Interesse einsehen und erkennen, daß der gute Rath, wel-
Ew. königl. Majestät ihr öfters gegeben, die wahre
Glückseligkeit der Pforte zum Grund gehabt, und daß
derjenige, der ihr von andern Mächten gegeben worden,
sie nur in lauter Unglück gebracht hätte. Sie werde sich
baburch einer großen Sorge entlebigen und ihr Auge
nach andern Seiten hin richten können.“ Darauf hin
erfolgte die Ratification wirklich am 24. Jan. 1775 in

feierlicher Audienz des Obersten Peterson beim Großve=
zier. Zugleich verstand sich die Pforte nun zu einer
Abschlagszahlung von 2000 Beuteln auf die Kriegskosten,
der Regulirung der Verhältnisse der Krim, und der Ab=
sendung ihres Gesandten Abdul=Kerim nach St.=Pe=
tersburg. [126])

Jedenfalls war auf diesen Ausgang der Sache, welcher
namentlich den französischen Gesandten in eine sehr ver=
drießliche Stimmung versetzte, wie gesagt, die sonderbare
Haltung Oesterreichs vom wesentlichsten Einfluß. Sie
machte Rußland und Preußen fast noch mehr zu schaffen,
als der Pforte selbst, und bildete daher einen der merk=
würdigsten Incidenzpunkte in den damaligen orientalischen
Verwickelungen.

Schon vor dem Abschluß des Friedens von Kutschuk=
Kainardschi hatte sich Oesterreich an den Grenzen der
Moldau und Walachei allerhand zu schaffen gemacht.
Es hatte dort, auf osmanischem Gebiet, durch seine In=
genieure Messungen vornehmen und Karten entwerfen
lassen, in Ungarn Truppen zusammengezogen, und ver=
schiedene verdächtige Bewegungen ausgeführt, ohne daß
jedoch die Pforte, überdies anderwärts zu sehr beschäf=
tigt, da sie keinen offen feindseligen Charakter hatten,
sich veranlaßt gesehen hätte, etwas dagegen zu thun.
Kaum war aber der Friede unterzeichnet, als Oesterreich,
schon im September, ohne weiteres einen zum Osmani=
schen Reich gehörigen Grenzdistrict der Moldau, mit den
Hauptorten Czernautsch und Sutzawa, in einer Ausdeh=
nung von etwa 30 Stunden Länge und 10—20 Stun=
den Breite, bis in die Nähe von Choczim und an die
Grenze von Siebenbürgen militärisch besetzen ließ.

Die Sache machte natürlich ungeheures Aufsehen und nach allen Seiten hin sehr böses Blut. Man wußte nicht recht, was man davon denken sollte. Die einen meinten, der Kaiserhof wolle sich dadurch für die von dem Vertrag vom Jahr 1771 her von der Pforte schul= digen und noch nicht bezahlten Subsidiengelder, im Be= lauf von drei Millionen Piaster, schadlos halten [127]); die andern wollten wissen, daß diese „Usurpation“ infolge eines heftigen Wortwechsels zwischen Kaiser Joseph und Fürst Kaunitz stattgefunden, in welchem jener diesem die bittersten Vorwürfe darüber gemacht habe, daß Oester= reich, nachdem es während des letzten russisch=türkischen Kriegs in trostloser Unthätigkeit verharrt, nicht einmal beim Frieden sein Theil an der türkischen Beute gehabt habe (ne profiterait rien à la paix des dépouilles turc= ques). Graf Panin hielt das letztere gar nicht für unwahrscheinlich, und wollte darin nur einen Beweis mehr für den Zwiespalt der Meinungen zwischen Kaiser Joseph, der Kaiserin=Königin und seinem Minister fin= den. [128]) Hier behauptete man, der Streich sei mit Zu= stimmung der Pforte geschehen, dort beschuldigte man Rußland, daß es absichtlich die Augen zugedrückt und indirect selbst die Hand dazu geboten habe, um der Pforte neue Verlegenheiten zu bereiten und sie bei der Ausfüh= rung des Friedens desto fügsamer zu machen.

Gegen das letztere verwahrte sich indeß Graf Panin sofort auf das Feierlichste, namentlich vor König Friedrich II., welcher in dieser Hinsicht einigen Verdacht gehegt zu haben scheint. Er ließ ihn durch den Grafen Solms ersu= chen, der Pforte die heilige Versicherung zu ertheilen, daß Rußland an diesem unbefugten Uebergriff Oesterreichs nicht den entferntesten Antheil, und bis zum Augenblick seiner Ausführung nicht die geringste Kenntniß davon gehabt habe, daß es denselben völlig misbillige, und sich ganz ruhig verhalten werde, wenn die Pforte es für angemessen erachten sollte, etwas dagegen zu thun. König Friedrich II. zweifelte jedoch daran, daß dies der Fall sein werde, weil die Pforte viel zu schwach sei, jetzt schon wieder die Waffen zu ergreifen. Eine solche Schild= erhebung werde ja nur ein Mittel mehr sein, die herrsch= süchtigen Absichten des wiener Hofs zu begünstigen und die Pforte vollends ihrem Ruin zuzuführen. Denn es könne leicht kommen, daß die Türken in einem einzigen Feldzug aus Europa hinausgejagt werden würden. [129]

Und allerdings hielt es auch die Pforte für gerathe= ner, sich ruhig zu verhalten und, ungeachtet des Geschreis der Ulema, welche sofort Krieg gegen Oesterreich ver= langten, die Sache lieber auf dem Weg friedlicher Aus= gleichung beizulegen. Man bedeutete die Kriegspartei im Divan, an deren Spitze der Mufti selbst stand, daß man bei einem Krieg in jedem Fall noch mehr verlieren werde. Dann suchte man zunächst die Vermittelung des Herrn von Zegelin und des noch jenseits der Donau stehenden Grafen Rumänzow nach, um die Oesterreicher zum Rückzug zu bewegen. Beide lehnten jedoch die Sache ab, der erstere namentlich mit der verständigen Bemerkung, daß „ihm ja gar nicht bekannt wäre, in was für einer Verbindung die Pforte eigentlich mit dem österreichischen Hof stände“. [130]

Sie handelten da auch wirklich ganz im Sinn ihrer respectiven Höfe. Denn man war in St.=Petersburg und Berlin, so sehr man auch über diesen abermaligen

Beweis der Zweideutigkeit (duplicité), der Treulosigkeit und der unbegrenzten Vergrößerungssucht Oesterreichs erbittert war, sehr bald darüber einig, daß man sich in diesen Streit so wenig wie möglich mischen und am wenigsten deshalb in einen Krieg mit Oesterreich einlassen, aber auch der Pforte nicht hinderlich sein wolle, wenn sie es für angemessen halten sollte, die Oesterreicher mit Gewalt aus dem von ihnen besetzten Grenzbistrict zu verjagen. [131]) Man verhielt sich daher auch zunächst ganz ruhig, um erst bestimmtere Aufklärungen darüber abzuwarten, wie der wiener Hof diese seine Usurpation selbst rechtfertigen werde, und ob er dieselbe vielleicht gar noch weiter auszudehnen willens sei. Denn er schien allerdings auch noch Absichten auf die Walachei und selbst Bosnien zu haben, über welches letztere er schon verdächtige Nachforschungen in den Archiven von Ragusa anstellen ließ. [132])

Mit einer solchen Erklärung beeilte sich aber das Cabinet von Wien keineswegs. Erst als Graf Panin beiläufig das Verlangen danach ausgesprochen hatte, ließ ihm Fürst Kaunitz im December durch den Fürsten von Lobkowitz zu wissen thun, sein Hof habe es um so weniger für nöthig erachtet, andern Mächten darüber Mittheilungen zu machen, da sie dabei gar nicht interessirt sein könnten. Er stehe indessen nicht länger an, sie ihm zukommen zu lassen, und zwar in der Ueberzeugung, daß ein so aufgeklärter Minister, wie er, dem ebenso billigen als gerechten Verfahren (à la conduite aussi équitable que juste) des wiener Hofs seine vollkommene Billigung nicht versagen werde.

In den darauf folgenden Erläuterungen wollte nun

Fürst Kaunitz den Grund seines Verfahrens auf die schon seit Jahrhunderten dauernden Streitigkeiten mit der Pforte an den Grenzen von Siebenbürgen, der Moldau und der Walachei zurückführen. Alle Versuche, dieselben durch commissarische Ausgleichung aufs reine zu bringen, seien vergeblich gewesen. Die Pforte habe im Gegentheil ihre unrechtmäßigen Uebergriffe immer weiter ausgedehnt. Der wiener Hof habe sich daher, vorzüglich auch um Ueberläufer abzuhalten, endlich in die Nothwendigkeit versetzt gesehen, an seinen Grenzen einen Cordon zu ziehen, welcher durch die Aufrichtung kaiserlicher Adler bezeichnet worden sei. In denselben seien natürlich und nothwendig alle die von der Pforte usurpirten und in Anspruch genommenen Districte mit eingeschlossen worden, wie namentlich der Theil der Bukowina, welcher, wie man durch unbestreitbare Documente darthun könne, ehemals zu Pokutien gehört habe, aber nach und nach von der Pforte widerrechtlich in Besitz genommen worden sei. Der wiener Hof wünsche nichts mehr, als daß die Sache zur Zufriedenheit beider Theile auf friedlichem Weg zum Austrag gebracht werde. Da er aber aus Erfahrung wisse, wie schwer es halte, die Pforte zu einer Verständigung zu bringen, so habe er es für angemessen gehalten, sich durch militärische Besitznahme der streitigen Districte eventuell sicher zu stellen. Er habe dem russischen Hof von dieser an sich sehr unangenehmen Angelegenheit (de cette affaire en soi-même très-desagréable) auch deshalb nichts wissen lassen, weil er ihn von den Verlegenheiten fern halten wolle, in welchen sich der kaiserliche Hof deshalb befinde.[133])

Um dieselbe Zeit überreichte nun auch Herr von

Thugut dem Reis=Efendi eine Denkschrift, welche, in sehr gemäßigtem Ton gehalten, im wesentlichen daffelbe besagte. Sein Hof habe sich zu der Besitznahme jener Districte, welche an sich von so geringem Belang sei, daß es gar nicht der Mühe lohne, darüber Weitläufig= keiten zu machen, aus drei Gründen bewogen gesehen. Erstens: um eine Verbindung zwischen Siebenbürgen und dem ihm neuerdings zugefallenen Theil von Polen zu erhalten; zweitens: um die Desertion seiner Truppen zu verhindern; und drittens: um sein Recht auf den Theil der Moldau geltend zu machen, welcher ehemals zu Po= kutien gehört, das jetzt in seinen Besitz übergegangen sei. Die beigelegten Karten werden beweisen, daß Oesterreich von Rechts wegen noch weit mehr hätte hin= wegnehmen können. Die Pforte werde daher seiner Mä= ßigung volle Gerechtigkeit widerfahren laffen u. s. w. [134])

Obgleich nun namentlich König Friedrich II., wel= chem gar keine directe officielle Mittheilung von seiten des wiener Hofs darüber gemacht wurde, das Verfahren und die Erklärung des Fürsten Kaunitz höchst verschla= gen (artificieuse) fand, und den Verdacht hegte, daß er bald noch weiter gehen und der Pforte den Gnaden= stoß (le coup de grace) ertheilen werde, sobald sie nur erst in diesem Punkt nachgegeben habe, so blieb man doch dabei, in der ganzen Angelegenheit eine möglichst passive und neutrale Haltung zu beobachten. Man wollte blos — das war namentlich die Ansicht des Grafen Panin — der Pforte, im Fall sie Rath und Hülfe verlangen sollte, zu erkennen geben, daß ganz Europa darüber erstaunt sei, wie sie mitten im Frieden ohne weiteres mehr Land aufgeben könne, als das siegreiche

Rußland von ihr nach einem langen unglücklichen Krieg verlangt habe, und daß sie sich in diesem Punkt selbst rathen und helfen müsse (qu'elle ne pourrait prendre conseil là-dessus que d'elle-même).[135])

Die Pforte sah sich aber gar nicht veranlaßt, weitere Schritte in diesem Sinn bei Rußland und Preußen zu thun, oder sich, wie Graf Panin allerdings erwartet hatte, aus ihrer Lethargie herausreißen zu lassen, so gern man es auch in St.-Petersburg gesehen haben würde, wenn sie mit Oesterreich angebunden hätte, und dadurch genöthigt worden wäre, sich gegen Rußland nachgiebiger zu zeigen. Graf Panin meinte, man müsse suchen der Pforte etwas Muth zu machen, ihr das Herz auf den rechten Fleck setzen (lui remettre le coeur au ventre), um sie gegen Oesterreich in den Harnisch zu bringen. Rußland habe zu diesem Zweck bereits zu Konstantinopel das Eisen zum Glühen gebracht, Preußen solle nun nur dasselbe thun; dann werde man um so schneller zum Ziel gelangen.[136])

Die Bemühungen beider Mächte in diesem Sinn blieben jedoch ohne die erwünschte Wirkung. Die Ulema erhoben freilich noch eine Zeit lang ihr Zetergeschrei gegen Oesterreich; nach und nach beruhigten aber auch sie sich, und der Divan kam, nach einigem Hin= und Herverhandeln mit dem Hof zu Wien zu einer Verstän=digung, welche bereits am 7. Mai 1775 zur Unterzeich=nung einer förmlichen Convention führte, wodurch Oester=reich einen vollständigen Sieg erlangte. Die von ihm besetzten Districte wurden ihm dadurch ungeschmälert überlassen, sowol nach Siebenbürgen, wie nach der Moldau und Walachei hin, jedoch unter der ausdrück=

lichen Bedingung, daß es auf dem abgetretenen Gebiet keine Festungen anlege. Bei der Grenzregulirung kam es dann freilich wie immer zu langwierigen Häkeleien, welche erst im nächsten Jahr durch zwei neue Verträge vom 12. Mai und 2. Juli vollends in Ordnung gebracht wurden.[137]

Während also auf diese Weise der österreichische Grenzstreit vorläufig zur Ausgleichung kam, hatten aber auch die Verhältnisse zwischen Rußland und der Pforte schon wieder einen sehr gespannten und zweifelhaften Charakter angenommen. Mit der Ratification des Friedens war im Grunde noch wenig gewonnen worden. Man hatte es damit kaum redlicher gemeint als mit der Unterzeichnung desselben. Die leidige Krimfrage war es, welche bei den endlosen Händeln, die wir hier nicht ins einzelne verfolgen wollen, jetzt in den Vordergrund trat. Man wußte nach allen Seiten hin sehr wohl, was an ihrer Lösung hing. Ueber jeden andern der streitigen Punkte wäre man am Ende leichter hinweggekommen.

Für Rußland aber war es damals schon feststehende Staatsmaxime geworden, daß die gänzliche Trennung (la séparation entière) der Tataren von der Pforte durch ihre Unabhängigkeitserklärung eigentlich der einzige reelle politische Vortheil sei, den man durch den letzten Krieg erlangt habe; man dürfe diesen daher auch unter keiner Bedingung wieder aufgeben und um seinetwillen selbst nicht vor einem Krieg zurückschrecken, so sehr man auch sonst Ursache habe, einen solchen zu vermeiden.[138] Die Pforte dagegen bestand um so hartnäckiger darauf, ihre geistlichen Souveränetätsrechte in der Krim so weit wie möglich auf das Gebiet der bürgerlichen und politischen Oberhoheit auszudehnen. Daher die ewigen offenen und versteckten Aufhetzereien von beiden Seiten. Es bildeten sich natürlich an Ort und Stelle sogleich zwei Parteien, eine Russische und eine Osmanische, welche sich mit der größten Erbitterung bekämpften.

Man kennt nun die Hauptphasen dieses Kampfs, welcher, wie die Dinge einmal lagen, zum Vortheil Rußlands ausschlagen mußte. Denn es hatte von Anfang an das materielle wie das moralische Uebergewicht in der Krim, das letztere vorzüglich auch dadurch, daß man es dort, wie in Polen mit einem demoralisirten Volk, mit einer unter sich zerfallenen und gänzlich herabgekommenen Dynastie, mit völlig zerrütteten politischen Verhältnissen zu thun hatte. Und materiell war Rußland der Sieg schon im voraus dadurch gesichert, daß es im Besitz von Kertsch, Jenikale und Kinburn war, und seine Truppen jeden Augenblick mit Leichtigkeit bis an die Linien von Perekop vorschieben mochte, während die Pforte lange Zeit brauchte, ehe sie nur ihrer Partei die verlangte bewaffnete Hülfe zuschicken konnte.

Der Hader begann damit, daß Rußland, nachdem es den gleich nach dem Frieden unter seinem Einfluß eingesetzten Khan Sahib-Girai wieder entfernt hatte, den ihm noch mehr ergebenen Schahin-Girai, den Khan der nach dem Kuban übersiedelten Tataren von Budschak, herbeizog, und zum Khan der Krim ernennen ließ, wogegen die Pforte den Dewlet-Girai als Gegenkhan ihrer Partei aufstellte und beschützte. Blutige Reibungen zwischen beiden Parteien waren davon die unvermeidliche Folge.

24 **

Während sich nun Schahin ganz in die Arme Rußlands warf, schickten Dewlet und seine Myrsen ihre Gesandten, die eigenen Brüder des Khans, nach Konstantinopel, um die Hülfe der Pforte gegen die Uebergriffe
der Russen in Anspruch zu nehmen. Sie wollten, erklärten sie dem Divan geradezu, die Schande der ihnen
aufgedrungenen Unabhängigkeit, d. h. die Abhängigkeit
von Rußland, nicht auf sich nehmen; sie zögen es vor,
wieder unter die Oberherrschaft der Hohen Pforte zurückzukehren, und seien entschlossen, so lange Krieg zu
führen, bis den Russen Kertsch, Jenikale und Kinburn
wieder abgenommen worden sei, und sollten sie auch
sämmtlich dabei zu Grunde gehen.[139])

Man kam in Konstantinopel dadurch in nicht geringe
Verlegenheit, und wußte anfangs nicht, wie man sich
in der Sache verhalten solle. Auf der einen Seite exi-
stirte damals schon eine Partei im Divan, die gar nicht
abgeneigt gewesen wäre, die Krim ohne weiteres Rußland zu überlassen, um sich dieser Last zu entledigen
und dann besto freiere Hand gegen die gefährlichsten
Feinde des Throns im Innern, die Janitscharen und die
Ulema, zu gewinnen[140]); auf der andern wollte man,
vorzüglich auch unter dem Einfluß der Aufhetzereien
Oesterreichs und Frankreichs, welche darauf drangen,
die Pforte dürfe Rußland in diesem Punkt nicht nachgeben, den Widerstand aufs äußerste zu treiben.

Das allerschlechteste System einer trostlosen Halb-
heit war davon die nächste Folge. Man nahm offen
die Miene an, als wolle man sich mit den Tataren gar
nicht mehr einlassen, und ermunterte sie unter der Hand
zur verzweifeltsten Gegenwehr. Von Oesterreich nament-

lich wurde diese kritische Lage der Pforte mit vielem Geschick benutzt, um seine Zwecke an den Grenzen der Moldau zu erreichen. Herr von Thugut erklärte dem Reis=Efendi geradezu, daß bereits 60000 Mann in Ungarn bereit ständen, um in die Moldau einzurücken, wenn die Pforte nicht nachgeben werde, und als dann im Divan die Kriegspartei den Reis=Efendi wegen seiner zaghaften Politik gegen Oesterreich zur Rede setzte, rechtfertigte er sich damit, daß eben Rußland nichts sehnlicher wünsche, als die Pforte mit Oesterreich in einen Krieg verwickelt zu sehen. Denn dann würde sie gezwungen sein, den Frieden mit Rußland buchstäblich (à la lettre) zur Ausführung zu bringen. Krieg mit zwei Mächten zugleich könne sie in keinem Fall führen, aber Mittel, jenen Frieden zu umgehen, werde sie noch immer finden. [141])

Auch erklärte er gleich darauf dem russischen Ge= sandten, Herrn von Stakieff, es stehe dem Cabinet von St.=Petersburg sehr schlecht an (que la cour de Russie avait mauvaise grace), daß er durchaus auf der Voll= ziehung eines Friedens in allen seinen Punkten beharren wolle, den er nur dem augenfälligsten Glück (au bon= heur le plus marqué) verdanke. Die übrigen Erbärm= lichkeiten (misères) werden sich leicht ausgleichen lassen, wenn Rußland nur nicht auf der Unabhängigkeit der Tataren bestehen wolle. Warum solle man denn diesen Frieden so genau ausführen, da man sehr wohl wisse, daß Peter I. den Frieden am Pruth auch nicht so voll= zogen habe, wie es seine Pflicht gewesen wäre? [142])

Während man sich aber in Konstantinopel, ungeach= tet der warnenden Berichte des aus St.=Petersburg zu-

rückgekehrten Abbul=Kerim, welcher die Kriegsmacht Ruß=
lands als sehr drohend schilderte, so mit leeren Ver=
handlungen hinhielt, schritt das Cabinet von St.=Pe=
tersburg zu entscheidenden Thaten. Es ließ seine Trup=
pen von Kertsch aus bis vor Baktschi=Serai rücken,
und besetzte zu Ende des Jahrs 1776 ohne weiteres
Perekop. In einer sehr gemessenen Erklärung, welche die
Kaiserin gleichzeitig durch ihren Gesandten in Konstantino=
pel dem Reis=Efendi zustellen ließ, suchte sie diesen Schritt
dadurch zu rechtfertigen, daß sie alle Eingriffe, welche
sich die Pforte seit dem Frieden in die Unabhängigkeit
der Tataren erlaubt habe, aufzählte, und für sich die
Nothwendigkeit in Anspruch nahm, Rußland in dieser
Hinsicht mit derselben auf gleichen Fuß zu setzen (de remettre sa cour impériale dans l'égalité maintenant
violée des conditions de la paix). Sie hege indeß
keineswegs eine feindliche Absicht gegen die Pforte, son=
dern lade sie im Gegentheil ein, nur ihre Bevollmäch=
tigten an den Marschall Rumänzow zu schicken, um mit
ihm die streitigen Punkte zu berathen und zu definitiver
Entscheidung zu bringen.

Der Reis=Efendi nahm diese Eröffnung sehr kalt
(avec le plus grand sang-froid) auf, und erklärte, daß
die Pforte überhaupt nicht begreife, was die Kaiserin
mit Beschuldigungen wolle, die völlig ungegründet seien.
Bevollmächtigte werde man in keinem Fall an Rumän=
zow schicken, solange er Perekop besetzt halte. Rußland
scheine durch dieses Verfahren schon anzudeuten, daß es
Krieg wolle; der verlangte osmanische Bevollmächtigte
könne daher kein anderer sein, als ein Seraskier an der
Spitze eines Heers, welches mindestens ebenso stark sei

als das des Marschalls Rumänzow. Dieser solle nur
vorerst seine Truppen von Perekop zurückziehen, dann
sei die Pforte gern bereit, die weitern Verhandlungen
mit ihm, dem Gesandten, hier in Konstantinopel wieder-
aufzunehmen.

Dasselbe wiederholte der Reis-Efendi hierauf noch
in einer ausführlichen, gründlich motivirten schriftlichen
Antwort, welche wenigstens so viel wirkte, daß sich das
Cabinet von St.-Petersburg am Ende doch noch dazu
bequemte, für die weitern Verhandlungen seinen Gesandten in Konstantinopel mit geeigneten Vollmachten zu
versehen. [143]) Die Sache drehte sich nun zunächst darum,
die rechten Mittel ausfindig zu machen, wodurch ein
friedlicher Zustand herbeigeführt und die endliche Ausführung des Friedens gesichert werden könne. Das hielt
aber um so schwerer, weil die Kriegspartei im Divan
wieder entschieden die Oberhand erlangt hatte.

Der energische Großvezier Derendely-Mohammed,
welcher zu Ende des Jahrs 1776 ans Ruder kam, war
durchaus dafür, daß man die der Pforte durch den
Frieden von Kutschuk-Kainardschi widerfahrene Schmach
mit den Waffen in der Hand rächen müsse. Bereits in
einem großen am 29. Dec. abgehaltnen Divan geriethen
die Kriegs- und die Friedenspartei sehr hart aneinander.

Die Führer der letztern, die Unterhändler des Friedens, Resmi-Ahmed-Efendi, Ibrahim-Munib und der
Kiaja Abdurrisak, der in der auswärtigen Politik der
Pforte am besten unterrichtete und am klarsten sehende
osmanische Staatsmann, welche darauf bestanden, daß
man den einmal ratificirten Frieden auch ausführen

müsse, wurden von den Gegnern, dem Großvezier, dem Kapudanpascha Hassan und dem Janitscharenaga Gelbschnäbel (blanc-becs) und alte Schwätzer (vieux radoteurs) gescholten; und als sie bemerklich machten, daß man doch vor allem Geld und Truppen brauche, wenn man Krieg führen wolle, da fuhr sie der Groß= vezier an: er werde beides schaffen; Rußland sei noch viel weniger wie die Pforte im Stande, Krieg zu füh= ren, das beweise schon die geringe Macht, womit es Perekop besetzt, während die Pforte drei Viertel der Ta= taren auf ihrer Seite habe; es würde folglich die schrei= endste Undankbarkeit sein, wenn man sie nicht unterstützen wollte u. s. w. Da sollte man wenigstens, entgegneten die Friedensmänner, aus St.=Petersburg die Antwort auf die jüngste Entgegnung der Pforte abwarten. Dabei beruhigte man sich vorerst noch.[144]

Die Stimmung blieb indeß im allgemeinen überwie= gend kriegerisch, und war unter dem Einfluß der Er= eignisse in dieser Richtung in stets steigender Bewegung. Herr von Stakieff selbst fürchtete schon, daß er jeden Augenblick nach den Sieben Thürmen wandern müsse. Genug, man schwebte in einem höchst gespannten Zu= stand zwischen Krieg und Frieden hin und her, welcher sich unter dem peinlichsten Wechsel von Furcht und Hoff= nung noch zwei volle Jahre hindurchzog. Man rüstete von beiden Seiten, hatte aber doch den Muth nicht, das Schwert wirklich zu ziehen.

Und ebenso kam man mit den fortgesetzten Verhand= lungen, bei welchen anfangs noch Preußen die Haupt= rolle als Vermittler spielte, durchaus zu keinem entschei= denden Resultat. Denn sie kehrten in einem falschen

Kreis, aus welchem man sich nicht erlösen konnte, immer wieder auf dieselben Punkte zurück. Wie hätte es auch anders sein können, da man es von keiner Seite redlich und aufrichtig meinte, und beide Theile durch geschicktes Hinhalten am Ende doch noch ihre Zwecke zu erreichen hofften!

Indeß behauptete jedoch die Macht der Ereignisse ihr Recht. Sie trieb mit Gewalt zur Entscheidung. Denn die Verhältnisse in der Krim wurden mit jedem Tag brennender. Dewlet-Girai mußte das Feld räumen, und Schahin blieb, von dem größten Theil der Tataren förmlich anerkannt, unter Rußlands Schutz Herr des Landes. [145] Während nun die vertriebene Partei in Konstantinopel vergeblich Hülfe suchte, setzte sich Rußland an Ort und Stelle immer fester. Schon im September berichteten die aus der Krim zurückkehrenden osmanischen Kundschafter, daß die Streitkräfte, welche Rußland dort zusammengezogen habe, so furchtbar seien, daß die ganze bewaffnete Macht des Sultans nicht mehr im Stande sein würde, sie von dort zu vertreiben. Zu einem freiwilligen Rückzug seiner Truppen, den die Pforte verlangte, wollte sich aber Rußland nicht eher verstehen, als bis dieselbe Schahin als rechtmäßigen Khan anerkannt, was sie aber ihrerseits standhaft und hartnäckig verweigerte.

Vergeblich bemühte sich Herr von Gaffron, im Auftrag König Friedrich's II., noch in einer langen geheimen Conferenz in der Nacht vom 21. zum 22. Oct. den Reis-Efendi zu überzeugen, daß es der Pforte nur zum Vortheil gereichen werde, wenn sie den weisen und wohlgemeinten Rathschlägen des Königs folgen und den Zorn

der Kaiserin durch rechtzeitige Nachgiebigkeit besänftigen
wolle, ehe sie sich nothgedrungen zum Aeußersten entschlie=
ßen dürfte.

Aber selbst vor diesem Aeußersten, einem abermaligen
Krieg mit Rußland, erklärte hierauf der Reis=Efendi
dem russischen Dragoman, werde man jetzt nicht zurück=
schrecken. Denn das Verhältniß sei ein ganz anderes
als in dem letzten Krieg. Damals habe Gott die Pforte
für ihre Sünden heimsuchen wollen, und deshalb sei man
unterlegen; jetzt dagegen, wo man reines Herzens sei,
könne man sich auf die Gerechtigkeit seiner Sache verlassen. Wie sei es möglich, daß man da auch nur eine
einzige Schlacht verlieren sollte? [146])

Ein Bruch schien mithin kaum mehr vermeidlich, als
es zu Anfang November in der Nähe von Koslidsche
zu einem förmlichen Aufstand der Tataren gegen die Au=
maßungen der Russen kam. Der dort befehligende russische General, Fürst Prosorowsky, wollte in Gegenwart
Schahin=Girai's ein Corps von 500 Tataren nach russischer Weise einexerciren und ihm sogar russische
Uniformen aufdrängen. Das empörte sie aber so, daß
sie auf der Stelle gegen den Khan und den General
Feuer gaben. Ein in Bereitschaft gehaltenes Corps
Russen erstickte indeß die Meuterei sogleich im Entstehen.
Die 16000 Mann starken Rebellen wurden von allen
Seiten eingeschlossen und etwa vierzig der Rädelsführer
ohne weiteres aufgeknüpft, während man den Rest nach
allen Gegenden hin zerstreute. Schahin übergab hierauf
dem russischen General sofort die absolute Gewalt, die
russischen Besatzungen in allen Küstenplätzen, wo eine Landung der Osmanen zu besorgen war, wurden bedeutend

verstärkt, und ein Corps von 20000 Russen stand bei Taman für alle Fälle bereit. [147])

Die nächste Folge davon war, daß man in einem großen Divan zu Konstantinopel am 3. Dec. von Herrn von Stakieff eine kategorische Erklärung darüber verlangte, ob Rußland seine Truppen aus der Krim zurückziehen wolle oder nicht? Im letztern Fall werde im Januar des nächsten Jahrs die Kriegserklärung unwiderruflich erfolgen. Und allerdings schien man die Sache dieses mal ernstlich zu meinen. Wenigstens wurden die Rüstungen im ausgedehntesten Maß betrieben. An den Zelten des Großveziers wurde schon Tag und Nacht gearbeitet, und zu ihrer Herstellung allein die Summe von 320000 Piastern bestimmt.

Im Lauf des Frühjahrs und des Sommers 1778, wo sich die Verhandlungen immer wieder um die zwei Punkte drehten: Rückzug der russischen Truppen auf der einen und Anerkennung Schahin's auf der andern Seite, machte sich indeß eine bedeutende Umwandelung der Stimmung zu Gunsten des Friedens bemerklich. Man wollte in keinem Fall der angreifende Theil sein. Die Kriegserklärung wurde also noch verschoben und die Paschas an den Grenzen erhielten die gemessensten Befehle, sich aller Feindseligkeiten gegen Rußland zu enthalten. Auch wurden Herrn von Stakieff seine Pässe, welche er zu Ende Juli verlangte, verweigert, eben weil seine Abreise in diesem kritischen Moment leicht als eine Kriegserklärung gelten könne.

Gleichwol blieben die Verhältnisse noch immer so gespannt, daß sie auch die Thätigkeit der übrigen Mächte noch in hohem Grad in Anspruch nahmen. Nachdem

Preußen, jetzt vorzüglich auch durch den Baierischen Erb-
folgestreit in Anspruch genommen, sich vergeblich bemüht
hatte, die Pforte zur Nachgiebigkeit zu bewegen, war
es jetzt Frankreich, welches die Rolle des Vermittlers
mit ebenso viel Eifer als Erfolg übernahm. Das Cabinet von Versailles scheint nämlich gefürchtet zu haben,
daß Rußland, wenn es etwa in einem siegreichen Kampf
das Osmanische Reich vollends vernichtet haben würde,
leicht auf den Gedanken kommen könnte, England in
seinem Krieg gegen Frankreich zu unterstützen.

Bereits im August ließ es daher der Pforte in einer
scharf motivirten Denkschrift die Vermittelung anbieten.
Sie wurde aber jetzt von derselben um so lieber angenommen, weil die Aussichten auf glückliche Erfolge in
dem bevorstehenden Krieg schon gar sehr getrübt worden
waren. Die Truppen standen an den Grenzen allerdings zum Aufbruch bereit, und auch der Kapudan-
Pascha war schon im Juni mit seiner Flotte nach dem
Schwarzen Meer ausgelaufen, nicht aber um die Feindseligkeiten zu beginnen, sondern um mit den in der Krim
befehligenden russischen Generalen in Unterhandlung zu
treten, wozu er mit den ausgedehntesten Vollmachten versehen war.

Auch ihm hatte man es zur ausdrücklichen Pflicht
gemacht, den ersten Schlag so viel wie möglich zu vermeiden (de se garder autant que possible de frapper
le premier coup). Es kam aber weder zum Schlagen
noch zum Unterhandeln mit ihm. Als er dem General
Suwarow, dem später bei Kinburn und in der Schweiz
so berühmt gewordenen Helden, welcher damals die russischen Truppen in der Krim befehligte, wissen ließ, er

komme mit seiner Flotte um sich mit ihm auf gleichen Fuß zu setzen und wegen der Beilegung des schwebenden Streits zu verständigen, ließ ihm dieser kurz und kalt antworten: „er sei nur hier, um die Unabhängigkeit der Krim und ihres rechtmäßigen Khans Schahin-Girai zu vertheidigen. Unterhandeln können nur die, welche sein Hof damit beauftragt habe, der Gesandte in Konstantinopel und Marschall Rumänzow. Er sei Soldat und könne nur seine Kanonenkugeln gegen die spielen lassen, welche ihn wider Willen zu Unterhandlungen zwingen wollten". [148]

Zu einem solchen Spiel hatte jedoch der Kapudan-Pascha weder Lust noch Mittel. Denn kaum hatte er mit seinen Schiffen Sinope erreicht, als die damals grassirende Pest und eine entsetzliche Hungersnoth in ihrem Gefolge unter der Bemannung derselben so furchtbare Verheerungen anrichtete, daß sie in wenigen Wochen von 50000 bis auf 15000 Köpfe zusammenschmolz, und er sich genöthigt sah, bereits im September unverrichteter Sache wieder nach Konstantinopel zurückzukehren. Und in gleichem Verhältniß war auch das Landheer von dieser vernichtenden Seuche heimgesucht worden. [149]

Der französische Gesandte, Herr von St.-Priest, wußte diese Bedrängniß der Pforte vortrefflich für seine Zwecke zu benutzen. Er setzte es durch, daß der Divan nicht nur die Abfahrt der vier noch in dem Hafen von Konstantinopel liegenden russischen Kauffahrteischiffe nach dem Schwarzen Meer, welche Stakieff achtzehn Monate lang vergeblich nachgesucht hatte, endlich gestattete, sondern auch die noch gefangen gehaltenen Gesandten Schahin-Girai's freigab. Dann betrieb er, vorzüglich auch auf den guten Willen und die Hülfe der Cabinete von St.-Petersburg und Berlin gestützt, die förmliche Erneuerung des Friedens zwischen Rußland und der Pforte mit so viel Eifer und Umsicht, daß er, ungeachtet des sehr kriegerischen Tons, welchen der Divan noch im Januar gegen Stakieff und in einem an die fremden Gesandten erlassenen Manifest (vom 29. Jan. 1779) anschlug, doch endlich am 21. März 1779 die Unterzeichnung einer erläuternden Convention zu Stande brachte, welche alle vom Frieden von Kutschuk-Kainardschi her noch streitigen Punkte definitiv regeln und zur Ausführung bringen sollte.¹⁵⁰)

Ihr zufolge erkennt die Pforte die Unabhängigkeit der Tataren und Schahin-Ghirai als ihren rechtmäßigen Khan, mit allen bürgerlichen und politischen Souveränetätsrechten, vorbehaltlich der geistlichen Oberhoheit des Sultans als Khalifen, an, und weigert sich niemals, ihm als solchen die Bestätigung in der für alle Zeiten festgesetzten Form zu ertheilen. Dagegen verpflichtet sich Rußland, alle seine Truppen aus der Krim und von Taman innerhalb dreier Monate und zwanzig Tagen zurückzuziehen. Die freie Schiffahrt aus dem Schwarzen nach dem Weißen Meer wurde russischen Kauffahrern unter der Bedingung gestattet, daß dieselben in Umfang, Bauart und Ausrüstung genau denen der beiden am meisten begünstigten Nationen, der Franzosen und Engländer, gleich sein sollten. Und endlich würden auch noch die Rechte und Privilegien der Donaufürstenthümer und der Bewohner der Halbinsel Morea, namentlich im Betreff der Zurückgabe der ihnen während des letzten Kriegs unrechtmäßigerweise entzogenen Güter und ihrer

Religionsverhältnisse, besonders wahrgenommen und be=
stätigt.

Die Friedenspartei, an ihrer Spitze der Reis = Efendi
Abburrisak, dessen Einsicht und Entschlossenheit man vor
allem das Zustandekommen dieses Vergleichs verdankte,
hatte freilich auch nach demselben noch einen schweren
Stand. Die Ulema schrien abermals in den Straßen
von Konstantinopel laut gegen den Sultan und seine
schlechten Rathgeber, welche so ganze Länder den Feinden
des Reichs preisgeben. Wie lange, hieß es unter an=
derm, wird der Großherr dieses verrätherische Spiel noch
treiben? Und wer wird, wenn er stirbt, das Reich vor
dem es vollends zerfleischenden Zahn des Wolfs (le
tranchant dent du loup) bewahren? Etwa sein' Bru=
der Selim, welcher von der fallenden Sucht heimgesucht ist,
oder sein Sohn, der noch in der Wiege liegt, und wenn
er nicht besser regiert, auch dort verbleiben sollte? Der
erste beste Myrsa der Tataren, deren Tausende vertrie=
ben in Rumelien weilen, könne sich des Throns bemäch=
tigen. Er solle nur kommen, man werde ihn mit Freu=
den empfangen.

Dagegen nahm nun auch Schahin=Ghirai, als un=
abhängiger Khan unter dem Schutz Rußlands, sogleich
einen sehr hohen Ton gegen die Pforte an: es sei ihm
sehr gleichgültig, ob sie ihm den Kaftan, das Zeichen
der Anerkennung, zuschicken wolle oder nicht. Sie werde
es ihm nicht verargen, daß er sich, von einheimischen
Feinden umlauert, zu seiner Sicherheit (pour conserver
sa vie) eine Leibwache aus Fremden errichte, welche
nicht unter 12000 Mann stark sein dürfe.[151])

Und meint man nun wol, Rußland werde die feste

Stellung, welche es durch die anerkannte Unabhängigkeit seines Khans in der Krim gewonnen hatte, so leichten Kaufs wiederaufgegeben haben? Wenn es auch seine Truppen zum Theil von der Halbinsel zurückzog, so hatte es doch in der meistens aus Russen bestehenden Leibwache des durch seine Unabhängigkeit in die Fesseln der Kaiserin geschlagenen Khans beständig ein bequemes Mittel in den Händen, dort seine Macht zu behaupten und zu erweitern. Und daß dafür gesorgt war, in der Nähe so viel Streitkräfte in Bereitschaft zu halten, als nöthig sein mochten, bei der ersten sich darbietenden Gelegenheit der Scheinherrschaft des Khans vollends ein schnelles Ende zu machen, und jeden etwaigen Widerstand der Pforte dagegen zu neutralisiren, versteht sich von selbst.

Auch war es für die Politik, welche jetzt das Cabinet von St.-Petersburg dort befolgen wollte, gewiß bezeichnend genug, daß es auf die Tripelallianz mit Preußen und der Pforte, für welche es König Friedrich der Große gegen Oesterreich zu gewinnen sehr eifrig bemüht war, nicht einging. Denn so wie der König schon früher einmal, im Jahr 1777, den Gedanken gefaßt hatte, Oesterreich in seinen herrschsüchtigen Erweiterungsplanen auf Kosten des Osmanischen Reichs dadurch aufzuhalten, daß man es genöthigt hätte, eine Garantie der Staaten der Pforte zu übernehmen, so wäre ja Rußland bei seinen weitgreifenden Absichten auf die Krim und das Osmanische Reich nichts mehr hinderlich gewesen, als eine solche Tripelallianz. [152]) Waren auch diese Absichten noch keineswegs bestimmt ausgebildet und zu feststehenden Entschlüssen gediehen, so wollte man sich

doch nach dieser Seite hin für alle Fälle freie Hand
bewahren. Der Plan der Tripelallianz, welcher in
Konstantinopel an dem Reis-Efendi Abdurrisak einen
warmen Fürsprecher gefunden hatte, aber nach der ehrenvollen Entfernung desselben — er wurde zu Ende des
Jahrs 1779 als Pascha von drei Roßschweifen zum
Statthalter von Aidin ernannt — gänzlich aufgegeben
wurde, fiel also, und Rußland verfolgte seine Plane
mit desto größerer Freiheit und Sicherheit. [153])

Die Verhältnisse in der Krim kamen ihm dabei wunderbar zu Hülfe. Schahin-Ghirai war freilich keineswegs ein so reformatorisches Genie, daß er, wie der in
einer geheimen Mission nach der Krim geschickte preußischen General, Herr von Cocceji, behaupten wollte, im
Stande gewesen wäre, ein abergläubisches und umher-
schweifendes Volk schnell in eine betriebsame und civili-
sirte Nation umzuwandeln. [154]) Aber er war doch ein
Fürst, der noch Eitelkeit und Selbstgefühl genug
besaß, um die ihm von zwei Mächten gewährleistete
Unabhängigkeit nun auch auf seine Weise geltend zu
machen. Während er sich daher gegen den Hof von
St.-Petersburg in tiefster Unterwürfigkeit beugte, schaltete und waltete er in seinem Land als unumschränkter
Selbstherrscher. Er fing an sich eine eigene stehende
Armee zu bilden, schlug Münzen mit seinem Bildniß,
belastete das Land mit schweren Steuern, und kam selbst
auf den Gedanken, sich eine eigene Marine zu schaffen.
Dies alles war aber gegen den Geist und die Sitte
seines Volks.

Die Pforte benutzte dies, nicht nur die Gährung im
Land zu unterhalten, sondern auch die eigenen Brüder

des Khans, welche bei den Tataren des Kuban verweilten, gegen ihn aufzuhetzen. Der älteste von ihnen,
Selim, landete im Jahr 1782 in der Krim, um Schahin
zu vertreiben. Dieser Bruderkrieg gab aber Rußland
nur die erwünschte Gelegenheit, sich vollends in den
Besitz des gänzlich zerrütteten Landes zu setzen. Ehe
es die Pforte hindern konnte, rückten russische Truppen
in die Halbinsel ein, und unter dem Vorwand, daß es
gar nicht möglich sei, die Ruhe dort auf andere Weise
wiederherzustellen und zu erhalten, erklärte die Kaiserin
im April 1783 die ganze Krim ohne weiteres zu russischem Besitzthum.

Der arme Khan mußte ihr nothgedrungen seine
Rechte gegen die Zusage einer jährlichen Pension von
80000 Rubeln·abtreten, während seine Brüder mit einer
gleichen von je 8000 Rubeln abgefunden wurden. Der
unglückliche Schahin, welcher sich nach Kaluga zurückgezogen hatte, blieb aber nicht einmal im Genuß dieser
Wohlthat. Nach einigen Jahren verweigerte man ihm
das ausgesetzte Jahrgeld. Voll Verzweiflung warf er
sich nun in die Arme seiner erbittertsten Feinde. Er
sprach, thöricht genug, die Gnade der Pforte an. Sie
wurde ihm insoweit gewährt, daß man ihm die Rückkehr
nach Konstantinopel gestattete. Kaum war er aber dort
angelangt, als man ihn nach Rhodus in die Verbannung
schickte, wo er kurz darauf im Jahr 1787 ohne weitern
Proceß hingerichtet wurde.

Das war gleichsam die letzte ohnmächtige Rache,
welche die Pforte für den Verlust der Krim zu nehmen
vermochte. Denn zu schwach, Rußland zur Zeit der
Besitznahme der Halbinsel sogleich mit den Waffen in

der Hand entgegenzutreten, bequemte sie sich nicht nur dazu, demselben durch einem am 21. Juni 1783 zu Konstantinopel unterzeichneten Handelsvertrag alle die Vortheile zuzugestehen, welche ihm seine erweiterte Handelsmacht und die Gleichstellung mit den übrigen Großmächten in dieser Beziehung nur wünschenswerth machten, sondern sie erkannte auch nach einigen nutzlosen Verhandlungen durch den am 8. Jan. 1784 zu Konstantinopel abgeschlossenen Friedensvertrag die Herrschaft Rußlands in der Krim als rechtlich begründet förmlich und vollständig an. [155])

Wird man allerdings versucht, in diesem Punkt die Schwäche der Pforte als hinlänglichen Erklärungs = und Entschuldigungsgrund gelten zu lassen, so kann man sich auf der andern Seite dagegen kaum des Erstaunens darüber erwehren, daß die übrigen Großmächte, vor denen die Kaiserin ihr Verfahren in einer besondern Erklärung vom 8. April zu rechtfertigen suchte, dies alles nicht nur ruhig geschehen ließen, sondern hinterher auch noch triftige Gründe für ihre verhängnißvolle Unthätigkeit vorzubringen wußten.

Noch im Jahr 1787 gestand Kaiser Joseph II. dem Grafen von Ségur, damaligem Gesandten Frankreichs in St.=Petersburg, ganz offen ein, daß die Besitznahme der Krim durch Rußland für ihn gar keine Unannehmlichkeit (nul inconvenient) gehabt habe. Sie habe ihm im Gegentheil noch unendliche Vortheile (d'immenses avantages) gebracht. Denn indem sie die Türken überhaupt zu einem friedlichern Verhalten genöthigt habe, seien vor allem seine, des Kaisers, Staaten vor ihren Angriffen um so mehr gesichert gewesen, je natürlicher

und größer ihre Furcht sei, daß sie von den Russen von
der Krim aus im Rücken angegriffen werden möchten.
Und dann sei für ihn daraus noch der sehr erhebliche
Vortheil erwachsen, daß der Hof von St.-Petersburg
dem von Berlin abwendig gemacht und diesem mithin
ein mächtiger Bundesgenosse entzogen worden sei.

Frankreich, meinte dagegen Ségur, habe nicht nur
die Sache ruhig geschehen lassen, sondern auch den Türken
gerathen, Rußland die Krim abzutreten, weil Ludwig XVI.
geglaubt habe, dadurch der Ruhe und den politischen
Interesse seines Schwagers und Bundesgenossen förder-
lich zu sein. [156])

England, ohnehin mit den Nachwehen seiner ameri-
kanischen Händel und des Kriegs mit Frankreich noch zu
sehr beschäftigt, ließ sich auch jetzt wieder in seiner orientalischen Politik durch seine Handelsinteressen bestimmen.
Es war durchaus nicht gesonnen, durch unzeitigen und
nutzlosen Widerstand gegen die Fortschritte Rußlands
nach dem Orient hin jetzt seinen höchst bedeutenden
Handel im russischen Reich auf das Spiel zu setzen.
Die englische Kaufmannschaft in St.-Petersburg (la
ligne anglaise) war allein eine ansehnliche Handelsmacht,
und jahraus jahrein sah man an zweitausend englische
Kauffahrer in den russischen Häfen ein- und auslaufen,
während der französische Handel mit Rußland deren
kaum zwanzig zählte. Es war daher gewiß kein Wunder,
daß England die Rußland mit dem Besitz der Krim
zugefallene Herrschaft über das Schwarze Meer eher als
ein Mittel betrachtete und benutzen wollte, auch seinen
ohnehin sehr gesunkenen Levantehandel wieder etwas zu
heben. Auch stellte ihm ja der bereits am 22. Febr.

1784 erlassene Ukas der Kaiserin, wodurch dem fremden Handel namentlich die beiden wichtigen Hafenplätze Sewastopol und Theodosia (Kaffa) eröffnet wurden, in dieser Beziehung alle nur möglichen Freiheiten und Vortheile in Aussicht. [157])

Und wie hätte endlich Preußen den Absichten Rußlands zu einer Zeit entgegentreten sollen, wo die Erhaltung des Bündnisses mit dieser Macht, worüber Friedrich der Große mit so unausgesetzter Sorgfalt wachte, noch zu seinem politischen System gehörte, obgleich es durch die offenkundige Hinneigung der Kaiserin zu Oesterreich schon tief erschüttert war?

Hier stehen wir nun allerdings an einem der bedeutendsten Wendepunkte der orientalischen Politik Europas, soweit sie namentlich die veränderte Parteistellung der Großmächte in diesen weltgeschichtlichen Verhältnissen betrifft. Hatte sich der aufstrebende, in solche Bahnen hineingetriebene Ehrgeiz Kaiser Joseph's II. verleiten lassen, den verlockenden Anerbietungen der Kaiserin Katharina, sich mit ihr zur endlichen Vernichtung der osmanischen Macht in Europa zu vereinigen, zu bereitwillig Gehör zu geben, so war dagegen nun Frankreich desto eifriger bemüht, diesem die Ruhe und das Gleichgewicht Europas bedrohenden unnatürlichen Bund dadurch auf wirksame Weise entgegenzutreten, daß es seine alte Verbindung mit dem Haus Oesterreich aufgeben und dagegen vor allem Preußen für die Erhaltung des Osmanischen Reichs in sein Interesse ziehen wollte.

Die Seele der damaligen orientalischen Politik des Cabinets von Versailles war derselbe Graf von Vergennes, welchen wir früher schon als Gesandten bei der

Pforte kennen gelernt haben, und der jetzt als Minister
der auswärtigen Angelegenheiten berufen war, Frankreichs
politische Geschicke wahrzunehmen und zu leiten. Er gab
sich unendliche Mühe, Ludwig XVI., unter anderm in
einer ihm zu diesem Zweck vorgelegten ausführlichen
Denkschrift, von der Nothwendigkeit dieser Aenderung des
Systems zu überzeugen, und der König ging auch soweit
darauf ein, daß er zu deren Verwirklichung, wenigstens
versuchsweise, seine Zustimmung gab. ¹⁵⁸)

Je mehr man jedoch die dabei zu überwindenden
Schwierigkeiten zu würdigen wußte, desto vorsichtiger
mußte man zu Werke gehen. Daher bekamen die Schritte,
welche man in dieser Richtung that, vom Anfang an
einen etwas unentschiedenen, zaghaften und zweideutigen
Charakter, welcher am Ende nur wieder zum Vortheil
Rußlands ausschlagen mußte.

So wie die Kaiserin gesonnen war, sich eigentlich
nur so weit mit Oesterreich einzulassen, als sie es zum
Mittel der Erreichung ihrer Zwecke gebrauchen zu können
glaubte, und folglich die russische Politik in dieser Richtung gleichfalls etwas Schwankendes und Unentschiedenes
bekam, so wollte sich auch Vergennes für alle Fälle nach
beiden Seiten hin decken. Er wollte nicht geradezu mit
Oesterreich brechen und doch Preußen für seine Zwecke
gewinnen, der beste Weg, dort das bisher genossene
Vertrauen zu verscherzen, hier gerechtes Mistrauen zu
erwecken und am Ende das Ziel gänzlich zu verfehlen.

Friedrich der Große kam dadurch in den letzten
Jahren seines Lebens mit seiner orientalischen Politik in
eine ziemlich kritische und unangenehme Lage. Er hätte
wol gern dem Drängen des Cabinets von Versailles

nachgegeben, konnte aber zu dessen Vorschlägen doch nicht
so viel Vertrauen gewinnen, daß er sich entschlossen hätte,
mit Rußland offen und gänzlich zu brechen. Dieser
vorsichtigen Politik des großen Königs mußte selbst sein
Geschäftsträger zu Konstantinopel, Herr von Gaffron,
zum Opfer fallen.

Er wurde im Jahr 1784 vorzüglich aus dem Grund
abberufen, daß die Kaiserin sich darüber beschwert hatte,
er sei ihren Zwecken bei der Pforte, namentlich in Betreff der Besitznahme der Krim, im geheimen hindernd
entgegengetreten. Und allerdings gingen die geheimsten
Instructionen des Königs mit darauf hinaus. Das
Verbrechen des Geschäftsträgers bestand nur darin, daß
er sie nicht geschickt genug gebraucht und die Unvorsichtigkeit begangen hatte, der Pforte in einer besondern
Denkschrift die Abtretung der Krim an Rußland zu
widerrathen. Unglücklicherweise wurde diese durch die
Verrätherei eines treulosen Dolmetschers in die Hände
des russischen Gesandten gespielt, welcher sich natürlich
beeilte, sie der Kaiserin zu überschicken. Um nun dieser
Genugthuung zu verschaffen, wurde dem armen Gaffron
nach seiner Rückkehr der Proceß gemacht, der ihn auf
unbestimmte Zeit in den Festungsarrest nach Spandau
führte. Nach Jahresfrist wurde er zwar wieder aus
demselben, zugleich aber auch mit schmaler Pension aus
dem Staatsdienst entlassen.

Nach solchen Vorgängen war freilich von den Bemühungen Frankreichs am Hof zu Berlin um so weniger
mehr etwas zu erwarten, da sich das Cabinet von Versailles eben nicht dazu verstehen wollte, offen mit Wien
zu brechen. Darum war es jedoch Friedrich II., wenn

auch er sich zu entschiedenen Schritten entschließen sollte, vor allem zu thun. [159])

Genug, die Lage blieb nach allen Seiten hin eine höchst gespannte, aber zugleich auch noch eine höchst zweifelhafte und unentschiedene. Als Vergennes Graf Ségur im Jahr 1784 als Gesandten nach St.-Petersburg schickte (er traf dort im Mai 1785 ein), konnte er ihm in dieser Hinsicht keine andere Instruction ertheilen, als daß er, da der Umsturz der osmanischen Macht und die Wiederherstellung des griechischen Kaiserreichs der Hauptzweck der Politik der Kaiserin zu sein scheine, alle nur irgend geeignete Mittel anwenden möge, den russischen Ministern klar zu machen, daß dieser kolossalen Unternehmung von seiten der europäischen Großmächte unüberwindliche Hindernisse in den Weg gelegt werden würden. [160])

Es kam also jetzt vor allem darauf an, eine tiefere Einsicht darein zu gewinnen, wie es eigentlich um dieses vielbesprochene und so sehr gefürchtete sogenannte „Griechenproject" stehe und wie weit die zu seiner Verwirklichung entworfenen Plane der Kaiserin dem Ziel ihrer Ausführung näher gerückt seien?

Sie hatte dieselben sicherlich nie ganz aus den Augen verloren. Sie gefiel sich noch immer gar sehr darin, ihre Phantasie in eine Zukunft schweifen zu lassen, welche in dieser Richtung ihrer Ruhmsucht die glänzendste Genugthuung zu versprechen schien. Und gewiß fehlte es nicht an Leuten, welche sie darin auf jede Weise zu bestärken suchten. Wie reizend schilderte ihr nicht z. B. Choiseul-Gouffier, der nachherige französische Gesandte zu Konstantinopel, schon vor der Besitznahme der Krim

den unsterblichen Ruhm der Wiederherstellung eines un=
abhängigen befreiten Griechenland! [161]

Man hat aber, sollten wir meinen, vielleicht doch
auf die griechische Ammenmilch, womit der zum künftigen
Kaiser von Konstantinopel bestimmte Großfürst Konstantin
genährt werden sollte, auf seine griechischen Gespielen
und die bekannte Inschrift am Thor zu Cherson: „Hier
führt der Weg nach Konstantinopel!" zu großes Gewicht
gelegt. Mit dergleichen Spielereien macht man keine
Politik, zerstört man keine Staaten, erobert man keine
Länder.

Die einsichtsvollsten Männer im Rath der Kaiserin
sahen die Dinge auch jetzt wieder weit ruhiger und kälter
an. Man wußte namentlich in St.=Petersburg so gut
wie in Konstantinopel, daß der unglückliche Ausgang
der letzten Schilderhebung die Sympathien der in ihren
Hoffnungen stark betrogenen Griechen für Rußland gar sehr
abgekühlt hatte. Die Inselgriechen hatten laut erklärt, daß
das Joch der osmanischen Sklaverei weit erträglicher
sei, als die ihnen aufgedrungene russische sogenannte
Freiheit. Und als sich zu Anfang des Jahrs 1777 das
Gerücht verbreitet hatte, Rußland sei abermals im Be=
griff, eine Flotte nach dem Archipel zu schicken, behaup=
tete der Großvezier Derendely im versammelten Divan
geradezu, er fürchte sie nicht, selbst wenn Spanien und
Frankreich ihr die Durchfahrt durch die Meerenge von
Gibraltar gestatten sollten. Denn die Griechen würden
ihre Bemannung dieses mal eher Hungers sterben lassen
und lieber ihre Häuser in Brand stecken und davonlau=
fen, als ihr auch nur ein Stück Brot geben; so seien
sie noch über die Undankbarkeit Rußlands empört; ja er

wolle sich, wenn ihn seine Religion nicht daran hinderte, anheischig machen, aus diesen Griechen ein eigenes Armeecorps zu bilden, welches sich, um sich zu rächen, ebenso tapfer gegen die Russen schlagen würde wie die Türken selbst. [162])

Daß aber die Art, wie Rußland seine neuen Unter=thanen in der Krim behandelte, nicht eben geeignet war, bei den Griechen die Sehnsucht nach gleicher Glückselig=keit zu erwecken, bedarf wol des Beweises nicht. Gleich bei der Besitznahme der Halbinsel war jeder Widerstand auf so entsetzliche Weise geahndet worden, daß selbst der noch menschlich gesinnte Fürst Prosorowsky sich weigerte, dazu die Hand zu bieten. Aber die Generale Suwarow und Paul Potemkin schreckten nicht davor zurück, durch die Niedermetzelung von 30000 Tataren, Männern, Weibern und Kindern, ihrem Ruhm dort ein blutiges Denkmal zu setzen. Dann wurde das ganze Land, zur russischen Provinz erklärt, mit Verachtung aller Sitte und Gewohnheit der Eingeborenen nach russischer Weise eingerichtet, regiert und geknechtet. Viele tausende Ta=taren wurden mit Gewalt hinweggeschleppt und durch ebenso gewaltsam herbeigezogene neue Ansiedler, nament=lich Griechen und Asiaten, ersetzt, die aber dort unter hartem Druck und der Last der Steuern auch nicht hei=misch werden konnten. Eine furchtbare Entvölkerung des fast in eine Wüste verwandelten Landes war davon die nothwendige Folge. Hatte dasselbe ehemals noch min=bestens 50000 wohlgerüstete Reiter ins Feld zu stellen vermocht, so zählte man dagegen schon im zweiten Jahr der russischen Herrschaft kaum noch 17000 waffenfähige Leute in der Halbinsel. [163])

Außer Potemkin, dem Taurier, dem allmächtigen Günstling der Kaiserin, welcher die hier geschlagenen Wunden mit dem trügerischen Schein von Wohlstand und Zufriedenheit zu bedecken suchte, glaubte kein einziger Minister derselben an die Möglichkeit der Wiederherstellung eines griechischen Kaiserreichs. Sie erkannten im Gegentheil sämmtlich die Schwierigkeiten und die Gefahren eines so abenteuerlichen Unternehmens; sie hatten nur nicht den Muth, durch offene Darlegung derselben die Eitelkeit der Kaiserin zu verletzen und ihre Gunst zu verscherzen.

Und selbst Potemkin schwankte in seinen Ansichten und Entschlüssen ohne feststehenden Plan noch hin und her, ob man ihm gleich für seine Person sehr weitgehende Gelüste zuschreiben wollte. Bald erklärte er die Plane, welche man Rußland in Betreff der Wiederherstellung des griechischen Kaiserthrons zu Gunsten des Großfürsten Konstantin unterschieben wolle, für reine Chimäre; bald hielt er es für ein höchst verdienstliches und nothwendiges Werk, die Osmanen, diese Pest der Menschheit, aus Europa hinauszuwerfen. Dazu, meinte er halb im Ernst und halb im Scherz, werde ihm selbst Frankreich hülfreiche Hand zu leisten nicht anstehen, wenn man ihm dafür z. B. Candia und Aegypten überlassen würde. [164])

In dieser Hinsicht war die Kaiserin mit ihm gleichen Sinns. Auch sie betrachtete die Vernichtung der osmanischen Macht als eine sehr rühmliche That, sie verkannte aber in ruhigern Momenten auch die bedeutenden Schwierigkeiten nicht, von welchen ihre Ausführung umgeben sei. Sie fürchtete vorzüglich den Widerstand der gegen sie vereinigten Mächte, namentlich Preußens, Schwedens

25 **

Frankreichs und selbst Englands. Noch am 1. Febr. 1788, beim Ausbruch ihres zweiten Türkenkriegs, schrieb sie in diesem Sinn an Zimmermann:

„Ein Theil Europas gibt sich viele Mühe, die Nachricht zu verbreiten, daß ich im Begriff stehe, das türkische Reich umzustürzen. Ich hätte wol Lust diese Leute zu fragen: Haltet ihr dies für möglich? Ein so ungeheures Reich mit einer zahllosen Bevölkerung, für welches sich so viele Cabinete in Europa interessiren, kann man nicht in ein paar Feldzügen umstürzen, das werden Sie selbst zugeben.“ Und in Bezug auf Griechenland äußerte sie etwas später, unter dem 20. Juli 1789: „Ich habe niemals den Gedanken gehabt, Kaiserin der Griechen oder Griechenlands zu werden; ich weiß mir sehr wohl Grenzen zu stecken. Aber ich wünsche, daß die Griechen unter einem christlichen Fürsten ihres Glaubens frei und glücklich werden und aufhören mögen, unter einem entsetzlichen und unmenschlichen Joch zu seufzen.“ [165])

Auf der andern Seite mußte sich aber auch Ségur über den Schutz und die Unterweisung, welche Frankreich den Türken angedeihen lasse, manche Sarkasmen gefallen lassen. „Ihr wollt nicht“, bemerkte ihm die Kaiserin einmal mit jenem Lächeln, womit sie nicht selten sehr ernst gemeinte Wahrheiten zu maskiren wußte, „daß ich Eure Schoßkinder, die Türken, aus meiner Nachbarschaft verjage? Ihr habt da in Wahrheit sehr hübsche Zöglinge; solche Schüler machen euch alle Ehre. Wenn ihr aber dergleichen Nachbarn in Piemont oder in Spanien hättet, welche euch alle Jahre die Pest und Hungersnoth brächten, etwa 20000 Menschen tödteten oder hinweg=

schleppten, würdet ihr es dann schön finden, daß ich sie unter meinen Schutz nähme? Ich glaube, daß ihr mich dann sicherlich als Barbaren behandeln würdet." [166]

Ségur wußte sich dagegen eben nicht besser zu decken, als durch das offene Geständniß, daß Frankreich, je eifriger es früher die Interessen Rußlands gegen die Pforte in Schutz genommen, jetzt desto mehr entschlossen sei, um der großen allgemeinen Interessen willen über der Erhaltung des Osmanischen Reichs zu wachen. Könne man es etwa der Pforte verargen, daß sie, ungeachtet der friedlichen Versicherungen des Cabinets von St.-Petersburg, auf ihrer Hut sei und die Vorsichtsmaßregeln ergreife, welche die Klugheit gebiete? Was würde denn Rußland thun, wenn es dem Großherrn plötzlich in den Sinn käme, mit seinen Vezieren, einer starken Flotte und einer Armee von 150000 Mann bei Oczakow zu landen? Würde es ihm wol jemand verdenken, wenn es dann Cherson befestigte und in der Nähe seine Truppen zusammenzöge? [167]

So konnte Ségur sich wohl zu äußern wagen, als die berühmte Reise der Kaiserin nach der Krim in den ersten Monaten des Jahrs 1787 nicht nur die Pforte, sondern auch die übrigen Mächte mit den lebhaftesten Besorgnissen erfüllte. Die Verhältnisse zwischen jener und Rußland waren damals ohnehin schon wieder so gespannt geworden, daß ein Bruch nicht mehr vermieden werden zu können schien. Die Pforte glaubte sich, und zwar mit Recht, über mehrere Verletzungen der zuletzt abgeschlossenen Verträge von seiten Rußlands bitter beklagen zu müssen, wie namentlich die Unterwerfung des Fürsten von Georgien unter seine Oberhoheit, das an-

maßende und aufreizende Benehmen der russischen Con=
suln in den Stationen der Levante, in der Moldau, der
Walachei und auf den Inseln des Archipel, die schlechte
Behandlung der osmanischen Kaufleute und Handelsschiffe
im russischen Reich uub endlich das Erscheinen Potemkin's
mit 60—70000 Mann an den Grenzen.

Das letztere erschien selbst den übrigen Mächten sehr
drohend und bedenklich. Kaiser Joseph, welcher früher
die Abtretung der Krim an Rußland für sich so vor=
theilhaft gefunden hatte, war nun doch der Meinung,
daß die Nähe der Turbane für Wien weit weniger ge=
fährlich sei als die der russischen Hütte. [168]) Und auch
Preußen hätte nun wol gern die Pforte zu entschiedenem
Widerstand gegen Rußland aufgeregt. Allein wenn schon
Friedrich der Große in den letzten Jahren seiner Regie=
rung aus den oben angedeuteten Gründen nicht geradezu
mit Rußland brechen und sich dem westlichen System
orientalischer Politik nicht offen anschließen wollte, so
kam das Cabinet von Berlin nach seinem Tod in dieser
Richtung in ein noch weit bedenklicheres Schwanken
hinein, welches dem bedeutenden Einfluß, den es in
Konstantinopel bereits besaß und in dieser Krisis noch um
vieles hätte steigern können, wesentlichen Abbruch that.

Der Nachfolger des Herrn von Gaffron, Herr von
Diez, kam dadurch, obgleich er, mit dem höhern diplo=
matischen Charakter eines außerordentlichen Gesandten
und bevollmächtigten Ministers bekleidet, dort mit mehr
Gewicht und Zuversicht auftreten konnte, in eine sehr
misliche Lage. Er hätte gern sogleich in das politische
Treiben, welches damals in Konstantinopel wieder seinen
Hauptbrennpunkt hatte, recht thätig eingegriffen, um

Preußen womöglich mit zum Schiedsrichter der europäischen Geschicke zu machen und ihm dadurch die hohe
Weltstellung zu retten, welche es durch Friedrich den
Großen errungen hatte. Allein die Zaghaftigkeit seines
Hofs oder des dirigirenden Ministers, des Grafen von
Hertzberg, lähmte alle die Schritte, welche er zu diesem
Zweck thun wollte. Während er über die Unthätigkeit,
in welcher man ihn belasse, die bittersten Klagen führte,
vertröstete ihn Hertzberg, damals ganz von den Erfolgen
eingenommen, die er in Holland erzielt hatte, auf günstigere Zeiten. Der Minister lehnte selbst die von ihm
in Vorschlag gebrachte Sendung eines osmanischen Gesandten nach Berlin unter dem leidigen Vorwand des
Kostenpunkts ab. Wollte Diez bei dem nicht mehr zu
vermeidenden Krieg Preußen mit den Waffen eine imposante Stellung gesichert wissen, so glaubte Hertzberg
dagegen durch eine kluge vermittelnde Haltung alle die
Vortheile erlangen zu können, welche Preußen aus den
vorliegenden orientalischen Verwickelungen für sich ziehen
oder erwarten könne. [169])

Auch England, welches beim Ausbruch des Kriegs
wenigstens insoweit eine feindliche Stellung gegen Rußland einnahm, als es britischen Schiffen den Transport
russischer Truppen nach dem Archipel untersagte, hoffte
man für eine solche vermittelnde Haltung gewinnen zu
können.

Nach der wirklich erfolgten Kriegserklärung der Pforte,
welche sie in einem an die Gesandten der befreundeten
Mächte gerichteten Manifest vom 24. Aug. 1787 auf
die oben berührten Beschwerden gründete [170]), trat Hertzberg mit seinem Vermittelungsplan, den er übrigens in

das tiefste Geheimniß gehüllt wissen wollte, bestimmter hervor. Ihm zufolge war er bereit, dem Kaiser die Moldau und Walachei, Rußland die Krim, welche die Pforte in ihrer Kriegserklärung durchaus wieder in ihren vormaligen Zustand der Unabhängigkeit versetzt wissen wollte, Oczakow und Bessarabien abzutreten, wogegen Preußen und Frankreich die Integrität der zum Osmanischen Reich gehörigen Besitzungen jenseits der Donau und der Unna auf alle Zeiten garantiren sollten. Rußland hätte sich dann freilich dazu verstehen müssen, Georgien und alles Land jenseits des Kuban aufzugeben, sich aller Einmischung in die innern Angelegenheiten der Pforte zu enthalten und seine Handelsprivilegien auf billige Beschränkungen zurückzuführen, wie sie mit der Würde und der Souveränetät der Pforte vereinbar wären.

Um diesen Vorschlägen bei der Pforte desto leichter Eingang zu verschaffen, sollte Preußen zum Beweis seiner Uneigennützigkeit vorerst für sich gar nichts weiter in Anspruch nehmen als einen recht vortheilhaften Handelsvertrag und Sicherheit seiner Schiffahrt gegen die Barbaresken. Die weitergehende Entschädigung, welche es sich vorbehalten wollte, bestand aber in nichts Geringerem, als daß die Pforte darauf hinwirken sollte, ihm, während Galizien an Polen zurückgegeben würde, Danzig, Thorn, Posen und Kalisch zu verschaffen. Diez erkannte jedoch sogleich, daß mit einem solchen Plan nach keiner Seite hin, am wenigsten bei der Pforte, durchzubringen sei, und erklärte sich, anstatt ihn dem Divan vorzulegen, auf das Entschiedenste dagegen.

Die Pforte, welche allerdings auf eine thätige Unter=

stützung Preußens gerechnet hatte, wurde nun aber infolge des passiven Verhaltens seines Gesandten um so mis= trauischer, weil ihr auch die angeblich zu Wien mit dem dortigen Vertreter desselben stattfindenden Conferenzen nicht geringen Verdacht erregten. Diez wurde deshalb dahin instruirt, alles aufzubieten, um die Pforte darüber zu beruhigen. Noch sei, sollte er ihr erklären, zwischen Preußen und den beiden Kaiserhöfen über die Differenzen mit der Pforte gar nichts verhandelt worden. Was man ihr in dieser Hinsicht einreden wolle, sei blos böswillige Erfindung falscher Freunde, um sie zu hintergehen (seule- ment pour amuser la Porte); sie solle sich daher auf eine Friedensverhandlung ohne die vorzugsweise Ver= mittelung Preußens (sans la médiation principale de la Prusse) gar nicht einlassen; sie habe es da mit einer befreundeten, neutralen und unparteiischen Macht zu thun, welche es redlich mit ihr meine, und weit entfernt, sie zu einem Frieden um jeden Preis zwingen zu wollen, ihr im Gegentheil zu erträglichen Bedingungen desselben verhelfen möchte. [171]

Um aber die Pforte noch besonders wegen eines etwaigen Einverständnisses Preußens mit dem Kaiser zu beruhigen, welcher, trotz seiner Furcht vor den russischen Hüten, mit Rußland im Bund ihr im Februar 1788 wirklich den Krieg erklärt hatte, wurde Diez beauftragt, ihr die Aeußerung mitzutheilen, welche König Friedrich Wilhelm II. bei Empfang des österreichischen Kriegs= manifests gethan habe. Daß er es nämlich höchlich bedauere, wenn sich das Kriegsfeuer auf diese Weise immer weiter verbreite, und daß er die Wiederherstellung des Friedens sehnlich wünsche. [172]

Mit diesem System diplomatischer Besänftigung war aber jetzt um so weniger mehr etwas auszurichten, je unerwarteter die Wendung war, welche zumal anfangs der Krieg genommen hatte. So groß die Geringschätzung war, womit man von den Streitkräften und der Haltung der Pforte gesprochen hatte, so unangenehm war die Enttäuschung, als es wirklich dazu kam, sich mit ihr mit den Waffen in der Hand zu messen. Man wollte den beiden Kaiserhöfen geradezu Schuld geben, daß sie den Kampf ebenso wenig mit Ueberlegung begonnen wie mit Geschick zu führen verstehen.

Zu glänzenden Waffenthaten kam es in demselben freilich auf keiner Seite. Aber die Türken fochten tapfer und hielten sich, ungeachtet namhafter Verluste, am Ende doch in ihren Stellungen. Hertzberg selbst konnte sich nicht des Erstaunens darüber erwehren, daß die Oester= reicher nicht im Stande sein sollten, mit 300000 Mann diese Barbaren über die Donau hinüberzuwerfen. Im ersten Jahr richteten sie unter des Kaisers eigener Füh= rung so gut wie gar nichts aus. Im zweiten, 1789, nahm Laudon wenigstens Belgrad (8. Oct.), während sie, mit den Russen vereint, in der Moldau bei Fok= schan (31. Juli) und Martinestie (22. Sept.) siegten.

Sonst war auch für Rußland der ganze Krieg so recht eigentlich ein höchst beschwerlicher, langwieriger, an Geld und Menschenleben sehr kostspieliger Festungs= und Belagerungskrieg. Im ersten Jahr wurde Kinburn nur mit unsaglicher Mühe gerettet und die Einnahme von Oczakow kostete sechs volle Monate (Juli bis December). Im zweiten wurden mit gleicher Anstrengung Galacz (1. Mai), Akjerman (13. Oct.) und Bender (15. Nov.)

genommen, und im dritten endlich krönten die Eroberung
von Kilianova (15. Oct.) und die furchtbare Erstürmung
von Ismail durch Suwarow (22. Dec. 1790) das
blutige Werk, ohne daß die großen Erwartungen und
Befürchtungen, womit es begonnen worden war, nur
einigermaßen in Erfüllung gegangen wären.

Zum Glück für Rußland kam auch England bei dem
während des Kriegs fortdauernden diplomatischen Intri-
guenspiel durch seine Oppositionspolitik gegen Frankreich
quand-même in eine ziemlich schiefe Lage. Fast zu naiv
erklärte einmal der britische Geschäftsträger zu St.=Pe-
tersburg, Herr Fraser, den Ministern der Kaiserin auf
ihr Befragen, warum seine Regierung nicht müde werde,
die Pforte zum Krieg gegen Rußland aufzureizen? geradezu: „Was wollt ihr? Wir haben Befehl, in jeder
Hinsicht das Gegentheil von dem zu thun, was Frankreich
wünscht. Da es nun den Frieden zwischen euch und
der Pforte wollte, so reizen wir die Türken zum Krieg
auf. Hätte dagegen Frankreich sie zum Krieg gereizt,
so würden wir zum Frieden gerathen haben." [173]

Während aber die britische Regierung allerdings eine
sehr kriegerische Haltung annahm, den russischen Schiffen
ihre Häfen verschloß, und Pitt von dem Parlament die
Vermehrung der Flotte zum Krieg gegen Rußland verlangte, ging durch das ganze Land eine gewaltige Agi-
tation zu Gunsten Rußlands und gegen das beabsichtigte
Bündniß mit der Pforte, welche das Ministerium zwang,
mit seiner Kriegspolitik den Rückzug anzutreten. [174]

Dadurch verlor nun freilich auch die Triplealliaz
zwischen England, Holland und Preußen, worauf die
Pforte bis zum letzten Augenblick noch gewisse Hoffnungen

gesetzt hatte, vollends ihre Kraft und Bedeutung. Zu spät wollte nun namentlich Hertzberg eine entschlossenere Haltung annehmen; und während er selbst der Pforte eine ansehnliche bewaffnete Unterstützung in Aussicht stellte, mußte sich Diez in Konstantinopel, abenteuerlich genug, sogar damit ab, durch eine dort anzustiftende Staatsumwälzung einen seinem System günstigen Umschwung der Verhältnisse herbeizuführen. Die Folgen sind bekannt. Preußen erlangte weiter nichts, als seinen am 31. Jan. 1790 unterzeichneten Allianzvertrag mit der Pforte, welcher durch die gleich darauf eintretenden Verhältnisse einen guten Theil seiner politischen Bedeutung verlor. Diez, dem man Schuld gab, daß er darin zu weit gegangen sei, und anstatt eines Defensivbündnisses einen Offensivvertrag abgeschlossen habe, wurde fast gleichzeitig abberufen, und Hertzberg trat, mit seiner orientalischen Politik in die Enge getrieben, noch vor der endlichen Ausgleichung zwischen Oesterreich und der Pforte bereits am 5. Juli 1791 von dem Schauplatz seiner diplomatischen Wirksamkeit ab.

Der am 20. Febr. 1790 erfolgte Tod Kaiser Joseph's II. hatte indessen Oesterreich den Weg zu einem ehrenvollen Rückzug durch jene Verständigung zwischen Kaiser Leopold und König Friedrich Wilhelm II. gebahnt, welche die Convention zu Reichenbach vom 27. Juli 1790 zur Grundlage des am 4. Aug. 1781 zu Sistowa unterzeichneten Friedens zwischen dem Kaiserhaus und der Pforte machte. Die Politik des Status quo mußte auch dieses mal über die dabei obwaltenden Schwierigkeiten hinweghelfen. Kaum daß Oesterreich mit den schweren Opfern, welche ihm der Krieg gekostet

hatte, den Besitz der unbedeutenden geschleiften Grenz-
feste Alt=Orsowa und das eitle Recht erkaufte, Choczim
bis zum Frieden mit Rußland besetzt zu halten. Die
genauere Grenzregulirung zog sich noch vier volle Jahre
hin. Sie kam erst durch eine besondere Convention vom
28. Nov. 1795 zum definitiven Abschluß. [175])

Aber auch Rußland hatte die geringen Vortheile,
welche es in seinem Frieden erlangte, gewiß theuer genug
bezahlt. Mehr wie an der Verwirklichung der großartigen Plane, womit der Krieg begonnen worden war,
schien der Eitelkeit der Kaiserin jetzt überhaupt daran
zu liegen, daß sie auch diesen Frieden, wie den von
Kutschuk=Kainardschi, wieder ohne alle und jede Vermittelung fremder Mächte zu Stande brächte. Wie sehr
mühte sich nicht noch Graf Ségur ab, ihr die Vermittelung Frankreichs aufzubringen und, um derselben mehr
Nachdruck zu geben, eine Quadrupelallianz zwischen
Frankreich, dem Kaiser, Spanien und Rußland zu Stande
zu bringen!

Den Ruhm der politischen Selbständigkeit rettete
sich Katharina dadurch allerdings aus diesem schweren
Krieg. Sonst aber gab sie, während ihre Augen wieder
vorzugsweise auf Polen und die drohenden Bewegungen
im Westen gerichtet waren, schon in den am 11. Aug.
1791 mit der Pforte vereinbarten Präliminarien fast
alle ihre Eroberungen wieder auf und benutzte auch ihren
stolzen Nacken in der Hauptsache doch unter das leidige
Joch des Status quo. Sie begnügte sich in dem Frieden von Jassy (9. Jan. 1792) mit der Erwerbung von
Oczakow und eines unbedeutenden Landstrichs zwischen
dem Dniepr und Dniestr, welcher fortan zwischen beiden

Reichen die Grenze bilden sollte. Die Krim nebst der Insel Taman, welche die Pforte beim Beginn des Kriegs als Preis des Friedens verlangt hatte, verblieben natürlich Rußland, und der Kuban ward abermals als die Grenzscheide nach dieser Seite hin festgesetzt. Die Rechte und Freiheiten der Donaufürstenthümer wurden gleichfalls in der Weise dem Schutz Rußlands und dem Wohlwollen der Pforte anheimgegeben, wie sie bereits durch besondere Fermans in den Jahren 1774, 1783 und 1791, und, was namentlich den von ihnen an den Großherrn zu entrichtenden Tribut betrifft, durch den Sened vom Jahr 1783 festgesetzt und geregelt worden waren. Die Georgier verpflichtete sich die Pforte ausdrücklich in keiner Weise mehr zu beunruhigen.[176])

Dagegen war von den Griechen und den christlichen Unterthanen des Sultans in den nördlichen Grenzländern gar keine Rede. Abgesehen von der allgemeinen Amnestie, welche ihnen für etwaige Theilnahme an dem Krieg gegen die Pforte zugesagt wurde, nahm Rußland gar keinen Anstand, sie abermals ihrem Geschick zu überlassen.

So sahen sich namentlich die armen Griechen zum zweiten mal in den Hoffnungen betrogen, welche sie beim Ausbruch des Kriegs nur zu leichtgläubig auf die Hülfe Rußlands gesetzt hatten. Die Gesandtschaft, welche die Inselgriechen mit den Sulioten vereint noch im April 1790 nach St.-Petersburg schickten, nicht um von der Kaiserin ihre Schätze zu verlangen, sondern nur Pulver und Blei zu erbitten, und ihr die erledigte byzantinische Kaiserkrone für den Großfürsten Konstantin zu Füßen zu legen, lief auf eine eitle Parade hinaus. Die Abgesandten wurden mit vielverheißenden Versprechungen und einem vortrefflichen Operationsplan wieder entlassen, dessen Ziel, wie sich von selbst versteht, die Eroberung von Konstantinopel und die Wiederherstellung des griechischen Kaiserthums sein sollte.

Zum Unglück waren aber die einzigen schwachen Streitkräfte, welche dazu zu Gebote standen, die tapfern Sulioten und das kleine Geschwader von 12 leichten Kriegsschiffen, womit Lambro Canzoni den Archipel so beunruhigte, daß es die Pforte für nöthig hielt, einen Theil ihrer Flotte aus dem Schwarzen Meer zurückzuziehen, um ihm mit Nachdruck die Spitze zu bieten. Auch unterlag er nur zu bald ihrer Uebermacht. In einem mörderischen Gefecht am 18. Mai 1790 vernichtete das von sieben Barbareskenschiffen unterstützte osmanische Geschwader diese erste kleine neuhellenische Seemacht. Von den Russen verlassen, bemühte sich Lambro noch mehrere Jahre vergebens, sie wiederherzustellen. Von den Osmanen aber überall verfolgt, rettete er sich im Jahr 1793 nach den Gebirgen Albaniens, und von da nach St.-Petersburg, um in russische Dienste zu treten. [177])

Der Tod der Kaiserin Katharina (13. Nov. 1796) und die großen welterschütternden Ereignisse im Westen trieben auch die orientalische Politik Europas seitdem in eine neue Bahn ihrer Entwickelung hinein, auf welcher wir sie hier nur noch in ihren Hauptmomenten bis zur Gegenwart verfolgen wollen.

Die hierbei in Betracht kommenden Verhältnisse und Ereignisse sind auf der einen Seite in ihren allgemeinern Beziehungen noch in zu frischem Andenken, und namentlich in den letzten Jahren zu oft schon Gegenstand vielseitiger Erörterung gewesen, auf der andern würde uns die genauere Erwägung einzelner Punkte viel zu weit über Zweck und Raum dieser Abhandlung hinausführen, als daß wir hier darauf näher eingehen könnten.[178] Es sei uns daher nur erlaubt, einige auf bekannte Thatsachen gestützte Andeutungen zu geben, welche uns schließlich in den Stand setzen sollen, die nächste Vergangenheit und die Zukunft der orientalischen Frage noch etwas näher ins Auge zu fassen.

Es lag schon in der Natur ihres geschichtlichen Werdens, wie wir es von ihrer Kindheit an durch die verschiedenen Stadien hindurch bis hierher verfolgt haben, daß sie in dem Revolutionszeitalter, unter dem rückwirkenden Einfluß moderner europäischer Staatsentwickelung überhaupt, vorzugsweise auch eine Frage der innern Politik wurde und werden mußte. Und zwar in zweifacher Hinsicht. Einmal insofern sich auch das osmanische Staatswesen, ungeachtet seiner starren Abgeschlossenheit, in eigenthümlicher Sphäre den Reformbestrebungen der Neuzeit nicht mehr entziehen konnte, und dann zweitens in Betreff der theils gelungenen theils vergeblichen Versuche nationaler Erhebung der christlichen Unterthanen der Pforte zu politischer Selbständigkeit. Wir sind noch jetzt Zeuge dieses zweifachen für die zukünftige Weltentwickelung so bedeutungsvollen Kampfs.

Daß er nicht ohne die gewaltigsten Erschütterungen durchgefochten werden konnte, wird um so weniger wunder nehmen, wenn man bedenkt, wie schroff sich gerade hier die Elemente einander gegenüberstanden und noch stehen, welche dabei ins Spiel kommen. Christenthum und Islam, neueuropäisches Leben und altorientalische Sitte wollen sich da noch immer wie schon seit Jahrhunderten den Sieg streitig machen.

Die Reformideen, mit welchen Selim III., ein reich begabter und mächtig aufstrebender Fürst, noch während des letzten Kriegs im April 1789 den Thron bestieg, waren nichts weniger als eine isolirte Erscheinung. Schon seit der Mitte des 18. Jahrhunderts waren sie wiederholt auf sehr bestimmte Weise zum Durchbruch gekommen. Wir wollen nur daran erinnern, daß schon unter Mohammed V. (Mahmud I. 1730—54) ein aufgeklärter und freisinniger Pascha von Kairo den kühnen Gedanken hatte, die Wiederherstellung des alten Glanzes osmanischer Macht durch die gänzliche Vernichtung des Islam und der ungemessenen Gewalt seiner Träger, der Ulema, zu bewirken, einen Gedanken, den dann später im Jahr 1777 der Großvezier Derendely, zum Theil wenigstens, dadurch verwirklichen zu können hoffte, daß er die unermeßlichen geistlichen Güter, die Wakouf, deren Genuß fast ausschließlich den Ulema zugute kam, für höhere Staatszwecke einziehen und nutzbar machen wollte. [179])

Wie tief empfand nicht ferner der gleichfalls mit vortrefflichen Eigenschaften des Geistes und Charakters ausgezeichnete Sultan Mustapha III. den Verfall seines Reichs, und wie gern hätte er alles daran gesetzt, es durch heilsame Reformen „wiederaufzurichten", wenn er nur die Mittel und die Kraft dazu gehabt hätte und

nicht burch unglückliche Kriege verhindert worden wäre,
seinen guten Vorsätzen treu zu bleiben und durch Thaten
gerecht zu werden. [180])

Was er nicht burchführen konnte, das faßte nun
sein Sohn Selim III. mit dem ganzen Feuer tieferer
Erkenntniß und fester Entschlüsse auf. Er glaubte we=
nigstens an die Möglichkeit der Wiederherstellung der
osmanischen Macht auf dem Weg zweckmäßiger und tief
eingreifender Reformen. Ob er dabei das Rechte traf,
steht freilich dahin. Der Erfolg hat seine jebenfalls
wohlgemeinten reformatorischen Bestrebungen leider nicht
gerechtfertigt.

Wenn er sie zunächst vorzugsweise auf die bewaffnete
Macht erstrecken wollte, so mußte er nur zu balb die
Erfahrung machen, baß in einem Staatswesen, in wel=
chem, wie in bem osmanischen, alle Elemente miteinander
auf das Innigste verwachsen sind, vereinzelte Reformen
gar nicht burchgeführt werben können, ohne ben innersten
Kern besselben anzugreifen und baburch sein ganzes Da=
sein auf das Spiel zu setzen. Darin lag das Gefähr=
liche des Reformsystems Selim's III., welches selbst dem
Widerstand der erhaltenden altosmanischen Partei bis zu
einem gewissen Grab seine volle Berechtigung gab. Denn
er konnte mit seinen Reformen nicht bei dem Heerwesen
stehen= bleiben. Er mußte mit ihnen nach und nach
ebenso tief auf die übrigen Zweige des gesammten Staats=
organismus, die Finanzen, die Verwaltung, die Rechts=
verfassung, selbst die religiösen Verhältnisse und die
so äußerst schwierig zu behanbelnbe Stellung der nicht
mohammedanischen Bevölkerung seines Reichs eingehen.

Man begreift daher leicht, welche Masse bebeutenber

Interessen davon berührt wurde, und wie der natürliche Trieb politischer Selbsterhaltung auch hier eine mächtige Oppositionspartei ins Leben rief, welche unter den nun auch noch nach außen hin eintretenden Verwickelungen nur immermehr an Kraft und Ausdehnung gewinnen mußte. Ein Hauptzweck dieser Reformen, dem Reich durch innere Einheit wieder Macht nach außen hin zu verschaffen, wurde dadurch sogleich gänzlich verfehlt. Denn anstatt daß sich die einzelnen Theile desselben nur um so fester an den auf neuen Grundlagen befestigten Thron hätten anschließen sollen, lösten sie sich im Gegentheil immer mehr von dem einmal in politischem Siechthum versunkenen Staatskörper ab, um sich, zum Theil unter dem Einfluß erstarkender nationaler Elemente, in eigener Sphäre Kraft und Selbständigkeit zu retten. So Aegypten, Syrien, Serbien, Bosnien, Albanien, die Donaufürstenthümer, Griechenland.

Selbst eine Energie, wie sie Selim III. leider eben nicht besaß, hätte diesem fortschreitenden Auflösungsproceß schwerlich Schranken setzen können. Auch der Schutz und die Hülfe befreundeter Mächte, namentlich Frankreichs, konnte am Ende weder ihn noch seine Reformen mehr retten. Er wurde dadurch nur um so mehr der Spielball auswärtiger Umtriebe und Parteiinteressen. Um das Maß seines Unglücks voll zu machen, ließ er sich nun, von allen Seiten gedrängt, in die gefährlichste Bahn hineintreiben, welche schwache Fürsten in solchen Lagen nur immer betreten mögen. Im äußersten Moment glaubte er Thron und Leben gegen die übermächtige Partei des Widerstands noch dadurch retten zu können, daß er den besten Theil seiner neuen Einrichtungen

(nisam dschedid), die Reform des Heerwesens, gänzlich
wiederaufgeben wollte.   Diese Schwäche war aber natür=
lich nur ein Reizmittel mehr, den schon offen ausge=
brochenen Aufstand vollends zum Ziel zu führen.   Der
Ausspruch des Mufti, daß der Sultan durch seine
Neuerungen das Gesetz des Propheten verletzt habe,
entschied seinen Sturz und das Schicksal seiner Reformen.

Die Katastrophe war entsetzlich.   Sie beweist mehr
wie alles, wie tief hier die Aufregung bis in die inner=
sten Lebensnerv dieses wunderlichen Staatswesens ein=
gedrungen war.   Nicht nur daß Selim selbst vom Thron
gestoßen wurde (30. Mai 1807) und nach Jahresfrist
im Gefängniß sein Leben verlor (28. Juli 1808),
wurden auch noch alle diejenigen mit in seinen Fall
verwickelt, welche den kühnen Muth hatten, von seinen
Reformen wenigstens noch etwas für die Zukunft retten
zu wollen.   So namentlich der Großvezier Mustapha=
Bairactar, welcher den von der altosmanischen Partei
erhobenen und geschützten Mustapha IV. vom Thron
stieß, aber nach kurzer Herrschaft seinem unzeitigen
Streben selbst zum Opfer fiel (14. Nov. 1808).   Unter
dem Jubel der siegenden Partei des Widerstands bestieg
der junge Mahmud II. den mit dem Blut seiner beiden
Vorgänger befleckten Thron Osman's. [181])

Es gehörte der Muth der Nothwendigkeit, der Ver=
zweiflung dazu, daß dieser anfangs wenig versprechende
und in sich verschlossene Fürst, welcher überdies ganz in
den Händen der siegreichen Partei des Rückschritts war,
am Ende doch wieder die gefahrvolle Bahn des refor=
matorischen Fortschritts zu betreten wagte.   Es hat
vielleicht nie einen Beherrscher eines solchen Reichs ge=

geben, welcher sich in ähnlicher Lage von gleichen Schwie=
rigkeiten und Hindernissen von innen und nach außen
umgeben gesehen hätte. Abfall und Aufruhr fast in
allen Theilen des Reichs, namentlich in Asien, wo die
meisten Statthalter unabhängige Herren sein wollten, in
Aegypten, wo Mehemed=Ali im Begriff stand, sein neues
Reich zu begründen, in Arabien, wo die Wehabiten ihr
Haupt erhoben hatten und im Besitz der heiligen Stätte
Mekka und Medina waren; dann in Europa, wo die
Janitscharen zu Salonichi, Baswan=Oglou zu Widdin,
Ali=Pascha zu Jamira sich offen aufgelehnt hatten, die
Serbier auf ihre schon halb errungene Unabhängigkeit
trotzten, und in Griechenland längst das Feuer des
Aufstands unter der Asche glimmte, das alles lähmte
jeden Schritt, den Mahmud auf der vorgezeichneten
Bahn der Reformen thun wollte. Und dazu noch die
nie ruhenden Umtriebe der Partei des Widerstands im
Innern und die Verwickelungen der Pfortenpolitik nach
außen!

Auch in letzterer Beziehung war die Regierung Se=
lim's III. nichts weniger als glücklich gewesen. In den
ersten Zeiten derselben hatte er sich, ganz mit der Sorge
für die innere Wohlfahrt des Reichs beschäftigt, von
den erschütternden Bewegungen im Westen möglichst fern
gehalten. Den Versuch der gegen die französische Re=
publik coalisirten Mächte, ihn in ihren Bund hineinzu=
ziehen, hatte er glücklich zu vereiteln gewußt. Allein
diese isolirte Stellung der Pforte war bei dem alles
ergreifenden Umschwung der europäischen Verhältnisse
nicht auf die Dauer zu behaupten.

Nachdem Frankreich durch den Frieden von Campo=

Formio (17. Oct. 1797) einmal in den Besitz der
Jonischen Inseln und eines Theils des Küstenlandes von
Albanien gelangt war, konnte sich die Pforte der gefährlichen Freundschaft der jungen aber mächtigen Republik nicht mehr entziehen. Wer weiß, welche Geschicke
dem Osmanischen Reich beschieden gewesen wären, und
wie man damals schon die „orientalische Frage" gelöst
haben würde, wenn der gewaltige Geist, welcher kurz
darauf die Welt beherrscht, wenn Napoleon Bonaparte
den schon im Jahr 1794 gefaßten Plan durchgeführt
hätte, nach der Türkei zu gehen, um sich an die Spitze
der bewaffneten Macht des Sultans zu stellen? „In
einer Zeit", schrieb er damals, am 13. Aug. 1794, an
den Wohlfahrtsausschuß, um zu diesem Zweck seine
Entlassung aus den Diensten der Republik zu erhalten,
„in einer Zeit, wo die Kaiserin von Rußland die Bande,
durch welche sie mit Oesterreich verbunden ist, fester
angezogen hat, ist es für Frankreich wichtig, alles aufzubieten, um die militärischen Hülfsmittel der Türkei
furchtbarer zu machen." Man hielt es aber doch für
rathsam, „einen so ausgezeichneten Offizier" dem Vaterland damals zu erhalten. [182])

Niemand ahnte freilich damals schon, wie derselbe
Bonaparte wenige Jahre nachher das Osmanische
Reich mit in den Kreis seiner Eroberungsplane hinein-
ziehen werde. Zunächst beschränkten sich die Gesandten
der Republik nur darauf, nach den oben angedeuteten
Gedanken des Generals die etwas gelockerten Freundschaftsbande zwischen Frankreich und der Pforte durch
eine wirksamere Unterstützung der militärischen Reform-
pläne Selim's III. wieder fester anzuziehen. Noch im

Jahr 1796 traf der General Aubert Dubayet als Gesandter der Republik mit einer ganzen Schar französischer
Offiziere und Lehrmeister, sowie mit einem reichen Vor-
rath von Waffen aller Art in Konstantinopel ein, um
den Sultan mit den neuesten Fortschritten der republikanischen Kriegskunst bekannt zu machen. [183])

Bald darauf bekam jedoch die orientalische Politik
Frankreichs eine andere Wendung. General Bonaparte
war schon während seines siegreichen Feldzugs in Italien
mit den misvergnügten Griechen in Verbindungen ge-
treten und hatte durch seine namentlich nach Morea
geschickten Agenten die dortigen Stimmungen und die
Schwäche der Pforte hinlänglich kennen gelernt. Die
Haltung der Griechen scheint ihm jedoch noch wenig
Vertrauen eingeflößt zu haben. Er hielt es nicht für
angemessen, bei einer etwaigen Erhebung derselben die
Streitkräfte der Republik aufs Spiel zu setzen. [184])
Der Besitz von Aegypten war in seinen Augen jedenfalls
ein sichrerer Stützpunkt seiner Eroberungsplane nach dieser
Seite hin.

Man weiß nun, wie in dieser Beziehung seine Erwartungen getäuscht wurden. In dem Frieden vom
25. Juni 1802, welcher der „ruhmreichen" Expedition
nach Aegypten ein endliches Ziel setzte und die bereits
am 9. Oct. 1801 mit der Pforte vereinbarten Präliminarien bestätigte, rettete Frankreich weiter nichts als die
gegenseitige Garantie der respectiven Besitzungen der
beiden contrahirenden Mächte, die Erneuerung der alten
Verträge mit der Pforte und die freie Schiffahrt auf
dem Schwarzen Meer, wogegen es sich noch dazu verstehen mußte, das bereits durch den Frieden zu Amiens

(27. Mai 1802) gesicherte Protectorat der Pforte über die durch den Vertrag zwischen Kaiser Paul von Rußland und Sultan Selim vom 21. März 1800 ins Leben gerufene Republik der Sieben Ionischen Inseln anzuerkennen und zu gewährleisten.

Es war fast eine Pflicht der Dankbarkeit, eine politische Nothwendigkeit, daß die Pforte nach diesem Frieden zunächst unter dem Einfluß der Mächte blieb, welche die Eroberungspolitik Frankreichs zu ihren natürlichen Bundesgenossen gemacht hatte, und denen sie auch die günstigen Bedingungen desselben verdankte: Rußland, England und Oesterreich. Ihr Verhältniß zu Frankreich blieb dagegen natürlich sehr kühl und fast gespannt. Unter Rußlands und Englands Einfluß konnte sie es selbst wagen, Napoleon die Anerkennung des Kaisertitels so lange zu verweigern, bis sie nach der Schlacht bei Austerlitz (2. Dec. 1805) und durch den Frieden zu Preßburg (26. Dec. 1805) in die verzweifelte Alternative kam, sich entweder seinem Willen zu unterwerfen oder ihr Dasein aufs Spiel zu setzen.

Seitdem war Frankreichs Einfluß im Divan wieder in steigender Bewegung, und niemand war geeigneter, ihn dort unter den jetzt eintretenden Verwickelungen aufrecht zu erhalten, als der umsichtige und äußerst thätige General Sébastiani, welchem Napoleon in dieser Krisis die Wahrnehmung seiner orientalischen Interessen anvertraut hatte. Er brachte es nicht allein dahin, daß die Pforte ihre erst zu Ende des Jahrs 1805 neubefestigte Verbindung mit Rußland und England bereits im September 1806 wieder auflöste, sondern er unterstützte sie auch mit dem glücklichsten Erfolg durch Rath und That, als sie es auf seinen Betrieb wagte, beiden mit den Waffen in der Hand die Spitze zu bieten.

Allein der russisch=englische Krieg mit der Pforte, welcher durch den Waffenstillstand zu Sloboja (24. Aug. 1807) für Rußland zum vorläufigen, und durch den Frieden an den Darbanellen (5. Jan. 1809) für Eng= land zu einem definitiven Abschluß kam, wurde durch die gleichzeitigen großen Begebenheiten in den übrigen Theilen Europas doch etwas in den Hintergrund ge= drängt. Selbst Napoleon, welcher die Pforte anfangs noch gern in größerer Ausdehnung zu seinen Zwecken benutzt hätte, scheint diesen ferner liegenden orientalischen Verhältnissen, im Vergleich zu seinen Unternehmungen im Westen, eine geringere Wichtigkeit beigelegt zu haben.

Was bereits zu Tilsit (Juli 1807) und dann zu Erfurt (October 1808) zwischen ihm und Kaiser Alexan= der von Rußland über eine eventuelle Theilung des Osmanischen Reichs verabredet und festgesetzt worden sein mag, war von seiner Seite wol um so weniger ernstlich gemeint, je begeisterter der russische Monarch die Idee als ein vortreffliches Mittel zur endlichen Ver= wirklichung der erblichen Plane in Betreff der Macht= entwickelung seines Hauses nach dieser Seite hin zu er= fassen schien. Napoleon sah in diesen Dingen zu klar, auf welcher Seite am Ende der wesentlichste Vortheil geblieben sein würde, als daß er willig die Hand dazu hätte bieten sollen.

Ueberdies wäre der Plan bei der Ausführung, wie seit Jahrhunderten, so gewiß auch jetzt wieder an dem Eckstein der Lösung der „orientalischen Frage" geschei= tert. Vor allem mußte entschieden werden: Wer sollte

Konstantinopel besitzen? Alexander verlangte es als
den Schlüssel „zur Thür seines Hauses", und Napoleon
wußte zu gut, daß es sich dabei um „die Herrschaft der
Welt" handle, als daß er es überhaupt einem dritten,
am wenigsten dem Beherrscher Rußlands, überlassen
hätte. Er ließ mithin lieber den ganzen Plan fallen,
und machte nun im Gegentheil, auch von Sébastiani
sehr nachdrücklich auf die materiellen Schwierigkeiten seiner Ausführung aufmerksam gemacht, die Integrität des
Osmanischen Reichs zum Hauptgrundsatz seiner orientalischen Politik. Er ließ der über die Absichten beider
Mächte nicht wenig beunruhigten Pforte in dieser Hinsicht die tröstlichsten Versicherungen ertheilen. Das
rettete sie damals und befestigte aufs neue Frankreichs
Einfluß im Divan.

Es stand aber doch nicht in seiner Macht, den Wiederausbruch des Kriegs zwischen der Pforte und Rußland
zu hindern, welches, in seinen Erwartungen getäuscht,
sich nun wenigstens durch die Besitznahme der ihm in
dem Theilungsplan zugesagten Donaufürstenthümer entschädigen wollte. Denn auch England und Oesterreich
reizten die Pforte zum Krieg gegen Rußland, welcher
sich im April 1809 wiedereröffnet, mit wechselndem
Glück durch drei volle Jahre hindurchzog, aber in seinen
Resultaten, wie alle Türkenkriege Rußlands, den übertriebenen Erwartungen nicht entsprach, welche man davon
gehegt zu haben scheint.

Rußland, obgleich im Feld am Ende entschieden im
Vortheil, mußte durch die feindliche Stellung Frankreichs,
welches die Pforte nun gleichfalls zur Fortsetzung des
Kriegs reizte, gedrängt, zum Frieden eilen. Am 28. Mai

1812 zu Bukarest unterzeichnet, brachte er ihm weiter nichts 'ein als die Bestätigung der Friedensschlüsse von Kutschuk=Kainardschi und Jassy, mit einer geringen Erweiterung seines Gebiets bis zum Pruth und zur Donau, sodaß ihm Bessarabien und der kleinere. östliche Theil der Moldau, allerdings mit den wichtigen Grenzfestungen Choczim, Bender, Akjerman, Kilia und Ismail, verblieb. Daß es sich dabei noch ganz besonders der abgefallenen Serbier annahm, und abermals die Rechte und Freiheiten der Moldau und Walachei gewahrt wissen wollte, war für Rußland zugleich eine Ehrensache und ein Mittel, sich dort seinen Einfluß für günstigere Zeiten in der Zukunft zu erhalten. [185])

Hatte der Krieg Sultan Mahmud nicht gestattet, in den ersten Jahren seiner Regierung mit seinen Reformbestrebungen offener hervorzutreten, so faßte er sie nun nach hergestelltem Frieden desto schärfer ins Auge. Er mußte vor allem darauf Bedacht nehmen, durch die Wiederherstellung seiner Regierungsgewalt in den Provinzen dafür festen Grund und Boden zu gewinnen. Schon hier hatte er mit den unsäglichsten Schwierigkeiten zu kämpfen. Serbien mußte er, nachdem er es, den Bestimmungen des Friedens zu Bukarest zum Trotz, mit der Gewalt der Waffen vergeblich wieder ganz seinem Willen zu unterwerfen versucht hatte, vertragsmäßig seine schwer erkämpfte halbe Unabhängigkeit lassen. Dies war aber nur ein gefährliches Reizmittel mehr zur Erhebung der übrigen christlichen Unterthanen der Pforte, welche gesteigertes Nationalgefühl und gereifteres politisches Selbstbewußtsein beseelte.

So namentlich die Griechen, welche zum guten Theil

der Druck der Gewaltherrschaft Ali-Pascha's von Jan
ina vollends zum offenen Kampf der Verzweiflung für
Recht und Freiheit trieb, der längst schon im geheimen
vorbereitet war. Der Sturz des Tyrannen (5. Febr.
1821) konnte bei den schon aufs äußerste gespannten
Verhältnissen nur das Zeichen zum förmlichen Ausbruch
des Griechenaufstands sein. Er griff mit Blitzesschnelle
um sich, und so leicht er auch vorherzusehen gewesen
wäre, überraschte er doch durch Art und Ausdehnung
die Mächte Europas nicht minder wie die Pforte selbst.

Indem er für das nächste Jahrzehnd die Thätigkeit
der letztern fast ausschließlich in Anspruch nahm, bedingte
er auch zugleich die orientalische Politik Europas im
allgemeinen. Eine solche Lösung der „orientalischen
Frage" war freilich nicht gerade im Sinn der dabei
zunächst interessirten Mächte. Der selbständige Charakter
dieses Aufstands überflügelte nur zu bald die Berechnun=
gen der europäischen Diplomatie, welche sich zu ihm
anfangs gern noch in ein feindliches Verhältniß versetzt
hätte. Sie wurde aber durch die Gewalt der Ereignisse
am Ende doch bis zur Anerkennung des jungen Freistaats
durch den zu London am 6. Juli 1827 zwischen Ruß=
land, England und Frankreich abgeschlossenen Traktat
und bis zu der mehr glänzenden als folgereichen Waffen=
that bei Navarin (20. Oct. 1827) mit fortgerissen.

Wer hätte, wie nach den Tagen bei Lepanto und
Tschesme, nach diesem Sieg der vereinten Flotten noch
einen Augenblick an der gänzlichen Vernichtung der os=
manischen Macht auf europäischem Boden gezweifelt?
Man begnügte sich aber, die Verhältnisse des unabhängi=
gen Griechenlandes im Sinn des monarchischen Princips

und nach den Anforderungen allgemeinerer europäischer
Staatsinteressen zu ordnen (Protokolle vom 22. März
1829, 3. Febr. 1830 und 7. Mai 1832, welches letztere
den noch jetzt regierenden König Otto auf den griechischen
Thron berief), und überließ es Rußland, die von dem
Frieden von Bukarest her und auch durch den Vertrag
von Akjerman (7. Oct. 1826) nicht geschlichteten Streitigkeiten mit der Pforte allein mit den Waffen zum
Austrag zu bringen. Auch dieser nur zweijährige Krieg
(1828 und 1829) täuschte indessen manche Erwartungen.

Es ist jetzt kein Geheimniß mehr, mit welchen Opfern
Rußland die Siege erfocht, welche seine Truppen zum
ersten mal über den Balkan und bis in die Mauern
von Adrianopel führten. Sie würden die kleine Strecke
von da bis vor die Thore von Konstantinopel wahrscheinlich nur mit den größten Mühseligkeiten, vielleicht
selbst mit der Gefahr gänzlicher Vernichtung, haben
zurücklegen können. Wenn man also auch noch einige
Truppencorps bis auf den halben Weg dahin vorschob,
so war dies doch mehr eine Demonstration, um sich durch
einen ehrenvollen Frieden aus einer peinlichen Lage zu
befreien, als ein ernstlich gemeinter Versuch, der Herrschaft des Sultans im Sitz seiner Macht den Todesstoß
zu versetzen. [186])

In dem am 14. Sept. 1829 abgeschlossenen Frieden
zu Adrianopel gewann Rußland nichts, als in Europa
die Erhaltung seiner Grenze am Pruth mit der Schlei-
sung von Silistria, und in Asien den Besitz der Ostküste
des Schwarzen Meers mit den Festungen Anapa und
Poti, die abermalige Bestätigung der Rechte und Freiheiten der Donaufürstenthümer mit lebenslänglicher Er-

nennung der Hospodare, die Anerkennung der Unab=
hängigkeit Griechenlands von seiten der Pforte, gemäß
den darüber vereinbarten londoner Verträgen, völlig
freien Handelsverkehr im Schwarzen und Weißen Meer
und eine angemessene Entschädigung für die Kriegs=
kosten. [187])

Auch während dieser Bedrängnisse von außen hatte
indessen Sultan Mahmund seine Reformen im Innern
um so weniger aus den Augen verloren, je tiefer in
seinem Geist die Ueberzeugung wurzelte, daß nur auf
diesem Weg mit den Trümmern des in sich zerfallenen
Reichs noch eine Wiederherstellung osmanischer Macht
möglich sei. Der erste entscheidende Schritt, den er in
dieser Beziehung that, die Vernichtung des empörten
Janitscharencorps, zu einer Zeit, wo der Thron von
Gefahren jeder Art umgeben war, im Juni 1826, hat
damals sowol wegen der Umsicht, womit er von fern
her angelegt und vorbereitet war, als auch wegen der
Energie, womit er zur Ausführung kam, allgemeine und
gerechte Bewunderung erregt. Er war zugleich die sicherste
Bürgschaft dafür, daß Sultan Mahmud auf einer Bahn
fortzuschreiten fest entschlossen sei, auf welcher die Umkehr
wahrscheinlich am Eude nur zum Ruin des Throns ge=
führt haben würde. Er bezeichnet mithin eine der ent=
scheidendsten Epochen in der Geschichte der „orientalischen
Frage", soweit sie das innere Staatsleben des Osma=
nischen Reichs betrifft.

Nur mußte sich auch hier, wenn ersprießliche und
bleibende Erfolge errungen werden sollten, neben der
Charakterstärke vernichtender Gewalt zugleich die Einsicht
des schaffenden Geistes auf die rechte Weise geltend

machen. Auch diese wird man Sultan Mahmud schwer=
lich ganz streitig machen wollen. Hatte er den Muth,
den Vorurtheilen der Nation selbst bis zur Vernichtung
des mit den Janitscharen eng verknüpften alten ehrwür=
digen, aber im Lauf der Zeiten moralisch versunkenen
Ordens der Begtaschis Trotz zu bieten, so griff auf der
andern Seite sein organisirendes Talent sogleich in alle
Verhältnisse ein, um durch neue Schöpfungen die
Grundlage für eine andere Ordnung der Dinge zu
gewinnen und dadurch die Zukunft seines Reichs zu
sichern.

Man hat das, was Sultan Mahmud in dieser Hin=
sicht that, oder wozu er wenigstens den Weg anbahnte,
oft belächelt, sehr ungerecht beurtheilt und geradezu ver=
dammt, weil die Erfolge nicht den zu hoch gestellten
Erwartungen entsprachen, welche man zu hegen sich be=
rechtigt glaubte. Man hatte anstatt dessen lieber beden=
ken sollen, daß es sich hier um eine Staatsreform han=
delte, welche einzig in der Weltgeschichte dasteht. Man
hätte erwägen müssen, welche Mittel dazu zu Gebote
standen und in Anwendung gebracht werden mußten, um
sie nur einigermaßen dem Ziel zu nähern, welches un=
bekannt noch jetzt in ferner Zukunft liegt. Man würde
dann eher zu der Einsicht gelangt sein, daß das, was
dieser hochbegabte Fürst namentlich für die neue Organi=
sation des Heerwesens, die politische Verwaltung, die
Rechtspflege, die Verhältnisse der christlichen Unterthanen,
die Bildung und Erziehung des Volks u. s. w. gethan
hat, schon um seines Zwecks willen um so mehr die volle
Anerkennung verdient, da er sich dabei fortwährend nicht
blos von fast unüberwindlichen Schwierigkeiten im Innern,

sondern auch von den widerwärtigsten Hemmnissen von außen her umgeben sah.

Wir erinnern nur daran, daß kurz nach Beendigung des letzten Kriegs mit Rußland die blutige Fehde mit Mehemed-Ali von Aegypten die besten Kräfte seines Reichs in Anspruch nahm und die Pforte abermals zur Zielscheibe und zum Spielball der sich durchkreuzenden orientalischen Interessen der europäischen Großmächte machte. Unter den Zuckungen eines zehnjährigen Vasallenkriegs, welcher den Thron und das Reich mehr als ein mal bis an den Rand des Abgrunds führte, sollten die Elemente der neuen Ordnung der Dinge Festigkeit und Gestalt gewinnen.

Mahmud erlebte aber weder das Ende desselben, noch sah er sich am Ziel seiner Tage auch am Ziel seiner Wünsche in Betreff seiner Reformbestrebungen. Er starb am 1. Juli 1839. Aber erst der zu London von den vier vermittelnden Mächten England, Rußland, Oesterreich und Preußen unterzeichnete Vertrag vom 15. Juli 1840 nnd die durch Commodore Napier am 27. Nov. desselben Jahrs zu Stande gebrachte Convention, welche der Pforte Syrien wiederverschaffte und Mehemed-Ali den erblichen Besitz der Statthalterschaft von Aegypten für seine Familie sicherte, machte jenem Krieg ein Ende.

Auch die Lösung der orientalischen Frage kam, soweit sie die Interessen der europäischen Großmächte berührte, dabei insofern zu einem vorläufigen Abschluß, als die Schließung der Dardanellen und des Bosporus für Kriegsschiffe, welche sich Rußland durch einen geheimen Artikel des am 8. Juli 1833 zu Unkiar-Skelessi abgeschlossenen Defensivbündnisses mit der Pforte einseitig ausbedungen hatte, durch den am 13. Juli 1841 zu London unterzeichneten Vertrag zum gemeinschaftlichen Beschluß der Pforte mit den fünf Großmächten erhoben wurde. Es war dies zugleich das beste Mittel, Frankreich wieder den Eintritt in das europäische Concert zu eröffnen, in welches diese leidige „orientalische Frage" durch dessen Ausschließung von dem Vertrag vom 15. Juli 1840 eine unangenehme Disharmonie gebracht hatte. [188]

III.

Ein Schlußwort über die nächste Vergangenheit und die Zukunft der orientalischen Frage.

Selbst ohne tiefere Einsicht in die orientalischen Dinge wird man nach dem Gesagten begreifen und zugeben, daß der kaum siebzehnjährige Sultan Abdul-Medschid (geb. den 6. Mai 1822) den Thron seiner Väter unter Schwierigkeiten bestieg, wie sie nicht leicht ein zweiter der osmanischen Monarchen zu überwinden gehabt hat. Der Vasallenkrieg mit den Satrapen von Aegypten war noch nicht beendigt; die Kriegs= und Friedenspartei standen sich selbst im Divan noch schroff und erbittert einander gegenüber. Der Abfall des Kapudan=Pascha Achmed, welcher schon im Juli die Flotte des Großherrn seinem gefährlichsten Feind, Mehemed=Ali, zuführte, die steigende Finanznoth und die Gährung im Innern, wo sich alles in höchster Spannung befand, ließen jeden Augenblick das Aeußerste, den Umsturz des Throns und die gänzliche Auflösung des Reichs, befürchten. Zum Glück war denen, welchen in dieser Krisis das

Ruder in die Hand gelegt ward, um das lecke Staats=
schiff durch Sturm, Brandung und Klippen hindurch zu
geleiten, die Bahn vorgezeichnet, welche sie zum Heil
für Thron und Reich einzuhalten haben würden. Ster=
bend hatte Sultan Mahmud seinem Sohn ans Herz
gelegt, daß er von dem einmal betretenen Weg der Re=
formen und des Fortschritts niemals abweichen solle, und
die aufgeklärtesten und tüchtigsten osmanischen Staats=
männer, welche berufen waren, ihm mit Rath und That
zur Seite zu stehen, ein Kosrew=Pascha, Halil=Pascha,
Reschid=Pascha, Saib=Pascha u. s. w., sowie die cha=
raktervolle Sultanin Valide, waren nicht nur in seine
Ideen eingegangen, sondern auch fest entschlossen, sie
durch Thaten zur Geltung zu bringen.

Friede und Reform blieben daher, ungeachtet des
heftigsten Widerstands ihrer Gegner, die Losung des
herrschenden Systems der neuen Regierung. Der alte
Kosrew=Pascha, zum Großvezier erhoben, war die Seele
desselben, und auch die europäischen Großmächte, welche
es mit der Pforte redlich meinten und ihren Interessen
gemäß die Erhaltung des Osmanischen Reichs zum
Grundsatz ihrer orientalischen Politik gemacht hatten, wie
namentlich England, liehen ihm zu seiner Verwirklichung
ihren Beistand.

Während man aber bei Erledigung der Friedensfrage
noch auf erhebliche Hindernisse stieß, wollte man dem
System wenigstens in seiner zweiten Richtung, im Be=
treff der Reformen, durch einen entschiedenen Act einen
unwiderleglichen Ausdruck, eine förmliche Weihe geben.
Denn schon bei der Säbelumgürtung des jungen Sultans
in der Moschee zu Ejub hätte der leidige Streit des

Mufti und des Großveziers darum, ob derselbe an hei=
liger Stätte mit dem Turban oder dem Fez, den Zeichen
des alten und des neuen Régime, erscheinen solle, die
Dinge wahrscheinlich auf die Spitze getrieben, wenn nicht
die Energie des Großveziers den Sieg zu Gunsten des
Fez davongetragen hätte. Es war also hohe Zeit, den
festen Willen der Regierung durch eine große That vor
den Augen der ganzen Welt an den Tag zu legen. Das
war der Sinn und Ursprung des berühmten Hattischeriff
von Gülhane vom 3. November 1839.

Er gilt, und wohl mit Recht, vorzugsweise für ein
Werk des damaligen Reis=Efendi, des hochgebildeten
Reschid=Pascha, welcher bis zu seinem erst vor kurzem
erfolgten Tod seinen Reformbestrebungen treu geblieben
ist. Doch scheinen auch mächtige Einflüsse von außen
dabei nicht ganz außer Spiel gewesen zu sein. Man
hat behauptet, daß namentlich der englische Botschafter,
Lord Ponsonby, den Divan von der Nothwendigkeit
eines solchen Schritts überzeugt habe. [189])

Man kennt den Geist und den Inhalt dieses Ent=
wurfs eines osmanischen Staatsgrundgesetzes. Indem
es die drei großen Grundsätze moderner christlicher
Staatspraxis: Gleichheit vor dem Gesetz und Sicherheit
des Lebens, der Ehre und des Eigenthums aller Unter=
thanen der Pforte ohne Unterschied, Gleichheit der Be=
steuerung und gleiche Verpflichtung zur Leistung des
Waffendienstes, an die Spitze stellte, griff es freilich die
alten islamitischen Staatsordnungen des Osmanischen
Reichs in ihrem innersten Wesen an. Die übrigen Be=
stimmungen desselben sind nur die natürliche Folge und
die weitere Ausführung jener Grundsätze. [190])

Wurde dieser bedeutungsvolle Schritt auf der schwie=
rigen Bahn der Wiedergeburt des Osmanischen Reichs
in Europa im allgemeinen allerdings mit zu sanguinischen
Hoffnungen begrüßt, so fehlte es bei uns freilich auch
nicht an solchen Staatsweisen, welche sich für berechtigt
hielten, ihn sehr vornehm zu belächeln. Als ob nicht
gerade in den letzten Decennien die politische Noth unser
„altes Europa" zu Dingen getrieben und verleitet hätte,
über welche man sich wahrhaftig kaum des Lachens er=
wehren könnte, wenn sie nur nicht so ernster Natur ge=
wesen wären! Auch in Betreff des politischen Donquixo=
tismus dürften uns in diesen Zeiten diese Barbaren schwer=
lich den Rang streitig gemacht haben.

Die Hauptsache war natürlich, daß man die schönen
Verheißungen von Gülhane nun auch zur Ausführung
bringe, und namentlich die organischen Gesetze ins Leben
rufe, welche ihre Zukunft sichern und sie zur Wahrheit
machen sollten. Da stieß man aber freilich, so ernst
man auch die Sache nahm, sogleich auf die erheblichsten
Schwierigkeiten. Die Ulema, die sich anfangs zu fügen
schienen, weil man ihnen glauben machen wollte, daß
diese neuen Einrichtungen nur eine Wiederherstellung der
alten auf den Aussprüchen des Koran beruhenden Satzun=
gen bezwecken, schrieen laut über Betrug, wiegelten das
Volk der Gläubigen auf, und verkündeten offen den Um=
sturz des Islam.

Ebenso zeigte sich in den Provinzen, wo der erste
Eindruck überwiegend günstig war, bald ein nachtheiliger
Umschwung der Stimmungen gegen diese gefährlichen
Neuerungen. In Albanien, Bosnien, der Herzegowina,
in Syrien und am Libanon kam es zu sehr bedenklichen

Reibungen. Arge Misverständnisse hatten daran nicht
wenig Schuld. Die Rajahs wollten nun gar nicht mehr
zahlen, und die Statthalter ließen sich zu Gewaltthätigkeiten hinreißen, wo sie ihre alten Rechte beeinträchtigt
glaubten. Harte Strafen gegen widerspenstige Pforten-
diener, Entsetzung, Verbannung, selbst einige Hinrich-
tungen, machten das Uebel eher schlimmer.

Dabei schlug man von oben herein in der Ausführung des Hattischeriff nicht gerade immer den glücklichsten Weg ein. Hier kam man nach langen Mühen
zu keinem erwünschten Resultat, dort überstürzte man sich
selbst durch unzeitige Eile. Mit dem schon im März
1840 versuchsweise ins Leben gerufenen Schattenbild
einer abendländischen Repräsentativverfassung mit zwei
Kammern, Thronrede und Dankadresse verfiel Reschid-
Pascha, welchem man dieses politische Kunststück zuschreiben wollte, geradezu ins Lächerliche.

Auf der andern Seite geschah aber doch manches,
was tiefere Wurzeln schlug. Die Abschaffung der Re-
gierungsmonopole, die Einrichtung besonderer Collegien
für die oberste Leitung der verschiedenen Zweige der
Verwaltung, die Aufhebung des Verkaufs und der Ver-
pachtung der Staatsämter (iltisame), sowie des Kopf-
geldes, und die davon bedingte neue Organisation des
Steuerwesens waren sehr erhebliche Fortschritte, wenn
sie auch nicht sogleich praktisch durchgeführt werden konnten. Selbst eine zehnjährige Reorganisationsarbeit, welche
in der nächstfolgenden Zeit den Kern der innern Geschichte des Osmanischen Reichs bildet, vermochte die
tiefer liegenden Uebel nicht so leicht zu heben. Finanz-
wesen, Rechtspflege, Verwaltung und die so schwierigen

Verhältnisse der christlichen Unterthanen konnten in dieser
Periode des Kampfs, zwischen dem Alten und dem Neuen
nicht mit einem mal aus dem krankhaften Zustand heraus=
gerissen werden, in dem sie seit Jahrhunderten versunken
waren.   Es bedurfte, wie es scheint, eines neuen großen
Anstoßes von außen, um das Werk der Reform einen
entscheidenden Schritt weiter zu treiben.

Wir haben nicht nöthig, hier näher darauf hinzu=
weisen, welche Bedeutung in dieser Hinsicht der jüngste
orientalische Krieg gehabt hat.   Sein Ursprung und
Verlauf sind noch in zu frischem Andenken, als daß wir
darauf näher einzugehen brauchten.   Es war charakteristisch
genug für die Natur desselben, daß die wichtige, gleich=
falls seit Jahrhunderten schwebende Frage der „Heiligen
Stätten" gleich zu Anfang in den Vordergrund trat.
Sie war nicht blos, wie man von vielen Seiten glauben
wollte, ein Vorwand des eiteln verjährten Streits der
Großmächte um das Dasein des Osmanischen Reichs;
es hingen an ihr im Gegentheil die zwei gewichtigsten
Streitpunkte, um die sich die Lösung der „orientalischen
Frage" eigentlich von jeher gedreht hat und auch noch
fernerhin drehen wird: die Anordnung der Verhältnisse
der christlichen Unterthanen der Pforte, und das Maß
des Einflusses der verschiedenen Großmächte auf die
Politik des Divans und die zukünftige Gestaltung des
europäischen Orients. [191]

Nachdem durch die Wendungen einer ebenso inter=
essanten als verwickelten diplomatischen Verhandlung
hindurch, welche für die Beurtheilung der Stellung der
betheiligten Großmächte zur Pforte und die brennenden
Interessen, die dabei ins Spiel kommen, höchst belehrend

ist, hier aber von uns nicht weiter verfolgt werden kann, eine friedliche Ausgleichung des Streits nicht zu erreichen gewesen war, mußte freilich abermals der immerhin mißliche Versuch gemacht werden, die „orientalische Frage" mit der Schärfe des Schwerts ihrer Lösung näher zu bringen.

Dieser Krieg bekam aber sogleich dadurch einen ganz eigenthümlichen Charakter, daß es sich dabei — darüber ist man wol jetzt völlig im Klaren — von keiner Seite um etwa zu machende Eroberungen, am wenigsten um eine Zerstückelung und Auflösung des Osmanischen Reichs handelte. Die letztere ist dabei niemals ernstlich in Anregung gekommen oder in Frage gestellt worden. Es sollte im Gegentheil, abgesehen von den speciellern Interessen, welche die betheiligten Mächte dazu trieben, ein Kampf für die thatsächliche Befestigung des Princips der Integrität des Osmanischen Reichs sein, welche man als eine der wesentlichsten Bedingungen, als die sicherste Bürgschaft der Erhaltung des Weltfriedens erkannt hatte.

Insofern aber diese Integrität nicht blos durch die Haltung der Großmächte gesichert werden kann, sondern auch durch eine innere Kräftigung „des kranken Mannes" bedingt ist, wurde dieser Krieg zugleich ein Werk der europäischen Civilisation zum Nutzen und im Interesse der Erstarkung osmanischer Macht. Die Reformbestrebungen Mahmud's II. und Abdul=Meschid's haben unter den Mauern von Sewastopol gleichsam ihre blutige Weihe erhalten. Sie sind dadurch, wie nie zuvor, die Sache der europäischen Großmächte, eine der wichtigsten Aufgaben der politischen Arbeit unsers Jahrhunderts geworden. Darin liegt jetzt der Kern der orientalischen

Frage, deren Lösung einer unbestimmten Zukunft angehört.

Die Resultate, welche bisjetzt erreicht sind, erscheinen zwar unbefriedigend, keineswegs aber hoffnungslos. Man kennt die bedeutenden Schritte, welche in dieser Hinsicht unter dem unmittelbaren Einfluß der drei vermittelnden Mächte England, Frankreich und Oesterreich schon während des Kriegs und noch vor dem Abschluß des Friedens vom 30. März 1856 geschehen sind. Ihr Gelingen war gleichsam eine Bedingung des letztern. Die Verheißungen des Hattischeriff von Gülhane sollten durch die Einsetzung des Raths des Tanzimat vom 7. Sept. 1854, welchem die schwere Aufgabe gestellt wurde, die durch die beschlossene Reform nothwendig gewordenen organischen Gesetze ins Leben zu rufen, endlich ihrer Erfüllung zugeführt werden.

Von ihm gingen dann auch, nachdem bereits zuvor durch das Gesetz über die Zulassung des Zeugnisses der Christen vor Gericht in Criminalprocessen, bei welchen Mohammedaner und Christen betheiligt sind (16. März 1854), ein entscheidender Schritt zur Reform der Rechtspflege geschehen war, alle jene Verordnungen aus, welche fortan als die Grundgesetze des neuosmanischen Staatslebens Geltung haben sollen. Die wichtigste, in die alten islamitischen Staatsordnungen am tiefsten einschlagende war ohne Zweifel das Gesetz vom 10. Mai 1856, welches den Karatsch der Rajahs aufhebt und ihre Fähigkeit und Verpflichtung zum Heerdienst ausspricht. Die letztere, eine nothwendige Folge der neuen Militärverfassung überhaupt, bedingte die erstere und die davon unzertrennliche Einführung einer besondern Kriegssteuer.

Allein auch diese Maßregel konnte, eben weil sie in alle Staatsverhältnisse eingriff, nicht vereinzelt stehen bleiben. Die Nothwendigkeit eines den gesammten Staatsorganismus umfassenden, in sich gegliederten Grundgesetzes führte, unter der directen Einwirkung der Vertreter der oben genannten drei vermittelnden Mächte, zu dem Hat=i=Humaïum vom 16. Febr. 1856, welcher durch den bald darauf abgeschlossenen Frieden vom 30. März gewissermaßen förmlich sanctionirt wurde.

Es wäre aber gewiß sehr unrecht, wenn man diesen wichtigen Staatsact, welcher alle Zweige der öffentlichen Verwaltung in Form und Wesen umgestalten soll, schon jetzt, im ersten Stadium seiner praktischen Folgen, einer schonungslosen, mißliebigen Kritik unterwerfen wollte. Man hat, sollten wir meinen, namentlich in dem letzten Decennium in unserm Westen selbst lehrreiche Erfahrungen genug darüber gemacht, daß man Staatsreformen nicht blos mit papierenen Verfassungen und hochtrabenden Verordnungen ins Leben ruft. Es gehören dazu noch ganz andere Dinge.

Man wird daher die ähnlichen Verhältnisse im islamitischen Orient billiger, milder und gerechter beurtheilen, als es in der Regel geschieht. Man wird hoffentlich von der Verwunderung und dem gelegentlichen Spott darüber, daß der Hattischeriff von Gülhane und der Hat=i=Humaïum von 1856, so gut sie auch gemeint waren, bisjetzt in vieler Hinsicht doch nur noch ein eitler Wahn geblieben sind, nach und nach zurückkommen. Völkerbeglückung und Staatenerrettung hat man überhaupt so leichten Kaufs nicht, zumal wo, wie hier, krankhafte Zustände der eigenthümlichsten Art, an denen eine Vergangenheit von Jahrhunderten hängt, durch gründliche Heilung überwunden sein wollen.

Man ist freilich mit Recht ungehalten darüber, daß es seit vier Jahrhunderten nicht hat gelingen wollen, die christlichen Unterthanen des Großherrn in ein angemessenes Verhältniß zu dem barbarischen osmanischen Staatswesen zu versetzen. Hat man aber in unsern hochgebildeten christlichen Staaten etwa nicht nun fast zwei Jahrtausende daran gearbeitet, den standhaften Bekennern des Gesetzes Mosis eine erträgliche bürgerliche und politische Existenz zu sichern, und haben sie dieselbe bis zur Stunde überall wirklich schon erreicht? Die Lösung der orientalischen Frage wird mithin in dieser Beziehung, in Betreff des innern osmanischen Staatslebens, noch lange ein großes Problem der Zukunft bleiben.

Für jetzt ist die Hauptsache, daß man es damit redlich meint, und daß die Geschicke dieses großen Osmanischen Reichs, dem so unendliche Hülfsquellen zu Gebote stehen, in den Händen eines nicht blos so begabten und aufgeklärten, sondern auch so edeln und wohlwollenden Fürsten liegen, wie Sultan Abdul-Medschid ist, eines Fürsten, dem, was die Prüfungen, welche ihm auf dem Thron beschieden waren, und die Schwierigkeiten seiner Stellung betrifft, nicht leicht ein zweiter in Europa an die Seite gesetzt werden könnte. [192])

Aber auch in ihrem Verhältniß zu der auswärtigen Politik der Pforte, welche von ihren innern Zuständen nicht mehr getrennt werden kann, ist die orientalische Frage durch den Pariser Frieden nichts weniger als eine abgeschlossene, vollendete Thatsache geworden. Vielleicht

sind da durch denselben die gehegten Erwartungen selbst
noch mehr getäuscht worden. Sie wird auch in Zukunft,
ja für immer, noch ein Brennpunkt der europäischen Politik bleiben.

Man möchte fast schon glauben, daß man es, da
man nicht darüber einig werden konnte, den Leichnam
des „kranken Mannes" zu theilen und zu zerlegen und
so die Beute „im großen Ganzen" zu genießen, nun
darauf abgesehen habe, ihm nach und nach die einzelnen
Glieder vom siechen Körper zu lösen: hier ein Inselchen,
dort eine Landzunge, da eine Erdscholle, wären es vorerst
auch nur die Schlangeninseln und die Insel Perim.

Und wo eine Wunde klafft, wie schnell ist man da
bei der Hand, um die Heilung nur keinem dritten zu
überlassen! Wie wird man am Ende den jetzt wieder
zum Ausbruch gekommenen Krebsschaden von Montenegro
beseitigen? Vielleicht wird uns die geheimnißvolle Conferenz, die diesen Augenblick in Paris tagt, auch darüber
wie über manches andere, was in dieser brennenden
„orientalischen Frage" noch unerledigt ist, das letzte
Wort sagen.

Das Eine scheint uns indessen nun doch als größter
Gewinn des jüngsten blutigen Versuchs ihrer Lösung
festzustehen: daß das Dasein, selbst die Integrität des
Osmanischen Reichs, als wesentliches Erforderniß der
europäischen Ruhe, auf lange Zeiten gesichert ist, zumal
wenn die begonnene Wiedergeburt desselben den glücklichen Fortgang haben sollte, welchen man im Interesse
europäischer Civilisation und christlicher Gesittung nur
aufrichtig wünschen und hoffen muß. Wir werden vielleicht Gelegenheit finden, auf diese Dinge nochmals

anderwärts zurückzukommen, sobald eine bestimmte Ge=
staltung der dabei in Frage stehenden Verhältnisse, welche
für jetzt nur erst noch in den Anfängen ihrer Entwickelung
begriffen sind, dem gerechten Urtheil eine sichere that=
sächliche Grunblage bietet.

Anmerkungen.

---

1) Nach dem Bericht des damaligen britischen Botschafters zu St.-Petersburg in Raumer's Beiträgen zur neuern Geschichte aus dem britischen und französischen Reichsarchiv (Leipzig 1839), V, 32. Ihm zufolge sagte die Kaiserin, als sie den Gesandten und den dänischen Botschafter zu ihrem Spiel einlud, laut genug, um gehört zu werden: „Da dies für mich ein Tag großer Freude ist, will ich auch nur fröhliche Gesichter in meiner Nähe haben." Die Freude der Kaiserin über das glückliche Ereigniß wird in ähnlicher Weise auch durch eine Depesche des preußischen Gesandten, Grafen von Solms, vom 5. Aug. 1774, bestätigt, im königlichen Geheimen Staatsarchiv zu Berlin.

2) Depesche desselben vom 9. Aug. 1774, daselbst.

3) Depeschen des Freiherrn von Thugut vom 3. und 17. Aug. 1774, mitgetheilt aus dem k. k. Geheimen Staatsarchiv zu Wien bei Hammer, Osmanische Geschichte, VIII, 583 fg.

4) Depesche desselben vom 3. Sept. 1774, bei Hammer, a. a. O., S. 577.

5) Raumer, a. a. O., S. 32.

6) Die betreffenden Abhandlungen befinden sich in den Jahrgängen von 1855, 1856 und 1858 des Historischen Taschenbuch.

7) Die Gründe für und wider den Beitritt zum Heiligen Bund finden sich am besten entwickelt in den Reden, welche damals im Rath der Pregadi darüber gehalten wurden, mitgetheilt von

27 *

Garzoni, Storia della Repubblica di Venezia in tempo della sacra lega contra Maomeddo IV e tre suoi successori (Benedig 1705), S. 48—57.

8) Garzoni, a. a. D., S. 502.

9) Diedo, Storia della Repubblica di Venezia della sua fondazione sino all' anno 1747 (Benedig 1751)., IV, 73: „Era stata la perdita della Morea una spina pungente all' onore de' Turchi, che.... attendevano con ansietà il punto opportuno per la vendetta."

10) Das Nähere über diese orientalische Berwaltung in Morea findet man bei Ranke, Die Benezianer in Morea (1685—1713), in dessen Historisch=politischer Zeitschrift (Berlin 1833—36), II, 405 fg., und in dem derselben gewidmeten Abschnitt in meiner Geschichte des Osmanischen Reichs, V, 473—489.

11) Diedo, a. a. D., S. 85: „Era pubblicata dal Patriarca di Costantinopoli la scommunica contro i sudditi Greci, che prendessero servigio al soldo de' Veneziani"; und de la Motraye, Voyages, I, 462, welcher selbst mit den Griechen von Modon sprach, „qui faisoient des voeux pour retourner sous la domination des Turcs et qui témoignoient envier le sort des Grecs, qui y vivoient encore".

12) de la Motraye, a. a. D., S. 462.

13) Girolamo Ferrari, Notizie storiche della lega tra l'imperatore Carlo VI e la Repubblica di Venezia ed il Gran Sultano Achmet III (Benedig 1723), mitgetheilt von Giuseppe Cappelletti, Storia della Repubblica di Venezia etc. (Benedig 1854), XI, 151 fg.

14) Das Nähere hierüber findet sich in: Leben und Denk=würdigkeiten Johann Matthias Reichsgrafen von der Schulenburg (Leipzig 1834), II, 187, 226, 223; Daru, Histoire de la République de Vénise (Paris 1819), VI, 280, 288, und Graffet St.=Sauveur, Voyage historique littéraire etc. dans les isles et possessions ci-devant vénitiennes du Levant (Paris An VIII), II, 167 fg.

15) Diedo, a. a. D., S. 181—186.

16) Daru, a. a. D., V, 29.

17) Daselbst, S. 48—56.

18) Diebo, a. a. O., IV, 448.

19) Morofini, Historia veneta, Buch XVI, 296: „In allo-tio Contarenus Regi tecto capite praeter morem adstitit."

20) Depesche des preußischen Ministers zu Konstantinopel, errn von Gaffron, vom 17. Juli 1776, im königlichen Geheimen Staatsarchiv zu Berlin. Herrn von Gaffron wurde selbst seine Taschenuhr von solch einem venetianischen Schutzbefohlenen vom Nachttisch hinweggestohlen.

21) Depesche desselben vom 18. Aug. 1777.

22) Depesche des preußischen Gesandten zu St.-Petersburg, Grafen von Solms, vom 4. und 27. März 1775 im königlichen Geheimen Staatsarchiv zu Berlin. Die Signorie, heißt es da, sei willens „à rechercher la Russie et veut lui proposer pour cet effet un traité de commerce assez avantageux à cette cour, pour l'intéresser au sort de la République".

23) Depesche des Herrn von Gaffron vom 2. Aug. 1779 im königlichen Geheimen Staatsarchiv zu Berlin.

24) Daru, a. a. O., V, 41—44.

25) Daselbst, S. 63 fg.

26) Laugier, Histoire des negociations pour la paix conclue à Belgrade etc. (Paris 1768), I, 333—336; II, 21.

27) Die betreffenden Actenstücke gibt Hammer, a. a. O., VIII, 277, 531—537, verglichen mit meiner Geschichte des Osmanischen Reichs, V, 902 fg.

28) Die betreffenden Actenstücke gibt Hammer, a. a. O., S. 319, 551—559, verglichen mit meiner Geschichte des osmanischen Reichs, V, 914 fg.

29) Depeschen des Herrn von Zegelin vom 3. und 17. Juni und 3. und 17. Aug. 1774, im königlichen Geheimen Staatsarchiv zu Berlin.

30) Depeschen des preußischen Gesandten Herrn von Gaffron vom 3. Aug. und 3. und 17. Sept. 1776. In der ersten heißt es unter anderm: „C'est le ministre de France, qu'on peut regarder actuellement comme le secrétaire d'état de la Porte, dès qu'il s'agit de la Pologne et de la Porte."

31) Depeschen desselben vom 18. Febr. und 17. April 1777 und 3. Jan., 3. März und 30. April 1778, im königlichen Geheimen Staatsarchiv zu Berlin.

32) Ueber Jakob Colyer, welcher von Kaiser Lepold I. aus Dankbarkeit für seine Vermittelung bei dem Friedenscongreß zu Carlowicz in den Reichsgrafenstand erhoben wurde, vergleiche meine Geschichte des osmanischen Reichs, V, 348, und dann über seine Betheiligung an den Verhandlungen zu Carlowicz und zu Paſſarowiß: Gründ- und umständlicher Bericht von denen Römisch-Kaiserlichen wie auch Ottomanischen Botschaften, wodurch der Frieden zu Carlowicz bestättiget worden (Wien 1702). Ferner: Theyls, Mémoires pour servir à l'histoire de Charles XII (Leyden 1722), und deſſen Mémoires curieux de la guerre dans la Morée et en Hongrie l'an 1715 (Leyden 1722).

33) Politique de tous les Cabinets de l'Europe, II, 145: „Ce qui est resté à la Hollande de marine militaire suffit à peine pour contenir les Barbaresques, et ils la respectent si peu, que ses armes ont toujours besoin d'être sécondées par des présens."

34) Bolney, Voyage en Syrie et en Égypte, II, 95 fg.

35) Nach den ungedruckten Berichten des kaiserlichen Internuntius Penkler bei Hammer, a. a. O., VIII, 105, 138, 190, 242, 283.

36) Busbequii epistolae, IV, 284. (Ausgabe von Elzevier.)

37) De la domination espagnole en Algérie, in dem officiellen Werk: Tableau de la situation des établissements français dans l'Algérie, (Paris 1840), S. 353.

38) Daselbst, S. 354. Das Manifest beginnt mit den Worten: „Yo el Rey, considerando muy principalmente que estando esta plaza en poder de los barbaros Africanos, es una puerta cerrada a la extension de mi sagrada religion ꝛc."

39) Einige intereſſante Notizen hierüber finden sich in zwei Depeschen Friedrich's des Großen an seinen Gesandten in St. Petersburg, Grafen von Solms, vom 8. Aug. und 26. Sept. 1775 im königlichen Geheimen Staatsarchiv zu Berlin.

40) De la domination espagnole, S. 354.

41) Einige treffende Bemerkungen hierüber finden sich namentlich in einer Depesche des Herrn von Gaffron vom 11. Juni 1777
im königlichen Geheimen Staatsarchiv in Berlin.

42) Der Vertrag selbst, welcher zu Konstantinopel am
14. Sept. 1782 unterzeichnet wurde, findet sich z. B. in Martens'
und Cussy's Recueil manuel et pratique de traités, conventions etc. (Leipzig 1846), I, 235. Die Bestimmung wegen
der Sperre der Meerenge von Gibraltar findet sich darin allerdings nicht. Gleichwol behauptete zuerst Volney, Considérations
sur la guerre actuelle des Turcs (London 1788), S. 55, ihre
Existenz, während sie Peyssonnel, Examen du livre intitulé
Considérations etc. (Amsterdam 1788), S. 110, hinwegleug-
nen will.

43) Die besten Aufschlüsse darüber gibt der damalige französische Gesandte zu St.-Petersburg, Graf von Ségur, in seinen
Mémoires ou souvenirs et anecdotes, dritte Ausgabe (Paris
1827), III, 250, 383, 403, wo die betreffende Depesche des
Grafen Montmorin, des Ministers der auswärtigen Angelegenheiten Ludwig's XVI., gegeben wird.

44) Laugier, a. a. O., I, 259, 268, 299, 306.

45) Daselbst, II, 116—118, 127—130.

46) Der Vertrag selbst wird gegeben daselbst, II, 283—290.

47) Depesche des Herrn von Gaffron vom 18. Jan. 1776
im königlichen Geheimen Staatsarchiv zu Berlin. Ueber die von
Frankreich in dieser Zeit und noch später an Schweden gezahlten
Subsidien im Betrag von 800000 und dann 1½ Mill. Livres
jährlich findet man das Nähere bei Geijer, König Gustaf's III.
nachgelassene Papiere. Aus dem Schwedischen (Hamburg 1843),
II, 193; III, 1. Abth., 9; 2. Abth., 162 fg.

48) Daselbst, III, 2. Abth., 176, 182; Ségur, a. a. O.,
III, 323, 346.

49) Diese Note vom 1. Juli 1787 findet sich daselbst,
S. 315.

50) Eton, Tableau historique de l'empire ottomane, franz-
zösisch von Lefebvre (Paris An VII), II, 152.

51) Ségur, a. a. O., III, 317, 318.

52) Daselbst, S. 334.

53) Diese Denkschrift wird gegeben bei Abeken, Der Eintritt der Türkei in die europäische Politik des 18. Jahrhunderts (Berlin 1856), S. 248 fg.

54) Dieser Vertrag findet sich in dem Recueil de tous les traités, conventions, mémoires et notes, conclus et publiés par la Couronne de Danemarc dès l'année 1776 jusqu'en 1794 (Berlin 1796), S. 71—79.

55) Auf diesen Versuch beziehen sich namentlich zwei unter dem 8. März 1791 von dem dirigirenden dänischen Minister, Grafen von Bernstorf, an das Cabinet von St.-Petersburg gerichtete Noten, bei Abeken, a. a. O., S. 252 fg.

56) Laugier, a. a. O., I, 73—81; II, 265—275.

57) Daselbst, II, 21—30, 287—292.

58) In einem Schreiben aus Konstantinopel aus dieser Zeit, welches im Mercure historique, CIV, 406, gegeben wird, heißt es namentlich, daß man auf seiten der Pforte die Heeresmacht des Kaisers weit weniger fürchte, als die Rußlands, wobei ausdrücklich bemerkt wird: „Les Turcs disent hautement qu'il n'y a plus de prince Eugène." Die genauesten Nachrichten über die betreffenden Verhandlungen im Lager des Großveziers finden sich in (Neipperg,) Umständliche auf Originaldocumente gegründete Geschichte der sämmtlichen und wahren Vorgänge bei der Unterhandlung des zu Belgrad am 18. Sept. 1739 geschlossenen Friedens (Frankfurt und Leipzig 1790), S. 33—79, 235—276, verglichen mit Laugier, a. a. O., II, 30—71.

59) Der Friedensvertrag findet sich bei Laugier, a. a. O., S. 336—354. Die hier berührten Bestimmungen desselben lauten wörtlich: „La Russie ne pourra ni sur la mer de Zabache, ni sur la mer Noire construire et avoir de flotte et d'autres navires", und dann: „Pour ce que regarde le commerce des Russes sur la mer Noire, il sera fait sur les bâtiments appartenants aux Turcs."

60) Mercure historique, CVII, 522.

61) Laugier, a. a. O., S. 261, und Mercure historique,

CXI, 499, wo der Vertrag vom 7. Sept. 1741 vollständig ge=
geben wird.

62) Depeschen Bonneval's und Castellane's bei Hammer,
a. a. O., VIII, 487—496.

63) Nach den soeben angeführten Depeschen daselbst, S. 90, 495.

64) Depesche des Grafen Desalleurs an den Minister Puis=
sieur vom 23. Nov. 1748, daselbst, VIII, 501, und Vergennes,
Mémoire sur la Porte Ottomane, composé au retour de son
ambassade à Constantinople, in Politique de tous les Cabinets, zweite Ausgabe (Paris 1801), III, 115.

65) Depesche des Grafen Desalleurs bei Hammer, a. a. O.,
S. 501.

66) Politique de tous les Cabinets, I, 59. Dann Favier,
Conjectures raisonnées sur la situation actuelle de la France
dans le système politique de l'Europe, daselbst, II, 8;
dessen Doutes et questions sur le traité de Versailles du
1 mai 1756, daselbst, III, 251; und Vergennes, a. a. O.,
S. 117 fg.

67) Extrait de la convention ou traité secret entre le
Roi et l'Impératrice - Reine, signé à Versailles le 30 Dé-
cembre 1758, in Politique de tous les Cabinets, II, 67 fg.

68) Am schärfsten, wenn auch vielleicht etwas zu grell, hebt
diese Punkte heraus Favier, a. a. O., S. 302—308.

69) Vergennes, a. a. O., S. 119 fg.

70) Daselbst, S. 123.

71) Daselbst, S. 130.

72) Depeschen des Grafen von Vergennes, bei Hammer, a.
a. O., VIII, 277, 535—537, und dessen Mémoire, S. 132.

73) Vergennes, a. a. O., S. 139.

74) Politique de tous les Cabinets, II, 173; Eton, a. a. O.,
II, 166.

75) So namentlich Ségur in den Anmerkungen zu dem öfter
erwähnten Mémoire des Grafen Vergennes, a. a. O., S. 154:
„Le gouvernement français a certainement accéléré la ruine
des Turcs par la faute, qu'il a commise en leur faisant
faire seuls la guerre à Cathérine II."

76) de la Motraye, a. a. O., I, 294.

77) Daselbst; S. 179. Die mit Algier in den Jahren 1700, 1703 und 1716, und mit Tunis und Tripolis im Jahr 1699 erneuerten Verträge finden sich bei Chalmers, A collection of treaties etc., II, 386, 388.

78) Ueber die gedrückten Verhältnisse der englischen Levante= compagnie in damaliger Zeit finden sich die genauesten Notizen bei Hanway, An historical account of the British trade over the Caspian sea (London 1762), S. 34—46, 312—329, und Eton, a. a. O., S. 230.

79) Favier, a. a. O., I, 349: „L'ambassadeur d'Angle= terre à Constantinople y est, pour ainsi dire, le chargé-d'affaires de la Russie."

80) Nach den Berichten des kaiserlichen Internuntius, Baron von Thugut, bei Hammer, a. a. O., VIII, 375.

81) Ueber diese letztern vergeblichen Bemühungen Englands, den Frieden zu vermitteln, finden sich die besten Aufschlüsse in den Depeschen des Herrn von Zegelin vom 2. und 18. April 1774 im königlichen Geheimen Staatsarchiv zu Berlin.

82) Der vollständige Text des Vertrags findet sich am besten nach einem vollständigen Exemplar in den wiener Archiven bei Hammer, a. a. O., VIII, 567.

83) Friedrich der Große, Mémoires de 1763—75, Oeu-vres, VI, 40, 69.

84) Den Allianzvertrag zwischen Oesterreich und Rußland vom Jahr 1726 gibt vollständig Rousset, Intérêts présents des puis-sances de l'Europe, III, 442. Ueber die Wirkungen, welche er in Konstantinopel machte, bemerkt unter anderm Theyls in einer Depesche vom 28. März 1726: „L'allianza tra l'augustissima Corte e Moscovia fa un gran strepido quì", Hammer, a. a. O., VII, 340. Die Erklärung der Pforte endlich an den kaiserlichen Internuntius gibt Rousset im Mercure historique, CI, 157, 508.

85) Schmettau, Mémoires secrets de la guerre de Hongrie (Frankfurt 1771), Avant-propos, S. 9; Versuch einer

Lebensbeschreibung des Feldmarschalls Grafen von Seckendorf (1792), II, 9.

86) Dieses „Manifeste de l'Empereur pour déclarer la guerre aux Turcs" findet sich bei Rousset im Mercure historique, CIII, 164—180.

87) Das Nähere darüber findet sich im 2. Bd. der angeführten Lebensbeschreibung des Feldmarschalls von Seckendorf.

88) Laugier, a. a. D., II, 201, 222, 224.

89) Daselbst, S. 334.

90) Depeschen des Herrn von Zegelin vom 4. und 18. Jan., 3. März und 17. Sept. 1773 im königlichen Geheimen Staatsarchiv zu Berlin.

91) Depeschen desselben vom 3. April 1773, 17. Febr., 3. und 18. April und 3. Juni 1774.

92) Den Vertrag vom Jahr 1720 gibt Bacmeister, Beiträge zur Geschichte Peter's des Großen (Riga 1784), II, 415. Noch kurz vor dem Abschluß desselben hatte der Großvezier selbst dem englischen Gesandten Stanyan die Versicherung gegeben, daß die Pforte niemals zugeben werde, daß Rußland einen stehenden Gesandten bei ihr unterhalten dürfe.

93) Alles, was sich auf die Händel zwischen Rußland und der Pforte am Kaspischen Meer bezieht, befindet sich am ausführlichsten dargestellt in dem handschriftlichen Journal von der Commission wegen der Grenzscheidung in Persien von Major Garber, welcher als einer der russischen Commissare thätig war, auf der königlichen Bibliothek zu Berlin.

94) Diese Denkschrift wird gegeben in dem Tagebuch des Feldmarschalls Grafen von Münnich bei Herrmann, Beiträge zur Geschichte des russischen Reichs (Leipzig 1843), S. 144 fg.

95) Das russische Kriegsmanifest wird gegeben von Rousset im Mercure historique, CI, 37—67; die osmanische Kriegserklärung daselbst, S. 99.

96) Dieser Friedensvertrag findet sich, wie in Anm. 59 erwähnt, vollständig bei Laugier, a. a. D., II, 336—354. Die bereits angeführten zwei wichtigen Bestimmungen desselben über die Schiffahrt und den Handel im Schwarzen Meer sehe man in Anm. 59.

97) Diese Convention wird vollständig gegeben im Mercure historique, CXI, 499.

98) Die hierher gehörigen Actenstücke finden sich bei Hammer, a. a. O., VIII, 547, 549.

99) Dieses russische Manifest findet sich in: Geschichte des gegenwärtigen Kriegs zwischen Rußland, Polen und der Ottomannischen Pforte (Frankfurt und Leipzig 1771), IV, 42—51.

100) Dohm, Denkwürdigkeiten, II, 13.

101) Der Briefwechsel zwischen Voltaire und der Kaiserin beschäftigt sich vorzüglich mit diesem Gegenstand; Voltaire, Oeuvres, LXXVIII, Ausgabe von Zweibrücken.

102) Dieses in griechischer Sprache abgefaßte Manifest wird in deutscher Uebersetzung gegeben: Geschichte des gegenwärtigen Kriegs, VI, 75.

103) Depeschen des Herrn von Zegelin vom 4. Jan., 3. März und 17. Aug. 1773. Nach der letztern erklärte die Pforte geradezu, sie könne Kertsch und Jenikale nicht aufgeben, weil davon die Sicherheit ihres Reichs abhänge. Sie würde sich dadurch selbst den Weg zu ihrem Untergang bahnen. Es wäre mithin besser, mit den Waffen in der Hand zu sterben, als einen so schändlichen Frieden einzugehen.

104) Sie ergibt sich namentlich aus einer Depesche des Herrn von Saffron vom 17. Jan. 1777, der zufolge der energische Großvezier Derendely noch um diese Zeit den Kaimakan des Lagers, Jegen-Pascha und den Kaimakan von Konstantinopel, Melek-Mohammed, sowie den Reis-Efendi Ismael-Beg deshalb zur Rechenschaft gezogen und bestraft wissen wollte.

105) Die besten Aufschlüsse darüber haben wir in einer Depesche des preußischen Gesandten zu St.-Petersburg, Grafen von Solms, vom 22. März 1774, im königlichen Geheimen Staatsarchiv zu Berlin gefunden.

106) Depesche des Herrn von Zegelin vom 17. April 1773.

107) Depesche des Grafen Solms vom 8. Mai 1774. Im Betreff der friedlichen Gesinnungen des Grafen Panin heißt es hier: „Il est seulement à souhaiter, que ces sentiments puissent s'accorder avec ceux de l'impératrice qui a tou-

jours devant les yeux la gloire qui l'attend par l'humiliation de la Porte."

108) Hierauf bezieht sich vorzüglich der interessante Briefwechsel zwischen Friedrich dem Großen und Voltaire in den Oeuvres des erstern (Berlin 1853) XXIII, 224, 225, 265.

109) Der Vertrag findet sich bei Hertzberg, Recueil des déductions, manifestes, déclarations ꝛc. (Berlin 1790), I, 486.

110) Für diese Verhältnisse ist vorzüglich der Briefwechsel des Königs mit dem Marquis d'Argens, Oeuvres, XIX, 234, 267, 312, 323, 326, 332 ꝛc., von großem Interesse.

111) Des türkischen Gesandten Resmi=Achmed=Efendi gesandtschaftliche Berichte, aus dem Türkischen übersetzt (Berlin 1809), S. 91, und Hammer, a. a. O., VIII, 527, wo der von Rexin vorgelegte Vertragsentwurf vollständig gegeben wird.

112) Friedrich der Große, Mémoires de 1763—75, Oeuvres, VI, 27. „Il n'était pas de l'intérêt de la Prusse de voir la puissance ottomane entièrement écrasée, parceque'en cas de besoin elle pourrait être utilement employée à faire des diversions, soit dans la Hongrie, soit en Russie, selon les puissances avec lesquelles on serait en guerre." Im December 1772 äußerte er sich über die Dauer des Osmanischen Reichs gegen Voltaire dahin: „Si les Turcs n'ont pas été, cette fois, expulsés de l'Europe, il faut l'attribuer aux conjonctures. Cependant ils ne tiennent plus qu'à un filet, et la première guerre qu'ils entreprendront achevera probablement leur ruine entière." Correspondance in den Oeuvres, XXIII, 227.

113) Friedrich der Große, Mémoires, VI, 40, 69.

114) Wir ersehen dies am deutlichsten aus den Depeschen des Herrn von Zegelin, namentlich vom 17. April, 3. und 17. Mai 1773, und 3. Jan. 1774 im königlichen Geheimen Staatsarchiv zu Berlin.

115) Depesche im königlichen Geheimen Staatsarchiv zu Berlin.

116) Depeschen des Herrn von Zegelin vom 3. und 17. Sept. 1774, wo auch der Wortlaut der ihm von der Pforte für den König zugestellten Note gegeben wird.

117) Depesche desselben vom 3. Oct. 1774. Das mündliche Ultimatum des Reis=Efendi lautet danach: „Il est aisé de juger, si des engagements pareils peuvent être stables; mais les circonstances peuvent et doivent changer. Si donc les Russes veulent une paix durable et établir une amitié sincère, il faut adoucir ces conditions et les rendre supportables."

118) Depesche desselben vom 17. Oct. 1774.

119) Depeschen desselben vom 3. Oct. und 17. Nov. 1774.

120) Wir folgen hier wörtlich den höchst wichtigen Depeschen des Grafen von Solms vom 21. und 25. Oct. und 8. Nov. 1774 im königlichen Geheimen Staatsarchiv zu Berlin, wobei sich auch die vollständige Antwort der Kaiserin auf die Note der Pforte befindet. Nur hieraus und aus den Depeschen des preußischen Gesandten zu Konstantinopel lernen wir die damalige Stimmung des Cabinets von St.=Petersburg, und mithin den eigentlichen Stand der orientalischen Frage, erst genauer kennen.

121) Depesche des Königs an den Grafen Solms vom 6. Nov. 1774.

122) Depesche des Grafen Solms vom 25. Nov. 1774.

123) Depesche des Herrn von Zegelin vom 3. Dec. 1774.

124) Depesche desselben vom 17. Nov. und des Grafen Solms vom 25. Nov. 1774. Die erst im nächsten Jahr nach St.=Petersburg gelangte Ratificationsurkunde trug auch wirklich noch das Datum vom 2. Nov. 1774, wie wir aus einer Depesche des Grafen Solms vom 2. März 1775 ersehen.

125) Depesche des Herrn von Zegelin vom 3. Oct. 1774.

126) Depesche desselben vom 3. Febr. 1775.

127) Depesche desselben vom 3. Nov. 1774.

128) Depesche des Grafen von Solms vom 2. Oct. 1774.

129) Depeschen desselben vom 18. und 21. Oct. und Erwiderung des Königs darauf vom 5. Nov. 1774.

130) Depeschen des Herrn von Zegelin vom 17. Nov. und 3. Dec. 1774.

131) Depeschen des Grafen von Solms vom 8. Nov. und des Königs vom 26. Nov. 1774.

132) Depesche des Herrn von Zegelin vom 18. April 1775.

133) Depeschen des Grafen von Solms vom 16. und 20. Dec. 1774, wobei sich auch ein vollständiger Auszug aus der vom Fürsten von Lobkowitz dem Grafen Panin überreichten Note befindet.

134) Depesche des Herrn von Zegelin vom 17. Febr. 1775, wo diese Denkschrift im Auszug mitgetheilt wird.

135) Depeschen des Königs vom 7. Jan. und 25. März und des Grafen von Solms vom 17. Jan. 1775.

136) Depeschen des Grafen von Solms vom 1. und 11. Mai 1775.

137) Diese Verträge werden zum ersten mal gegeben bei Neumann, Recueil des traités et conventions conclus par l'Autriche avec les puissances étrangères depuis 1763 jusqu'à nos jours (Bd. I Leipzig 1855), 173, 199—205. Jedoch scheint namentlich der Vertrag vom 7. Mai 1775, wie er hier nach einem Exemplar in dem wiener Hof- und Staatsarchiv gegeben wird, nicht ganz vollständig zu sein. Denn nach einer Depesche des Herrn von Zegelin vom 17. Mai 1775 im königlichen Geheimen Staatsarchiv zu Berlin hatte sich Oesterreich noch darin ausdrücklich verpflichtet, allen seinen weitern Ansprüchen auf Bosnien, Serbien und die Walachei zu entsagen und den Subsidienvertrag vom Jahr 1771 als annullirt zu betrachten. Davon findet sich aber in dem Vertrag, wie ihn Neumann gibt, kein Wort. Hatte der wiener Hof nicht vielleicht ein besonderes Interesse, diese beiden wichtigen Bestimmungen, welche möglicherweise nur in geheimen Separatartikeln enthalten sein könnten, später gänzlich zu beseitigen? Die betreffenden Verträge hat aus Neumann's Sammlung auch Sammer, Recueil général de traités (Göttingen 1857), Bd. 2., wieder mit aufgenommen.

138) Dieses hebt namentlich der Graf von Solms noch in einer Depesche vom 4. März 1777 ganz besonders heraus.

139) Resmi - Achmed - Efendi, Wesentliche Betrachtungen, übersetzt von Diez (Berlin 1813), S. 250 fg.

140) Depesche des Herrn von Gaffron vom 17. Dec. 1777.

141) Depeschen des Herrn von Zegelin vom 3. und 17. Juni

und 3. und 17. Juni 1775, und des Herrn von Gaffron vom
3. April 1776.

142) Depesche des Herrn von Gaffron vom 3. Juli 1776.

143) Depeschen desselben vom 17. Dec. 1776 und 3. Jan.
1777, und des Grafen von Solms vom 10. Dec. 1776 und
7. Jan. 1777. Bei den letztern befindet sich sowol die betreffende
Erklärung der Kaiserin als auch die Antwort der Pforte in ihrem
vollständigen Wortlaut. Das Nähere darüber wird man im
6. Bd. meiner Geschichte des Osmanischen Reichs finden, welcher
sich gegenwärtig unter der Presse befindet.

144) Depeschen des Herrn von Gaffron vom 17. und 20. Jan.
und 4. Febr. 1777.

145) Die besten Aufschlüsse über diese Verhältnisse gibt der
einer Depesche des Herrn von Gaffron vom 3. Juni 1777 bei:
liegende „Recit du changement survenu en Crimée".

146) Depesche desselben vom 30. Oct. 1779 mit einem aus:
führlichen, höchst interessanten Bericht über jene Conferenz, auf
welchen wir anderwärts zurückkommen.

147) Depesche desselben vom 18. Nov. 1777 nebst einer ge:
nauen Erzählung dieser Vorfälle in einem „Rapport d'une personne arrivée de Crimée le 6 Novembre 1777".

148) Depeschen desselben vom 17. und 24. Aug. 1778.

149) Depeschen desselben vom 14. und 17. Sept. 1778.

150) Sie findet sich z. B. bei Wilkinson, Tableau historique, géographique et politique de la Moldavie et de la
Valachie (Paris 1824), S. 216 fg.

151) Depesche des Herrn von Gaffron vom 17. Mai 1779.

152) Ueber den Plan, Oesterreich zu einer solchen Garantie
zu vermögen, welcher auch vom Grafen Panin nicht ganz ver:
worfen wurde, spricht der Graf von Solms in einer Depesche
vom 29. April 1777; und über die beabsichtigte Tripleallianz,
welche auch in Konstantinopel großen Anklang fand, Herr von
Gaffron in seinen Depeschen vom 5. Aug. und 17. Nov. 1779.

153) Depesche des Herrn von Gaffron vom 17. Dec. 1779.

154) Depesche desselben vom 18. Aug. 1777. Nach den Be:

richten des Herrn von Cocceji wäre Schahin Girai gewesen „un prince très-éclairé, grand en toutes ses actions et rempli de ce génie actif propre à convertir promptement un peuple superstitieux et vagabond en une nation industrieuse et civilisée."

155) Beide Verträge finden sich bei Martens und Cussy, a. a. O., I, 278 fg., 315 fg.

156) Ségur, a. a. O., III, 178.

157) Daselbst, S. 288 fg.; Eton, a. a. O., II, 161; Chalmers, a. a. O., I, 14 fg.

158) Diese Denkschrift wird mitgetheilt von Flassan, Histoire de la diplomatie française, Zweite Ausgabe, VII, 184 fg.

159) Dohm, a. a. O., II, 23 fg.; Häusser, Deutsche Geschichte vom Tod Friedrich's des Großen 2c. (Leipzig 1854), I, 196 fg., zum Theil nach handschriftlichen Materialen. Wir werden selbst Gelegenheit haben, über diese interessanten und wichtigen Verhältnisse im 6. Bd. unserer Osmanischen Geschichte nach archivalischen Nachrichten einige neue und genaue Aufschlüsse zu geben.

160) Ségur, a. a. O., II, 265.

161) Choiseul-Gouffier, Voyage pittoresque de la Grèce (Paris 1778), Bd. I, in der Einleitung.

162) Depesche des Herrn von Gaffron vom 17. Jan. 1777.

163) Dohm, a. a. O., II, 59, 74.

164) Ségur, a. a. O., II, 302, 338.

165) Marcard, Zimmermann's Verhältnisse mit der Kaiserin Katharina II. (Bremen 1803), S. 362, 386.

166) Ségur, a. a. O., III, 21.

167) Daselbst, S. 125.

168) Daselbst, S. 178.

169) Ausführlicher findet man diese interessanten Verhältnisse besprochen bei Häusser, a. a. O., S. 289 fg., vorzüglich nach den auf der königlichen Bibliothek zu Berlin befindlichen handschriftlichen Papieren des Herrn von Diez, welche auch wir in ausgedehnterm Maß im 6. Bd. unserer Geschichte des Osmanischen Reichs benutzt haben.

170) Gegeben in der Ausführlichen Geschichte des Kriegs zwi=
schen Rußland, Oesterreich und der Türkei (Wien 1791), I, 11.

171) Diez, „Insinuations faites à la Porte rélativement aux
affaires du temps et à celles de la Prusse en particulier",
auf der königlichen Bibliothek zu Berlin, Nr. 3.

172) Daselbst, Nr. 6, Instruction vom 17. Juni 1788.

173) Ségur, a. a. O., S. 287.

174) Wir besitzen selbst eine werthvolle Sammlung von in
dieser Zeit zu London erschienenen Flugschriften, welche die öffent=
liche Stimmung am stärksten charakterisiren. Sie sind sämmtlich
vom glühendsten Haß gegen die Pforte und der unbeschränktesten
Hingebung für Rußland beseelt. Handelsinteressen waren auch
hier wieder die bedingenden Motive. Die bedeutendsten dieser
sämmtlich in den ersten Monaten des Jahrs 1791 erschienenen
Broschüren sind: Considerations on the approach of war and
the conduct of His Majesty's ministers; Serious inquiries
into the motives and consequences of our present armament
against Russia; An address of the people of England upon
the subject of the intended war with Russia u. s. w.

175) Die hierher gehörigen Verträge finden sich bei Neumann,
a. a. O., I, 414 fg., 431 fg., 454 fg.

176) Der Friedensvertrag von Jassy findet sich bei Wilkinson,
a. a. O., S. 230—241. Die die Donaufürstenthümer betref=
fenden Fermans sind sämmtlich wieder in den Hat=i=Humaïum
vom Jahr 1802 aufgenommen, daselbst, S. 361—387, und der
Sened vom Jahr 1783 wird gegeben, daselbst, S. 355.

177) Eton, a. a. O., II, 88 fg.

178) Unter den vielen Schriften, welche durch die orientalischen
Bewegungen der letzten Jahre ins Leben gerufen worden sind,
erinnern wir blos für weitere Ausführung an Roepell, Die orien=
talische Frage in ihrer geschichtlichen Entwickelung 1774—1830
(Breslau 1854) und an Wurm's soeben ausgegebene Diplomatische
Geschichte der orientalischen Frage (Leipzig 1858; früher in ein=
zelnen Aufsätzen in der „Gegenwart" erschienen).

179) Der erstere Plan ist genauer entwickelt in Projet secret
présenté à l'Empereur Ottoman Mahomet V par Ali−Ben−

Abdallah, Pacha du Caire.   Traduit du Turc (Utrecht 1754). Ueber den Plan Derendely's dagegen gibt eine Depesche des Herrn von Gaffron vom 17. Jan. 1777, im königlichen Geheimen Staats=archiv zu Berlin, die nähern Aufschlüsse.

180) Hierfür erlaube ich mir besonders auf meine Geschichte des Osmanischen Reichs, V, 148, hinzuweisen.

181) Das Beste über die Reformbestrebungen Selim's III. und die dadurch herbeigeführten Thronumwälzungen findet man noch immer bei Juchereau de St.=Denys, Révolutions de Con-stantinople en 1807 et 1808 (2 Bde., Paris 1819), zum größten Theil auch wiederaufgenommen in dessen Histoire de l'Empire Ottoman depuis 1792 jusqu'en 1844 (Paris 1844), II, 101—127, 198—271.

182) Nach der erst vor kurzem erschienenen officiellen Corre-spondance de Napoléon I (Paris 1858), Bd. I.

183) Juchereau de St.=Denys, Histoire II, 64.

184) Nähere Aufschlüsse über die damaligen geheimen Sen=dungen Bonaparte's, namentlich nach der Maina, finden sich in Voyage de Dimo et Nicolo Stephanopoli en Grèce pendant les années 1797 et 1798 (2 Bde., London 1800).

185) Der Friedensvertrag von Bukarest findet sich vollständig bei Wilkinson, a. a. O., S. 242—254.

186) Wer sich über diese interessanten Verhältnisse nähere Aufschlüsse verschaffen will, dem empfehlen wir vorzüglich das vortreffliche Buch von Moltke, Der russisch=türkische Feldzug in der europäischen Türkei 1828 und 1829 (Berlin 1845). Der Verfasser, Major im königlich preußischen Generalstab, befand sich damals selbst an Ort und Stelle.

187) Den Text dieses Friedensvertrags bei Martens und Cussy, a. a. O., IV, 221—228.

188) Die hierher gehörigen Verträge und Actenstücke sind sämmtlich in dem 4. und 5. Bd. des Werks von Martens und Cussy aufgenommen worden.

189) D'Angeville, La vérité sur la question d'Orient (Paris 1841), S 90, ein über den damaligen Stand der orientalischen

Frage sehr gehaltreiches Buch, welches indeß wenig gekannt zu sein scheint.

190) Der Hattischeriff von Gülhane nebst dem Ferman seiner Bekanntmachung und dem Strafgesetzbuch vom Mai 1840 finden sich in türkischer und deutscher Sprache bei Petermann, Beiträge zu einer Geschichte der neuesten Reformen des Osmanischen Reichs (Berlin 1842).

191) Ueber die Frage der „Heiligen Stätten" in frühern Zeiten, seit dem 16. Jahrhundert, erlauben wir uns auf den 3. Bd. unserer Osmanischen Geschichte, S. 806—828, zu verweisen. Ueber ihr Verhältniß zu den jüngsten Beziehungen im Osmanischen Reich findet man dagegen einige sehr gute Bemerkungen in dem soeben erschienenen Werk von Eichmann, Die Reformen des Osmanischen Reichs mit besonderer Berücksichtigung des Verhältnisses der Christen des Orients zur türkischen Herrschaft (Berlin 1858).

192) Was sich über den gegenwärtigen Stand und die Zukunft der orientalischen Frage, soweit sie das innere Staatsleben des Osmanischen Reichs betrifft, sagen läßt, findet man in dem eben genannten, mit Einsicht, Sachkenntniß und wohlwollender Gesinnung geschriebenen Werk von Eichmann, welches auch den Text des Hat=i=Humaïum vom 18. Febr. 1856 und eine Reihe anderer damit in Beziehung stehender Actenstücke enthält.

———————

Druck von F. A. Brockhaus in Leipzig.